FRANCK THILLIEZ

Né en 1973 à Annecy, Franck Thilliez, ancien ingénieur en nouvelles technologies, vit actuellement dans le Pas-de-Calais. Il est l'auteur de *Train d'enfer pour Ange rouge* (2003), *La Chambre des morts* (2005), *Deuils de miel* (2006), *La Forêt des ombres* (2006), *La Mémoire fantôme* (2007), *L'Anneau de Moebius* (2008) et *Fractures* (2009). *La Chambre des morts*, adapté au cinéma en 2007, a reçu le prix des lecteurs Quais du Polar 2006 et le prix SNCF du polar français 2007.

Plus récemment, Franck Thilliez a publié *Le Syndrome [E]* (2010), *[GATACA]* (2011) et *Atom[ka]* (2012) – trois enquêtes réunissant à nouveau Franck Sharko et Lucie Henebelle – ainsi que *Vertige* (2011), *Puzzle* (2013) et *[Angor]* (2014), tous chez Fleuve Éditions. Son dernier roman, *Pandemia*, a paru en 2015 chez le même éditeur.

L'ensemble de ses titres, salués par la critique, se sont classés à leur sortie dans la liste des meilleures ventes.

[ANGOR]

FRANCK THILLIEZ

[ANGOR]

fleuvenoir

© 2014, Fleuve Éditions, département d'Univers Poche.
ISBN : 978-2-266-26231-6

À tous ceux qui sauvent des vies

1

Vendredi 10 août 2012

Une jeune automobiliste de 23 ans, impliquée dans un accident de voiture, a été retrouvée morte plusieurs heures après le drame, à un kilomètre à peine de son domicile familial, à la sortie de Quiévrain.

Assise à son bureau, l'adjudant Camille Thibault surligna « a été retrouvée morte » et ne prit pas la peine de lire la suite. Elle referma le journal belge *La Province*, édition du 28 juillet 2011, avant de passer à l'enveloppe suivante, qui contenait un numéro du quotidien suisse *24 Heures*, même date. Elle se rendit directement à la rubrique des faits divers et trouva d'un coup d'œil ce qui l'intéressait.

Deux accidents de la route s'étaient produits ce jour-là, le 28 juillet, à une trentaine de kilomètres de distance. Le premier n'avait pas été mortel, le choc ayant été latéral, et l'automobiliste s'en était sorti avec un traumatisme crânien. De ce fait, Camille élimina l'article sur-le-champ.

Les vivants ne l'intéressaient pas.

La photo du second présentait une moto de forte cylindrée couchée contre la glissière de sécurité. Le titre disait : *Terrible drame de la route à Meikirch*. La jeune femme but une gorgée de thé vert sans sucre, histoire de faire durer le moment, et se focalisa finalement sur le texte. L'accident s'était produit vers minuit, sur une voie rapide. L'automobiliste, sous l'emprise de l'alcool, n'avait pas vu le motard et s'était déporté sur la gauche alors que le deux-roues fonçait à plus de cent cinquante kilomètres par heure. La vitesse d'un côté, l'alcool de l'autre : des circonstances qui n'avaient pu conduire qu'à un bain de sang. On avait retrouvé le motard à trente-trois mètres de sa monture, une Ninja 1 000 débridée.

Camille surligna au feutre jaune fluo « décédé de multiples traumatismes et hémorragies ». Ses organes n'avaient pas pu être prélevés. Elle stoppa sa lecture et fourra, déçue, le quotidien avec les autres.

Six nouveaux journaux commandés aux quatre coins de Suisse et de Belgique… Et chou blanc. Crispée comme chaque fois qu'arrivait ce type de courrier, Camille mit à jour le listing sur son ordinateur. Plus de cent cinquante lignes indiquaient des dates aux alentours de sa greffe cardiaque – les 26, 27 ou 28 juillet 2011 – et la provenance des journaux. Après avoir épluché tous les quotidiens et hebdomadaires de France, décortiqué les faits divers les uns après les autres, elle avait élargi ses recherches aux pays frontaliers.

Sur son fichier informatique, seulement neuf lignes étaient écrites en rouge.

Neuf espoirs. Qui s'étaient soldés, après vérification, par neuf échecs.

Camille ferma le logiciel, encore une fois déçue.

Elle fixa un long moment son gobelet de thé fumant. Les interrogations revenaient jour après jour, chaque fois plus nombreuses.

Qui es-tu vraiment ? songea-t-elle. *Où te caches-tu ?*

Elle abandonna ses pensées avec difficulté et revint dans son petit bureau, à la cellule d'investigations criminelles – la CIC – de la gendarmerie de Villeneuve-d'Ascq. Une ville dans la ville, cette caserne, avec onze hectares de logements, de bureaux, d'équipements, où s'activaient plus de mille trois cents officiers, gradés, gendarmes et gendarmes adjoints volontaires capables d'intervenir sur cinq départements au nord de Paris. Ça sentait la testostérone, mais Camille était à sa place au milieu de tous ces hommes. Une « femme mec » avec un physique solide, des épaules trop larges pour une poitrine timide. Sa carrure compensait les ravages secrets que son organisme subissait. L'édifice était joli, puissant, et plaisait à la gent masculine.

En plein mois d'août 2012, une bonne partie des locaux – notamment ceux de la Section de recherches où elle était régulièrement détachée – étaient aux trois quarts vides. Pas de grosse affaire en cours, des températures infernales, un ciel limpide avant les orages annoncés pour le début de la semaine suivante. Les collègues avaient déserté les terres du Nord, et ils avaient eu raison. On était vendredi, ses congés à elle arrivaient pile dans une semaine. Elle avait prévu de passer la quinzaine chez ses parents partis s'installer du côté d'Argelès, dans les Hautes-Pyrénées. Au programme, soleil, un peu de marche et de lecture. À cause de toutes ces recherches infructueuses dans les journaux, elle avait besoin de décrocher et attendait ce moment avec impatience.

Elle s'installa plus confortablement face à son ordinateur et entreprit de travailler sur la journée de formation qu'elle donnerait, d'ici un mois, aux étudiants de l'institut de criminologie et de sciences criminelles de l'université Lille 2. Il s'agissait de les recevoir dans les locaux, de mettre en place une scène de crime avec un mannequin – probablement dans la salle de sport – et de leur expliquer l'attitude qu'un technicien d'investigation devait adopter face à la découverte d'un corps. L'air de rien, cela demandait pas mal de préparation. Et parler à plus de dix personnes en même temps, ce n'était pas trop son truc.

Sans s'en rendre compte, en pleine réflexion, elle tripotait le paquet de cigarettes qu'elle avait acheté ce matin-là. Des Marlboro Light, paquet de quinze.

— Ne me dis surtout pas que tu vas te mettre à fumer à trente-deux ans, adjudant Thibault ? fit une voix masculine.

Camille glissa le paquet dans la poche de son pantalon de service bleu nuit. Devant elle se tenait un gaillard costaud dans son polo bleu ciel, la quarantaine, cheveux blonds tondus à ras. Une tête de poupon sur un corps de statue grecque. Avec Boris, ils travaillaient sur des affaires communes depuis plus de huit ans. Lui, en tant qu'officier de police judiciaire à la Section de recherches – située dans le bâtiment juste en face – et elle, en tant que technicienne d'investigations criminelles, que tous surnommaient avec affection « TIC ».

— Il se passe des choses bizarres, répliqua-t-elle. Je n'ai jamais fumé de ma vie mais j'ai eu une brusque envie d'acheter un paquet ce matin, de cette marque-là précisément, et avec ce nombre de cigarettes. Alors, je l'ai fait. C'est dingue. Et ça n'a aucun sens.

Ses yeux se perdirent dans le vague. Le lieutenant Boris Levak comprit que sa collègue avait de nouveau passé une sale nuit. La chaleur écrasante de cet été torride devait y être pour beaucoup, mais il n'y avait pas que la météo. Le visage de Camille était marqué, creusé par l'inquiétude.

— T'as l'air claquée. Encore ce fameux cauchemar ?

Ils en avaient déjà parlé autour d'un verre, un de ces soirs. Camille ne se livrait que rarement sur sa vie privée – plate et monotone comme une mer sans vague – mais elle avait éprouvé le besoin d'expulser ses tourments nocturnes.

— Pour la sixième fois, oui. Exactement le même scénario. Je ne sais pas ce que ça veut dire ni d'où ça vient. Cette femme dans mon rêve, elle s'adresse à moi. Elle veut que je lui vienne en aide.

Il suffisait à Camille de baisser les paupières pour voir avec précision une femme : vingtaine d'années, nue, recroquevillée dans un endroit sombre, peut-être une cave ou une grotte. Elle tremblait, elle avait froid, peur. Ses yeux noirs semblaient fixés sur Camille qui la regardait depuis son rêve, telle une spectatrice impuissante.

Et ses yeux appelaient au secours.

— On dirait qu'elle a été kidnappée, retenue quelque part. Elle est terrorisée. Le plus étonnant, c'est cette clarté du rêve, ces petits détails dont je me souviens. Ça ressemble à de vrais souvenirs. Quelque chose que… je ne sais pas, que j'aurais vu, ou vécu. C'est improbable.

— Ça en a l'air, en effet.

— Tu me connais, tu sais bien que je suis la der-

13

nière à croire à ce genre de trucs, toutes ces conneries sur la voyance, la prémonition ou je ne sais quoi, mais là… C'est tellement troublant que ça vienne de *l'intérieur* de moi. Faudrait peut-être que je creuse le sujet, que je fasse des recherches ou que je voie quelqu'un pour me débarrasser de ce rêve. Je n'en sais rien.

Boris sentait Camille chancelante ces dernières semaines. Depuis sa lourde intervention chirurgicale, la jeune femme semblait glisser sur une longue pente. Souvent plongée dans ses pensées, nerveuse, à la limite de l'explosion. Et tous ces journaux qu'elle commandait aux quatre coins de France et d'ailleurs, datant de la semaine précédant son opération, en témoignaient. Elle s'acharnait, y compris sur son lieu de travail, ce qui lui avait déjà valu quelques remarques désobligeantes de la part de ses collègues ou de sa hiérarchie.

— C'est encore l'affaire Aurélie Carisi qui te perturbe, dit-il calmement. Tu vas mettre du temps à oublier ces images. Ces cauchemars, c'est juste le moyen qu'elles ont de sortir de toi.

L'affaire Aurélie Carisi… C'était Camille qui avait ouvert le coffre de la voiture, au début de l'été, afin de procéder au gel de la scène. Un homme s'était tiré une balle dans la tête sur un sentier forestier. On avait juste cru à un suicide, mais l'individu dépressif avait pris la peine d'abattre auparavant sa fille, huit ans, retrouvée vidée de son sang dans le coffre. Une histoire de divorce qui s'était mal terminé.

Camille avait pourtant l'habitude de voir des cadavres – plus de cinq cents depuis le début de sa carrière, et pas toujours au mieux de leur forme –, mais les enfants, elle ne supportait pas et s'arrangeait toujours pour que quelqu'un d'autre intervienne à sa place. Un psychologue lui dirait certainement que ce blocage était lié à sa propre enfance, sans doute à sa peur de mourir qui l'étreignait depuis toute petite.

— Non, ça n'a rien à voir avec cette affaire, fit-elle. Ce cauchemar, c'est autre chose. La femme de mon rêve, elle a une vingtaine d'années, Aurélie en avait huit. Cette inconnue, elle est très typée, on dirait une Tsigane.

— La petite Aurélie aussi était typée. Et puis, il y avait des mégots de cigarettes dans le cendrier de la voiture du père, et un paquet de clopes sur le siège passager. Faudrait vérifier, mais c'est bien possible qu'il s'agissait de Marlboro Light, paquet de quinze. Comment il dirait, l'autre psychanalyste ? Les rêves ne sont que des symboles, c'est ça ? Il te raconterait qu'une enfant dans la réalité peut apparaître sous les traits d'une femme dans un rêve ?

— Je ne sais pas. Tu as peut-être raison.

Tout en se levant, elle ramassa une grosse sacoche contenant le matériel nécessaire pour une intervention rapide sur le lieu d'un délit : la mallette PTS.

— T'es pas juste venu me faire la causette de si bon matin, je présume ? Qu'est-ce qu'on a ?

— Homicide. Ton *boss* vient d'être prévenu. Tu te sens d'attaque ?

— Pas vraiment, non, mais je n'ai pas le choix. Il ne faut jamais faire attendre les morts.

2

On ne pouvait pas accéder directement en voiture au lieu où avait été retrouvé le corps.

Boris avait dû garer le véhicule au pied du mont des Cats, situé en Flandres françaises, à un pas de la Belgique. L'endroit était cerné d'autres collines sombres, de dépressions claires, de plaines rases qui se languissaient devant l'horizon. Le soleil qui dominait en arrière-plan ressemblait à un gros œil de chat intrigué, comme celui du Cheshire dans *Alice au pays des merveilles*.

D'ordinaire, on venait à cet endroit très prisé par les touristes – ces bêtes curieuses existaient aussi dans le Nord – pour y randonner, visiter l'abbaye ou boire de la bière trappiste extra-forte, et non pour tomber nez à nez avec un cadavre.

Camille était accompagnée de deux techniciens de la CIC et de son chef, un maréchal des logis. À quelques mètres, Boris et un autre adjudant ouvraient la marche. Ils eurent à grimper une pente bien raide, à travers un bois clairsemé.

Camille, en bonne dernière, respirait fort et se fatiguait plus que de raison. Il faisait chaud à y laisser sa peau. Un souffle de dragon qui brûlait la plaine

16

sans le moindre grain de vent. La fournaise durait depuis des semaines, et tout le monde attendait avec impatience les orages annoncés, même si ces derniers promettaient d'être extrêmement violents et risquaient de causer pas mal de dégâts.

La jeune femme fit comme si tout allait bien mais elle devinait que la machine s'enrayait franchement au fond de sa carcasse depuis deux ou trois jours. Elle avait déjà eu une alerte la veille au matin, en se levant : une compression anormale de sa cage thoracique, comme si on l'aspirait de l'intérieur. Son cardiologue avait proscrit les efforts intenses et prolongés, mais, si elle ne pouvait même plus grimper une côte à son âge, autant mourir tout de suite.

Heureusement, ils arrivèrent enfin à destination.

Des gars de la gendarmerie de Bailleul étaient déjà sur place. Ils avaient eu pour consigne de préserver un espace d'une dizaine de mètres autour du cadavre, en attendant l'arrivée de la Section de recherches.

Le corps gisait dans l'herbe, un peu en retrait du sentier, et il avait, semblait-il, un extenseur enroulé autour du cou. Il s'agissait, à première vue, d'un jeune homme d'une vingtaine d'années, portant baskets, short et tee-shirt.

Boris se mit à discuter avec les collègues de Bailleul, tandis que les trois techniciens enfilaient en silence leur tenue de lapin blanc : combinaison intégrale en coton, deux paires de gants, surchaussures, masque à élastique. Le maréchal des logis ayant endossé le rôle de « cocrim » – il avait en charge l'organisation et le travail des TIC –, il veilla à ce que personne n'ait rien oublié. Un petit défaut dans la procédure, et c'était toute l'enquête qui pouvait être remise en cause.

Lourdement chargés de leur matériel, Camille et ses deux collègues attaquèrent leur travail de fourmi, sous les ordres du cocrim. Tendre des rubans « Gendarmerie nationale » entre les arbres tout autour, indiquer le chemin qu'ils empruntaient en direction du cadavre avec des flèches en caoutchouc, disposer des balises numérotées devant chaque élément remarquable de la scène de crime, puis se mettre à fouiner le moindre centimètre carré d'herbe, en décrivant une trajectoire en escargot. Avec les centaines de photos qu'ils allaient prendre, les notes, les croquis, les relevés d'indices, ils en avaient pour la matinée.

— Un problème, Camille ?

Du temps avait passé. Deux heures après leur arrivée, la jeune femme se tenait appuyée contre un arbre. Elle avait baissé sa combinaison jusqu'à la taille et se tamponnait le front avec le dernier mouchoir de son paquet. Sa chemise bleu ciel était trempée. Boris venait aux nouvelles, l'air inquiet.

— Je pète la forme. C'est juste que... je me sens bizarre. Il fait chaud à crever dans ces tenues.

— Tu es très pâle.

— Je sais. J'aurais dû prendre un petit déjeuner, grignoter quelque chose. Je ne m'attendais pas à quitter le bureau. Mais ça va.

Elle se redressa, essaya de se redonner une contenance. Hors de question de montrer trop de signes de faiblesse. Elle n'avait repris le travail que depuis trois mois, après une longue rééducation, et la question d'une réaffectation dans les bureaux, à faire de l'administratif, s'était posée dans les hautes sphères. Camille s'était battue bec et ongles pour défendre son morceau de gras et continuer à aller sur le terrain, au contact des morts.

— Il y a trois canettes de bière vides, et deux encore intactes, fit-elle remarquer. On a aussi retrouvé un joint et un peu d'herbe à proximité d'un vélo et d'un sac à dos.

— On a son identité ?

— Pas de papiers ni de moyens simples de l'identifier. Mais il doit être du coin. Je pense qu'il est venu en deux-roues, histoire de se faire une petite orgie. Tranquillité, coucher de soleil sur les Flandres… Ça aura été sa dernière image, malheureusement.

— Des traces apparentes laissées par l'assassin ?

— Concernant les empreintes de chaussures, on n'a rien. Le sol est trop dur, trop sec. La poudre magnétique a révélé quelques traces papillaires inexploitables sur les extrémités de l'extenseur. Elles sont trop fragmentaires. On verra ce que ça donne au labo mais, à mon avis, il n'y a rien à en attendre.

Camille prenait son temps, respirait avec calme. Elle se sentait de plus en plus mal. Comme si son cœur peinait à irriguer ses muscles brûlants. Les mauvais souvenirs affluaient de nouveau : elle avait déjà ressenti ce genre de symptômes.

Le cauchemar recommençait.

Elle fit néanmoins un nouvel effort de concentration.

— La victime a dû essayer de se défendre, il y a de la peau sous les ongles de l'index et du majeur droits. On obtiendra donc certainement l'ADN de son assassin. On a passé des sachets autour de ses poignets pour éviter la contamination.

Boris enregistrait le moindre mot que prononçait Camille. Sur chaque lieu d'un meurtre, elle sortait du cadre de ses fonctions – le pur relevé d'indices, les TIC ne menant jamais d'enquête – et se permettait des hypothèses toujours intéressantes et pertinentes. Elle avait l'œil, le flair, et un don d'observation hors du commun. « Le diable se cache dans les détails » ; Camille avait fait de ce proverbe suisse un cheval de bataille. Et elle aurait pu devenir un sacré bon officier de terrain, sans ses problèmes de santé.

Mais la jeune femme ne serait jamais enquêtrice, elle le savait.

En ce moment même, elle observait la scène dans son ensemble, comme s'il s'agissait d'un tableau à la symbolique complexe. Plans larges, puis rapprochés, macros, micros. Ses yeux balayaient, absorbaient la lumière, calculaient. Boris avait déjà remarqué à quel point elle examinait les cadavres, chaque trait de leur visage inerte, dès qu'elle arrivait sur les lieux d'un crime. Comme si elle cherchait des réponses au fond de toutes ces pupilles figées.

— Avec l'alcool qu'il a ingurgité et le joint qu'il a fumé, probable que la lutte était perdue d'avance pour lui, poursuivit-elle. Il s'est défendu comme il pouvait.

Derrière, des voix se firent entendre. Boris Levak avait contacté les services des pompes funèbres, déjà arrivés avec leur housse blanche à fermeture Éclair, leur brancard et prêts à embarquer le corps pour l'institut médico-légal de Lille. Là-bas, les garçons de salle prendraient le relais, réfrigéreraient le corps en attente de l'autopsie.

Le lieutenant leur intima l'ordre de patienter et revint auprès de Camille, toujours appuyée contre son arbre. Elle fixait le corps.

— L'autopsie, ce sera pour toi ? demanda-t-elle.

— Tu vois un autre candidat au steak saignant ? Et tu pourras venir y assister, si tu le souhaites.

— À ton avis ? Juste avant mon départ en vacances, ce sera parfait.

Camille le regarda avec un pâle sourire, puis partit dans ses hypothèses :

— Dis, si tu devais étrangler quelqu'un, qu'est-ce qui te pousserait à utiliser un extenseur ? Ce n'est pas ce qu'il y a de plus pratique, un extenseur.

— Peut-être que notre assassin n'avait que ça sous la main.

— On peut donc supposer que ce meurtre n'était pas prémédité. Quand tu réfléchis à la manière de tuer quelqu'un, tu te donnes les meilleures chances avant d'agir. Une grosse corde, un câble, c'est plus efficace pour une strangulation. Là, regarde, il a dû serrer extrêmement fort à cause de l'élasticité, il y a plusieurs sillons, c'était hésitant. Et tu abandonnes rarement l'arme du crime sur les lieux avec le risque de laisser tes empreintes dessus. Même… (elle reprit exagérément son souffle) l'abruti de base sait ça.

L'appareil photo n'arrêtait pas de se déclencher, figeant le spectacle morbide pour l'éternité. Déjà, l'allure du cadavre avait changé. Avec les 28 ou 29 °C qu'affichait le thermomètre, il allait vite ressembler à une montgolfière.

Soudain, Boris sentit une pression sur son bras, puis plus rien.

Camille était au sol, les deux mains sur la poitrine au niveau du cœur.

Le lieutenant s'agenouilla sur-le-champ.

— Qu'est-ce qui se passe ?

Le visage de la jeune femme se tordit de douleur. Elle roula sur le côté et souffla d'une voix éteinte :

— Appelle les secours… Je crois que… je fais… une crise cardiaque.

3

Quatre jours plus tard, à 150 kilomètres de là
Mardi 14 août 2012

Les orages de la nuit avaient été dévastateurs.

Les pluies torrentielles s'étaient engouffrées dans le moindre interstice de terre sèche, les vents avaient déchaîné la mer, emporté les tuiles, arraché les câbles.

Aussi, en ce mardi matin, la France se réveillait-elle dans le chaos. C'était l'heure du bilan et des premières réparations. De mémoire d'employés de l'Office national des forêts, Jules et son collègue Armand n'avaient pas vu de tels dégâts depuis longtemps. Les courants d'air descendants avaient formé des rafales foudroyantes pour les arbres en lisière. La forêt de Laigue, dans l'Oise, n'avait pas été épargnée. On se souviendrait du 14 août 2012 comme on se souvenait des 26 et 27 décembre 1999.

Aux alentours de 10 heures, les deux employés avaient garé leur fourgon sur une petite route, aux abords d'un bled du nom de Saint-Léger-aux-Bois, non loin de là. Avant de se mettre au travail, ils avaient écouté les informations à la radio, avalant deux ou trois cafés forts puisés dans leur bouteille Thermos. On parlait surtout des coupures de courant, des inondations dans l'Ouest et le Sud, des caravanes emportées par les flots, on annonçait des montants de préjudices en millions d'euros.

— C'est quand même dingue, fit Armand en prenant son matériel à l'arrière du véhicule. La veille, t'as plus une goutte d'eau dans les nappes phréatiques, et le lendemain, t'as les fleuves qui débordent. On ne voyait jamais ça, de notre temps.

Jules approuvait. Il voyait bien que le climat partait méchamment en vrille depuis quelques années mais que, globalement, tout le monde s'en fichait. Les papillons battaient des ailes plus vite au fin fond d'une campagne française, et ça faisait des plus grosses tempêtes à New York… Enfin, d'après ce qu'il en avait compris avec son petit cerveau de citoyen moyen.

En discutant, les deux hommes remontèrent l'un des sentiers forestiers qui longeaient la commune de Saint-Léger.

— Et voilà notre scène de crime, plaisanta Jules.

— Une scène de crime ? Faut que t'arrêtes de regarder des séries à la con. Ça te crame la cervelle.

À chaque arbre brisé ou déraciné par la tempête, les deux employés devaient noter son espèce, mesurer son diamètre et estimer son cubage. Ils avaient en charge toute la partie nord de la forêt. Le travail de recensement pouvait prendre des jours, voire des semaines.

Ça faisait toujours mal au cœur à Jules de voir de vieux pépères, qui avaient parfois traversé un ou deux siècles, balayés par les conséquences de la démesure humaine. Toutes ces usines, ces grandes villes polluantes, ces automobilistes cul à cul dans les embouteillages…

La folie industrielle tuait indirectement chacun de ces arbres, du plus jeune au plus vieux. Et tuer les arbres, c'était se suicider et sacrifier les générations futures.

Enfin, à peu de choses près.

— La vache ! T'as vu celui-là ?

Son sac sur le dos, Armand s'avança de quelques mètres dans la forêt. Un chêne à la hauteur et au diamètre impressionnants avait basculé sur le côté, retenu dans sa chute par d'autres arbres qui avaient résisté. Des branches brisées par le poids du mastodonte étaient entremêlées ou menaçaient de tomber.

— Va falloir le traiter en priorité. C'est dangereux. S'il s'effondre vraiment, il emporte tout avec lui.

Il n'y avait presque plus de vent, le ciel avait retrouvé sa teinte cobalt, mais le bois continuait à craquer. La forêt était vivante, elle souffrait, gémissait, pansait ses plaies. Armand posa son sac sur le côté, nota précisément les coordonnées GPS de l'endroit sur son registre et sortit ses mètres manuels et à visée laser.

Jules, de son côté, essayait de comprendre les raisons de ce violent déracinement. Le chêne n'avait pas été frappé par la foudre, il avait entamé sa chute sous le seul effet des bourrasques. D'autres arbres bien plus frêles avaient, eux, tenu le choc. Pourquoi ? Il semblait solide, dans la force de l'âge. Intrigué, l'employé de l'ONF s'approcha du tronc, prenant garde de contourner le dangereux entrelacs suspendu à dix mètres de haut.

L'arbre était encore solidaire du sol par un gros faisceau noueux, et son début d'arrachement avait dévoilé des racines qui, au lieu d'avoir été cassées net, étaient encore intactes.

— C'est bizarre, fit Jules. T'as vu le bout de ces racines ? Elles ne sont pas terreuses et sont couvertes de mousse, comme si elles étaient restées suspendues dans le vide.

— Tu devrais plutôt m'aider dans les mesures au lieu de jouer les aventuriers.

— Je cherche juste à piger ce qui a pu se passer.

— On est là pour constater, pas pour comprendre, Sherlock. Si faut se faire un cours de botanique à chaque arbre, on n'est pas rendus.

Jules n'écouta pas. Attentif, il chevaucha des branches cassées et s'avança au plus près. Il se trouvait désormais au pied de l'arbre. Un énorme disque de terre et de racines tendues, entremêlées, lui faisait face. Il regarda vers le bas, sous le chêne, et fronça les sourcils.

— On dirait qu'il y a du vide là-dessous.

— Mauvais enracinement. Ça explique le fait qu'il n'ait pas résisté aux vents.

Armand vit son collègue se pencher dangereusement sous le tronc.

— Fais gaffe quand même.

Jules aurait eu du mal à aller plus loin sans se couvrir de boue. Au moment où il se redressa, il lui sembla que quelque chose avait bougé, là, sous lui. Sous le sol. Soudain surpris, il se hissa en quatrième vitesse et fixa le trou protégé par le maillage de racines.

— Merde, ça bouge !

— Où ça ?

— Sous l'arbre. Je sais pas, c'est comme s'il y avait… une cavité avec… quelque chose à l'intérieur. Je suis con, j'ai eu peur.

— C'est peut-être un animal qui s'est glissé dans le trou ?

— Ça semblait bien plus gros. (Il se pencha.) Ho-ho ! Il y a quelqu'un ?

Armand haussa les épaules et continua ses mesures. Mais Jules ne lâcha pas le morceau.

— File-moi la lampe dans le sac. Tu vas me tenir par les chevilles, je vais essayer de jeter un œil.

Armand s'exécuta à contrecœur.

— Comme si on n'avait que ça à foutre. On va être tout dégueulasses, en plus.

Ils se mirent à l'œuvre. Jules s'enfonça autant que son allonge le lui permettait. L'enchevêtrement de racines encore bien en place lui permettait juste de passer la tête, pas les épaules. Il était couvert de boue.

— Merde…

Il fit marche arrière sous les grognements de son collègue, coinça la poignée métallique de la lampe entre ses dents et renouvela l'opération. De la terre roulait le long de ses oreilles, dans son cou, et semblait chuter dans les ténèbres.

Le faisceau lumineux dévoila des parois lointaines, régulières. Jules tourna la tête sur la gauche et vit des racines d'autres arbres pendre, pareilles à des lianes. Il plissa les yeux. Au fond de la cavité, il aperçut une montagne de boîtes de conserve ouvertes et vides. Il y en avait des centaines.

Aux alentours, sur le sol, un nombre incalculable d'allumettes grillées.

— Qu'est-ce que c'est que ce bordel ?

Au moment où il regarda de l'autre côté, il aperçut deux yeux presque blancs, dépourvus d'iris.

Des yeux de démon.

Soudain, une main venue du fond du trou lui agrippa les cheveux et tira de toutes ses forces.

Englouti dans l'obscurité, Jules hurla.

4

Jules hurla.

— Oui, oui, ça vient, mon glouton !

Franck Sharko sortit le minuscule biberon de son appareil chauffant. Coup de torchon sur le plastique, vérification de la température en versant quelques gouttes sur l'intérieur de son poignet : tous les signaux étaient au vert. Il se précipita dans le salon mais fit demi-tour pour couper le gaz. Il fallait toujours qu'il oublie quelque chose, et ça commençait à lui taper sur le système. La stérilisation, le talc avant la pommade sur les fesses et pas après… Ou l'inverse, il ne savait plus. Il pouvait résoudre les enquêtes les plus compliquées et pourtant caler devant une couche, se demandant pendant des minutes dans quel sens il fallait l'enfiler. Les ingénieurs des couches ne pensaient certainement pas aux mecs de cinquante berges, avec les doigts gros comme des cigares, qui devaient remettre la main à la pâte.

Décidément, rien n'était simple avec les bébés.

Il revint en courant. Le nouveau-né était réglé comme du papier à musique, il pleurait systématiquement aux alentours de 3 heures, 7 heures, et 11 heures.

Le jeune papa de cinquante et un ans le sortit délicatement de son berceau, s'installa dans le fauteuil et... Où avait-il posé le biberon, déjà ?

— Tout doux, tout doux.

L'enfant avait cessé de hurler dès que son père l'avait pris dans ses bras. Franck Sharko avait toujours été impressionné par la capacité des nourrissons à communiquer et à s'adapter. Des études avaient été faites, le cri d'un bébé pouvait être aussi puissant que celui d'un marteau-piqueur : simple fruit de l'évolution et de survie, il devait être capable d'appeler sa mère en toutes circonstances. Et cela s'entendait dans l'immeuble, mais globalement, malgré les désagréments, les voisins étaient heureux pour Sharko. Dans la résidence, on racontait que le flic solitaire, brisé par la vie, retrouvait enfin une parcelle de bonheur avec « la petite flic du Nord ».

Jules se mit à téter comme un affamé. Sharko le serra contre son cœur, lui caressa la joue. Certes ses mains étaient rugueuses, démolies par les années et les coups donnés, mais le policier pouvait encore sentir la douceur de la peau du bébé.

— Il est plus de 11 heures. Tu ne crois pas qu'ils vont commencer à râler sur tes retards, au 36 ? Remarque, à ce niveau-là, ce n'est plus un retard. C'est une absence.

La voix douce et féminine venait de derrière lui. Lucie Henebelle apparut en tenue légère : juste un short à pois et un maillot large à manches courtes. Elle tenait un second bambin contre sa poitrine : le deuxième paquet surprise, livré par un bel après-midi d'été, le 14 juin 2012.

— C'est calme en ce moment. Et puis, je n'allais

quand même pas manquer l'anniversaire de nos deux petites copies conformes, fit Sharko. Deux mois, ça se fête, non ?

Lucie embrassa son compagnon dans le cou. Elle avait l'air fatiguée et n'avait pas complètement récupéré de sa grossesse. Ses jambes étaient encore pesantes, parfois douloureuses, sa poitrine avait gardé un peu de volume, ce qui n'était pas pour déplaire à Sharko. Situation normale, d'après les médecins. Même nés avec trois semaines d'avance, Jules et Adrien étaient deux bébés lourds, des mini-Sharko, ce qui était plutôt rare pour des jumeaux, et ils lui avaient pompé toutes ses ressources maternelles durant les huit mois et quelques. À la fin, Lucie, exténuée, se comparait à une baleine échouée et ne pouvait plus quitter la position allongée, au risque d'accoucher prématurément.

Une grossesse qui, pour couronner le tout, s'était terminée en césarienne sur la table d'opération.

Faites des gosses.

Elle remarqua la paire de menottes, sur le fauteuil.

— Franck... Tu as recommencé ?

— Ça l'apaise quand je les agite au-dessus de sa tête. Il aime ça, je te jure, et c'est dix fois mieux que leurs hochets débiles.

— Peut-être, mais je n'ai pas envie que nos enfants voient de mauvaises choses. Et ma mère va bientôt nous rendre visite. Alors tu les rangeras, s'il te plaît.

Lucie alla récupérer le deuxième biberon dans la casserole. Depuis quelque temps, ils essayaient de synchroniser les jumeaux, complètement décalés. Chaque nuit était un feu d'artifice de cris, de couches humides, de déglutitions bruyantes. Lucie connaissait la musique, elle avait déjà donné la vie à des jumelles dix ans plus tôt.

Elle s'installa aux côtés de Sharko. Jules avait besoin de respirer, il buvait trop vite et s'étouffait. Le papa lui ôta le biberon des lèvres et le cogna contre celui que tenait Lucie.

— Santé. Au deuxième mini-anniversaire des mini-Sharko.

— À nos jumeaux. Qu'ils grandissent en bonne santé et heureux.

— Nous ferons tout pour.

Les jeunes parents échangèrent un sourire. Ils n'avaient appris l'existence du second embryon qu'à dix semaines de grossesse. Lucie se souvenait par cœur de l'expression de Franck, face à l'écran en noir et blanc de l'échographie, lorsqu'il avait vu les deux minuscules haricots. Il avait versé sa larme, et elle aussi. Le destin avait enfin décidé de ne plus s'acharner, de leur donner deux beaux enfants d'un coup : des frères aux traits rigoureusement identiques, issus du même œuf. Certes, ils ne remplaceraient jamais les jumelles de Lucie, Clara et Juliette, ni Éloïse, la fille de Franck, mais ces bébés portaient en eux tout ce que leurs parents avaient perdu. Ils grandiraient avec les yeux de ces enfants qui n'étaient plus là. Leurs trois demi-sœurs défuntes...

Il faudra leur expliquer tout ça un jour, avait songé Sharko avec tristesse.

Adrien se mit à téter avec la même ardeur que son frère. Sharko le distinguait de son jumeau parce qu'il avait un petit pli oblique et rigolo au niveau du front. Il était né comme ça. Un pirate avec le liquide amniotique pour océan.

— La tempête de cette nuit a fait des ravages sur la terrasse, les plantes sont renversées, et le store est complètement arraché, fit-il à l'intention de Lucie. J'ai écouté la radio, il y a des dégâts partout. On a normalement une visite à 14 heures, peut-être qu'on devrait annuler pour arranger la terrasse ?

— Ah oui, encore une visite, je commence à en avoir ras le bol... Non, laisse-les venir, je vais jeter un œil dehors et remettre un peu d'ordre. Tu crois qu'ils sont sérieux, ceux-là ?

Leur installation dans un plain-pied de cent vingt mètres carrés, à une dizaine de kilomètres plus au sud, était prévue pour mi-septembre. Mais cela faisait deux mois qu'ils essayaient de vendre l'appartement, en vain : les finances des intéressés étaient à sec. On visitait, on disait que l'appartement était joli, les alentours de la résidence très agréables, mais on n'obtenait pas le prêt à la banque pour l'acquérir. Sharko savait qu'il allait falloir vite casser le prix pour éviter de payer un prêt relais et de verser des intérêts monstrueux sur l'achat de leur maison.

— Il s'agit d'un couple de jeunes, d'après l'agence. Bonne situation tous les deux, ils ont l'air motivés, selon le commercial. Ça devrait le faire.

— Encore faut-il que l'appartement leur plaise. On n'efface pas presque dix ans de célibat d'un flic de la Criminelle d'un coup de peinture sur les murs.

Le téléphone de Sharko vibra. Il reconnut le numéro, sans enthousiasme.

— C'est Bellanger.

L'œil de Lucie pétilla.

— Dans ce cas, tu devrais vite répondre.

Sharko hésita, puis finit par décrocher l'appel de son

chef. Il coinça le téléphone entre son oreille et son épaule, tandis qu'il continuait tant bien que mal à s'occuper du bébé. Le portable glissa au sol. Lucie l'aida en prenant Jules, qu'elle cala sur son bras libre. Sharko était maladroit, paniquait souvent et avait encore besoin de temps avant de retrouver ses réflexes de père. Mais il voulait bien faire, et il y mettait du cœur : Lucie lui pardonnait toujours ses erreurs parfois grossières.

Il ramassa le téléphone portable et s'éloigna.

Lucie vit son visage se crisper, tandis qu'il ne répondait que par des phrases très courtes : « Quand ça ? » ou alors « Où ça ? » Elle comprit sur-le-champ que son homme allait devoir vite partir. Et elle l'aurait probablement suivi, sans les bébés. Malgré tous les malheurs, les horreurs, son métier de flic lui collait encore à la peau, et elle avait hâte de reprendre, d'ici quinze jours.

Sharko raccrocha.

— Alors ? demanda Lucie.

Il s'agenouilla devant elle, rajusta le bavoir d'Adrien avec ses grosses paluches. Sharko n'avait plus le souvenir que des bébés pouvaient être si petits, si fragiles. Il enviait tellement leur innocence.

— Je vais devoir filer du côté de Compiègne, murmura-t-il comme s'il voulait préserver ses enfants. Bellanger est déjà sur place. Les pompiers viennent d'extraire une femme qui semble avoir été victime d'une longue séquestration, elle a encore une entrave à l'un de ses poignets et est dans un sale état, à ce qu'il m'a raconté. Presque aveugle, d'être restée plongée dans le noir. Elle était retenue… sous un arbre.

— Sous un arbre ?

— Oui. C'est la tempête qui l'a déraciné et semble

avoir mis au jour une grande cavité. Ils vont l'arracher et sécuriser l'endroit pour nous permettre de descendre. Il paraît que la femme n'a plus toute sa tête.

Sharko se redressa et enfila son holster accroché au portemanteau, avant de rentrer sa chemise dans son pantalon et de mettre sa veste gris anthracite. Lucie aimait le voir ainsi vêtu. Classe, élégant. Il en imposait, et c'était son homme. Un vrai flic de la Criminelle, droit sur ses jambes.

Ça n'avait pas toujours été le cas.

Sharko se pencha pour embrasser tendrement Lucie sur les lèvres. Puis il la prit par surprise en photo à l'aide de son téléphone.

— Pas comme ça, Franck ! Je ne suis même pas habillée !

— Je devrais l'envoyer à ta mère, tiens. On dirait Lara Croft avec tes biberons dans chaque main.

Elle éclata de rire.

— Une Lara Croft qui aurait pris un sacré coup de vieux, alors !

Elle regarda l'heure.

— Tu ne manges pas un morceau avant de te mettre en route ?

— Trop tôt. T'en fais pas pour moi, je croquerai dans un sandwich plus tard.

Lucie soupira.

— J'aurais aimé t'accompagner… Me trouver à tes côtés. Être maman me comble de joie mais je m'ennuie un peu, ici.

— Ne sois pas pressée, Lucie. T'as encore quinze jours de congé, ta mère va venir passer un peu de temps avec toi… Et puis demain, c'est le 15 août. Je serai là, on ira au parc ou au bord de l'eau tous ensemble. On mangera des crêpes comme promis. Enfin, toi et moi on mangera des crêpes je veux dire, pas eux.

Le visage de Lucie retrouva de la gravité.

— Jamais en première ligne, d'accord ? Si ça devient dangereux, s'il faut courir, poursuivre, arrêter, tu...

— Je laisse faire les autres. Je sais.

— On est une belle famille maintenant, il faut la préserver. Moi aussi, je ferai attention quand je reprendrai.

— On n'en est pas encore là.

— N'oublie jamais.

Il lui sourit. Il se sentait bien. Apaisé, heureux.

— Je n'oublierai pas. Je ne suis pas prêt à replonger dans une histoire tordue ou dangereuse. Si ça craint trop, je lèverai le pied.

— Toi, lever le pied ? Faudrait qu'on te coupe les jambes.

5

— Je suis con. J'aurais dû enfiler des bottes.

Franck Sharko regardait en grimaçant l'état de ses mocassins vernis. Des souliers neufs de chez Beryl, cent cinquante-neuf euros. Plongé dans ses couches et biberons, il n'avait pas réfléchi en s'habillant, et le payait à présent.

Glissant sur le sol boueux, il rejoignit Nicolas Bellanger, son capitaine de police, de seize ans son benjamin. Un enfant. Il fut un temps où Sharko aurait pu être son chef, une période où il avait commandé une trentaine d'hommes, mais ce temps-là était bien loin désormais. L'ancien commissaire avait fait un choix quelques années plus tôt, et redevenir volontairement lieutenant pour se faire diriger par plus jeune que lui ne le dérangeait pas. Ce qui l'ennuyait profondément, en revanche, c'était de moisir dans les bureaux, à gérer des enquêtes sans même croiser une victime ni aller sur le terrain. C'était malheureusement le destin des commissaires d'aujourd'hui, et c'était ce qu'il serait devenu. Un bureaucrate.

Les policiers se tenaient à l'écart, au bord de la forêt, tandis qu'un gros camion de dépannage armé de chaînes terminait de se battre avec l'arbre déraciné. Quelques habitants curieux s'agglutinaient au bord du sentier.

Nicolas Bellanger vint à la rencontre du « commissaire » Sharko – on continuait à l'appeler « commissaire » par habitude –, ils se saluèrent, échangèrent quelques mots sur la tempête – durant le trajet, Sharko avait pu constater les dégâts considérables –, et le capitaine entra dans le vif du sujet :

— Les secours ont emmené la victime à l'hôpital de Creil, elle était dans un triste état. Maigreur extrême, tremblements, j'en passe. D'après le médecin qui accompagnait l'ambulance, et vu l'aspect laiteux de ses yeux, elle n'avait pas vu la lumière du jour depuis un sacré bout de temps.

Sharko frottait l'extrémité de ses chaussures avec un mouchoir en papier. Il finit par abandonner.

— Je crois que ça ne sert à rien d'insister, si on doit descendre là-dessous je vais les dégueulasser, de toute façon. (Il désigna quatre hommes en tenue.) La BAC ?

— Ils vont avancer en premier pour sécuriser. On ne sait pas ce qu'il y a, sous terre.

Franck Sharko jeta un coup d'œil à la ronde. La tempête avait fait souffrir les arbres. Autour, une dizaine d'intervenants étaient répartis en petits groupes qui discutaient ou fumaient.

— La victime a parlé ?

— Non, elle est incapable de communiquer pour le moment. Elle se comportait comme une bête sauvage, il a fallu lui administrer des calmants.

Bellanger appela le lieutenant Jacques Levallois, un élément de son groupe Crim, et lui demanda son appareil photo. Il lui montra les clichés.

— C'est elle.

Sharko fit défiler les quelques photos prises à la volée, alors que la femme embarquait dans l'ambulance. Un véritable squelette vivant, couvert de guenilles noires de crasse. Elle avait les traits brisés, ravagés, et ses yeux voilés de blanc ne faisaient que renforcer la terreur qui habitait son visage. Sharko songea à un vieux film d'horreur, *Evil Dead,* et à l'une des actrices possédée par le diable. Elle devait avoir vingt, vingt-cinq ans. Ses cheveux bruns, courts et crépus avaient poussé en pagaille.

— La priorité, c'est de l'identifier, fit Bellanger en sortant une cigarette. Elle n'avait évidemment aucun papier sur elle. On va faire les paluches, l'ADN, la proximité, les personnes disparues, tout ce qu'on peut.

— Elle est typée, ou c'est la saleté ?

— Rom, tsigane, hispano... On est dans ce style-là, on dirait. On va faire circuler ses photos dans le coin, voir s'il n'y a pas un campement de gens du voyage à proximité, on ne sait jamais.

Sharko rendit l'appareil photo, le visage sombre. Au 36, ils avaient souvent affaire à des femmes traumatisées, des victimes de viols, de coups, c'était presque leur lot quotidien. Mais cette fois, il y avait quelque chose de différent, de monstrueux que traduisaient ces iris blanchâtres. Cette femme était sortie de terre comme un revenant.

Il y eut un énorme craquement. À une dizaine de mètres, le chêne s'écrasa au sol, emportant avec lui un tas de branches et de troncs plus fins. Plusieurs coups de tronçonneuse au niveau des racines retentirent, puis, après pas mal de temps, on signala aux policiers qu'ils pouvaient descendre. Il n'était pas loin de 13 heures, le soleil brillait à son zénith, arrosant la Terre de ses rayons mortels.

Une échelle venait d'être installée dans le trou. Les policiers de la BAC s'engagèrent les premiers, lourdement armés, équipés de torches puissantes. Bellanger et ses hommes suivirent. Sharko descendit les huit barreaux avec calme et en dernier, prenant garde de salir au minimum sa veste. Pour les chaussures en revanche, c'était mort. Et s'il y avait bien quelque chose qu'il ne supportait pas, c'étaient les chaussures sales.

Les consignes données par Bellanger étaient de ne toucher à rien, afin de ne pas contaminer l'endroit de leurs empreintes ou leurs traces biologiques. La température chuta de quatre ou cinq degrés. La lumière du jour pénétrait en oblique par l'endroit où l'arbre avait été arraché, dévoilant des parois lisses et taillées par l'homme. Les flics évoluaient de toute évidence dans une carrière. D'après les gars de l'ONF, la région en était criblée, elles avaient été occupées durant la Première Guerre mondiale pour abriter les soldats français.

Derrière eux, l'endroit se terminait en cul-de-sac. Ils se figèrent devant les centaines de boîtes de conserve vides et les bouteilles d'eau utilisées, regroupées en un tas. Parmi l'amas de ferraille et de plastique, il y avait des dizaines de flacons de lait de toilette. Vides, eux aussi.

— J'ai l'impression qu'on n'est pas au bout de nos surprises, murmura Nicolas Bellanger. Veille du 15 août, cool.

— Au fait, tu ne devais pas être en congé dès ce soir ?

— Si. C'est bien pour cette raison qu'une sale affaire nous tombe dessus.

Sharko s'en faisait pour son chef. Nicolas Bellanger avait beaucoup donné dans l'année et puisait sur ses réserves pour tenir. Ils avancèrent dans l'unique direction possible, suivant un couloir rectangulaire. Le capitaine de police désigna le sol avec le faisceau de sa lampe.

— Faites attention.

Des excréments, des flaques d'urine, le long des parois. L'odeur était forte. Des tonnes d'allumettes utilisées jonchaient le sol. Au fond, les faisceaux dansaient sur la roche, des grappes de racines avaient réussi à traverser la pierre et pendaient dans le vide. Sharko imagina la fille tapie ici, dans l'obscurité, à craquer ses allumettes les unes après les autres, à longer les murs tel un animal, à hurler sans que personne l'entende. Et à ne jamais réussir à sortir de ce souterrain.

— Par ici !

Ils se précipitèrent vers la voix du collègue. La trouée de lumière était désormais à une centaine de mètres derrière eux. Ils avancèrent encore. Après une bifurcation, ils débouchèrent dans une grande salle carrée, d'environ dix mètres de côté, au plafond très haut. Sharko estima qu'ils étaient peut-être huit ou neuf mètres sous terre, et qu'ils ne se trouvaient plus sous la forêt, mais sans doute quelque part aux abords du village.

Plus proche d'eux, il restait des stocks de nourriture – uniquement des conserves – et d'eau. Un ouvre-boîtes pendouillait à un fil noué à un crochet, lui-même encastré dans la roche. Il y avait aussi une grosse bouteille de gaz reliée à un réchaud, une assiette sale sans couverts, des boîtes d'allumettes.

Sur la gauche, une chaise en paille, des jerricanes vides, une baignoire sur pieds. Au plafond étaient accrochées deux ampoules ainsi qu'une petite caméra, nichée dans un creux naturel. Des câbles d'alimentation électrique partaient vers une lourde grille fermée à clé, derrière laquelle se trouvait un escalier qui grimpait probablement vers la surface.

Les quatre gars de la BAC essayèrent de forcer cette porte avec leur bélier portatif, en vain. Le système de fermeture était renforcé.

— Il vaut mieux aller chercher le bélier hydraulique à la voiture, fit l'un d'eux.

Un élément du groupe partit en courant. Les flics se regardaient sous les faisceaux des lampes, les visages se creusaient, stupéfaits. Sharko balayait le plafond avec sa torche.

— Ces câbles électriques reliés aux ampoules et à la caméra mènent bien quelque part, dit-il d'une voix grave. Une fois que la grille sera forcée, on saura où se trouve la source d'électricité. Et, donc, qui a installé ça.

Il se pencha vers la bouteille de gaz, pivota vers son chef.

— T'as des gants ?

Le capitaine lui en tendit une paire en latex. Sharko les enfila et tourna le bouton du réchaud. Aucun chuintement.

— Elle est vide.

Il secoua les boîtes d'allumettes.

— Toutes vides.

Le lieutenant Levallois, qui longeait les murs, les appela. Il se tenait à l'autre extrémité, proche d'un matelas à même le sol, sur lequel reposait une couverture roulée en boule. Son visage de jeune trentenaire était très pâle, à cause des éclairages crus et probablement des odeurs nauséabondes. De sa lampe, il désigna un gros anneau bétonné dans les pierres de la paroi. Au sol, un maillon brisé, cassé net.

— On peut supposer que c'est ici qu'elle était attachée et qu'elle dormait. Elle s'est débrouillée pour se libérer.

Il se tourna vers le mur opposé, éclaira la caméra tournée dans leur direction.

— On l'observait...

Sharko s'approcha de la caméra et s'adressa à l'objectif, l'air menaçant :

— Accroche-toi parce que t'as la Crim au cul, mon pote.

Il baissa ensuite le faisceau vers la baignoire, la chaise, les stocks de nourriture. C'était sinistre, dément.

— Ces conserves, ça me fait penser à ces paranos qui croient à l'Apocalypse et qui stockent tout ce qu'ils peuvent pour pouvoir survivre sous terre.

Il réclama l'appareil photo, regarda sur l'écran LCD les clichés de la survivante, plus précisément l'anneau autour du poignet, ainsi que la chaîne.

— Elle a réussi à casser l'un des maillons qui l'entravaient au mur, mais pas ceux qui reliaient la chaîne à son poignet.

Il se baissa au niveau du sol.

— Le maillon est brisé net. Peut-être un défaut de fabrication, un phénomène de vibration quand elle tirait dessus. C'est rare, mais j'ai déjà vu ça.

Il tendit l'appareil à Bellanger, désignant un cliché.

— Sur la photo, la chaîne n'a pas l'air bien longue. Pas suffisamment pour atteindre le mur opposé, en tout cas. Je me trompe ?

— T'as raison. Cette chaîne mesurait deux mètres, maximum.

— Donc, attachée au mur d'en face, la victime n'avait pas accès à la nourriture ni à la baignoire. Ce qui signifiait certainement qu'on la nourrissait avant qu'elle parvienne à se détacher…

Sharko se mit à réfléchir à voix haute.

— Mais pourquoi son tortionnaire l'aurait-il ensuite laissée agir seule ? Il pouvait la voir avec la caméra, savoir qu'elle avait rompu sa chaîne. C'était quoi ? Un jeu pervers ? Faire croire à cette pauvre fille qu'elle avait une chance de s'en sortir ?

— On peut se demander qui a brisé le maillon, finalement. Elle, le tortionnaire…

Sharko se mit à marcher, les questions se bousculaient dans son esprit, et elles étaient pour le moment trop nombreuses. Il allait falloir attendre un peu, voir où les prochaines heures allaient les mener.

— Je répète, on ne touche à rien, surtout, fit Bellanger en s'éloignant. La Scientifique ne devrait plus tarder.

L'aide de la police scientifique serait sans aucun doute très précieuse. Sharko fixa la grille verrouillée. Sans l'ouverture causée par l'arbre déraciné, ces escaliers étaient le seul accès vers l'extérieur. Même libre de ses chaînes, la fille n'avait pu sortir de sa prison. Depuis combien de semaines errait-elle dans l'obscurité ? Longtemps, à en croire l'impressionnante quantité de boîtes de conserve vides et l'opacité de ses iris. Le flic imagina la jeune femme utiliser le gaz pour s'éclairer, au début. Puis les allumettes, qu'elle craquait une à une… Jusqu'à ce que ses ressources finissent par s'épuiser. Elle avait dû manger le contenu des conserves sans plus pouvoir le réchauffer.

Le lieutenant ferma les yeux. Noir total. Le silence, la fraîcheur. Comment ne pas devenir dingue, enfermé comme un rat de laboratoire ? Comment se prouver qu'on existe encore alors qu'on ne peut même plus distinguer son propre corps ? Pourtant, la fille avait continué à se nourrir, à dormir, à vivre, même dans le noir. Elle avait fait ses besoins plus loin, pour rester dans un semblant d'environnement sain. Elle avait voulu se battre jusqu'au bout, son organisme en mode « survie », capable de s'adapter d'une façon remarquable, comme ces petites araignées qu'on trouve dans les grottes les plus profondes.

Elle avait survécu, certes, mais l'intérieur de son crâne devait ressembler à un champ de ruines.

Lorsque Sharko rouvrit les yeux, Jacques Levallois éclairait une autre partie de mur, derrière la baignoire. Il fit signe à ses collègues d'approcher. Il y avait une inscription, gravée en lettres capitales et irrégulières dans la roche, à environ un mètre soixante du sol.

Il était écrit :

Nous sommes ceux que vous ne voyez pas,
Parce que vous ne savez pas voir.
Nous prenons sans rendre.
La vie, la Mort.
Sans pitié.

◎

Sharko et Levallois se regardèrent en silence. Pas besoin de commentaires face à un tel message. Cet endroit, ce tableau d'horreur révélé par la tempête, sentait le sordide, le cas tordu à plein nez. Sur le coup, Franck songea à Jules et Adrien, à sa compagne, à cette nouvelle maison qu'ils allaient bientôt habiter. Ils faisaient des projets, construisaient leur vie de couple, alors qu'ici, pendant ce temps-là, une jeune femme croupissait, terrée tel un animal.

Le lieutenant fit glisser ses doigts dans les interstices de la roche, le long de ces mots sans aucun doute gravés par un dégénéré.

Ou peut-être même, *des* dégénérés.

6

Les signes qui montraient que Camille Thibault allait avoir une enfance difficile étaient apparus trois jours après sa naissance, à la maternité Jeanne-de-Flandre de Lille.

Sa mère se trouvait encore à l'hôpital quand la peau du nourrisson était devenue bleue. Très vite, les examens avaient révélé un défaut de fabrication. Le petit architecte chargé du bon déroulement de la grossesse n'avait pas suivi le plan à la lettre, et cette erreur de lecture avait engendré une pathologie au nom charmant de *cardiopathie congénitale*.

Signification ? L'un des ventricules cardiaques de Camille ne s'était pas suffisamment développé, ce qui impliquait que le sang appauvri en oxygène, bleu, ne pouvait être évacué vers les poumons et se retrouvait mélangé au sang rouge, propulsé dans l'aorte en direction des muscles. Pour simplifier, c'était comme mettre du carburant Diesel dans le réservoir d'une voiture à essence.

Après une semaine de vie, une équipe de sept personnes bardées de diplômes introduisait un cathéter muni d'un ballon dans la minuscule veine ombilicale du bébé, pour déchirer la paroi entre les oreillettes de son cœur et évacuer un peu de sang bleu dans la bonne direction.

Trois lourdes opérations chirurgicales suivirent, l'une dans la foulée, les deux autres à six mois et quatre ans. De brillants chirurgiens ouvrirent la poitrine, câblèrent l'organe cardiaque avec l'aisance d'un mécanicien branchant une batterie de voiture, de façon à séparer définitivement le sang bleu du rouge.

À l'âge où les enfants jouaient dans les parcs, Camille grandissait seule aux soins intensifs de l'unité de cardiologie pédiatrique de Lille, regardant le monde évoluer par la fenêtre de sa chambre de neuf mètres carrés.

Mais, grâce aux miracles de la médecine, la suite de sa croissance s'était relativement bien passée, l'organisme s'était remis de ses traumatismes. À partir de six ans, la petite fille brune aux yeux aussi noirs que ceux d'un écureuil avait pu fréquenter l'école, jouer comme les autres, et même faire du sport. Son cœur univentriculaire tournait à l'allure d'un moteur Diesel, certes, mais il fonctionnait parfaitement et pompait ses quatre mille litres de liquide par jour, comme n'importe quel cœur d'enfant.

Camille aimait écouter le ronflement du sang dans ses oreilles, le soir en s'endormant. Son cœur, c'était son trésor, son doudou, le compagnon de ses nuits, son bien le plus précieux. Derrière les grandes cicatrices transversales qui mutilaient sa poitrine, elle l'imaginait, tel un petit poing serré. Elle s'était promis d'en prendre le plus grand soin tout au long de sa vie, de peur qu'il ne l'abandonne. De peur un jour de fermer les yeux et de ne plus jamais les rouvrir.

Camille voulait vivre.

Elle aimait vivre.

Nombre de battements cardiaques sur une vie : environ deux milliards. Nombre de mètres cubes de sang brassé : de quoi remplir une cinquantaine de piscines olympiques.

La jeune fille lisait quantité d'ouvrages techniques. Au collège, en cours de biologie, elle était capable d'expliquer à la perfection le rôle du sang, de l'oxygène, des différents organes du corps humain. Elle connaissait un tas de chiffres sur le sujet, parlait de chaque partie non pas comme d'un organisme vivant, mais d'un assemblage de pièces qui s'usaient, se grippaient, et qu'on remplaçait parfois quand elles étaient cassées.

À douze ans, lors de ses visites de contrôle, elle avait vu des patients en dialyse, entourés de ces machines monstrueuses qui remplaçaient leurs reins en panne, qui pompaient du sang sale pour en recracher du propre. Tous ces visages gris, désespérés, fatigués l'avaient profondément marquée : parce que la mort était là, qu'elle planait, prête à engloutir ces malades. Mais aussi parce que cela lui montrait que le corps humain était seulement une machine, un ensemble de pompes, de filtres, de purificateurs. Comment cet incroyable assemblage d'engrenages fonctionnait-il ? La mort était-elle la conséquence d'un défaut de fabrication ? Quand et comment surgissait-elle ? Pouvait-on la voir, la prévoir ?

France : soixante mille crises cardiaques par an. Quatorze personnes meurent d'un infarctus par jour.

Côté sentimental, sa vie de jeune adulte avait été désastreuse. Ses cicatrices avaient grandi, s'étirant sur sa poitrine comme des coups de fouet, lui rappelant sans cesse la fragilité de la machine humaine. Camille avait honte de son corps meurtri, de ses seins presque inexistants, de ses cuisses puissantes, de ses larges épaules. Elle dépassait tout le monde d'une tête. Elle était pareille à ces arbres aux racines minuscules, qui pourtant donnent une illusion de force. La coquille était solide, mais l'intérieur en cristal.

Méfiante, Camille avait appris à lire dans les regards, à décrypter les mouvements de l'iris, les contractions de la pupille, lors de nouvelles rencontres. Les yeux trahissaient les émotions. La première fois où elle s'était retrouvée nue devant un homme, elle avait rougi de honte en lisant dans le regard masculin du dégoût : l'impression que le type contemplait un champ de barbelés. Alors, à tout juste seize ans, elle se donnait des coups de lame de rasoir sur le ventre. Pas pour mourir, juste pour se faire mal, pour punir son fichu corps.

Et pour se punir elle-même.

Se mutiler ainsi était presque devenu une habitude. Un besoin. Et un soulagement.

À la fac, peu de filles la fréquentaient, et même les garçons se méfiaient : toutes les machines peuvent se briser d'un geste, si on sait où appuyer. Et Camille, de plus en plus renfermée, savait où frapper. Elle avait grandi seule, sans frère ni sœur : avec l'enfer qu'ils avaient traversé, ses parents avaient licencié le petit architecte. Ils n'étaient plus près de goûter à nouveau aux « joies » de la procréation.

Fuir les garçons, pour trouver des hommes. C'était, en définitive, avec eux qu'elle se sentait le mieux, pour peu qu'elle mette de côté le sexe. Parce qu'elle leur ressemblait. Tant sur le plan physique, que par le tempérament, le caractère casanier. À l'âge où les filles se maquillaient, enfilaient des robes et sortaient entre copines, Camille se réfugiait dans les livres, ses études de biologie, la musculation, le sport de combat, la marche intensive en forêt, vêtue d'un pantalon treillis ou d'un survêtement. Elle fuyait les fumeurs, elle ne buvait jamais d'alcool, mangeait sain : préserver le précieux organe pour tenir sa promesse d'enfant, qu'elle n'avait jamais oubliée. Pour ne pas mourir d'une saloperie.

Poids d'un cœur de baleine : 600 kilos. Poids d'un cœur de souris : 0,09 gramme. Poids d'un cœur de femme : 300 grammes.

Puisqu'on lui avait donné un physique de guerrière, une solide coque protectrice pour son petit myocarde malade, autant aller au bout. Après les lames de rasoir, elle avait appris à se faire mal autrement, dans l'effort. Il fallait qu'elle sente son cœur battre et se battre, que ses muscles brûlent, que sa peau soit rougie, un rouge puissant, bien visible, un rouge qui lui indiquait que tout allait bien.

Le Diesel devenait essence.

Le rouge du sang, le bleu de l'uniforme. Bien séparés, bien visibles. Il avait suffi d'une campagne de pub et d'un échec dans ses études de biologie pour que l'avenir de Camille vire à cent quatre-vingts degrés : on engageait dans la gendarmerie nationale. À vingt-deux ans, elle passait les épreuves d'admission pour devenir sous-officier. Elle voulait le contact, le terrain, sentir son cœur pomper, entendre le bruit lourd du sang oxygéné après l'effort.

Tout lui plaisait dans ce métier : la rigueur, la discipline, l'esprit cartésien. Elle ne se voyait pas vieillir dans un laboratoire de toute façon, le cul sur une chaise, penchée sur des microscopes. Et puis, être gendarme, c'était côtoyer la vie comme la mort, enquêter sur le corps humain mais d'une manière différente. Il y avait des crimes, des autopsies, la mort était omniprésente dans l'enquête.

Elle savait que ce métier collerait à ses aspirations.

Après un an d'école à Châteaulin, elle sortait dans les premiers du classement, malgré une faiblesse en sport : elle n'était qu'une femme parmi de solides gaillards, après tout. Elle pouvait choisir son affectation et avait alors décidé de revenir aux sources, à Lille. On créait des postes de technicien d'investigations criminelles à la caserne de Villeneuve-d'Ascq. La place idéale : on l'enverrait sur des scènes de crime, et elle pourrait essayer de comprendre la cause de la mort des autres. Ceux qui étaient passés de l'autre côté, alors qu'elle vivait.

Le temps avait filé si vite… Après cinq années à côtoyer le sordide, les crimes de sang, les suicides, – désespoir, alcool, adultère constituaient presque quatre-vingt-dix pour cent des affaires –, elle avait renouvelé son engagement pour une autre longue période. Parce qu'on l'appréciait dans l'équipe de police judiciaire, on l'autorisait à suivre de temps en temps les enquêtes, à assister à des perquisitions ou à des autopsies. Le légiste la laissait s'approcher des poitrines meurtries, palper les cœurs, les peser. Certains étaient gros comme des jambons, d'autres avaient éclaté, étaient musclés, clairs, foncés, toujours différents. Le médecin, parfois, découvrait des anomalies jamais décelées du vivant de la victime.

Camille écoutait, apprenait, réfléchissait. Elle observait le sang dans les ventres ouverts des cadavres, ce liquide poisseux qui filtrait au travers des artères après la mort sous l'effet de la gravité. Elle cherchait le sang bleu, celui qui lui avait pourri son enfance, sa vie, mais il n'existait pas en définitive : c'était juste un effet de lumière lorsque celle-ci traversait la peau et les veines. Sa vraie couleur se révélait sous le Scialytique : rouge sombre, presque noir. Un sang pauvre, usé, fatigué, comme celui de ses menstruations. Les cœurs la fascinaient par leur complexité, leur capacité à battre, à propulser le liquide, mus par la simple électricité de la nature. S'ils s'arrêtaient, tout s'arrêtait.

La machine humaine lui révélait, sur la table en acier, toute sa complexité.

Cœur de cachalot : neuf pulsations par minute. Cœur de colibri : mille deux cents pulsations par minute.

Camille aurait dû être la première à se douter que les pièces réparées finissent par casser, un jour ou l'autre. La concernant, les signes précurseurs avaient commencé à trente ans, avec des palpitations de plus en plus fréquentes, des arythmies. Elle se fatiguait plus rapidement, peinait au moindre effort, avait mal aux côtes en se réveillant le matin…

Ainsi, jeune trentenaire, elle se retrouvait alitée à l'hôpital cardiologique, face à Salengro où elle avait passé son enfance. Triste coup du sort. Le CHR de Lille lui rouvrait grandes ses portes.

Et le cauchemar recommençait.

Son cœur qu'elle avait tant peiné à muscler, reconstruire, battait trop lentement, parfois si faiblement qu'on ne parvenait pas à l'entendre.

Après cinquante millions de litres de sang pompés, ce trésor qu'elle avait protégé, entretenu, nourri autant qu'il la nourrissait depuis sa naissance, l'abandonnait définitivement.

Et sa plus grande peur se concrétisa : elle mourut une première fois le 29 juillet 2011, à 5 h 10 du matin.

7

Les mains nouées nerveusement l'une à l'autre, Camille attendait que son cardiologue lui annonce le résultat de ses examens.

Après sa chute au mont des Cats quatre jours plus tôt, on l'avait amenée aux urgences de l'hôpital Roger-Salengro, au CHR de Lille. La jeune femme ne se souvenait de rien, hormis d'une douleur intense dans la poitrine.

Le docteur Calmette, la soixantaine, était en train de plaquer des clichés de sa coronarographie sur le négatoscope. L'opération chirurgicale avait consisté à injecter, à l'aide d'une sonde introduite dans l'artère fémorale, un produit de contraste iodé permettant de colorer les artères coronaires. Encore une fois, la jeune femme avait dû subir une IRM cardiaque, une anesthésie générale, le bloc opératoire, un réveil dans un lit anonyme, en chambre double qui plus est, avec une vieille râleuse. Trois jours complets de check-up dans l'hôpital cardiologique, qui lui avaient paru interminables.

En se retournant, le médecin remarqua qu'elle fixait les coupes colorées entre deux lames de verre, emballées de plastique transparent et posées sur le bureau. Sa biopsie…

— C'est pour vous, fit Calmette. Vous voyez, je n'ai pas oublié, cette fois.

— Merci.

— Certains collectionnent les timbres, d'autres les soldats de plomb, et vous…

Camille tira l'échantillon vers elle – une infime tranche de cœur entre deux lamelles – et le fixa avec intérêt, avant de le mettre dans son sac.

— Le cœur a décidé d'avancer notre rendez-vous trimestriel, on dirait, trancha-t-elle pour éviter de se justifier. Annoncez-moi une bonne nouvelle, docteur.

Calmette la suivait depuis plus d'un an et demi. Camille avait l'impression de s'être davantage confiée à lui qu'à son propre père. Il l'avait vue aux portes de la mort, méconnaissable, tandis que ses poumons se remplissaient d'eau, que ses reins ne purgeaient plus, que son cœur malade, paradoxalement, grossissait comme un jambon à mesure que ses battements diminuaient. La jeune femme se rappelait encore avec précision le jour où Calmette lui avait déclaré qu'il disposait d'un nouveau cœur pour elle, quelques semaines après les premiers symptômes.

Une chance inespérée vu la rareté de son groupe sanguin.

Le médecin rajusta ses petites lunettes rondes, l'air embarrassé. Il avait des airs de Gandhi mais avec des cheveux gris argenté coupés au bol.

— La bonne nouvelle, c'est que vous avez ressenti l'angor. Cela n'arrive que chez deux ou trois pour cent des personnes greffées du cœur.

Camille soupira imperceptiblement. Avant même de

sortir du ventre de sa mère, elle était déjà touchée par les faibles pourcentages, les cas particuliers : il lui arrivait toujours ce qui n'arrivait à personne d'autre.

Le médecin poursuivit ses explications :

— Il s'agit d'une douleur vive dans la poitrine que le receveur, normalement, ne peut pas ressentir. Lorsqu'on prélève le cœur chez un donneur, on sectionne évidemment toutes les terminaisons nerveuses. Ces dernières ne sont jamais rétablies chez le receveur. Durant l'opération de greffe, on reconnecte les veines, les artères, pas les nerfs. Et donc, dans la plupart des cas, le greffon est insensible à toute douleur. On pourrait vous planter une aiguille dans le cœur, vous ne sentiriez rien.

— Alors, pourquoi est-ce que j'ai eu mal ? Pourquoi j'ai ressenti cette douleur du cœur ?

Calmette s'assit face à Camille, de l'autre côté du bureau. Depuis sa greffe, sa patiente n'avait jamais parlé du cœur comme du sien, elle ne disait jamais « mon cœur », mais « ce cœur », « du cœur », « le cœur ». Le médecin n'avait pas réussi à lui faire accepter que le myocarde qui battait désormais dans sa poitrine lui appartenait à cent pour cent.

— Dans de très rares cas, qu'on n'arrive pas encore à expliquer, les terminaisons nerveuses du greffon se reconnectent d'elles-mêmes avec le système nerveux de l'hôte, comme si le cœur étranger cherchait à conquérir son nouveau territoire. À s'intégrer complètement à son porteur, y compris jusque dans ses ramifications les plus complexes…

Camille sentit un frisson la parcourir. Elle imagina ce cœur se brancher à son organisme, se connecter à ses nerfs, comme un parasite qui chercherait à la coloniser, à la dévorer. Elle songea brusquement à ses rêves. Ce visage de femme qui l'appelait au secours, qui semblait lui parler au fond d'elle-même, là.

Depuis le cœur...

Elle secoua la tête, c'était stupide.

— Toujours en train de rechercher l'ancien propriétaire de ce cœur ? demanda Calmette.

— Vous le savez bien... Si je pouvais avoir les réponses qui sont dans le fichier Cristal, ça me faciliterait la tâche.

Cristal était le système d'information de l'agence nationale de biomédecine, qui établissait la relation entre le donneur et le receveur d'un greffon, et qui était certainement l'un des fichiers les mieux protégés : très peu de personnes y avaient accès, et encore moins de spécialistes connaissant à la fois le donneur et le receveur.

Le médecin considéra la jeune femme d'un air lourd de reproches. Il savait que certains greffés développaient des complications psychiatriques provoquées par une remise en question identitaire, surtout dans le cas des greffes cardiaques. Il ouvrit la bouche comme pour lui répéter une énième fois la même chose, et se mit finalement à pianoter sur son ordinateur.

Camille posa la main sur sa poitrine.

— Hormis cette histoire d'angor, tout va bien, donc, là-dedans ?

Le médecin désigna les clichés.

— Vos artères, vos veines sont saines, vous n'avez pas eu d'alerte de crise cardiaque comme on aurait pu le penser.

— Alors que s'est-il passé, dans ce cas ?

Le visage de Calmette se crispa. Il cliquait nerveusement sur sa souris. Il avait quelque chose de grave à dire, et il ne savait pas comment l'annoncer. La jeune femme sentit immédiatement le stress monter en elle.

— Je vous en prie, docteur. Dites-moi ce qui ne va pas.

Calmette inspira, puis tourna son écran vers son interlocutrice.

— Très bien. J'ai ici les résultats de l'IRM cardiaque que vous avez passée hier, ainsi que ceux de la biopsie de l'avant-veille. Pour être clair, votre greffon est abîmé, Camille.

Abîmé… Comme « en mauvais état », en « dysfonction », « fatigué ». Des mots qu'elle avait trop entendus, qui l'avaient laminée, abattue durant toutes ces années.

— Abîmé ? Qu'est-ce que ça veut dire ?

Le cardiologue désigna des endroits de son écran qui affichait des cartographies du cœur.

— La paroi des cavités de votre cœur est en train de changer, l'évolution est très nette, et extrêmement rapide depuis votre dernière biopsie. Pour faire simple, les cellules normales, celles qui poussent votre cœur à pulser, sont progressivement remplacées par du tissu fibreux. Les conséquences sont des troubles du rythme, une augmentation de la rigidité myocardique, une réduction des cavités. Ce processus est malheureusement irréversible. Bientôt, votre cœur s'arrêtera de battre, comme pétrifié.

Il y eut un blanc. Le médecin avait tout lâché d'un coup. Camille sentit les larmes monter. Elle fixait les radiographies, les murs blancs, froids. Elle aurait aimé quelque chose de chaleureux pour y accrocher son regard. Une belle photo, un sourire, et non pas un décor de morgue. Sa vie, c'étaient des tranches de muscle cardiaque entre des lamelles et des clichés de poitrails sur des surfaces rétroéclairées. Elle n'en pouvait plus.

— Ce que vous me dites, c'est que… ce nouveau cœur, ce cœur qui a juste passé un an dans ma poitrine, est en train de mourir ?

— Il est rejeté par votre organisme. C'est ce qu'on appelle un rejet chronique. Votre greffon essaie de s'intégrer, mais votre propre corps n'en veut pas. Votre système immunitaire le considère comme un ennemi et fait tout pour le détruire. Il est en guerre contre lui.

Camille ne comprenait pas.

— Mais je prends mes immunodépresseurs ! Je me gave de cachets tous les jours !

Le médecin gardait un ton calme, horriblement neutre. Comme toujours.

— Les immunodépresseurs sont inefficaces lors d'un rejet chronique. Ce type de rejet est malheureusement la principale cause d'échec des transplantations cardiaques. Nous en avions parlé avant votre greffe, Camille, vous étiez au courant des risques et…

— J'ai combien de temps ?

— Comme je vous l'ai dit, l'évolution est extrêmement rapide, c'est un cas très troublant. Je vais demander à…

Camille ne l'écoutait plus, elle avait envie de hurler. Hurler sa révolte, son impuissance. Cisailler à coups de lame ce corps qui se tuait lui-même. Elle le maudissait. Pourquoi n'acceptait-il pas ce fichu cœur ? Pourquoi le considérait-il comme un ennemi alors qu'il lui permettait de vivre ?

C'était comme un serpent qui chercherait à s'étouffer lui-même.

Incompréhensible.

— Combien de temps ? répéta-t-elle.

— Le tissu fibreux a sérieusement colonisé le muscle. J'ai rarement vu une évolution aussi rapide. C'est une question de semaines.

Tout s'enchaînait trop vite. Camille n'arrivait pas à réaliser : elle allait mourir, et pour de bon cette fois.

— On va trouver une solution, fit le médecin.

— Laquelle ? M'installer dans un lit d'hôpital, me brancher à des appareils en attendant que ce morceau d'un autre finisse par me lâcher comme un vieux moteur de voiture ? Je ne veux pas d'une fin dans un hôpital. Je suis là-dedans depuis que je suis née. J'en ai marre.

— Ne dites pas cela. Vous devez être hospitalisée immédiatement, et rester sous surveillance.

— Non. Je refuse l'hospitalisation, répliqua sèchement Camille.

— Réfléchissez bien. Les malaises risquent de survenir n'importe quand, on doit être là pour…

Elle secoua la tête avec conviction.

— S'il vous plaît, docteur. N'insistez pas. Je signerai un refus de soin sur mon dossier médical pour vous mettre hors de cause, l'hôpital et vous.

Calmette eut l'air dépité.

— Dans tous les cas, je vous réinscris sur la liste d'attente des greffes, en super-urgence. Il suffit d'un coup de chance au niveau des compatibilités, et vous passerez devant tout le monde.

Camille évalua la solution quelques secondes, et secoua de nouveau la tête.

— Je n'aurai plus la chance d'avoir un greffon compatible, vous comme moi le savons. Les délais sont trop courts, mon groupe sanguin trop peu répandu. Combien ? Moins de dix pour cent de la population possède mon groupe ?

Le médecin acquiesça en silence.

— Et puis, on est trop nombreux sur les listes d'attente, on est tous en super-urgence. Des gens meurent tous les jours dans leur lit d'hôpital parce qu'ils ne reçoivent pas d'organes.

Elle écrasa son index sur le bureau, partagée entre colère et dépit.

— Je connais parfaitement les chiffres, docteur, j'ai passé tellement de temps dans les hôpitaux que j'ai vu des gens mourir parce qu'ils ne recevaient pas leur rein, leur poumon ou leur foie. Je me souviens de leurs regards, de leur impuissance... Qu'ils soient pauvres ou riches, blancs ou noirs, c'est pareil, c'est terrible d'attendre la mort alors que la vie est partout autour, qu'elle vous nargue. La chance que j'ai eue, elle ne se présentera pas deux fois. J'ai déjà eu un cœur, tous ces gens en blouse qui choisissent les priorités ou les affectations préféreront laisser la vie à quelqu'un d'autre. La vérité, c'est que je vais moi aussi crever.

Le docteur Calmette la fixa dans le blanc des yeux, sans ciller.

— Vous déformez la vérité, on ne laisse jamais quelqu'un mourir sans faire tout notre possible. Et pour vous, il y a aussi la solution du cœur artificiel provisoire en attendant l'arrivée d'un greffon.

Camille secoua encore la tête. Elle avait déjà vu à quoi ressemblaient des patients qui portaient ce genre de « cœur ». Ils devaient se promener en permanence avec une grosse batterie sous le bras, reliée à des câbles qui pénétraient dans leur poitrine comme des hameçons dans la gueule d'un poisson. Des hommes-machines.

Elle se rappela les patients dialysés qui l'avaient traumatisée plus jeune, leurs visages gris, et eut la nausée.

— Non, non, fit-elle. Jamais.

— Pensez à ce cœur qui lutte en vous, qui s'enracine dans vos entrailles malgré la guerre intérieure. Un malade qui avait besoin d'un cœur est certainement déjà mort parce qu'il n'a pas pu avoir VOTRE cœur, celui-là même qui bat dans votre poitrine, aussi abîmé soit-il aujourd'hui. Vous n'avez pas le droit d'abandonner.

Camille retrouva ses esprits et lui rendit son regard.

— Dans ce cas, dites-moi au moins à qui il appartient, ce cœur. Que j'arrête de collectionner les biopsies et que je puisse au moins lui donner un nom, une identité, un visage. Que je sache enfin à qui je dois la vie, même si celle-ci se révèle plus courte que prévu. J'aimerais tant parler à la famille, voir des photos, discuter, avant de… mourir sans savoir.

— Vous vous acharnez. Je vous l'ai dit, redit, je ne…

— Vous pouvez savoir. Passez des coups de fil.

— C'est impossible. Tout est protégé, je vous garantis que ni moi ni aucune personne de cet hôpital ne connaissons l'identité du donneur. Tout est segmenté – le prélèvement, le transport, la greffe – pour que personne ne sache. Votre cœur est juste un code-barres dans Cristal, il n'a ni nom ni adresse. Seul le directeur de l'agence de biomédecine et quelques responsables travaillant à ses côtés connaissent les codes et ont accès au dossier d'origine du donneur, mais pour rien au monde ils ne parleront. Ne cherchez plus, ça ne rime à rien. Vous n'avez pas le droit d'aller voir la famille de votre donneur, de raviver un deuil qu'ils ont peut-être réussi à faire.

Camille rageait devant son impuissance. Elle connaissait le discours par cœur. Lois de bioéthique de 1994 : « Le donneur ne peut connaître l'identité du receveur, ni le receveur celle du donneur. »

— Je ne peux pas faire autrement, c'est au fond de moi, vous comprenez ? Il ne se passe pas une heure sans que je pense à mon donneur, que j'essaie de l'imaginer. Quelle a été sa vie ? De quoi est-il ou est-elle morte ? Et… Et tout ça a empiré depuis que j'ai l'impression que ce cœur me parle. Qu'il réclame vengeance.

— Réclame vengeance ? Expliquez-vous.

Camille se livra. Elle n'avait plus rien à perdre, de toute façon.

— Je fais des rêves dans lesquels une jeune femme m'appelle au secours, j'ai… (elle plaqua son paquet de cigarettes sur la table) acheté ces saloperies alors que je n'ai jamais fumé de ma vie. La cigarette me dégoûte à tel point que vous ne pouvez l'imaginer. Comment vous expliquez une chose pareille, vous ?

Le médecin fixa le paquet de cigarettes, stupéfait.

— Les antirejets peuvent altérer vos envies et vos sens, le goût notamment.

— Je ne veux pas des explications scientifiques. De cette science qui n'arrive pas à me sauver. Il y a autre chose, j'en suis désormais certaine. Je vais peut-être mourir, mais pas avant d'avoir compris.

Elle chassa ses larmes naissantes avec le dos de sa main.

— Ce cœur, vous dites qu'il s'est reconnecté à mon système nerveux, qu'il se bat en moi, alors que mon propre corps veut le détruire. Ça n'est pas normal, ça défie les statistiques, c'est vous qui le dites. JE défie les statistiques, depuis que je suis toute petite. Existe-t-il un autre phénomène qui pourrait expliquer mes rêves récurrents, mes sautes d'humeur parfois et certains changements dans mes envies ?

Le médecin soupira et, après une longue hésitation, lâcha enfin :

— Il existerait bien quelque chose, oui. Même si les faits et les cas réels sont là, tous les médecins et scientifiques, moi y compris, rejettent ce phénomène en bloc.

Camille se pencha davantage au-dessus de la table.

— Et de quoi s'agit-il ?

— Ce cœur vous transmettrait des souvenirs, des gestes, des goûts qui ne vous appartiennent pas, et qui seraient ceux de votre donneur. On appelle cela la mémoire cellulaire.

8

Au fond de la carrière de Saint-Léger-aux-Bois, le vérin hydraulique fit enfin sauter le verrou de la grille.

Les quatre hommes de la BAC s'engagèrent dans l'escalier et grimpèrent en rythme, suivis par Bellanger, Levallois et Sharko. Couinement des chaussures d'intervention en Gore-Tex, feulement des protections en polypropylène, respirations courtes. Il devait y avoir une cinquantaine de marches très raides. Le tunnel était étroit, en forme de demi-lune, ne permettant pas le passage de deux hommes de front.

Après un plat de quelques mètres, les équipes de police tombèrent sur une autre porte couverte d'isolant phonique. Le câble électrique relié à la caméra traversait la roche à cet endroit et disparaissait de l'autre côté.

— Attention.

Nouveau travail du vérin. Les flics de la BAC tenaient leurs fusils à pompe à deux mains, prêts à les braquer au moindre mouvement. Craquement du bois, raclement de métal. Le verrou céda. Les hommes poussèrent la porte, ils durent forcer, comme si quelque chose de lourd en gênait l'ouverture. Après quelques coups d'épaule, il y eut un fracas de l'autre côté.

Ils se trouvaient à présent dans une petite pièce confinée, tout en béton, dans laquelle était entreposé un fourbi innommable : du matériel de jardin, des barres en fer, de vieux meubles, de l'essence… Le tunnel d'où ils sortaient avait été camouflé par une lourde armoire, des planches et de l'isolant. Sharko songea immédiatement à une planque à la Marc Dutroux, le pédophile belge : un accès protégé, secret, où se passaient sans doute les pires horreurs. Par transfert, il pensa à Jules et Adrien, à leur innocence, et se sentit immédiatement mal à l'aise. Ces pensées intruses, hors contexte, le parasitaient de plus en plus.

— On est maintenant dans un vieux bunker, murmura Bellanger.

La lumière qui tombait en oblique par une trouée dans le plafond indiquait qu'ils étaient à la surface. Il y avait un petit compteur électrique, qui devait alimenter une prise et l'ampoule du local. Un autre câble arrivait discrètement sur le tableau de fusibles, par-derrière. Sans doute celui relié aux lumières du souterrain et à la caméra.

Une fois la porte du bunker défoncée, ils se retrouvèrent au fond d'un jardin à l'orée de la forêt. Le soleil pesait de tout son poids. L'herbe poussait en pagaille et jaunissait par endroits. Face à eux, à trente mètres environ, une petite maison individuelle à étage, en brique et aux volets fermés. Des tuiles avaient été arrachées par la tempête et jonchaient le sol. La première habitation voisine était à peine visible dans un renfoncement d'arbres, à une vingtaine de mètres. Plus loin, le clocher d'une église pointait dans le ciel bleu.

Les hommes progressèrent, dos courbé, jusqu'à la maison. Pas de voiture dans l'allée de la propriété.

Répartis de part et d'autre de l'entrée, deux policiers de la BAC firent une sommation, tandis que deux autres surveillaient une seconde porte, à l'arrière.

Franck Sharko se tenait le long du mur, son Sig Sauer entre les mains, juste aux côtés de son chef. La sueur ruisselait dans sa nuque. La chaleur, l'adrénaline de l'intervention, les horreurs découvertes dans le souterrain... Sans compter ses petites nuits, rythmées par les appétits féroces de Jules et d'Adrien.

Il se rendit compte que ses doigts tremblaient sur son flingue, et son ventre n'était qu'une boule de plomb. Il avait ce genre de symptômes depuis la naissance des jumeaux, des sensations curieuses dès qu'il était en situation de stress. Comme s'il avait l'appréhension de la première intervention, avec cette peur abominable de recevoir une balle.

— Ça va, Franck ? murmura Bellanger. T'as l'air mal.

— La chaleur...

Une minute plus tard, les sept hommes pénétraient dans l'habitation. Les lieux furent rapidement sécurisés. Les pièces étaient vides, dépouillées. Pas de meubles dans le salon ni téléviseur, cuisine sans réfrigérateur, poubelle propre. Le grenier avait été balayé par les vents, trempé par la pluie. Un policier signala qu'il n'y avait rien à l'étage. À l'évidence, plus personne n'habitait cette maison.

— Bon, on ne fouille pas davantage, fit Bellanger. On va laisser la Scientifique agir, dans un premier temps.

Sharko ressortit, son portable vibrait. Un SMS. Lucie venait aux nouvelles, comme presque chaque fois qu'il était sur une affaire.

La visite s'est bien passée, mais je n'en sais pas plus, comme d'hab. On verra. Sinon, c'était si sérieux que ça, l'appel de Bellanger ? Dis-moi. Jules ronfle comme un ange et je crois qu'Adrien te réclame déjà.

Un *smiley* accompagnait le texte.

Sharko soupira. Avec tous ces SMS qu'elle envoyait, Lucie essayait de vivre les enquêtes par procuration et dès qu'il rentrait, elle fourrait son nez dans ses affaires. Le lieutenant la savait à la fois heureuse de s'occuper des jumeaux mais malheureuse d'être bloquée à la maison, alors que lui partait au charbon.

Il composa sa réponse : *Tout va bien. Je te raconte ce soir. Poutou poutou et bisou bisou. Shark.*

Après l'envoi, son visage redevint sombre. Rien n'allait bien, au contraire. Sa curieuse crise d'angoisse tout d'abord, que Bellanger avait remarquée. Et puis, Sharko savait que dès son retour à l'appartement Lucie chercherait à savoir, à s'impliquer d'une manière ou d'une autre dans l'enquête. Elle n'arrivait pas à faire autrement. Au fond de lui-même, il eut l'intime conviction qu'elle ne tiendrait pas quinze jours supplémentaires avant de reprendre.

Une voix, derrière lui. C'était Nicolas Bellanger qui le rejoignait.

— Je viens juste d'appeler la mairie de Saint-Léger, fit-il.

— Alors ?

Il se dirigea vers la rue.

— On récupère nos voitures et on va chez le propriétaire de la baraque. Un certain Gilles Lebrun, il habite à l'autre bout du village. D'après le type de la mairie, il a hérité de cette turne qui appartenait à son père, et apparemment il la louait.

9

— C'est horrible, ce que vous me dites là.

Gilles Lebrun, la cinquantaine, était un homme au crâne dégarni et à la mine plutôt joviale. Corps modelé façon quille de bowling. Il résidait dans une belle maison en brique avec véranda qui donnait sur un grand carré de pelouse agrémenté d'une balançoire. Diverses photos dans des cadres indiquaient qu'il était marié, avec des enfants.

L'annonce faite par Sharko et son chef Bellanger lui avait mis un coup. Il s'était assis sur la banquette de son salon, le visage subitement crayeux.

— Un tunnel sous le bunker... Je n'étais pas au courant, mon père ne m'en a jamais parlé.

Les flics gardaient le silence. Bellanger, d'un mouvement de tête, l'incita à poursuivre ses explications.

— Il est mort il y a cinq ans. Il est venu s'installer dans sa maison en 80. Il a peut-être découvert la carrière par hasard et a gardé cette trouvaille pour lui ? On ne communiquait pas beaucoup, tous les deux, nos rapports ont toujours été froids... C'est lui qui a creusé le sol du jardin pour déblayer le bunker qui s'était affaissé, les propriétaires précédents n'avaient jamais rien fait et avaient tout laissé à l'abandon. Mon père l'a ensuite aménagé en lieu de stockage. Je ne sais pas si vous avez remarqué, mais des bunkers, ce n'est pas ce qui manque, dans le coin…

Il se tut, les yeux dans le vague. Bellanger et Sharko s'installèrent en face de lui. Les équipes de la BAC avaient regagné leur véhicule, tandis que le lieutenant Levallois attendait les techniciens de police scientifique au niveau du bunker.

Le capitaine de police poussa l'appareil photo devant lui.

— Vous avez déjà vu cette fille ?

Lebrun considéra l'écran avec une grimace et secoua la tête.

— Non, jamais. Elle est sacrément mal en point. Et ses yeux…

— Ça faisait sûrement longtemps qu'elle était enfermée là-dessous, au bout du jardin de votre père.

— C'est immonde. On en entend tous les jours, des histoires comme ça, mais là. C'est une petite ville tranquille ici, jamais je n'aurais cru que…

— Vous louiez la maison, d'après l'employé de mairie. Parlez-nous de vos derniers locataires.

L'homme partit se chercher une bière et en proposa aux policiers, qui préférèrent de l'eau. Après les avoir servis, il vida un bon tiers de sa canette, cul sec.

— Il était seul et s'appelait Olivier Macareux. Il avait toujours une casquette visée sur la tête et portait des lunettes de soleil, je pourrais vous le décrire mais ce ne sera pas vraiment précis. Un type discret, jamais le moindre problème.

— Quelle tranche d'âge ?

— La trentaine, je dirais. Plutôt petit, et assez

maigre. Il est venu me voir il y a un peu plus de deux ans, en me disant que ça l'intéressait de louer la maison de mon père. Je n'avais jamais eu l'idée de la louer, je commençais juste à penser la vendre. Qui viendrait louer une baraque ici, à Saint-Léger ?

Bellanger avait sorti un petit carnet Moleskine à couverture en cuir, un stylo Waterman. Il notait les éléments essentiels. Sharko fixait leur interlocuteur sans ciller : les bouts de ses doigts tremblaient chaque fois qu'il buvait une gorgée.

— Et pourquoi ce Macareux s'était-il installé dans votre patelin ? demanda-t-il.

— Il disait qu'il bossait sur Noyon, à une quinzaine de kilomètres d'ici. Une activité dans le marketing, je ne saurais vous donner plus de détails. Il voulait habiter un coin tranquille, au cœur de la nature. Il m'a demandé combien je la lui louerais. J'ai proposé un prix, il a immédiatement accepté. Ça s'est fait aussi simplement que ça.

Il secoua la tête, la canette serrée entre ses mains.

— Il devait être au courant pour le tunnel, fit Bellanger, c'était sans doute sa motivation première pour louer cette maison-ci, précisément. Votre père voyait beaucoup de monde ? Y a-t-il des personnes à qui il aurait pu confier l'existence du souterrain ?

— Il habitait là depuis plus de trente ans. Avant sa retraite, il prenait la route presque tous les jours pour aller travailler en région parisienne. Il était plombier, et il aimait bien boire un coup après le boulot. Il allait souvent dans les cafés de la capitale et même à quatre-vingts balais il arrivait encore à traîner sa carcasse là-bas. Ça en fait du monde et des possibilités, non ? Mais, ce qui est sûr, c'est que le locataire connaissait mon père, il disait l'avoir déjà rencontré, par le passé. Peut-être pour une réparation.

Sharko se releva et ôta sa veste, qu'il posa sur ses genoux. Il ne put s'empêcher de jeter un œil à ses chaussures sales.

— Ce locataire était toujours seul ? demanda-t-il.

— Je crois, oui. En fait, on ne le voyait pas souvent. Parfois, il ne venait pas pendant des jours. Même quand il était là, les lumières restaient souvent éteintes le soir, sauf dans la petite chambre, en haut. Elle brillait longtemps la nuit. À se demander si ce type dormait...

— Comment réglait-il ?

Lebrun marqua un silence, il était nerveux.

— Liquide. On préférait, tous les deux.

— Je vois... Et donc, vous n'avez jamais demandé de factures ni même vérifié son identité, évidemment ?

La gorgée de bière qu'il s'enfila était en soi une réponse. Il reposa la canette vide devant lui.

— Il était réglo, mais du jour au lendemain il n'est plus jamais revenu.

Sharko et Bellanger échangèrent un rapide regard.

— Racontez-nous, fit le lieutenant.

— Ça remonte à l'été dernier. Je n'avais pas reçu le loyer d'août. D'ordinaire il déposait toujours une enveloppe dans ma boîte aux lettres, le 1er ou le 2 de chaque mois. Jamais un jour de plus. Après plusieurs relances, j'ai compris qu'il n'était plus là...

L'été dernier... Cela faisait peut-être plus d'un an que la pauvre fille errait dans les tunnels, puisant dans les énormes stocks d'eau et de conserves. C'était impensable, presque irréel. Perturbé, Sharko tenta de se concentrer sur les paroles de Lebrun.

— ... Alors, je me suis permis de rentrer dans la

maison. Et là, ça a été la grande surprise, parce qu'il n'y avait presque plus de mobilier. Plus de table de salon, de télé, juste deux ou trois meubles vieillots. Même plus de frigo. C'était froid et morbide. Surtout dans la chambre.

Sharko se pencha vers l'avant.

— Qu'y avait-il dans la chambre ?

— Des cadres, accrochés au mur. Des trucs immondes. Ça me fichait les jetons. Et quelque part, maintenant que vous me parlez de cette pauvre fille, de ce souterrain… Oui, peut-être qu'il n'était pas net, finalement, ce type. Un pervers, un déséquilibré, quelqu'un dans le genre qui a décidé de ficher le camp sans prévenir personne. C'est pour ça qu'il gardait toujours ses lunettes de soleil et sa casquette.

Il hocha le menton vers une baie vitrée qui donnait sur un petit abri de jardin.

— Il y a six mois, j'ai tout vidé et nettoyé parce que mon frère et sa femme sont venus passer trois semaines dans le coin. Ils ont logé là-bas. Bon Dieu. Quand je pense que la pauvre femme était seulement à quelques mètres d'eux, sous terre.

Sharko imaginait aisément le sentiment d'horreur qu'il devait ressentir.

— J'ai vendu les meubles à une brocante, je n'allais pas les garder ici indéfiniment. Il me reste les tableaux.

— On aimerait les voir.

— Suivez-moi.

Ils se rendirent dans l'abri de jardin, qui avait bien souffert de la tempête : un petit volet était au sol et avait cassé une vitre. Les fameux cadres étaient entassés au fond, sans précaution, couverts de poussière. Pour les empreintes digitales, c'était fichu. Gilles

Lebrun les souleva et donna un coup de chiffon sur la vitre. Il s'agissait en fait d'impressions en couleur, de reproductions protégées par une plaque en verre, et non de peintures originales. L'encadrement était simple, en lattes de pin.

— Avec un peu de chance, on aura peut-être des traces papillaires sur le papier, sous la vitre, confia Bellanger.

— Sauf s'il les a achetés avec la vitre, fit Sharko.

Les flics s'approchèrent et firent une grimace. Lebrun tira sa cigarette électronique de sa poche et la porta à la bouche.

— Quand je vous disais qu'ils étaient vraiment bizarres, ces tableaux.

10

Camille était enfermée dans son deux-pièces, du côté ouest de la caserne.

Un intérieur propret, fonctionnel. Logée par nécessité de service, elle ne payait pas de loyer. Sur le mur, une lithographie de Dalí, *La Persistance de la mémoire*, une vieille télé que la jeune femme n'allumait jamais, des horloges partout, aux mécanismes bruyants. Un métronome, posé près de son lit.

La fenêtre du salon donnait sur un espace vert agréable et ombragé. En arrière-plan, à juste cent mètres, on pouvait apercevoir le bâtiment où l'adjudant travaillait. Un avantage et une contrainte, cette proximité. Si on voulait, on pouvait ne jamais sortir de l'univers militaire et littéralement y passer son existence.

Ici vivaient des familles entières. Les enfants jouaient dans l'herbe, les conjointes mangeaient au mess avec leurs maris. L'endroit était plein de joie, de cris, de mouvements.

Bientôt, pour Camille, tout cela prendrait fin.

L'arrêt brutal des projets, de l'avenir, de la vie.

Malgré l'insistance de son cardiologue, elle avait

refusé la chambre d'hôpital, et l'idée même d'un cœur artificiel, avec sa boîte portative de plusieurs kilos qu'il fallait lever à bout de bras, lui donnait envie de vomir.

Elle avait passé sa vie dans des unités médicales, elle ne voulait pas y mourir. La mention « refus de soin », qui déchargeait l'hôpital en cas de problème, était désormais inscrite dans son dossier médical. Calmette l'avait ajoutée avec beaucoup d'amertume et de regrets.

En maillot à bretelles, elle passait une lame de rasoir sous l'eau. Le fil d'acier pissait le sang. Inerte, elle regardait le liquide bien rouge disparaître en tourbillon dans le lavabo, les dents serrées, tant la douleur lui brûlait le ventre.

Elle souffrait mais elle se sentait mieux. Comme vidée. Elle ne s'était plus mutilée ainsi depuis longtemps. Le besoin de se faire mal avait jailli du fond de ses entrailles, irrépressible.

L'esprit peut parfois oublier, mais le corps jamais.

Elle avait passé le fil du rasoir précisément sur ses anciennes cicatrices. Pour rouvrir les vieilles plaies.

Faire rejaillir ses démons.

Elle avait hésité à enfoncer la lame plus profondément. Là où coule à gros flux le sang aussi rouge que les briques des maisons du Nord. Tout abréger immédiatement. Mettre un terme aux souffrances.

Mais quelque chose, au fond d'elle-même, l'en avait empêchée. Sans doute son caractère de battante.

Après avoir appliqué des pansements contre ses plaies, elle retourna s'asseoir sur son lit et resta là, les yeux dans le vague. Triste, tellement triste. Sa main caressa machinalement son chat Brindille venu se lover entre ses jambes. Pauvre bête. Qu'allait-il devenir quand elle serait partie ?

Elle refusait de croire au miracle du nouveau cœur et refusait de vivre dans l'horrible attente d'une greffe. Attendre que quelqu'un meure dans des conditions terribles – accident vasculaire cérébral, rupture d'anévrisme, drame de la route… – afin qu'on puisse espérer prélever ses organes et ses tissus. Ensuite, les infirmières de coordination discuteraient avec la famille, tentant de les convaincre de consentir au don en insistant sur l'espoir qu'il représentait pour la personne qui le recevrait. Mais pour diverses raisons – croyances religieuses, peur de voir la dépouille mutilée, refus du deuil ou simple ignorance de la volonté du patient –, les proches s'y opposaient, et la plupart des organes encore viables finissaient par mourir avec leur hôte.

Et les malades continuaient à vivre l'enfer au fond de leur lit.

Attendre un organe, c'était s'accrocher à une bouée de sauvetage au milieu de l'océan en espérant qu'un bateau passe.

Camille ne voulait plus faire partie de ces naufragés. Ceux qui prient pour que la porte de leur chambre s'ouvre sur le visage rassurant d'un médecin. Ceux qui, chaque heure de chaque jour, espèrent les mots magiques : « On a un cœur pour vous. » L'espoir d'une greffe vous rongeait de l'intérieur, consumait vos dernières forces.

C'était un espoir assassin.

Le coup de rasoir sur son corps labouré lui avait ouvert les yeux. Elle n'allait pas attendre que le bateau passe mais elle allait continuer à nager, autant qu'elle le pourrait, autant que ses forces le lui permettraient.

Crever en marchant, s'il le fallait, mais crever sur la route. Dans cinq jours ou dans trois semaines.

Elle grimaça de douleur lorsqu'elle s'allongea auprès de Brindille et cala son oreille contre son petit cœur félin. *Cent trente pulsations par minute au repos, la forme d'une noix.* Elle réfléchit aux derniers mots du médecin et se leva. Elle se rendit au bout de sa chambre, ouvrit la porte de la commode et en sortit une boîte à chaussures.

À l'intérieur, de petits morceaux de son donneur, pièces de puzzles anonymes. Ses biopsies, tranches sombres de morceau de cœur, déshydratées et piégées dans une résine synthétique. Une photo en noir et blanc d'une coupe myocardique, réalisée sous IRM, montrant un cœur de taille plutôt moyenne, qui pourrait appartenir à n'importe quel adulte de n'importe quel âge, femme ou homme. Des articles de journaux sur les greffes, les accidentés de la route, les dons d'organes… Elle avait même gardé les agrafes métalliques de sa grande cicatrice transversale.

C'était tout ce qu'elle avait pu récolter.

Elle leva les lamelles de verre et les observa sous tous les angles. Le spécialiste avait raison, d'une certaine façon : comment ces amas de cellules pulsantes pouvaient-ils stocker des sensations, des souvenirs ? Comment un cœur pouvait-il avoir une mémoire et restituer les morceaux de vie de son propriétaire ?

Comme disait Calmette, ça paraissait stupide. On n'était plus à l'époque de l'Égypte ancienne où l'on croyait que le cœur était le siège de l'âme, et Camille était mieux placée que quiconque pour savoir que le muscle cardiaque n'était qu'un outil sans âme, une pièce de voiture destinée à faire tourner la machine. Le reste n'était que mythe et poésie.

Elle posa finalement les éléments de sa sinistre

collection, vérifia l'état de ses pansements et but une gorgée de thé vert, écoutant le bruit des battements mécaniques des horloges. Depuis toujours, elle devait éviter les excitants comme le café, mais qu'est-ce qui l'empêchait aujourd'hui de s'y remettre ? Et puis, elle en avait envie. Les gens qui vont mourir ont tous les droits. À quoi bon continuer à suivre les règles, à s'imposer des interdits ?

Sur ces pensées, elle se plongea dans la revue américaine que lui avait prêtée à contrecœur le docteur Calmette : le *Journal of Near-Death Studies* datant de l'année 2002, dont le numéro était consacré à la mémoire cellulaire.

On pouvait être sceptique, ne pas croire à cette théorie, mais les cas exposés, avérés, étaient stupéfiants. Tous avaient eu lieu aux États-Unis. Il était indiqué dans la revue que, là-bas, la législation sur les dons d'organes autorisait les receveurs à rencontrer la famille du donneur, si les deux parties étaient d'accord. *Si seulement cela pouvait être le cas en France*, songea Camille. *Après tout, si les deux parties sont d'accord, pourquoi l'empêcher ?*

Ces mises en relation donnaient naissance à d'incroyables histoires.

Par exemple, en 2000, un homme de quarante-sept ans, ouvrier en fonderie, s'était mis à écouter de la musique classique après sa greffe cardiaque, et tous ses proches avaient affirmé que, au fil des semaines, son caractère s'était considérablement adouci. Il avait par la suite découvert que son donneur, un jeune homme de vingt-quatre ans, se rendait à son cours de violon lorsqu'il avait été tué d'une balle dans la tête, et qu'il s'était effondré, son instrument serré contre lui.

Camille dévorait les lignes, ces témoignages l'interpellaient. Ici, un receveur qui s'était mis à craindre l'eau, trois mois après sa greffe : son donneur était mort noyé dans une piscine. Là, une femme qui avait reconnu sa donneuse sur une photo de famille de dix personnes, sans aucun indice préalable.

Les exemples pleuvaient, et les explications des scientifiques étaient inexistantes : côté blouse blanche, on parlait de phénomènes psychiques, de coïncidences, de conditionnement de l'esprit, d'induction, d'incidence des médicaments pouvant altérer les sens. Personne ne menait de recherches là-dessus, les témoignages étaient trop rares, difficilement vérifiables.

Côté partisans d'expériences de mort imminente – ceux qui s'intéressaient aux phénomènes extraordinaires autour de la mort –, on employait les termes de « mémoire cellulaire » : certaines expériences fortes des donneurs, certains souvenirs marquants seraient stockés dans les cellules du corps humain. Selon eux, la mémoire cellulaire expliquait des sentiments ou phobies – vertige, peur des araignées – que la mère pouvait transmettre à son enfant par voie placentaire. Ils rejetaient la transmission de sensations par les gènes et préféraient parler de « mémoire des organes ». Les hypothèses avancées étaient aussi convaincantes que stupéfiantes.

La jeune gendarme referma la revue, bouleversée par sa lecture. Dire qu'elle ne savait même pas de quoi son donneur était mort ! S'agissait-il d'un homme ou d'une femme ? Quel était son âge, sa couleur de peau ? Où habitait cette personne ?

Les données qu'on lui avait fournies étaient nulles.

Et pourtant, il y avait les rêves et ces envies de

cigarettes, qui devenaient de plus en plus fréquentes. Cette impression qu'elle était parfois plus impulsive, plus dure, plus colérique que d'ordinaire. Camille avait à présent l'étrange certitude que son donneur était en fait une donneuse, et qu'elle avait été en danger avant de connaître une mort ayant forcément été violente.

Et si elle avait été enlevée et retrouvée agonisante, tuée par son ravisseur ? Elle serait alors décédée alors qu'on l'emmenait à l'hôpital… Et on lui aurait prélevé ses organes pour sauver d'autres vies.

Camille avait beau ne pas y croire, il fallait se rendre à l'évidence : le cœur malade lui envoyait des signaux. Comme une balise de détresse perdue au milieu de l'immensité de l'océan.

Il réclamait de l'aide.

La jeune femme sentit soudain un nouvel élan en elle, entrevit une piste qu'elle n'avait jamais explorée. Au lieu de chercher dans les rubriques faits divers des journaux, elle pouvait peut-être fouiller du côté des disparitions, des enlèvements qui s'étaient terminés d'une façon tragique en juillet dernier, au moment de sa greffe. Chercher sa donneuse là où elle n'avait jamais pensé à la chercher, au cœur même de ce qui constituait son environnement quotidien : les affaires criminelles.

On frappa à la porte. Camille glissa la revue et sa boîte sous le lit et se redressa aussitôt.

— J'arrive !

Elle retourna en toute hâte devant le miroir de la salle de bains. Sale tête, mais on ne voyait plus trop qu'elle avait pleuré. Rapidement, elle remit en ordre ses courts cheveux bruns, ôta son maillot à bretelles taché de sang, dévoilant un torse bardé de cicatrices, comme si elle était passé au travers d'une série de vitres.

Il suffisait que ses collègues ou ses supérieurs découvrent ces blessures toutes fraîches pour qu'on la vire illico. On ne voulait pas de déséquilibrés ou de personnes psychiquement instables dans la gendarmerie.

— Une minute !

Elle resserra ses pansements, rangea les compresses inutilisées dans la pharmacie, à côté de ses boîtes de ciclosporine, enfila un maillot de corps, sa chemisette de fonction bleue, glissa ses pieds dans une paire de sandales et alla ouvrir.

C'était le lieutenant Boris Levak. Ils se firent la bise, elle le laissa entrer. Le colosse était trempé dans le dos et la nuque.

— On m'a dit que t'étais de retour, fit-il en la fixant dans les yeux, comme s'il cherchait à deviner son état de santé.

— Comme tu vois.

— T'es en sueur. Qu'est-ce qui ne va pas ?

— Rien, j'étais juste en train de faire un peu de rangement dans ma chambre. Quand est-ce qu'ils se décideront à nous installer la clim ?

— Quand il fera meilleur dans le Nord. Autrement dit, c'est pas demain la veille.

Elle lui proposa du thé. Boris s'installa sur le sofa, face à un ventilateur qui tournait à plein régime.

— Un truc frais, plutôt. Alors, ces examens finaux ?

— Rien de bien méchant, fit Camille depuis la cuisine ouverte sur le salon. Les résultats confirment juste que je suis un peu stressée.

— Seulement stressée, ou il y a autre chose ? T'es quand même tombée, aux trois quarts évanouie. Et quand je suis venu te voir à l'hôpital, t'avais pas vraiment bonne mine.

— Que veux-tu qu'il y ait d'autre ? Ce cœur dans ma poitrine cherche encore ses marques. J'ai peut-être voulu aller plus vite que la musique en faisant comme si de rien n'était. Mais les vacances arrivent, et ça va me faire du bien.

Ses yeux se troublèrent face au réfrigérateur ouvert. Camille songea soudain à ses parents. Elle avait décidé de ne pas leur annoncer la triste nouvelle. À quoi bon ? Ils avaient assez donné, subi, calquant leur rythme de vie sur celui d'une enfant malade, contractant même des crédits pour offrir à leur fille une existence « supportable ». Elle ne pourrait jamais leur rendre la pareille.

Elle remplit deux verres de jus de fruits et vint s'installer à côté de son collègue. Sa plaie la tirailla lorsqu'elle s'assit, mais elle cacha parfaitement sa douleur. Depuis toute petite, elle avait appris à masquer ses émotions. À ne laisser transparaître que cette façade de fille solide.

Brindille vint se faufiler entre les mollets de Boris. Le gendarme la caressa affectueusement.

— Merci de t'être occupé d'elle en mon absence, dit Camille. Déjà que tu la prends en charge pendant mes vacances… J'ai l'impression d'abuser, ça me gêne.

— Pas de problème. On s'éclate tous les deux, hein, Brindille ?

— En parlant de chat… L'affaire du mont des Cats ? Du neuf ?

Boris vida la moitié de son verre.

— Tu m'étonnes, ça a beaucoup bougé. Côté victime, d'abord. Notre cadavre s'appelle Arnaud Lebarre.

Il habite à Bailleul, près de l'hôpital psychiatrique. Un zonard sans boulot, drogué, bagarreur, connu de nos services pour avoir mis le feu, il y a trois mois, à un dépôt-vente après avoir cherché à voler une partie du matériel. Une procédure judiciaire est en cours. D'après les premiers retours de l'enquête de proximité, il n'avait plus toute sa tête ces derniers temps. Trop de drogue, d'alcool.

— Et de désespoir, sans doute. Et côté assassin ?

Boris sortit un papier de sa poche et le poussa vers Camille. Cette dernière eut l'air surprise.

— Une CR[1] ? Vous avez déjà logé l'assassin ?

— À moitié.

— Comment ça, à moitié ?

Boris rapprocha le ventilateur de son visage.

— J'en peux plus, de cette chaleur. On va tous crever si ça continue.

Il baissa les paupières, se rafraîchit quelques secondes, et revint vers Camille.

— Les fragments de peau sous les ongles de la victime ont parlé. Plusieurs examens ont été réalisés au laboratoire, pour confirmer la bizarrerie. Verdict : on a deux ADN différents. Et l'un d'eux est présent dans le FNAEG[2].

— Deux agresseurs... Mince, je ne l'avais pas vu sous cet angle-là.

— Nous non plus, à vrai dire. Peut-être qu'un des tueurs tenait la victime, pendant que l'autre l'étranglait avec l'extenseur. En tout cas, l'ADN connu nous mène à un certain Ludovic Blier, qui a fait de la taule

1. Commission rogatoire.
2. Fichier national automatisé des empreintes génétiques.

pour trafic de drogue. Sorti il y a cinq ans. Pour le moment, on dispose de son adresse de l'époque. *A priori,* il crèche dans une barre d'immeubles du côté de Lille Sud.

Il regarda sa montre. 18 heures passées. Son visage se froissa.

— Le gars de l'état civil doit me rappeler pour confirmation. J'espère qu'il ne m'a pas oublié.

— Je peux venir pour la perquise ? Faut que je sorte d'ici, ou je vais devenir dingue. Je vous suis discrètement, je regarde faire les pros. Je veux voir la tête de ce Blier quand il devra nous expliquer ce que sa peau faisait sous les ongles d'un type mort à quarante bornes de chez lui.

Elle sourit. Boris acquiesça.

— Pas de souci, tu te greffes à nous.

— Arrête de parler de greffes.

Le lieutenant de gendarmerie se leva.

— Bon… Pour notre affaire, il faudra que Blier nous aiguille vers son complice, celui dont l'ADN est inconnu. On pince les deux gus, et l'affaire est bouclée. C'est pas du bon boulot, ça ?

— Remercions les fichiers, répliqua Camille. Bientôt, on se tiendra tous le cul sur une chaise et on résoudra les affaires sans en bouger.

Boris alla poser les verres dans l'évier et les rinça. Camille enfila ses chaussures en Gore-Tex, le regardant faire.

— Ça te démange à ce point ? demanda-t-elle.

— Tu parles. C'est super bien rangé chez toi aujourd'hui, nickel, brillant. T'as changé tes habitudes ?

— Dis que je suis bordélique, tant que tu y es ?

Hé, qu'est-ce que les gars penseraient s'ils te voyaient faire la vaisselle chez moi ?

— C'est juste qu'il y a beaucoup de fourmis cette année. T'as pas remarqué ? Tu laisses un peu de sucre traîner avant de partir et, quand tu rentres, ça grouille.

— Je dirais que c'est plutôt le réflexe d'un célibataire endurci. Dis, quand est-ce que tu nous ramènes une jolie jeune femme à la caserne ?

Il coupa le ventilateur. Ses joues étaient très rouges. Boris détestait qu'on parle de filles, ça le mettait mal à l'aise, et Camille aimait en jouer.

— Le jour où j'aurai du temps à perdre, répliqua-t-il sèchement.

Ils sortirent et traversèrent le parc. Comme pour se venger, Boris marchait vite, mais Camille tenait la cadence.

— J'ai un service à te demander, fit-elle en reprenant son souffle.

— Du genre ?

— Demain, j'aimerais accéder au fichier des personnes recherchées et au TAJ[1], mais avec tes identifiants. Ça sera moins suspect que si c'est moi qui regarde.

— Demain, c'est le 15 août, Camille.

— Justement, ce sera calme, je ne serai pas embêtée.

— Et qu'est-ce que tu veux faire ?

— Ne me pose pas de questions, et fais-moi juste confiance, d'accord ? Je n'abuserai pas de ton compte.

Boris ralentit le pas et répondit d'une voix embarrassée :

1. Traitement des antécédents judiciaires.

— C'est tracé, tout ça, tu sais ?

— Je sais, oui. C'est pour ça que ça passera inaperçu avec ton profil. Tu es officier, je suis juste technicienne…

— Bon… Mais tu m'expliqueras, un jour ?

Elle acquiesça. *Un jour, oui,* pensa-t-elle avec amertume.

Ils rejoignirent une équipe de trois gendarmes qui patientaient dans l'enceinte. Comme avant chaque intervention, les hommes étaient excités. Camille les salua tous amicalement, ils prirent rapidement de ses nouvelles. Le malaise dont elle avait été victime sur la scène de crime avait dû faire le tour de la caserne.

Ils se répartirent dans deux véhicules de fonction. Après avoir poussé la clim à fond, Boris ouvrit la route et s'engagea sur le périphérique lillois. Camille restait silencieuse, le regard dans le vide, les mains sur l'abdomen. Elle avait peur. Quand tomberait-elle avec un bloc de pierre dans la poitrine ? Quand rendrait-elle les armes ? En septembre ? Octobre ? Elle songea bien malgré elle à une vieille blague belge : « Monsieur, vous avez une grave maladie et il vous reste deux mois à vivre… Et l'autre de répondre : Dans ce cas, je choisis juillet et août. »

Elle devinait que Boris lui lançait des regards en coin, qu'il se doutait peut-être de quelque chose, mais il ne disait rien. Elle appréciait son collègue parce qu'il ne lui forçait jamais la main et ne pensait pas qu'à la draguer. De toute façon, il ne savait pas draguer. Camille se demandait même s'il avait déjà fréquenté une fille.

La sonnerie d'un téléphone la sortit de ses pensées. Boris décrocha. Camille comprit qu'il s'agissait de l'état civil et vit le visage de son collègue se tordre.

— Vous êtes bien certain ? lança-t-il tout en prenant un embranchement en direction de Lille Sud.

La conversation se prolongea encore quelques secondes, et il finit par raccrocher.

— Y a un sacré bug.

— Du genre ?

— Deux secondes.

Boris composa un numéro en catastrophe. Cette fois, la jeune femme comprit qu'il appelait le laboratoire ayant réalisé les analyses ADN. Lorsqu'il coupa la communication, il crispa ses deux mains sur le volant.

— On fait demi-tour et on rentre à la maison.

— Hein ? Pourquoi ?

— C'est bien l'ADN de Blier sous les ongles de la victime, mélangé à l'autre ADN inconnu. Les techniciens et les fichiers sont formels sur ce point.

— Où est le problème ?

— Le problème, c'est Blier lui-même. L'employé de mairie avait son acte de décès sous les yeux au moment de son appel. Blier est mort il y a sept mois. On l'a retrouvé pendu dans son appartement.

Il marqua un silence, avant d'ajouter :

— T'as déjà vu un mort commettre un crime, toi ?

11

Le soleil commençait sa langoureuse descente derrière la forêt de Laigue. Il paraissait plus lourd que
d'habitude, aux contours moins définis, comme brûlé
par ses propres rayons. Une touffeur de bayous affec-
tait les organismes des flics qui avaient passé l'après-
midi à sillonner la petite commune de Saint-Léger, à
pied ou en voiture, pour récolter des témoignages ou
apporter du matériel à proximité de la maison.

Cette agitation inhabituelle était vite remontée aux
oreilles des journalistes. Des correspondants locaux
cherchaient du grain à moudre pour leurs articles, suivant les policiers comme des vautours affamés. On
parlait déjà d'une fille aveugle qui aurait été enfermée
dans une carrière par un psychopathe assoiffé de sang.

Sharko attendait dans le jardin que la police scientifique lui donne enfin la permission d'entrer dans
l'habitation. Il avait posé les deux tableaux contre
un mur, face cachée, et en avait profité pour donner
un coup de fil à Lucie, annonçant qu'il ne rentrerait
pas tout de suite. Sa compagne avait immédiatement
répondu : « Génial, c'est que c'est sérieux. Tu me
raconteras tout. »

Génial, oui, soupira Sharko en s'épongeant le front.

Nicolas Bellanger revenait du fond du jardin, téléphone à la main, slalomant entre les tuiles cassées. Il désigna les tableaux.

— Tu veux refaire la déco de ton appart ? On va en avoir besoin très vite pour analyse.

— Ne t'inquiète pas, je les déposerai demain matin à la Scientifique. Je crois que les labos sont quand même ouverts le 15 août.

— Oui, mais ça va tourner au ralenti, comme partout.

Sharko avait grignoté un sandwich acheté à la boulangerie du coin et vidé une grande bouteille d'eau. Il se sentait poisseux, sale dans ses vêtements trempés, et, pour passer le temps, avait astiqué ses mocassins jusqu'à épuiser tous ses mouchoirs en papier. Ils brillaient, désormais.

À presque 20 heures, il faisait encore 29 °C. Partout, des techniciens en tenue de lapin blanc allaient et venaient, le front humide, dégoulinants, tandis que des OPJ[1] du groupe Bellanger en avaient fini avec leur premier jour d'enquête de proximité et étaient rentrés chez eux, rincés comme des serpillières.

— Alors, les nouvelles ? demanda Franck.

Nicolas Bellanger fouilla ses poches, roula en boule une boîte de patchs antitabac vide et s'alluma une cigarette. Sa veste beige était froissée, et sa chemise à col sans boutons sortait de son pantalon. Il ne portait jamais de cravate, contrairement à Sharko, mais était souvent vêtu avec élégance, dans la tendance. Ce qui n'empêchait pas qu'on puisse le voir également en polo et jean, même si c'était plutôt rare.

1. Officiers de police judiciaire.

— Il y en a des bonnes et des mauvaises. À l'hôpital, notre victime à moitié aveugle s'est complètement figée, renfermée sur elle-même. Une espèce de catatonie, d'après le psychiatre. Autrement dit, elle n'est pas près de raconter ce qui s'est passé.

— La poisse.

Clope au bec, le chef de groupe prit son petit carnet et en tourna les pages.

— Fallait pas s'attendre à ce qu'elle nous déballe toute l'affaire, en même temps... Bon, écoute ça. D'après les médecins qui l'ont auscultée, elle possède des tatouages plutôt grossiers réalisés à l'arrière du crâne. Encre noire. C'est noté « B-02.03-07.08-09.11-04.19 ». Aucune idée de ce que ça peut signifier pour le moment, mais je doute qu'elle ait demandé à ce qu'on les lui fasse.

— Merde, je croyais, pourtant ?

— C'est ça, fous-toi de moi. Les médecins non plus ne voient pas le sens de ces inscriptions.

— Ça n'a sûrement rien de médical. Sans le B, on aurait presque pu croire au tirage du Loto.

— En tout cas, ils pensent que, pour commencer, elle a été rasée de la tête aux pieds. Ils voient ça à la longueur des poils, partout identique, et d'autres trucs. Crâne, bras, jambes, pubis, tout y est passé...

Sharko avait du mal à se concentrer tant il suffoquait. Il rêvait juste du moment où il prendrait une bonne douche froide, puis s'allongerait avec ses fils, à regarder tourner sa petite locomotive Poupette, dans sa chambre. Les trains miniatures échelle HO et les enfants l'apaisaient tellement...

Essayant de retrouver son aplomb, il réclama le carnet de Nicolas Bellanger et relut les indications concernant le tatouage. Cette suite de chiffres n'était qu'une bouillie indigeste. Ça pourrait correspondre aux coordonnées d'une galaxie comme à des chapitres de la Bible. À l'évidence, son cerveau était en surchauffe, lui aussi.

— On sait qui elle est ? demanda-t-il.

— Non. Et personne ne l'a jamais vue dans le coin. Quant à Olivier Macareux, il n'existe pas. Identité bidon…

— C'était presque certain. On a affaire à un prudent. Qui irait stocker de la nourriture en conserve dans une carrière pour un an ? Le type aime contrôler, prévoir, ne pas laisser la place à l'imprévu. Il a agi au nez et à la barbe de tous. Quelqu'un a peut-être remarqué un détail dans ce village, mais il va falloir aller se le chercher.

— En plus, le temps a passé, ça joue contre nous. La famille du propriétaire est venue habiter cette maison qui a été polluée, nettoyée, renettoyée. On n'aura rien d'intéressant en paluches ou en ADN, j'en suis quasiment sûr. Un petit espoir avec la carrière souterraine, néanmoins. On trouvera peut-être des traces sur des boîtes de conserve, sur la baignoire. Mais je ne sais pas… J'ai l'impression que ce type est un fantôme. J'ai demandé au proprio de venir au 36 pour un portrait-robot, mais il m'a déjà averti qu'il ne se souvenait pas de grand-chose. Comme il l'a expliqué, Macareux portait toujours ses lunettes et sa casquette dès qu'il mettait le nez dehors. Quant à sa voiture, elle était des plus communes. Évidemment, personne n'est capable d'en citer la plaque.

Sharko fixa le bunker.

— Du neuf là-dedans ?

— Un truc intéressant avec la caméra installée sous

terre. On a trouvé un amplificateur Wifi dans la pièce bordélique du bunker. Il devait servir à relier les images de la caméra à l'ordinateur de notre « Macareux ». Or le propriétaire a coupé la ligne téléphonique à la mort de son père. Ça veut dire que Macareux piratait une ligne voisine… Regarde.

Bellanger montra les réseaux Wifi captés par son téléphone portable. Il y en avait deux. Il désigna deux maisons à une vingtaine de mètres, l'une à droite, l'autre à gauche.

— Pirater le Wifi est relativement facile si l'accès est mal protégé. Les deux signaux viennent sûrement de ces foyers.

— On va donc pouvoir retrouver ses connexions, les sites qu'il a visités.

— Ou plutôt ce qu'il a émis depuis son ordinateur, avec cette caméra, et éventuellement qui s'y est connecté. À condition que les propriétaires nous donnent l'autorisation de faire une requête auprès de leurs fournisseurs d'accès. La vie privée des internautes est très protégée, une vraie plaie…

Il désigna le bunker.

— Sinon, là-dessous, quelques traces de sang révélées par le *Bluestar*, et des cheveux bruns sur la couche. Pas de liquide séminal, apparemment… On prélève, on photographie, il n'y a pas grand-chose à faire d'autre. La surface est trop vaste, et il n'est pas sûr que les équipes reviennent après-demain. On verra, je préfère qu'elles se concentrent sur ce qu'on a. De toute façon, les labos croulent sous les demandes, et on n'a plus de fric. Le juge et le divisionnaire vont encore me chier dans les bottes avec ces histoires de budget, si tu vois ce que je veux dire.

Sharko sentait que son chef était au bord de la crise. Ce dernier écrasa sa cigarette dans la terre et la conserva dans sa main. Puis il consulta sa montre avec nervosité.

— Putain, déjà... Faut que je retourne au 36. Je sais où je vais passer mon 15 août, moi.

— Tu devrais lâcher du lest, surtout en ce moment. Je te sens... à plat.

— Ça va.

— Ça pourrait être ton slogan : « Ça va. » Ouais, ça va, jusqu'à ce que tu te retrouves avec la gueule qui racle le bitume. T'es encore jeune, ne grille pas toutes tes capsules de stress tout de suite. Le stock est limité, tu sais.

Bellanger passa une main dans ses cheveux noirs en pétard. Sharko s'était toujours dit qu'il avait une sacrée belle gueule, pour un flic. Et que, quelque part, c'était un beau gâchis.

— Ouais... Et tu crois que c'est le moment de lâcher du lest ? Je verrai plus tard pour mes congés, il n'y a pas urgence.

— Si, il y a urgence. Quand le câble pète, l'ancre coule au fond, mon gars.

Bellanger ne s'appesantit pas sur la remarque. Il appréciait Sharko, sauf pour ses leçons de morale à deux balles.

— Et toi, tu rentres chez toi, là ?

Sharko donna un coup de tête en direction de la maison.

— Je reste encore un peu.

— Tu vas aller te taper une petite branlette intellectuelle là-haut, c'est ça ? T'allonger sur le lit de ce taré et attendre qu'il te raconte son histoire ?

— Tu sais bien que j'aime quand ils me murmurent leurs secrets à l'oreille. Le proprio a dit que les lumières restaient souvent allumées la nuit, à l'étage. Je ne crois pas que notre tortionnaire matait un épisode de Derrick.

Bellanger marqua un silence.

— OK, mais fais gaffe avec les tableaux bizarroïdes. Tu les déposes toi-même demain, t'as dit ?

Sharko acquiesça.

— Je peux venir bosser une partie de la journée, mais… J'ai promis à Lucie de passer du temps avec elle, et elle risque de…

— T'inquiète, je vais gérer, et Robillard va m'assister pour mettre en route les procédures. On va être bloqués à cause des congés des uns et des autres, de toute façon. Le temps que le rouleau compresseur se mette en marche.

Nicolas Bellanger soupira un bon coup.

— C'est très macabre, tout ça.

— Écoute Nicolas… (Sharko hésita.) Si cette affaire est trop compliquée, trop tordue, je… je vais peut-être lever le pied.

— Tu dis toujours ça. La veille, tu quittes le job, et le lendemain on te retrouve au fin fond de la Russie, flingue à la main.

— C'est sérieux, cette fois. Parce que je sais que Lucie va vouloir y fourrer le nez d'une façon ou d'une autre, et qu'elle va me harceler dès que je rentrerai. Je voudrais qu'elle profite encore des congés qui lui restent : il y a les jumeaux, l'appart qu'on vend et la maison qu'on achète. Ça fait beaucoup.

— Il y a tes drôles de tremblements aussi. J'ai vu, tout à l'heure, avant d'intervenir…

93

— Juste la fatigue.

— On est tous fatigués, hein ?

— Je te mets au défi d'élever deux nourrissons d'un coup à cinquante berges. T'as vu mes mains ? Elles sont deux fois plus grandes que leurs biberons.

— Je vais encore attendre un peu pour ça, si tu veux bien. Pas vraiment pressé ni d'avoir cinquante berges ni d'avoir des bébés.

— Tu devrais l'être. T'as combien ? Trente-cinq ans ? Ça passe vite, tu sais.

— T'as raison. J'ai déjà l'impression d'être mort, parfois.

Ils se saluèrent amicalement.

Sharko attendit encore une heure que les TIC en finissent, allant et venant, les mains dans les poches. Il réfléchissait. Dans un sens, cette affaire l'excitait. Mais, d'un autre côté, il y avait ses enfants, sa compagne… Il regarda la photo de Lucie, biberons dans les mains et souriante. Sa petite Lara Croft. Elle était le résumé de son bonheur. Avant, il aurait foncé tête baissée dans l'enquête, aurait passé, comme Nicolas, sa nuit et son 15 août au Quai des Orfèvres, jusqu'à finir sur les rotules.

Parce que, avant, son chez-lui, c'était son bureau.

Mais maintenant…

12

À 21 heures, les trois hommes en combinaison res-
sortirent de la maison avec leurs petites mallettes et
leur matériel, exténués. On aurait dit qu'ils avaient pris
une douche habillés. Leurs tenues leur collaient à la
peau comme des combinaisons de plongée.

Ils avaient passé chaque recoin au *Bluestar* et aux
ultraviolets sans rien trouver, avaient collecté des
dizaines d'empreintes et récupéré quelques cheveux
dans la bonde du lavabo de la salle de bains. Mais ils
étaient sceptiques sur leur origine, puisque Macareux
n'avait pas été le seul à habiter les lieux et que la pièce
d'eau avait été nettoyée et utilisée à plusieurs reprises.
Peut-être Macareux s'était-il chargé lui-même du nettoyage, à l'eau de Javel, avant de disparaître, comportement crédible chez un ultra-méticuleux. Sharko
avait croisé tant de malades dans sa carrière que plus
grand-chose ne le surprenait, en définitive.

Le flic entra dans la maison vide, les tableaux sous
le bras, et monta à l'étage. L'escalier n'était plus tout
jeune et craquait. Sur le palier, il jeta un œil à la petite
salle de bains, propre et rangée si on faisait abstraction
de la poussière. Pas de fenêtre, même pas de grille

d'aération. Il fixa le miroir et la douche en silence, puis se dirigea vers l'unique chambre, contenant un sommier et un matelas posés au milieu d'une pièce tout en parquet. Une énorme tache d'humidité imprégnait le plafond, résultat sans doute de la tempête. La tapisserie était vieillotte, sale, plus claire à certains endroits : c'était là que les deux cadres avaient été accrochés. Les petits clous étaient encore enfoncés dans le mur.

Sharko prit ses deux tableaux et les suspendit aux emplacements qui semblaient correspondre, sur deux murs à angle droit. L'un se trouvait face au lit, l'autre sur le côté gauche.

Il se recula de deux pas, de manière à se placer au milieu de la pièce.

La première reproduction montrait un groupe de sept hommes – barbe, moustache, fraise blanche au-dessus d'une toge foncée – agglutinés devant un cadavre couché sur une table. Un huitième individu tenait un instrument chirurgical et disséquait le bras gauche. L'éclairage blanchâtre du mort sur fond sombre accentuait la froide curiosité des participants. Les visages étaient sévères, intrigués aussi face au spectacle et au mystère de la mort. Ils assistaient apparemment à une leçon d'anatomie.

Sharko se tourna vers l'autre mur. La seconde reproduction montrait un individu aux traits neutres observant avec intérêt l'ouverture du crâne d'un autre cadavre. Il tenait un bol à la main, sans doute pour récupérer les déchets organiques. Le ventre grand ouvert du sujet avait été vidé de ses entrailles. On ne voyait pas le visage du chirurgien, celui qui accédait au cerveau, parce qu'il se trouvait hors-champ. Le corps meurtri avait l'air vivant, ses yeux noirs pleins d'effroi et légèrement tournés vers la gauche.

Sharko observa les deux tableaux avec calme et minutie. Il n'y connaissait pas grand-chose en peinture mais il y avait dans les coups de pinceau, les couleurs et les costumes de nombreuses similitudes. Les époques semblaient proches. L'œuvre d'un même peintre ? En tout cas, le lieutenant pensait avoir sous les yeux les balbutiements de la médecine moderne, de l'exploration du corps humain. Les œuvres originales dont étaient tirées ces reproductions dataient peut-être du Moyen Âge ou de la Renaissance.

Qu'est-ce qui intéressait le tortionnaire dans ces scènes de dissection effroyables ?

Sharko se rappela le message gravé dans la carrière :

Nous sommes ceux que vous ne voyez pas,
Parce que vous ne savez pas voir.
Nous prenons sans rendre.
La vie, la Mort.
Sans pitié.

Il y avait à l'évidence un rapport fort avec la mort dans ces peintures. Elle semblait jaillir des images, peser de tout son poids sur les épaules des observateurs. Sharko pouvait presque sentir son souffle glacial.

La mort, le macabre fascinaient-ils le tortionnaire de la jeune femme ? La mort l'avait-elle touché de près ? Effleuré ? La côtoyait-il chaque jour ? On pouvait prendre la vie, mais que signifiait « *prendre la Mort* » ?

Franck s'approcha de la fenêtre dont l'encadrement en bois tombait en lambeaux. De la moisissure commençait à envahir les murs. La vue donnait directement sur le bunker, au fond du jardin. Le flic resta là, pensif. Le bourreau avait mis les voiles depuis un bout de temps, mais pourquoi n'avait-il pas tué la fille avant son départ ? Et pour quelle raison l'avait-il enlevée ?

Pour obtenir une rançon ? Par sadisme ? Pour en faire son objet sexuel ?

Le lieutenant ferma la porte qui donnait sur le palier ainsi que les volets, plongeant la pièce dans la pénombre. Il s'assit sur le lit et ne bougea plus. Malgré la chaleur, il eut soudain très froid. Ce petit lit, au milieu de ces cadres terrifiants, cette vieille pièce, cette ambiance mortifère qui semblait imprégner chaque brique de ces murs pourrissants.

Le silence absolu se fit. Sharko n'entendait plus que les battements de son cœur. Macareux, ou qui qu'il fût, avait dormi à cette place exacte. Comme disait le principe de Locard – l'illustre fondateur du premier laboratoire de police scientifique à Lyon en 1910 –, il avait forcément abandonné un peu de lui-même entre ces murs. Ses fantômes, ses fantasmes, sa folie. Son empreinte flottait là, juste au-dessus. Il suffisait de savoir lire les signes.

Tu n'habites pas cette maison, mais tu y viens certaines nuits. Tu as certainement un autre chez-toi, un endroit où tu te comportes comme n'importe quel citoyen. Tu as peut-être une femme que tu embrasses chaque matin, des enfants...

... Non, tu n'as pas de femme... Tu as payé des

traites ici pendant plus d'un an, elle l'aurait forcément remarqué dans les comptes, non ? Un trou de plusieurs centaines d'euros dans le budget familial, ça se voit. Sauf si tu as beaucoup d'argent...

... Tu es socialement intégré, je crois, puisque personne au village ne s'est douté de rien. Mais tu éprouves le besoin de te calfeutrer dans cette chambre minuscule, entouré de ces cadres morbides. Tu te sens bien dans ce cocon où tu veilles tard. Libre, toi-même...

Le flic se mit en position allongée, les mains derrière la tête. Il contempla le plafond, tendit l'oreille. Pas un bruit.

... Une pauvre fille est enfermée à seulement quelques mètres, sous terre. Enchaînée. Elle a froid, peur, et ça te fait rire, enfoiré. Rire, ou même jouir, non ? Raconte-moi ce que sa détresse te procure. Du plaisir ? Tu l'observes sur ton ordinateur portable grâce à la caméra et tu te branles ? Qu'est-ce que tu attends d'elle ? Pourquoi tu la retiens prisonnière dans cette carrière ?

Sharko respirait profondément, les mains désormais ouvertes de chaque côté de son corps.

... Tu l'as rasée, et tatouée... On tatoue les animaux, en signe d'appartenance. Tu la dépouilles de son ancienne identité, c'est ça ? Pour qu'elle soit tienne ? Pour qu'elle renaisse ? Pour la laver du mal qu'elle a fait ? Tu veux qu'elle soit propre, c'est pour ça que tu as installé la baignoire, laissé du lait de toilette en quantité. Une peau douce... L'hygiène est importante pour toi. Autant que pour ces anatomistes qui autopsient des corps... Est-ce que tu te compares à eux ? Tu les admires ? Tu cherches à les imiter ?

Sharko se tourna vers les tableaux. Les visages

glacés se devinaient dans les ténèbres, les yeux traduisaient une fascination scientifique mêlée à une forme de voyeurisme. Des voyeurs, oui, venus explorer l'interdit, venus flirter avec la Grande Faucheuse. Que cherchaient ces hommes au fond de ces entrailles luisantes ? Quelles réponses à quelles questions ?

Le flic examina les expressions des personnages, un à un, et bloqua sur une en particulier, issue de la première œuvre, celle aux nombreux observateurs. L'homme regardait en direction du sol, au-delà du premier plan du tableau. Comme s'il avait les yeux fixés exactement sous le lit où était couché Sharko.

Le second tableau était placé en sorte que l'observateur tenant le bol eût le visage orienté dans la même direction.

C'était troublant. Dément. Le flic se redressa, piqué par la curiosité. L'effet d'optique était parfait. Il se releva et appuya sur un interrupteur. Une ampoule nue brilla d'une lumière toute blanche, presque douloureuse pour les yeux.

T'es un joueur, on dirait... Tu caches quelque chose, et tu le montres. Parce que tu crois que nous ne savons pas voir, comme l'indique ce message gravé dans la carrière. Tu te crois supérieur et tu nous prends pour des cons.

Son rythme cardiaque avait brusquement accéléré. Il souleva le matelas, le sommier, poussa le lit contre un mur. Nouveau coup d'œil vers les visages figés. Sharko se mit à genoux, cogna contre les plinthes le long du mur, explora une à une les lattes du plancher, tenta de les faire jouer.

Soudain, il réussit à en redresser une en direction du mur, à la faire légèrement glisser jusqu'à pouvoir

100

la lever. Dessous, il y avait un emplacement d'une profondeur de vingt centimètres environ. Franck y plongea la main, explora et en retira une boîte en carton fermée.

Bingo !

Il se releva et la secoua avec précaution. Il la posa sur le lit. Elle était recouverte d'une couche de poussière.

Sharko passa sa langue sur les lèvres, prenant son temps. Ce moment lui appartenait. Un instant rare où il se sentait en phase avec celui qu'il traquait.

Où l'autre lui racontait son histoire.

Il enleva délicatement le couvercle.

À l'intérieur, plusieurs sachets en plastique. Dans l'un, des photos empilées. Dans un deuxième, un portefeuille. Dans un troisième, un carnet et un enregistreur numérique. Et dans le quatrième... Sharko plissa les yeux : une mèche de cheveux noirs, des feuilles A4 enroulées et des rognures d'ongles. C'était répugnant, tous ces morceaux de kératine. Et surtout, pourquoi garder ce genre de déchets ? Fétichisme ? Besoin de conserver des trophées de ses victimes ?

Il enfila les gants en latex qu'il avait laissés dans sa poche de veste et ouvrit le sachet contenant le portefeuille. Il était en cuir clair grossier et cousu main. Sharko écarta les rebords et poussa un cri. Par réflexe, il le lâcha.

Des dents roulèrent sur le parquet.

Le lieutenant resta figé. Une dizaine de dents avaient été placées dans le portefeuille, comme autant de pièces de monnaie.

Quelle espèce de taré es-tu ?

Un horrible doute s'insinua en lui face à ces restes

humains. Il ramassa le portefeuille, l'observa avec attention, le renifla. Était-il possible que…

Faites que ce ne soit pas ça !

Avec dégoût, il le replaça dans le sachet du bout des doigts et, d'un geste beaucoup moins assuré, déroula les trois feuilles présentes dans un autre sachet. C'étaient des dessins en noir et blanc représentant des monstres déformés derrière des barreaux de prison, des figures hideuses brisées comme des miroirs, des ombres qui tenaient de longs couteaux ensanglantés, toujours dans une cellule de prison.

Partout, la mort, le sang, la souffrance, et l'enfermement.

Les œuvres d'un fou, d'un esprit malade, songea Sharko. Leur homme avait peut-être déjà fait de la prison, ce qui pouvait expliquer la présence des barreaux. Une piste possible pour leur enquête…

Au bas de chacune des reproductions, deux initiales écrites en tout petit : PF. Le créateur n'avait pu s'empêcher de les signer. Elles étaient siennes, et il en était sans doute fier. Sharko se demanda s'il serait simple de chercher tous les « PF » qui avaient fait de la prison et, en poussant la réflexion, se dit que oui : il disposait de l'ADN de PF avec la mèche de cheveux ou les ongles. Il suffisait d'en établir le profil et de lancer une recherche dans le FNAEG, puisque tous les prisonniers y étaient fichés.

Il réenroula les dessins et les remit précautionneusement à leur place. Aux labos de la PS, on était capable de trouver des empreintes sur du papier, peut-être y en aurait-il sur ces feuilles ? Il ne fallait rien négliger. Le flair du flic, c'était bien. Les ordinateurs, c'était parfois mieux.

Sharko se sentait de plus en plus mal à l'aise, vidé. La journée avait été chargée en horreurs et en émotions. Sans oublier cette pièce, ces regards d'où semblait jaillir le Mal, et qui pesaient sur lui comme des enclumes, ce portefeuille avec son sinistre contenu...

Il ouvrit grand le volet. La lumière naturelle, déclinante, lui fit du bien. De belles couleurs orange s'invitèrent dans la pièce.

Il s'intéressa au petit carnet. Sur la couverture, était inscrit, d'une écriture noire, serrée :

De l'autre côté du Styx, Tu m'as montré la voie.

Il comportait une cinquantaine de pages. Sharko les fit défiler rapidement. Sur une dizaine d'entre elles, « Macareux » avait dessiné, les uns à côté des autres, des groupes de trois cercles imbriqués, identiques à ceux du mur de la carrière. Il y en avait des centaines et des centaines par feuille, réalisés avec une minutie extrême.

Ensuite, Sharko s'empara du sachet contenant les photos et le renversa sur le matelas.

Il porta une main devant sa bouche.

Les portes de l'enfer venaient de s'ouvrir devant lui.

13

— Alors, ta journée ? Tu me racontes ou t'as décidé de ne pas prononcer un mot ?

Sharko était assis face à son assiette de pâtes. Il regarda le morceau de viande au bout de sa fourchette et le reposa devant lui sans envie.

Assez de saignant pour la journée.

Il se leva et partit dans le hall, sans un mot. Lucie resta immobile. Que lui arrivait-il ? Il n'avait presque pas parlé depuis son retour, il se comportait bizarrement. Pourquoi avait-il plongé les clés de sa voiture au fond d'un tiroir qu'il avait ensuite verrouillé, alors que d'ordinaire il les laissait toujours sur le dessus du meuble ? Un geste curieux, qui n'avait pas échappé à Lucie.

Son homme cachait quelque chose.

Sharko passa voir les jumeaux, se pencha au-dessus des lits minuscules, le visage fermé. Il n'arrivait pas à sourire, ce soir. Accepterait-il de les voir grandir dans un monde si violent ? Comment les protéger de cette déferlante de haine qui chercherait à les avaler toujours un peu plus ?

Il eut besoin de sentir leur chaleur, alors il posa le

bout des doigts sur leurs joues, leur front, leur petit nez retroussé.

Tellement purs.

Puis il se rendit dans sa propre chambre. Là, il tira une grande planche en bois de sous leur lit. Sa locomotive était installée sur sa boucle simple en rails Roco, avec un tunnel et une gare. Il avait déjà rempli le réservoir de butane et mit de l'eau ainsi que de l'huile dans le tender. Il l'avait appelée Poupette.

Il la démarra.

Les bielles, les pistons se réveillèrent, fonctionnels comme au premier jour. La petite locomotive crachota et attaqua le rail dans un sifflement agréable. Sharko la regarda tourner, en passant mécaniquement du cirage noir sur ses mocassins Beryl. Il avait la tête bien trop lourde pour réfléchir à quoi que ce soit, ce soir.

Sur le trajet le menant à la résidence, il avait écouté l'enregistreur numérique trouvé sous le plancher de la chambre. L'horreur à l'état brut. Il était incapable de chasser de son esprit les paroles qui avaient jailli du haut-parleur.

Jamais il n'avait entendu un truc pareil.

Lucie arriva derrière lui et s'assit en tailleur à ses côtés. Elle passa une main dans son cou.

— Qu'est-ce qu'il y a, Franck ? Qu'est-ce qui a pu te mettre dans un tel état ?

Poupette lâchait un minuscule nuage de vapeur blanche, chargée des souvenirs de Sharko. Parfois, ces morceaux de passé étaient agréables, d'autres fois, moins. Ce soir-là, le lieutenant pensa à sa famille disparue, il y a si longtemps… Sa femme, sa petite fille, mortes dans des conditions tragiques. Toujours à cause des mêmes.

Eux.

Eux, des types de la trempe de Macareux.

Il eut mal jusqu'au fond de sa poitrine.

— C'est rien, mentit-il. J'ai juste eu une grosse journée.

Les doigts de Lucie se firent plus entreprenants. Elle massa sa nuque raide, nouée. Franck posa sa chaussure et ferma les yeux, à la recherche d'un apaisement qui ne venait pas.

— Ta nouvelle affaire, je suppose. Explique-moi.

Sharko soupira.

— Pas cette fois, Lucie. Je ne veux pas que tu mettes ton nez là-dedans. Tu dois rester loin de ce dossier.

— C'est si terrible que ça ?

Sharko manqua de répondre que c'était pire encore que ce qu'elle pouvait imaginer.

— C'est juste une affaire qui tombe une veille de 15 août... (Il la regarda dans les yeux.) Et qui ne remet pas en cause notre pique-nique tous ensemble demain. Ni ces crêpes qu'on va manger.

Lucie n'aimait pas ce regard-là. À la fois fuyant et directif.

— Juste une affaire ? Tu parlais d'une fille découverte dans une cavité sous un arbre, ce matin...

— Et alors ?

— Ah oui, on découvre des filles sous des arbres tous les jours, j'oubliais. T'es rentré tard, muet comme une carpe, sans appétit alors que tu dévores d'habitude. Alors non, ce n'est pas *juste* une affaire qui tombe mal. Il y a quelque chose d'autre. Dis-moi...

Les tempes de Sharko pulsaient, il n'en pouvait plus, avait les nerfs à vif. Il déplia sa grande carcasse et se redressa.

— Laisse tomber j'ai dit, d'accord ? Tu me lâches avec ça et toutes tes questions, ça m'use. T'arrêtes aussi de m'envoyer des SMS à tout bout de champ en me demandant ceci, cela. Pour l'instant, t'es en congé maternité. Maternité, maternel, maman, tu sais ce que ça veut dire ? Cette affaire est confidentielle, tu n'as pas à savoir, OK ?

Lucie resta soufflée. Elle le regarda froidement.

— C'est dégueulasse.

— Qu'est-ce qui est dégueulasse ? De vouloir vous mettre à l'abri tous les trois ? D'empêcher la violence de mes dossiers de pénétrer dans notre foyer ? D'essayer, avec les moyens du bord, de vous protéger des saloperies qui traînent dehors ?

Lucie haussa les épaules.

— Ça fait des mois que je suis enfermée ici, à donner des biberons et à changer des couches à longueur de journée. J'ai besoin de respirer un peu, de savoir ce qui se passe dehors justement. C'est trop te demander ?

— Il se passe autre chose que des meurtres, dehors. Il y a d'autres choses à respirer que du sang et de la merde.

En colère, elle prit son oreiller sur le lit.

— Dors bien, Sharko. Et te lève pas pour les mômes, je m'occupe d'eux cette nuit. C'est mon job de bonne femme au foyer, après tout.

Elle sortit en claquant la porte.

Quelques secondes plus tard, l'un des jumeaux hurla. Évidemment, son frère l'imita.

14

Mercredi 15 août

Tout le monde dormait enfin à 1 h 30 du matin dans l'appartement, face au parc de la Roseraie.

Tout le monde, sauf Lucie.

Tiraillée par l'envie de savoir. De comprendre ce qui avait pu mettre son compagnon dans un état pareil. La dernière fois qu'elle l'avait vu aussi tourmenté, c'était plus d'un an auparavant, alors qu'ils avançaient tous les deux sur les routes de Tchernobyl[1].

En silence, elle récupéra les clés de voiture que Sharko avait déposées au fond du tiroir. S'il avait rompu ses habitudes à ce point, sans s'en rendre vraiment compte, c'était qu'il cachait quelque chose.

Elle descendit au parking souterrain d'où l'on ne pouvait accéder qu'avec l'une des clés du trousseau. Après avoir allumé la lumière, elle foula le béton luisant, seule, dans cet endroit sinistre où dormaient des dizaines de véhicules. Lucie s'était toujours demandé

1. Voir *Atom[ka]* 2012 ; Pocket n° 15607.

pourquoi les parkings souterrains n'étaient pas plus gais, colorés. Celui-là ressemblait à une morgue, avec ses emplacements ridicules, ses plafonds écrasants.

Une minute plus tard, elle se tenait face au coffre ouvert de la vieille Renault 25 de Sharko. Leur voiture familiale était garée quant à elle sur le parking extérieur. Du Sharko tout craché, qui préférait mettre à l'abri sa ruine plutôt que leur véhicule récent bourré d'électronique.

Elle remarqua, au fond, une couverture déployée qu'elle tira à elle. Elle découvrit alors une boîte à chaussures poussiéreuse, à proximité d'une paire de gants en latex.

Qu'est-ce que tu caches là-dedans, Franck ?

Elle rapprocha la boîte et en souleva le couvercle. Lorsqu'elle aperçut les sachets en plastique noués, avec leur intrigant contenu – ongles, cheveux… –, elle comprit qu'il s'agissait de pièces à conviction. Et que, donc, il fallait éviter de laisser des traces biologiques. De ce fait, elle enfila les gants et remonta à l'étage avec son butin.

Installée sur le canapé, elle coucha une petite lampe de chevet au sol, de manière qu'elle diffuse une lumière tamisée, puis, après avoir vérifié que Franck dormait, se mit à explorer le contenu de la boîte. Elle s'intéressa d'abord aux photos, qu'elle sortit de leur sachet et étala devant elle.

Il y en avait vingt-quatre, et Lucie s'aperçut vite qu'elles fonctionnaient par deux.

Douze femmes, photographiées de face et de dos.

Douze visages terrorisés observant l'objectif. Des yeux suppliants, des crânes qu'on avait rasés et tatoués, des traits brisés.

Autour, les ténèbres. De la roche, en arrière-plan.

Lucie songea à la raison du départ de Sharko, la veille au matin. Il avait parlé d'une femme découverte dans une cavité, *sous* un arbre. Avait-il trouvé les onze autres ? Dans quel état ?

Elle imaginait déjà l'envergure de l'affaire. Ce n'était pas du classique, cette fois encore. Elle rageait de ne pas en savoir davantage et poursuivit ses observations. Les femmes étaient du même type. Brunes, une vingtaine d'années, typées roms ou tsiganes. Critère de choix pour le kidnappeur ? Pourquoi ces femmes-là, précisément ? Pourquoi les étranges tatouages sur leur crâne ? Quel en était le sens ?

Les photos prises par-derrière dévoilaient, sur chaque tête, un message incompréhensible. Une ou deux lettres (A et/ou B), puis une étrange succession de chiffres, du genre 05.11-07.08-10.13-01.03. Lucie pensa à des heures, des dates, mais pour certains tatouages ça ne fonctionnait pas. Et pourquoi les lettres juste devant ?

Ensuite, elle examina attentivement les dessins, plutôt effrayants, puis le portefeuille, qu'elle ouvrit.

Choc.

Elle plaqua une main sur sa bouche, respirant fort, et se rendit à la cuisine pour y boire un grand verre d'eau. Puis resta là quelques secondes, les mains sur l'évier, l'œil rivé vers la nuit, de l'autre côté de la fenêtre.

Elle comprenait mieux le silence de son homme, à présent. Ils avaient peut-être trouvé ce portefeuille et ces objets près des victimes.

Il fallait poursuivre. Elle essaya de se concentrer de nouveau, rangea le portefeuille du bout de ses doigts gantés et feuilleta le petit carnet.

De l'autre côté du Styx, Tu m'as montré la voie,

lut-elle tout bas, scrutant la couverture. Lucie savait que le Styx, dans la mythologie grecque, était le fleuve qui séparait le monde terrestre des Enfers. Qu'est-ce que l'auteur du carnet signifiait avec cette phrase ? Qui était ce « Tu » qui lui avait fait traverser le fleuve et qui jouait donc le rôle de Charon, le nocher de l'autre monde ?

À l'intérieur du carnet, des groupes de trois cercles imbriqués, reproduits par milliers. Ligne après ligne, page après page, sur douze feuillets.

Douze feuillets, douze filles. Pouvait-il y avoir un rapport ?

Lucie fixa l'horloge. Le temps passait, les bébés allaient se réveiller d'ici une petite heure. Il faudrait qu'à ce moment la boîte et tout son contenu aient été remis au fond de la voiture. Or Henebelle voulait garder une trace de tout ça avant d'écouter l'enregistrement audio.

Elle se leva et se rendit à l'ordinateur, dans le coin du salon. Après avoir allumé l'unité centrale et le scanner, elle numérisa les vingt-quatre photos (les groupant par deux pour gagner du temps), les dessins, puis les pages du carnet, une à une, sauvegardant chaque fois les fichiers dans un dossier caché. Probable que Sharko, dans quelques heures, irait apporter cette boîte à chaussures au 36 ou à la police scientifique, et qu'elle n'y aurait plus jamais accès.

Entre deux numérisations, Lucie fixait chaque page du carnet scannée et agrandie sur le large écran de l'ordinateur. Elle remarqua alors un chiffre, inscrit en tout petit sur la troisième ligne, caché entre les innombrables cercles. Puis un autre, plus loin, et encore un autre.

Des chiffres étaient là, habilement dissimulés... Sur chacun des douze feuillets du carnet comportant les dessins.

Et ils avaient forcément une signification.

Un sacré prudent, songea Lucie. *Prudent, et joueur.*

Excitée par sa trouvaille, elle termina la numérisation, l'œil rivé vers la porte fermée du hall. C'était interminable, mais elle parvint à venir à bout de cet archivage après une demi-heure de travail. Elle analyserait ces chiffres plus tard.

Retour au canapé. Elle remit tout en place, sauf l'enregistreur numérique. Elle le relia à un casque, s'installa dans le fauteuil et appuya sur lecture. Il n'y avait aucun bruit dans l'appartement, hormis le tic-tac des aiguilles de l'horloge.

Soudain, une voix d'homme.

La chair à vif... Cette matière inerte dont il faut déconstruire les pièces, démembrer la structure... Supporter les aspects les plus repoussants, pour accéder à la jouissance du mystère intérieur... L'autre fois, j'ai vu des grenouilles vertes dans un vivarium. Je les imaginais dans leur étang, glisser sur le fil de mon bistouri affleurant la surface de l'eau et s'ouvrir le ventre...

Le débit était lent, neutre, glacial. Le monologue, apparemment, n'était pas dans son intégralité sur l'enregistreur. Des extraits se succédaient les uns les autres, parfois sans rapport, comme les fragments d'une conscience malade.

... J'ai dîné avec deux femmes, très belles, un repas à base de graisses et de sucres lents. Puis j'ai demandé

à l'une d'aller dormir, et à l'autre d'aller nager dans la piscine jusqu'à épuisement. Six heures plus tard, j'ai ouvert leurs estomacs, pour savoir laquelle avait eu la meilleure digestion... J'ai aimé leurs regards... Elles paraissaient étonnées...

Lucie écoutait avec attention, recroquevillée entre les coussins. Elle n'était pas du genre à avoir la frousse, mais, cette fois, tous les poils de son corps s'étaient hérissés. Le timbre, la violence des mots, le délire des idées. Son cerveau de flic s'était remis à carburer : à qui s'adressait ce monstre ? Quelle était sa motivation pour raconter ses « exploits » sur un enregistreur ?

L'orateur décrivait à présent les supplices infligés à de pauvres femmes, la manière dont il les attachait, les torturait, leur vidait les entrailles. Il y avait de la jouissance dans sa voix, de la délectation. Et une harmonique maléfique.

... essayé de fabriquer une lampe avec le sang et les ingrédients. Les os réduits en cendre, mélangés à du vin, sont d'excellente vertu. On peut récupérer la mousse sur les vieilles têtes des morts pour lutter contre l'épilepsie... La sueur des mortes, je l'ai stockée, aussi, avec la graisse dans les pots à confiture de framboises... j'ai toujours aimé les framboises, surtout bien rouges, presque noires. Plus jeune, je les plantais sur du barbelé et je les regardais goutter doucement. Ça me faisait penser à des petites chattes qui pleuraient du sang...

L'enregistrement s'acheva. Enfin.
Lucie arracha les écouteurs de ses oreilles et respira

un bon coup. Mal à l'aise, elle redressa la lampe de chevet, de manière à être davantage éclairée, et fixa la porte d'entrée, au fond du salon. Un an plus tôt, après leur retour de Russie, Franck et elle s'étaient promis de rester loin de l'horreur, d'arrêter de vivre dans la peur de ne plus voir l'autre revenir.

N'avaient-ils pas suffisamment souffert, tous les deux ?

Il était encore temps de tout refermer. Oublier.

Mais, au milieu de tant de ténèbres, Lucie se sentit étrangement vivante. Ça avait toujours été ainsi. Ces sinistres obsessions avaient détruit sa vie et celle de ses proches.

Elle réécouta l'enregistrement, les yeux fermés, imprimant chaque mot, chaque intonation en elle. Puis elle remit l'appareil à sa place. Sa main tremblait un peu. Fatigue, nervosité.

Descendre au parking ne fut pas aussi facile que la première fois. Lucie était frigorifiée et sentait le poids du vide sur ses épaules. Elle se retourna à plusieurs reprises, afin de vérifier qu'elle n'était pas suivie. Même les craquements de la tuyauterie la firent sursauter.

Elle replaça cette boîte de Pandore à l'endroit exact où elle l'avait trouvée et rabaissa le coffre sans bruit.

Puis elle tourna le verrou de la porte d'entrée à double tour.

Enfin, Lucie se rendit dans sa chambre et se serra contre son homme endormi.

Elle avait besoin de sa chaleur, de savoir qu'il était là.

Parce qu'elle avait terriblement froid.

15

Enfermée dans son bureau, Camille Thibault s'était connectée aux fichiers nationaux de la gendarmerie, avec le nom d'utilisateur et le mot de passe que Boris avait saisi pour elle avant d'aller faire son footing matinal.

Elle espérait trouver une trace de sa donneuse dans un dossier criminel quelconque.

Les forces de l'ordre disposaient d'une palette de fichiers considérable pour mener les recherches : fichier des immatriculations, système de traitement des infractions constatées, traitement des procédures judiciaires, traitement des antécédents judiciaires, douanes, impôts, CPAM, etc.

Camille s'intéressa en premier lieu au fichier des personnes disparues, élargit sa recherche à d'autres fichiers et lança des requêtes par date, aux alentours de la semaine du 27 juillet 2011, juste avant sa greffe. Avait-on retrouvé le corps de personnes recherchées cette semaine-là ? Des affaires avaient-elles été résolues à ces dates ?

Camille eut beau interroger les bases de données dans tous les sens, elle ne trouva rien qui puisse coller.

Encore une fois, ses espoirs partaient en fumée. Elle y avait pourtant cru dur comme fer.

Où se cachait sa donneuse ? Elle n'était ni dans les faits divers ni dans les affaires criminelles. Restaient les accidents vasculaires cérébraux et les ruptures d'anévrisme, qui concernaient presque la moitié des dons d'organes. Si la femme qui appelait à l'aide dans ses cauchemars était de ceux-là, alors Camille n'avait aucune chance de la retrouver.

Et pourtant… Camille songea aux faibles pourcentages qui l'accompagnaient depuis sa naissance. Aux coïncidences qui jalonnaient son destin, toutes plus étranges les unes que les autres. Elle se dit que la mort de sa donneuse devait faire partie des cas particuliers, inhabituels.

Et chiotte, se dit-elle finalement, résignée.

La jeune femme s'enfonça dans le fauteuil, déçue, lassée de s'acharner ainsi, jour après jour. À quoi bon, de toute façon ?

Boris se présenta dans l'heure qui suivit, douché, changé, avec un thé sans sucre et un café.

— Tu as fini ?

Camille acquiesça.

— J'ai fermé tous les accès. Merci encore.

Elle prit le gobelet qu'il lui tendit, fatiguée. Elle n'avait pas fermé l'œil de la nuit, l'oreille dans les coussins pour mieux entendre les battements du cœur. Toute la nuit, il avait pompé régulièrement, sans sursaut, mais parfois, Camille avait eu du mal à percevoir son souffle. Elle s'était alors redressée, haletante, les deux mains sur la poitrine, avec l'impression d'étouffer.

Un véritable enfer au fond de son lit.

Boris ne posa aucune question et enchaîna sur leur affaire :

— Alors, tu as une théorie sur l'ADN d'un type qui s'est pendu six mois plus tôt et qu'on retrouve sous les ongles de notre victime ?

— Je dois t'avouer que sur ce coup-là, je cale.

— J'ai peut-être une solution. J'ai fait quelques recherches à partir de son état civil. Il était fils unique, mais il avait peut-être un jumeau caché. Les jumeaux ont le même ADN. Ça pourrait fonctionner, non ? C'est la seule explication plausible que je voie.

Camille prit un air moqueur :

— Pourquoi pas des cellules de peau congelée qu'on viendrait glisser sous les ongles avec une pince chirurgicale pour nous embrouiller ? Laisse tomber le coup des jumeaux. On a beau retourner le truc dans tous les sens, il faut admettre que pour le moment c'est incompréhensible.

Boris vida son café d'un trait.

— Dans ce cas, je crois qu'une petite visite s'impose. J'ai le nom du docteur qui a dressé l'acte de décès de Blier. C'est Arthur Souvillon, il bosse à l'IML de Lille. Je l'ai joint sur son portable. Il est justement à l'institut en train de se farcir une autopsie.

Elle lui sourit, thé à la main.

— Les cadavres se fichent des jours de congé. On y va ?

Boris lui rendit son sourire.

— J'aime les 15 août comme celui-là.

Une demi-heure plus tard, la Clio de Boris se garait sur le petit parking quasiment vide de l'Institut médico-légal de Lille, en bordure du CHR. La jeune femme connaissait l'immense centre hospitalier par cœur, elle y avait passé son enfance et une bonne partie de l'année précédente. Elle pouvait identifier chaque bâtiment : cet IML où elle venait de temps en temps avec Boris pour assister aux autopsies, l'hôpital psychiatrique juste en face, la crèche, l'hôpital-prison, le service de cardiologie, un peu plus loin. C'était ça, sa vie, son terrain de jeu. Elle aurait tellement préféré avoir des paysages de mer ou de montagne en guise de souvenirs !

Leurs portières claquèrent. Le bitume renvoyait une vapeur brûlante, insupportable, avec cette odeur si caractéristique. Le soleil tapait, et tous les pare-brise éblouissaient. Boris se rafraîchit avec un fond de bouteille d'eau sur le visage en soufflant, puis s'avança vers le bâtiment tout en longueur.

Ils sonnèrent à l'entrée car la porte était fermée, la secrétaire étant en congé. Un homme leur ouvrit : Arthur Souvillon, un brun aux yeux noirs d'une trentaine d'années, que Camille avait déjà croisé à plusieurs reprises sans vraiment lui parler. Elle le trouvait plutôt beau mec, malgré ses traits tirés et son bouc qui semblait avoir été taillé avec un ciseau rouillé. Ils se saluèrent.

— On vous dérange en pleine autopsie ? fit Boris.

Souvillon ôta sa blouse légèrement maculée de sang, la roula en boule et la jeta dans un coin.

— Mon collègue la termine. Un vieux monsieur est apparemment tombé dans son escalier, on l'a retrouvé au bas de ses marches, à moitié scalpé.

— Glauque.

— La routine. Venez, on va s'installer dans mon bureau, à l'étage.

Camille et Boris pénétrèrent dans l'institut médico-légal où, malgré l'odeur, une fraîcheur bienveillante les accueillit. La jeune femme se rendit auparavant aux toilettes. Une fois enfermée, elle souleva sa chemise, son maillot de corps et resserra son pansement dans une grimace. La douleur était cuisante. La peau entaillée avec la lame de rasoir souriait sur plus de quinze centimètres, et avait du mal à cicatriser. Pourtant, Camille n'éprouva aucun regret.

Au moins, elle pouvait hurler son impuissance et sa colère en silence.

Elle grimpa au premier étage. Même s'ils venaient souvent, les gendarmes ne connaissaient pas toute l'équipe et montaient rarement à ce niveau. D'ordinaire, d'après Souvillon, une vingtaine de personnes travaillaient dans ce lieu aujourd'hui quasiment désert, qui accueillait des compétences allant de l'analyse toxicologique jusqu'à l'étude des insectes nécrophages. Les autopsies, quant à elles, étaient réalisées au fond du rez-de-chaussée, le niveau fréquenté par les gendarmes et les policiers.

Une fois installé dans le bureau, Boris entra dans le vif du sujet.

— Nous sommes venus à propos d'un certain Ludovic Blier. Ça remonte à plus de sept mois, mais vous vous en souvenez peut-être : il est mort le 1er janvier de cette année. Des voisins l'ont retrouvé pendu dans son appartement, au sixième étage d'une barre d'immeubles de Lille Sud. C'est vous qui avez rempli l'acte de décès.

Le médecin se tourna vers son écran d'ordinateur et se promena dans des dossiers.

— Une mort violente… Le 1er janvier… Comment ne pas s'en souvenir ? J'ai eu un coup de fil de la

Criminelle en plein déjeuner familial. J'étais d'astreinte ce jour-là, alors pas le choix, je m'y suis collé. À croire que je suis abonné au travail les jours fériés.

Très vite, il afficha la photo du pendu. Gros plan sur le haut du corps. Camille était troublée. Elle s'était attendue à une figure d'horreur, mais les yeux du mort étaient fermés, les joues étaient colorées, les traits reposés, comme si l'homme dormait.

— Suicide, si j'ai bonne mémoire, dit Souvillon. Un gars désespéré, au bout du rouleau. Qu'est-ce que vous voulez savoir à son sujet ?

— On a retrouvé deux ADN distincts sous les ongles d'un homme tué il y a cinq jours, fit Camille. Et l'un des deux appartient à cet individu.

Sa réponse créa un blanc de quelques secondes. Souvillon caressa son bouc, l'air intrigué.

— Ça alors… (Il réfléchit encore.) J'ai peut-être une explication, mais ça paraît dingue.

— Autre que celle du jumeau caché ? sourit Camille.

Boris la regarda de travers.

— Vous vous doutez bien que nous sommes tout ouïe, répliqua-t-il.

— Ce jour-là, j'ai été prévenu par le SAMU. Blier a été découvert par un voisin qui était passé lui souhaiter la bonne année, il venait juste de se pendre. Les équipes médicales sont arrivées sur place en dix minutes. Quand elles ont débarqué, Blier ne respirait plus mais son cœur battait encore, très faiblement mais il battait. Ils l'ont décroché et intubé, avant de l'amener en réanimation au CHR pour suivre l'évolution de son état. C'est là-bas que je suis intervenu. On a fait deux électroencéphalogrammes à quatre heures d'intervalle, ils étaient plats. Blier était en état de mort encéphalique, donc bel et bien mort. J'ai dressé moi-même le PV de décès sous l'œil d'un deuxième médecin, en trois exemplaires. Mais on ne l'a pas emmené à la morgue, parce que son cœur présentait encore une activité.

Boris fronça les sourcils.

— Je ne comprends pas bien. Mort, mais pas complètement ?

— Les cas de morts encéphaliques sont toujours difficiles à appréhender, parce que vous avez face à vous quelqu'un qui ne présente aucun signe positif de la mort : il est encore chaud, sa poitrine se soulève avec le respirateur. Disons que les techniques récentes de réanimation ont créé cet état ambigu d'organes encore vivants dans un sujet qui ne l'est plus...

Il prit un bonbon à la menthe et en proposa aux gendarmes. Seule Camille accepta.

— Il devient alors un candidat idéal au don d'organes, poursuivit-il. C'est pour cette raison que les proches, bien souvent, refusent le prélèvement. Imaginez des parents face à un fils mort dans un accident de la route par exemple, mais dont le cœur bat toujours, qui a le teint coloré, qui semble dormir. Qui est encore chaud lorsque vous passez votre main sur son front. On a beau leur dire ce qu'on veut, ils gardent l'espoir qu'il se réveille.

Camille pensait à ce cœur dans sa poitrine, cet inconnu qui, même malade, lui permettait de vivre et dont elle ignorait tout. Y avait-il eu des parents qui, devant leur fille décédée, avaient dit : « Oui, donnez le cœur de mon enfant à quelqu'un » ? Comment s'était passé ce terrible moment où l'on admettait que l'être cher était bel et bien parti, qu'on ne le reverrait plus jamais mais que son cœur continuerait à battre dans la poitrine d'un anonyme ?

— Il faut savoir que la pendaison provoque une anoxie cérébrale, continua le légiste, c'est-à-dire que, à cause de la strangulation, le cerveau n'est plus alimenté en sang et se dégrade très vite, tandis que le reste du corps continue à fonctionner parfaitement. Parfois, les pendus sont sauvés à temps, mais présentent des atteintes au cerveau : ils restent handicapés à vie. Dans d'autres cas, ils sont morts, mais il se peut qu'on parvienne à maintenir en état de fonctionnement les autres organes, comme cela a été le cas pour Ludovic Blier.

Camille écoutait en silence, suçant son bonbon. Elle connaissait tous ces discours autour de la mort. La difficulté d'en cerner la frontière, les comas irréversibles, les grands tunnels blancs que certains prétendaient avoir vus. Elle aussi avait été morte, en quelque sorte. Durant la lourde intervention chirurgicale, son cœur avait été arrêté, son organisme refroidi, le sang avait été sorti de son corps – ça s'appelait la circulation extracorporelle –, mais son cerveau avait continué à fonctionner, sa conscience avait affleuré dans les ténèbres, juste au bord du fameux grand tunnel. Mi-morte, mi-vivante, perchée entre deux mondes, se retrouvant, à un moment donné, sans cœur. Pendant quelques minutes, elle n'avait plus eu son ancien cœur, et pas encore reçu le nouveau. Une situation qui changeait forcément les priorités et la perception du monde.

Souvillon poursuivit ses explications :

— Pour tout vous dire, c'est toujours moi qu'on appelle sur des pendaisons, parce que j'ai des compétences en droit de la santé et que je bosse, en plus de mes activités de médecin légiste, avec le centre de coordination des greffes de Lille. J'interviens partout où il y a des morts violentes qui peuvent aboutir à un don d'organes. Les morts par pendaison ou par balle sont des candidats à ne pas négliger, ils représentent plus de douze pour cent des donneurs. Toute la chaîne d'intervention *post mortem*, y compris le légiste, est sensibilisée au don d'organes.

Camille trouva curieux qu'il lui parle de don d'organes. Elle n'avait rien à faire entre ces murs, et pourtant elle s'y trouvait. Y avait-il un signe quelconque du destin, encore une fois ? Suivait-elle un chemin invisible qui allait la guider vers ses réponses ? C'était si troublant.

Les faibles pourcentages, pensa-t-elle. *Le hasard, les coïncidences qui me poursuivent depuis toute petite...*

Le médecin consulta de nouveau son ordinateur et lança un logiciel que la jeune femme connaissait trop bien : Cristal. Elle se pencha un peu plus, mais le spécialiste tapa son login et son mot de passe sans qu'elle puisse les voir.

— Vous avez accès au logiciel de coordination des greffes ? demanda-t-elle. Ici, à l'IML ?

— Un accès restreint, oui, parce que je travaille en étroite collaboration avec l'agence nationale de bio-médecine basée à la Plaine Saint-Denis. Mais je peux uniquement obtenir des informations sur les donneurs que j'ai traités. Je ne sais pas où partent les organes ni qui les reçoit... C'est très verrouillé, et anonyme. Juste des codes-barres.

Rien de nouveau sous le soleil, songea Camille. Une fois dans le programme, Souvillon saisit quelques critères de recherche et finit par cliquer sur le nom de

Ludovic Blier. Une fiche complexe s'ouvrit, comportant des termes médicaux et des numéros.

— Voilà... Notre pendu n'avait plus de proche famille, il n'y avait personne pour s'opposer au prélèvement d'organes. Il faut savoir que, en matière de dons, qui ne dit mot consent. En d'autres termes, en France, nous sommes tous des donneurs d'organes potentiels, sauf si nous nous inscrivons de notre vivant sur le registre national des refus. Ce n'était pas le cas pour Blier. Nous, on fait tout pour contacter la famille, afin qu'ils prennent l'ultime décision. Mais si personne ne se manifeste, on agit.

Il parcourut la fiche avec attention.

— Je constate que l'équipe de coordination lui a prélevé les reins, les poumons, le cœur, le foie. Bref, la totale. (Il cliqua.) Voilà ce qui m'intéresse, les tissus... Prélèvement des cornées, des têtes fémorales, des os massifs, et, surtout, de la peau du dos, de l'arrière des cuisses et des bras... Tous ces éléments partent en général à la banque de tissus qui se trouve sur le CHR, en vue de greffes à plus ou moins long terme.

La connexion se fit immédiatement dans la tête des gendarmes : la greffe de peau. Camille s'en voulait de ne pas avoir trouvé la solution d'elle-même, car elle était plus que concernée. La greffe... La greffe était la clé de leur problème insoluble d'ADN.

— Celui qui a assassiné Arnaud Lebarre aurait été greffé avec la peau du pendu, annonça-t-elle en fixant Boris. C'est pour cette raison qu'on a retrouvé l'ADN de Blier sous les ongles de notre victime.

Le médecin acquiesça.

— C'est la seule solution que je voie, en effet. De manière générale, lors d'une greffe de peau, on

124

utilise le propre épiderme du patient : on lui prélève des morceaux de peau restés intacts pour réparer les zones endommagées. L'autogreffe évite les rejets. Mais, dans certains cas, la surface de peau intacte n'est pas suffisante.

— Ça concerne les grands brûlés, non ? demanda Boris.

— Principalement, oui. Il faut aller vite, on n'a pas le temps de mettre la peau du blessé en culture. Alors, on lui greffe celle provenant d'un donneur, mais il ne s'agit que d'une solution temporaire. En général, avant que le rejet se manifeste, au bout de quelques semaines, on regreffe la propre peau du patient qu'on a eu le temps de faire croître en culture, en laboratoire.

Il ferma son logiciel. Boris essaya de s'imaginer un type au visage et au corps brûlé, rapiécé de part en part avec les morceaux d'épiderme de Blier. Leur assassin avait peut-être subi ce genre de traumatisme… Un ancien grand brûlé…

— Cela pourrait expliquer les deux ADN retrouvés sous les ongles, fit-il.

— Exactement. Il y avait sûrement encore, dans les couches épidermiques du corps de votre assassin, de l'ADN de son donneur, notre pendu en l'occurrence. Vous avez eu affaire à ce qu'on appelle une chimère, en référence au monstre mythologique : un même individu, avec deux ADN distincts à certains endroits du corps.

Camille garda le silence, elle n'avait jamais vraiment réfléchi à cette histoire de chimère. N'en était-elle pas une, elle aussi ? Le cœur dans sa poitrine possédait un ADN différent du sien. Et c'était pour cette raison que son organisme luttait farouchement contre lui, qu'il le rejetait.

Plongée dans ses pensées, elle laissa Boris prendre les devants.

— Il suffit de savoir à qui a été greffée la peau du pendu, dit Boris, et on tiendra notre assassin. Je sais que votre logiciel peut faire ce genre de choses : relier le donneur et le receveur.

— Oui, il peut, mais je n'ai pas les droits pour lancer une requête. Comme je vous l'ai dit, mon accès à Cristal est très restreint, je ne connais jamais l'identité des receveurs. Mais dans le cadre d'une enquête judiciaire, la démarche que vous devez suivre est relativement simple.

Il prit un papier, un crayon et nota un nom ainsi qu'une adresse.

— Faites une demande d'autorisation auprès du juge qui gère votre dossier, transmettez-la par fax ou mail certifié au directeur de l'agence de biomédecine dont je vous ai noté les coordonnées, à La Plaine Saint-Denis. Dans le cadre de la procédure judiciaire uniquement, il fera sauter le verrou de l'anonymat et établira le lien entre donneur et receveur. Et vous connaîtrez alors le nom de votre assassin.

Boris récupéra la feuille et se leva, satisfait, tandis que Camille restait immobile.

— Je ne pensais pas que nous avancerions autant en venant ici.

— Ravi de vous avoir aidés. Votre cas est bien tordu, je le garde en tête. C'est toujours intéressant, ce genre d'anecdote, pour les étudiants en médecine, voire en criminologie.

— Camille ? Tu viens ?

La jeune femme ne bougeait pas, les yeux dans le vide. Avec ces histoires de chimères, elle venait d'apercevoir une voie qu'elle n'avait jamais explorée jusque-là.

La voie la plus évidente qui soit, et qu'elle avait eue sous les yeux depuis le début.

Celle qui, peut-être, lui donnerait enfin l'identité de son donneur.

16

10 heures du matin.

Bureau exigu de Bellanger, dans les combles du 36, quai des Orfèvres. Des cigarettes écrasées dans un cendrier. Rien de personnel sur les murs. Ni photos ni souvenirs. Des persiennes baissées pour limiter la chaleur. Les rayons du soleil striaient le visage grave et fatigué du chef de groupe qui venait de découvrir le contenu de la boîte à chaussures.

Ça lui avait mis comme un coup derrière la tête.

Un peu en surplomb, un ventilateur brassait un air usé, lourd, qui ne rafraîchissait plus rien. Le capitaine de police se massa longuement les tempes.

— Douze filles, putain.

Il fixa Sharko, le visage grave, et se leva. À certains endroits des combles, il devait se baisser.

— Et ce taré qui déverse ses horreurs sur une bande sonore.

— C'est gratiné, oui.

Bellanger eut une faiblesse, il s'appuya sur le bois usé, devant lui. Il avait la mine ravagée par le manque de sommeil.

— Je ne tiens plus debout, je comptais sur mes congés

pour me remplumer un peu mais… Il faut que je rentre chez moi… Me doucher, dormir quelques heures, manger un truc qui ressemble à autre chose qu'à une tranche de pain. J'ai passé la nuit à régler de la paperasse et, depuis ce matin, Robillard et moi, on donne des coups de fil dans le vide. Y a personne dans les bureaux.

Sharko était allé saluer le lieutenant Robillard dans l'*open space* avant d'entrer ici. Pascal Robillard était leur grand spécialiste des procédures et de tout ce qui touchait aux recherches dans les fichiers informatiques.

Nicolas Bellanger prit la boîte à chaussures et les deux tableaux.

— Je vais aller les déposer moi-même à côté. Il y a deux ou trois laborantins qui traînent, je vais demander l'analyse ADN des cheveux, des ongles et des dents en priorité. Essayer de déterminer s'ils proviennent du même individu.

— Il y a… le portefeuille, aussi. Vu ce qu'on a entendu dans l'enregistrement, il est possible que…

Bellanger serra les lèvres.

— On verra bien. Merci pour la boîte, et… bien vu, Franck. Y a que toi qui pouvais la dénicher, celle-là.

Sharko approuva d'un mouvement de tête.

— Je peux rester une heure ou deux, si tu veux, mais pas plus. J'ai promis à Lucie un…

— Te bile pas. J'ai passé les appels qu'il fallait, les gens se bougent mais au ralenti, si tu vois ce que je veux dire. Le juge ne peut pas me recevoir avant 17 heures, le divisionnaire abrège ses congés mais ne sera pas là avant la fin de journée…

Sharko resta silencieux. Claude Lamordier, leur *big boss*, n'était déjà pas, à la base, le type le plus rigolo de la planète. Il risquait d'être de très mauvais poil.

— … Robillard va commencer à interroger les fichiers pour les douze filles, poursuivit Bellanger en se frottant le front. Voir s'il n'y a pas eu de disparitions en masse. Levallois revient en début d'après-midi filer un petit coup de main, Robillard le branchera sur la recherche de ce « PF » au bas des dessins. Il va jeter un œil au niveau des détentions ou des sorties de prison, en attendant le retour de l'analyse ADN des cheveux. Quant à toi… Je préfère que tu gardes tes forces pour les prochains jours. Demain, on aura du nouveau.

Il soupira et tira une cigarette d'un paquet.

— Passe le bonjour à Lucie. Ça va, elle ? Et tes mômes ?

— Tout roule. On s'éclate comme des fous tous les quatre. On va aller faire un pique-nique au bord de l'eau aujourd'hui. Prendre l'air ensemble. Profiter de la lumière. On est comme les plantes vertes, on en a besoin.

Sharko s'apprêtait à sortir, mais il se retourna et ajouta :

— J'étais exactement comme toi, à trente-cinq piges. À trop tirer sur la corde, elle a fini par me péter à la gueule. Tu connais mon histoire, tu sais par quoi je suis passé. Tu dois prendre davantage soin de toi.

Bellanger eut un petit sourire.

— Merci, encore une fois, pour la petite leçon, mais ça ira.

— C'est ce que tu crois. Tu devrais arrêter d'habiter dans ton bureau et te trouver quelqu'un, Nicolas. Parce qu'il n'y a qu'une bonne femme qui pourra te sortir de là.

Dès que Sharko eut quitté l'appartement pour se rendre au 36, aux alentours de 9 heures, Lucie s'était jetée sur l'ordinateur.

Elle n'avait pas bien dormi, songeant aux mystérieux chiffres du carnet. Armée d'un stylo et d'un papier, elle venait de parcourir, une à une, les douze pages manuscrites, et avait noté les chiffres ou les symboles « / » ou « . » chaque fois qu'elle les croisait, dissimulés parmi les innombrables cercles imbriqués.

Pour la première page du carnet, elle avait obtenu la séquence suivante :

0104060809201011/1411102100/47.
6193757/06.1529374

Si les séries de chiffres étaient différentes d'une page à l'autre, elle remarqua néanmoins une régularité. Chaque fois, Lucie dénichait quarante-quatre chiffres par page, séparés par trois barres obliques.

Elle nota :

Bloc de 16 chiffres/de 10 chiffres /de 9 chiffres
avec un « . » /de 9 chiffres avec un « . »

Ces codages cachaient forcément quelque chose d'important, et étaient cohérents pour leur auteur.

Douze lignes codées, douze photos, douze femmes différentes…

Lucie réfléchit et afficha une photo de victime, au hasard. Les chiffres étaient présents là aussi, à l'arrière du crâne rasé : B-02.03-07.08-09.11-12.15. Elle ne tint pas compte de la lettre et compta le nombre de chiffres. Seize, exactement. Comme sur le premier bloc.

Elle rechercha donc la séquence 0203070809111215 dans ses notes toutes fraîches. Elle eut une poussée d'adrénaline lorsqu'elle découvrit les seize chiffres du tatouage sur le premier bloc de l'une des lignes, la dernière en l'occurrence.

Ainsi, chaque ligne trouvée dans le carnet correspondait bien à une fille en particulier. L'auteur du codage n'appelait pas ses proies par leur nom, mais par le numéro du tatouage qu'elles avaient sur le crâne.

Des numéros, du bétail. Elles n'étaient rien pour lui.

Lucie fut parcourue d'un frisson.

Chaque début de ligne, donc, faisait référence à une fille. Lucie s'intéressa au bloc suivant, « 1411102100 », et comprit assez vite qu'il s'agissait de dates et d'heures bien précises. Dans ce cas-là, le 14-11-2010, 21 h 00.

Sur une autre feuille, elle nota, analysant ainsi chaque ligne et recopiant la ou les lettres :

B 14 nov 2010-21 h 00,
B 21 déc 2010-2 h 00,
AB 4 janv 2011-23 h 30,

B 1er fév 2011-22 h 40,
AB 24 fév 2011-00 h 30,
AB 26 mars 2011-23 h 30,
AB 15 avril 2011-1 h 00,
B 3 mai 2011-2 h 00,
B 16 mai 2011-00 h 00,
AB 7 juin 2011-3 h 00,
B 9 juillet 2011-1 h 30,
B 10 août 2011-1 h 00.

Des dates qui croissaient dans le temps au fil des douze lignes. Des heures tardives, en pleine nuit. Environ quelques semaines d'écart chaque fois.

Une identité représentée par des chiffres, une date, une heure… Probablement la date de l'enlèvement. Dans ce cas, comment le kidnappeur choisissait-il ses victimes ? Vu leur ressemblance sur les photos, le critère physique, l'origine sociale jouaient un rôle, c'était évident.

Un enlèvement par mois, parfois deux, ça faisait beaucoup. Comment l'homme abordait-il ses proies ? Les observait-il longuement ? Les connaissait-il ? Ce salopard était-il un séducteur ?

Lucie revint aux lignes. Restaient les deux derniers blocs, sur lesquels elle cala. Des nombres compliqués à virgule. Elle chercha un point commun : certains nombres revenaient d'une ligne à l'autre. Le « 06.1529374 » se trouvait par exemple sur plusieurs pages différentes.

Lucie n'eut pas le temps de prolonger ses réflexions. Franck était de retour et mettait sa clé dans la serrure. Lucie ferma en catastrophe les fichiers photo et cacha ses notes sous un tas de feuilles. Elle fit mine de consulter ses mails, et leva les yeux vers Sharko lorsqu'il se présenta avec du pain et un bouquet de fleurs. Il lui tendit les roses.

— Pour hier...

Lucie prit le bouquet et plongea son nez dans les pétales.

— Elles sentent bon. Moi aussi, je me suis emportée. Je suis désolée.

Ils s'embrassèrent.

— C'est sympa d'être revenu pour passer la journée avec nous, fit Lucie. Mais tu pouvais rester au bureau. J'ai toujours l'impression que cette affaire est vraiment importante.

— Tu veux te débarrasser de moi, ou quoi ? Elle n'a rien d'important, je te l'ai dit.

Il mentait comme un arracheur de dents, mais Lucie ne lui en tint pas rigueur.

— Très bien. Dans ce cas... Pique-nique !

L'expédition se mit en route peu avant midi. Ils passèrent une bonne journée loin de Paris, au soleil, au bord de l'eau, à manger des sandwichs, boire du lait, les jumeaux couchés dans leur double poussette, crème solaire, petit bonnet sur la tête. Le bonheur simple d'une journée en famille.

Sharko souriait, plaisantait, mais parfois son regard se troublait, et alors il fixait le lac, caressant ses mocassins du bout du pouce, sans un bruit, tel un vieux pêcheur nostalgique, comme rattrapé par ses démons. Lucie comprenait qu'à ces instants-là il pensait à son affaire, à toutes ces filles, et que dans sa tête résonnaient les sinistres paroles du monstre.

L'autre fois, j'ai vu des grenouilles vertes dans un vivarium. Je les imaginais dans leur étang, glisser sur

le fil de mon bistouri affleurant la surface de l'eau et
s'ouvrir le ventre...

Lucie non plus ne profitait pas complètement de leur journée. Les chiffres et les cercles concentriques du carnet tourbillonnaient dans sa tête.

Pourquoi les marquait-on de la sorte ?

La solution des chiffres qu'elle cherchait depuis la matinée lui vint au retour vers Paris, lorsque Sharko entra l'adresse de leur résidence dans le GPS.

Des coordonnées numériques s'étaient affichées au bas de l'écran.

Des nombres à virgules, comme sur les notes du tueur.

Lucie comprit alors que les deux derniers groupes de chiffres qu'elle avait recopiés pour chaque ligne représentaient certainement l'indication des lieux. Une longitude et une latitude.

Cette nuit-là, elle attendit que Sharko s'endorme. Alors, elle se leva sans bruit et, seule dans le salon, se précipita de nouveau sur l'ordinateur.

Sur les douze pages, elle n'avait repéré que trois groupes de coordonnées différents. Donc, *a priori*, trois lieux distincts cachés dans les pages du carnet. À cran, elle se connecta à Google Maps et compléta les parties latitude et longitude.

Elle valida une première fois. Un point s'afficha sur la carte, en pleine forêt d'Halatte, dans l'Oise.

Ça fonctionne.

Lucie entra les coordonnées suivantes, puis les dernières. Les trois lieux se situaient tous en forêt d'Halatte, espacés d'un ou deux kilomètres. Elle imprima la carte.

Douze filles tatouées, des dates, trois lieux différents.

Lucie pensait depuis le début que les informations correspondaient aux enlèvements, mais vu la localisation isolée en forêt, ça ne collait pas vraiment, aucune fille n'étant susceptible de traîner là à des heures pareilles. À moins qu'on ne leur ait fixé un rendez-vous ?

Et s'il s'agissait des dates et des lieux où il tuait ses victimes ? Ou alors, de là où il les enterrait ? La plupart des tueurs en série gardaient une trace écrite des endroits où ils se débarrassaient des corps. Pour revivre leurs fantasmes, et les déterrer de temps en temps. Ou simplement parce qu'ils en tuaient trop et voulaient pouvoir se rappeler leurs victimes.

C'était aussi pour cette raison, peut-être, qu'il avait crypté les données dans son carnet. Question de sécurité. Et parce que ces salopards adoraient toute forme de jeu.

Pensive, Lucie se leva et se dirigea vers la fenêtre. Elle resta là quelques secondes, silencieuse. Les rues étaient désertes, les lumières des appartements alentour toutes éteintes… Les gens étaient plongés dans leurs rêves. Ou leurs cauchemars.

Elle consulta sa montre, puis revint vers l'ordinateur. Elle effaça l'historique du navigateur Internet et le ferma, dissimula les plans imprimés sous des livres de la bibliothèque et retourna se coucher comme si de rien n'était.

Le flic solitaire qui sommeillait en elle venait de briser la coquille maternelle.

L'instinct de prédation avait pris le dessus sur les gènes.

18

Camille se dit que la réponse à ses questions se trouvait peut-être là, sous ses yeux.

Entre les deux lamelles de verre.

La biopsie. Concentré d'ADN de son donneur.

Comment avait-elle pu ne pas y songer avant ? Commencer par le plus simple, le plus évident. Faire une recherche du profil génétique du cœur dans le fichier national des empreintes génétiques, le fameux FNAEG commun à la police et à la gendarmerie. Peut-être y aurait-il une correspondance avec une personne fichée ? C'était assez peu probable, mais c'était cette faible probabilité qui l'intéressait, justement.

À 14 heures, elle avait réussi à joindre par téléphone Frédéric Crombez, un technicien en biologie du LPS[1] de Lille qu'elle connaissait depuis le lycée. Il ne travaillait pas ce 15 août, mais sur l'insistance de Camille il s'était rendu au laboratoire, boulevard Vauban, pour passer les petits amas de cellules du cœur inconnu sous les machines sophistiquées. Sans requête, sans procédure. « Au black », comme on dit.

---

1. Laboratoire de police scientifique.

Quelques heures plus tard, avec la promesse de lui offrir un restau – et au terme duquel il était persuadé de la mettre dans son lit –, Camille sortait du bâtiment avec un papier très important dans la main : le fameux profil génétique de son donneur. Son code-barres unique, qui l'identifiait, lui, parmi cette grande colonie de sept milliards d'individus.

En cette fin de journée, elle prit le métro place de la République. Assise dans son coin, elle regarda la courbe du profil génétique encore inconnu, les pics, les creux, les ensembles de données. C'était si curieux, de détenir le code de fabrication d'une personne, sans connaître la personne elle-même.

Elle arriva à Villeneuve-d'Ascq une demi-heure plus tard. Pressée, elle se rendit directement à l'appartement de Boris, situé de l'autre côté de la caserne par rapport au sien. Elle sonna, personne ne répondit. 15 août ou pas, Boris devait, comme chaque mercredi soir, soulever de la fonte en solitaire. Le footing du matin ne lui avait pas suffi.

Effectivement, elle le trouva dans la salle de sport, où traînait du matériel de musculation. Les grands pans en Plexiglas avaient accumulé de la chaleur toute la journée, transformant l'endroit en fournaise. Malgré tout, Boris était allongé sous une barre de développé-couché, short très court et torse nu, et finissait une série de dix. Lorsqu'il aperçut Camille, il ôta ses écouteurs et renfila immédiatement son débardeur posé au sol.

— Merde ! Depuis quand t'es là ?

— Très longtemps. Tu peux rester torse nu, tu sais ? Ça brille et c'est sans poils, j'aime bien.

Elle ne sut dire s'il était rouge à cause de l'effort ou par excès de pudeur. La sueur coulait sur ses tempes, et il haletait. Il ôta des poids de chaque côté de sa barre, haussant les épaules. Camille s'approcha, les mains croisées dans le dos.

— T'as pu préparer la requête au juge pour notre greffé ? demanda-t-elle.

— Oui, elle part demain à la première heure. S'il est réactif, c'est faxé le jour même sur le bureau du directeur de l'agence de biomédecine. Et on aura très vite le nom de notre assassin.

Boris but une gorgée d'eau, les mains enfoncées dans des mitaines en cuir.

— Et toi, tu prépares tes valises pour Argelès ?

— Oui. Bien possible que je me mette en route demain ou vendredi, ça évitera les bouchons du weekend. Au cas où, je te donnerai les clés de mon appartement pour Brindille.

— Demain ou vendredi ? Mais tu bosses, normalement, non ?

— Je m'en fiche.

— Toi, tu t'en fiches ?

Boris la regarda d'un air perplexe. Elle avait décidément de drôles de réactions depuis quelque temps. Elle l'aida à ôter des poids de ses barres.

— Écoute Boris, j'ai une dernière chose à te demander.

Après avoir vissé le bloqueur, elle lui tendit le papier qu'elle avait apporté. Le gendarme le considéra et fronça les sourcils.

— Un profil génétique. Tu veux que…

— … que tu jettes un œil dans le FNAEG, oui. Pour voir si ce profil nous ressort une identité précise.

Le lieutenant s'assit sur son banc, le papier entre les mains.

— Alors c'est ça qui t'a perturbé à l'IML, et dont tu m'as parlé dans la voiture : l'histoire de la chimère... T'as maintenant l'idée de passer par le FNAEG pour retrouver ton propre donneur, c'est bien ça ?

— Je pense plutôt qu'il s'agit d'une femme. Des millions d'individus sont fichés là-dedans. Un enregistrement ressortira peut-être ?

— Peut-être ou peut-être pas.

— Faut essayer.

— Mais tu sais ce que ça implique si on trouve une correspondance ? Que ta donneuse a commis une infraction qui peut aller jusqu'au meurtre.

— On prélève aussi l'ADN des personnes disparues ou de leurs proches, des cadavres non identifiés, ou de suspects qui ne sont pas forcément coupables. Même le nôtre en fait partie puisqu'on se rend en permanence sur des scènes de crime et qu'on les contamine. Il n'y a pas que des personnes mauvaises, dans ce fichier.

Boris secoua la tête.

— Non, pas que. Disons quatre-vingt-quinze pour cent.

— Justement, il reste cinq pour cent. Et je suis abonnée aux faibles pourcentages.

— Écoute, Camille, il vaut peut-être mieux arrêter, laisser ces portes-là fermées... Je ne veux pas faire ça.

Camille lui reprit sèchement le papier des mains.

— Merci de ton aide. On se voit dans quinze jours. Si tout va bien.

Elle s'éloigna d'un pas rapide, en colère. Boris hésita. Il passa sa serviette en éponge autour de son cou et la rattrapa.

— Tu ne lâcheras jamais, hein ?

— J'irai au bout. Si ça ne fonctionne pas, je te

garantis que je me rends à l'agence de biomédecine avec un flingue pour obtenir un nom. Je n'ai plus rien à perdre.

Boris était incapable de savoir si elle plaisantait ou non. Elle n'en avait pas l'air.

— Hormis ton job, certes, tu n'as plus rien à perdre. C'est incompréhensible, ton acharnement.

— Tu ne vis pas grâce à la mort d'un autre. Tu ne fais pas ces cauchemars. Et puis…

— Et puis quoi ?

— Rien.

Elle baissa les yeux. Il sourit. Un sourire craquant.

— Allez, suis-moi, on va aller lui faire la peau, à ton profil.

Ils entrèrent dans les locaux de la Section de recherches, remontèrent les couloirs déserts, grimpèrent à l'étage pour se retrouver dans le bureau de Boris. Normalement, il fallait l'accord du substitut du procureur pour consulter le FNAEG, mais Boris et ses collègues outrepassaient de temps en temps le règlement. Ils consultaient d'abord et récupéraient la requête du magistrat ensuite.

Le lieutenant se mit devant son ordinateur, tapa des codes et se connecta sur le serveur situé à Écully, près de Lyon. Camille lui posa une main sur l'épaule.

— Merci.

— Merci, ouais. J'ai horreur de ça, et j'espère que je ne fais pas une connerie. Donne-moi le profil.

Il rentra les données dans le logiciel, lança la recherche et lui tendit des pièces de monnaie.

— Ça mouline. T'as le temps d'aller te prendre un thé et pour moi, un Coca… Light s'il te plaît.

— Quelle orgie… Au fait, tu étais très plaisant à

regarder dans l'effort. Tu dois avoir un cœur solide, parfaitement irrigué et musclé, et des ventricules qui carburent comme les soupapes d'une Corvette Daytona 1979. J'adore ce genre de carcasse !

Elle disparut, donnant l'illusion d'être détendue, mais c'était tout le contraire. Une vraie pile électrique. D'ici quelques minutes, le cœur malade allait peut-être se voir associer un visage, une identité. Le mystère des appels au secours serait levé.

Devant le distributeur, Camille se tordit soudain de douleur, comme si ses côtes se plantaient dans ses muscles. Elle s'appuya contre le mur, les deux mains sur la poitrine. Le sang pulsait, les battements cardiaques étaient assourdissants, pareils aux rythmes d'un tam-tam. Le cœur hurlait, se révoltait, en lutte contre ce ciment qui l'enrobait progressivement.

Le calvaire cessa au bout de quelques secondes. Camille se redressa avec difficulté, tout endolorie. Elle crut bien qu'elle allait de nouveau s'effondrer. Les pièces de monnaie avaient roulé au sol.

D'une main tremblante, elle les ramassa et sélectionna les deux boissons dans des machines distinctes. Peut-être aurait-elle dû être au volant de sa voiture et se fracasser contre un arbre, pendant la crise. Au moins, tout serait terminé.

Plus de souffrance, plus d'obsessions, plus de peur de mourir.

Elle prit une grande inspiration avant de retourner dans le bureau de Boris. Il était immobile face à son écran, la bouche mi-ouverte comme s'il venait de gober une mouche. Elle se figea.

— Tu as une réponse, c'est ça ?

Il acquiesça. La jeune femme s'approcha. Elle tremblait tellement que son thé déborda du gobelet et lui brûla la main. Elle manqua de le lâcher et le déposa en catastrophe sur le bureau, avec le Coca.

Elle allait enfin savoir.

— Qui est-ce ? Dis-moi.

— Tu t'es plantée, ce n'est pas une femme. Ton donneur s'appelle Daniel Loiseau. Trente et un ans.

La jeune femme accusa le coup.

— Un homme, répéta-t-elle. Merde, j'étais persua-dée que...

Elle se tut, pensive, tandis que Boris décapsulait sa canette.

— Et... qu'est-ce qu'il a fait de mal ?

— Rien. Il bossait au commissariat d'Argenteuil, banlieue parisienne... Abattu d'une balle en pleine tête lors d'une intervention qui semblait banale, d'après le PV que j'ai retrouvé. Un camé qui lui a tiré dessus. Tu connais la date, évidemment : le 27 juillet 2011, l'avant-veille de ta greffe.

Il soupira et lâcha :

— Ma grande, t'as le cœur d'un flic.

19

Jeudi 16 août 2012

Camille avait décidé de prendre la route très tôt le lendemain, à 6 h 30.

Dans son coffre, elle avait fourré quelques affaires pour les vacances : ses inséparables immunodépresseurs rangés dans leur semainier, son métronome, des livres, des shorts, tee-shirts, chaussures de marche, tongs taille 43, vêtements d'été, mais pas de maillots de bain. Elle détestait les plages.

Boris se chargerait de Brindille, il avait les clés de l'appartement et accès au stock de nourriture. Elle n'avait pas encore prévenu ses parents qu'elle risquait d'arriver plus tôt que prévu. Ça dépendrait de ce qu'elle apprendrait aujourd'hui.

Elle avait décidé de se rendre au commissariat d'Argenteuil. Elle avait rendez-vous à 9 h 30 avec un certain Patrick Martel, un collègue de Daniel Loiseau. Elle avait récupéré son numéro de téléphone en appelant le commissariat la veille, après s'être présentée en tant qu'adjudant de gendarmerie mais en donnant une fausse identité. Elle voulait agir incognito.

À Martel, elle avait dit bosser sur une affaire importante en rapport avec Loiseau. L'homme avait voulu en savoir davantage, mais Camille avait prétexté préférer lui parler de vive voix.

La jeune femme se sentait à la fois nerveuse et soulagée. Cette quête qu'elle menait depuis si longtemps avait enfin abouti : elle portait le cœur d'un lieutenant de police de trente et un ans. Un homme qui était mort dans l'exercice de ses fonctions. Qui avait sans doute laissé derrière lui une famille anéantie par sa disparition. Un horrible décès qui lui avait permis, à elle, de vivre, de continuer à respirer.

La gendarme n'en savait pas beaucoup plus sur son donneur pour le moment. À quoi ressemblait-il ? Avait-il eu une femme, des enfants ? Camille s'interrogeait depuis la veille et n'avait d'ailleurs presque pas dormi encore une fois. Elle pensait évidemment à son cauchemar. Daniel avait-il enquêté sur une affaire impliquant la jeune femme de son rêve ? L'avait-il retrouvée enfermée quelque part ? Cette fille était-elle encore vivante aujourd'hui ?

Elle allait peut-être bientôt avoir des réponses.

À cet instant précis, elle se sentit proche de Daniel, même si elle ne connaissait de lui que ce cœur malade. Encore un étrange coup de dés du destin. C'était tellement curieux qu'un gendarme récupère l'organe d'un policier qui avait presque le même âge qu'elle. Un homme qui avait décidé de servir la loi et la République, comme elle.

La circulation se densifia après le passage du péage de l'autoroute A1 avant Paris, mais restait relativement fluide. Soit les gens étaient partis le 15 août, soit ils se mettraient en route à partir du lendemain soir, leurs voitures bondées. Après une nouvelle année de promesses illusoires, de crises et de galères, chacun avait besoin de relâcher la pression.

Climatisation à fond, Camille gagna Argenteuil aux alentours de 8 h 30. Elle était largement en avance. Grâce aux recherches de Boris, elle savait que Daniel avait été enterré au cimetière du Val-Notre-Dame. Elle y fit un détour après être passée chez un fleuriste. Elle trouva rapidement la tombe, un bloc de marbre gris et rose avec quelques plantes artificielles, des chrysanthèmes complètement brûlés et un vase rempli de petits cailloux blancs. Il n'y avait que deux plaques funéraires, « À notre neveu », et une autre, « À notre collègue et ami… ».

Camille s'approcha, passa ses doigts sur la seconde partie de l'inscription : « Tu resteras dans notre cœur », et regroupa ses mains devant elle, face à la stèle décidément bien vide. Pas de famille ? Aucun mot des parents ?

Elle sentit malgré elle les larmes monter. « Tu resteras dans notre cœur. » C'était si étrange de se dire qu'une partie de l'être qui reposait au fond du trou était là, en elle. Elle leva les yeux vers les arbres, en arrière-plan, et s'excusa de posséder son cœur, de vivre alors que lui, Daniel, était parti tellement loin.

— Je n'ai pas su prendre soin de ton cœur, murmura-t-elle en essuyant une larme. J'en suis tellement désolée…

Elle nettoya la tombe, jeta les fleurs fanées, répartit ses kalanchoés dans le vase. Il régnait dans le cimetière un calme qui lui fit du bien et lui permit de se recueillir. Puis elle regagna son véhicule, la poitrine bien lourde.

À 9 h 35, elle se présentait à l'accueil du commissariat sous le nom de Cathy Lambres, en tenue de gendarme, son grade d'adjudant bien visible, et annonça son rendez-vous avec Patrick Martel. Comme à la caserne de Villeneuve-d'Ascq, les locaux n'étaient pas très peuplés en ce jeudi matin. Et puis, il était encore tôt. Flics ou gendarmes, même sauce, mêmes envies de retarder la rentrée de septembre, qui débarquerait avec son lot d'emmerdements.

Le lieutenant de police la reçut dans son bureau, au premier étage. C'était un homme à l'air plutôt sympathique, la bonne quarantaine. Il avait les yeux vairons, l'un marron, l'autre bleu. Camille était toujours troublée lorsqu'elle croisait ce genre de regard. Chaque œil avait son histoire.

Il l'accueillit chaleureusement, lui proposa un café auquel elle préféra un thé et la pria de s'asseoir.

— C'est plutôt rare de voir la gendarmerie en nos locaux. Vous venez de quel coin, déjà ?

— Nantes, mentit Camille. Section de recherches de la caserne Richemont.

Martel plongea les lèvres dans son café.

— La Section de recherches, ici… Bon, parlez-moi de votre affaire. Quel est le rapport avec Daniel ?

Camille avait finalement décidé de jouer franc-jeu. Elle devait y aller cash, sans détour, par manque de temps.

— Il n'y a pas d'affaire. Si je viens ici, c'est pour raisons personnelles. Vous étiez bien le plus proche collègue de Daniel ? Celui qui le connaissait le mieux ?

— Vous m'intriguiez déjà au téléphone, vous

m'intriguez encore plus maintenant… Oui, j'étais son plus proche collègue. Daniel bossait juste à côté, on buvait des coups et on mangeait ensemble.

Son regard se fit nostalgique. Les flics avaient du mal à se remettre de la disparition de l'un des leurs dans le cadre de ses fonctions. Camille le coupa dans ses pensées.

— Très bien. J'ai besoin de votre parole : ce que je vais vous confier doit rester entre vous et moi. Ni vos collègues, encore moins la famille de Daniel, ne devront savoir.

— Ça dépend de ce que vous avez à mettre sur la table.

Camille fixa l'œil bleu.

— Le 27 juillet 2011, Daniel est mort à 20 h 20, tué dans l'exercice de ses fonctions. Le 29, à 5 h 10 précises, je recevais son cœur.

Elle posa sa main sur sa poitrine.

— Daniel est ici. Son cœur bat en moi.

Patrick Martel resta bouche bée. Il se recula sur son siège et, après une période de vide absolu, il réagit enfin.

— Excusez-moi. Mais c'est tellement…

— Je sais.

Le lieutenant de police fixa longuement Camille, sans bouger, abasourdi. Il finit par rompre le silence :

— On a su par le médecin légiste que ses organes avaient été prélevés. Qu'ils étaient partis quelque part, mais jamais je… (Il secoua la tête.) Je veux dire, c'était abstrait, cette histoire de don d'organes. Et maintenant, vous êtes ici, face à moi, avec son cœur qui bat en vous. C'est tellement extraordinaire.

— Il n'est pas une journée sans que j'y pense,

croyez-moi. Je cherche Daniel depuis plus de six mois. Je voulais savoir qui il était, comment il avait vécu. Je voulais donner un visage à ce cœur. Ne me demandez pas pourquoi. C'est ainsi, et ça a tourné à l'obsession.

Elle but une gorgée de thé qui lui parut bien fade. Martel se détendit un peu, fouilla dans son tiroir et en ressortit une photo qu'il tendit à Camille.

— C'est nous deux, là, dans la cour du commissariat.

Le cœur battit plus vite dans la poitrine de Camille, comme s'il réagissait. La jeune femme se sentit bizarre. Son donneur avait des yeux d'un noir extraordinaire, comme deux trous dans la photo. Il est difficile de décrypter des regards figés, mais Camille y lut de la malice, du mystère aussi. Loiseau était un petit brun, cheveux courts, assez chétif, pas spécialement beau, mais avec une vraie présence.

Une cigarette pendait à ses lèvres.

— Il fumait, murmura Camille.

— Oui, il n'était pas un gros fumeur, surtout une vraie cafetière. S'il ne buvait pas quinze cafés ultra-sucrés par jour, il n'en buvait pas un. Pourtant, il ne laissait jamais traîner une tasse, un grain de sucre ou un mégot. Son bureau était aussi nickel qu'un bloc chirurgical. On l'appelait « Monsieur Propre », à la Crim.

Il sourit mais l'œil marron palpita. Son visage retrouva vite un air de tristesse.

— Il n'aurait pas dû se trouver sur les lieux, ce soir-là. Une intervention banale, il rend service parce qu'un collègue est malade. Et boom, un pruneau en pleine tête… Ça nous a fait sacrément mal, à tous.

Son front se plissa.

— C'était d'autant plus terrible qu'il parlait d'arrêter le métier. Il voulait poser sa démission, partir sur autre chose, commencer une nouvelle vie.

— Quel genre de vie ?

— J'en sais rien. Mais plaquer la police, en tout cas. À trente et un ans, quand même... Il n'avait que sept ans de service derrière lui.

— Et toute la vie devant lui.

Camille voulut lui rendre la photo.

— Gardez-la, dit-il. J'en ai d'autres.

— Merci. Et Daniel n'avait pas de famille ?

— Sa mère était décédée quelques années plus tôt, et il ne côtoyait plus son père. C'est pour ça qu'il n'y a pas eu de problèmes pour le don d'organes, le vieux a dit : « Faites ce que vous voulez. » Vous vous rendez compte ? Presque personne de sa famille n'est venu à l'enterrement, hormis une tante ou deux. C'était bien triste.

Martel vida son gobelet et le jeta à la corbeille.

— Il n'avait pas de femme ni d'enfant. Tant mieux, finalement.

— Pas même de petite amie ?

— Niveau filles, c'était un célibataire pur et dur. Il avait un vrai blocage à ce niveau-là. Les femmes, il était incapable de les aborder, il bafouillait face à elles. On a bien essayé de le caser, mais il était trop timide. Pas fait pour ça, si vous voulez... Et puis je crois qu'il s'en fichait.

L'œil bleu sourit.

— Sacré coup du destin qu'une femme ait récupéré son cœur, et que ce cœur batte pour vous. D'une certaine façon, vous êtes mariés, tous les deux.

Camille acquiesça poliment, même si l'image la dérangeait.

— Il était petit, chétif, vous êtes grande et plutôt costaud, constata Martel. Ça n'a pas posé de problème de… dimensions de cœur ? Excusez-moi, je n'y connais rien et…

— Les hommes ont à la base un cœur plus gros que celui des femmes. Je suppose que cette différence a compensé la petite carrure de Daniel. Sinon non, le cœur n'a ni sexe, ni religion, ni couleur. Les médecins essaient juste de greffer des cœurs compatibles – il faut notamment le même groupe sanguin et un truc compliqué avec des antigènes – de personnes qui ont à peu près le même âge. On ne va pas donner un cœur de soixante ans à un jeune de vingt ans, en gros. Même des organes de personnes malades – VIH, hépatite – peuvent sauver d'autres personnes atteintes des mêmes pathologies et en attente d'une greffe. Daniel avait un groupe sanguin aussi peu répandu que le mien, c'est pour ça que ça a… fonctionné. Ça répond à votre question ?

— Parfaitement. C'est… admirable.

— Et sinon, Daniel vivait dans le coin ?

— Il habitait un petit appartement ici même, à Argenteuil. Son père l'a revendu quelques semaines après sa mort, à ce que j'en sais. Ce vieux con n'a pas perdu de temps.

Camille avait tant et tant de questions à poser. Elle essaya de se concentrer sur l'essentiel.

— Et au travail, il était comment ?

— Assez acharné, je dois dire. Il aimait aller au bout des choses, il ne lâchait rien et faisait toujours partie des derniers à sortir du bureau. Il ne comptait pas ses heures. C'est pour cette raison que ça m'a fait un choc quand il a annoncé qu'il partirait. Ce métier, il l'aimait bien.

Camille observa de nouveau la photo. Sa main

tremblait un peu, tant elle était émue. Daniel l'invitait à la rencontre, de ses grands yeux intrigants. Il lui souriait, l'appelait.

— Il était impulsif ? Ça lui arrivait de s'énerver pour un rien ?

— Assez, oui. Disons qu'il ne fallait pas marcher sur ses plates-bandes.

— Il fumait des Marlboro Light, paquets de quinze ?

Le lieutenant de police se pencha vers l'avant.

— Non, des roulées. Pourquoi toutes ces questions bizarres ?

Camille éprouva une petite déception.

— J'ai eu moi-même envie de fumer des cigarettes, il y a quelques jours. Pourtant, j'ai horreur de l'odeur du tabac, et je n'ai jamais fumé de ma vie.

Martel resta muet quelques secondes.

— Qu'est-ce que vous essayez de me dire ?

— Que, malgré cette différence de marque, j'ai l'impression d'avoir des sensations, des envies et des souvenirs qui lui appartenaient.

— Merde. Ça alors.

Camille décida que c'était le moment de se confier à cet inconnu. Elle n'avait pas vraiment le choix.

— C'est aussi pour cette raison que je suis venue vous voir. Depuis quelque temps, je fais un cauchemar récurrent. Je vois une jeune femme d'une vingtaine d'années, qui semble retenue prisonnière, et qui appelle à l'aide.

Le lieutenant de police se recula sur son siège.

— Vous… Vous seriez en train de voir certaines choses par les yeux de Daniel ?

— Par son cœur, plus précisément. Je sais, c'est dément, abracadabrant, tout ce que vous voulez, et en temps normal je serais bien la dernière à y croire. Mais aujourd'hui je suis ici, face à vous, à me confier… Et j'ai besoin de comprendre.

— Vous pensez que ça aurait un rapport avec l'une de ses affaires ? demanda-t-il.

— Je crois, oui. Cette femme, c'est à moi qu'elle s'adresse. Et donc à Daniel.

Martel réfléchit :

— Daniel bossait à la Crim. Les meurtres, c'était son quotidien. Des cadavres, il en a vu. Il en a traité, des sales affaires, depuis qu'il travaillait ici. Difficile de vous en dire davantage avec les éléments que vous me donnez. Vous n'avez rien de plus précis ? Sur l'endroit où cette fille apparaît, par exemple ?

— Non. J'ai… (Camille ferma brièvement les yeux) le visage de cette fille devant moi. Elle est jeune, jolie, longs cheveux noirs, yeux noirs. Elle est typée, on dirait une Rom, une Tsigane, dans ce genre-là. Et…

— Attendez. Une Rom, vous dites ?

Il avait réagi au quart de tour, ses pupilles s'étaient dilatées. Camille sut sur-le-champ qu'elle tenait quelque chose.

— Ça vous parle ?

— Oui. C'est une étrange affaire, qui doit remonter à… au moins deux ans. Pour des raisons d'effectifs et d'organisation à ce moment-là, Daniel a été placé sur une enquête concernant des cambriolages qui s'étendaient sur Argenteuil et les villes adjacentes. Attendez deux minutes, je reviens.

Il sortit en vitesse. Camille manipulait son gobelet vide, nerveuse. C'était comme si, d'un coup, sa route s'éclairait. Elle savait pourquoi elle s'était acharnée depuis le début, pourquoi elle était ici et où elle allait.

Elle allait obtenir ses réponses.

20

Martel revient et posa un dossier devant lui.

Il fixa Camille d'un air grave.

— À mon tour de vous demander de promettre que ce que je vais vous raconter ne sortira pas d'ici.

Une boule d'angoisse au fond de la gorge, Camille acquiesça sans desserrer les lèvres, sondant l'œil marron, puis le bleu.

— Très bien, fit Martel. Voilà devant moi quelques éléments de l'affaire. Dans mon souvenir, les habitations étaient visitées en journée. Les voleurs, ou plutôt les voleuses, n'emportaient que les bijoux, rien d'autre. Les cambriolages de ce type – effraction au tournevis en passant par l'arrière des maisons, vol de bijoux uniquement – se sont arrêtés durant l'été 2010, il y a donc bien deux ans. Le dossier fait penser à un réseau organisé, venant des pays de l'Est. Depuis un moment, les Géorgiens, Albanais, Moldaves, Tchétchènes prennent notre pays pour un terrain de jeu. Les cambrioleuses n'étant que des petites mains sous l'emprise d'un ou plusieurs chefs de clan. À partir de cet été-là, quand tout s'est arrêté, il n'y avait plus aucune piste à suivre. On s'est dit que le réseau qui opérait avait mis les voiles ou était passé à autre chose. Le dossier est sorti des priorités, le groupe qui travaillait dessus a été dissous au bout de quelques semaines.

Il fouilla dans les pages et en piocha des photos qu'il tendit à Camille. On y voyait une femme qui sortait d'une maison, un sac de sport à la main. Sur d'autres clichés, une voleuse différente, en train de forcer le système de fermeture d'une véranda. Des rues de quartiers résidentiels, bordées de voitures. Sur l'une d'elles, une femme traversait en courant. Les cambrioleuses étaient jeunes et avaient les traits typés, comme la femme de son rêve.

— Ces photos, on les a retrouvées planquées au fond du tiroir fermé à clé de Daniel, dans son bureau, une ou deux semaines après sa mort.

Camille les retourna.

— Ne cherchez pas, il n'y a pas de date, fit Martel. On ne sait pas précisément quand elles ont été prises, et on n'a rien trouvé d'autre : ni adresse, ni paperasse, ni note. Mais une chose est certaine : Daniel disposait d'informations qu'il n'a pas partagées avec le groupe. À l'évidence, vu les photos, il avait identifié certaines cambrioleuses. Sinon, comment aurait-il pu se trouver sur place alors que l'une d'elles était sur le point d'entrer dans une maison ?

Camille réfléchissait.

— Il aurait réussi à remonter le réseau ? supposa-t-elle.

— Peut-être bien, oui. Imaginez : il identifie une cambrioleuse avec les éléments dont il dispose, mais ne l'arrête pas. Ce ne sont jamais les petites mains qui nous intéressent, mais les grosses têtes qui mènent les opérations. Alors il la trace, trouve où elle vit, qui elle contacte. Il se planque, traque, remonte jusqu'à l'un des chefs de clan, seul, sans rien dire à personne…

Martel secouait la tête, pensif.

— Il voulait peut-être se les faire, en solo. Mais c'est tellement loin de ce qu'il est, et de nos méthodes de travail.

— À quoi pensez-vous ? Pourquoi aurait-il agi ainsi, dans ce cas ?

— Je n'en sais rien, je ne comprends pas. On a bien enquêté, après sa mort, mais on n'a rien trouvé. Daniel n'avait pas de téléphone portable personnel, il détestait ces appareils. Il utilisait seulement celui du boulot, on l'a analysé et il n'y avait rien de significatif à l'intérieur. Ça restera un mystère. On croit connaître les gens, et au final…

Le lieutenant vit que Camille ne l'écoutait plus. Elle fixait les photos, sans plus bouger. Il claqua des doigts.

— Adjudant ?

Camille revint à elle.

— Ça va ? fit Martel.

Elle acquiesça, s'efforçant de sourire.

— Oui, oui, ça va. Excusez-moi, je suis un peu fatiguée en ce moment. Je suis sur la route des vacances…

— Une sacrée chance. Les miennes sont déjà terminées, c'est la dernière fois que je les prends en juillet. Marre de bosser quand tout le monde part.

— Ce dossier, vous pourriez m'en faire une copie ? J'aimerais y jeter un œil plus en détail.

Il secoua la tête.

— C'est une affaire qui n'est officiellement pas bouclée, même si plus personne ne s'y intéresse. Je suis désolé mais…

— Je suis sous-officier de gendarmerie, lieutenant,

je connais bien les procédures. (Elle écarta légèrement sa chemise, entre deux boutons, dévoilant un bout de cicatrice.) Mais n'oubliez pas…

Martel hésita, puis finit par se lever. Camille le suivit. Dans le couloir, le lieutenant posa quelques feuilles dans le photocopieur.

— Je ne vous glisse que les éléments essentiels, le reste, c'est de la paperasse.

Il resta pensif à écouter le ronflement de l'appareil électrique, puis finit par lâcher :

— Il faut quand même que je vous dise, parce que ça me turlupine : en fait, vous n'êtes pas la première à vous intéresser à Daniel depuis sa mort.

Camille fronça les sourcils.

— Qui d'autre est venu ?

— Un ou deux mois après le décès, un photographe réputé nous a rendu visite ici, à la Criminelle. Il voulait faire un reportage sur la police, notre environnement de travail, et avait surtout sympathisé avec un collègue, ce qui lui a donné ses entrées. Alors, on a bêtement joué le jeu, on l'a laissé nous photographier, on a posé, et tout le toutim.

Il ramassa les feuilles imprimées et les groupa en paquet.

— Curieusement, le photographe a mis très vite l'accent sur Daniel. Le coup du « policier tué dans l'exercice de ses fonctions » semblait le fasciner. Alors, il a tiré un tas de photos du bureau de Daniel, a posé d'innombrables questions sur lui : sur son caractère, comment il était… Un peu comme vous aujourd'hui, et c'est pour cette raison que je vous livre ces informations. Je ne sais pas… Mais j'ai le sentiment que vous avez une quête commune.

Il vérifia que personne n'entendait.

— J'ai fait quelques recherches sur ce photographe, ajouta-t-il. Il s'appelle Mickaël Florès. Et j'ai un peu vu ses photos. C'est... particulier.

— Particulier ? C'est-à-dire ?

— Il a longtemps été paparazzi pour des tabloïds bidons, avant de se lancer dans le grand reportage et de bosser pour quelques magazines réputés. Il travaille encore la plupart du temps à l'argentique, vous savez, les vieux appareils ?

— Je vois, oui.

— Il a parcouru le monde, et il semblerait qu'il ne s'intéresse qu'à des sujets extrêmes. Les massacres, la maltraitance, la folie, enfin bref, tout ce qui est difficilement regardable. Ses clichés donnent froid dans le dos. Vous irez jeter un œil par vous-même, vous verrez, mais on dirait que, après s'être amusé avec le grand n'importe quoi du show-biz, Florès menait une quête dans l'horreur.

Camille n'en perdait pas une miette. Martel semblait avoir besoin de se livrer.

— ... Avec le recul, je me demande encore ce qu'il est venu faire ici, dans notre petit commissariat. Je m'interroge sur la raison de toutes ses questions sur Daniel, et sur ce qu'il cherchait dans son bureau. Et vous, vous venez, vous me parlez d'une fille, enfermée, maltraitée... que Daniel aurait vue.

Camille frissonna. Martel laissa son regard partir dans le vague, comme s'il réalisait soudain la portée de ses propos.

— Il y a un moyen simple de le contacter, ce photographe ? demanda la jeune femme.

Avec un temps de retard, Martel retourna à son

bureau, fouilla dans son tiroir et tendit une carte à Camille.

— Voici sa carte de visite, il y a son adresse. N'essayez pas le portable, j'ai déjà tenté de le joindre pour obtenir les clichés, et il n'est plus attribué. Florès a dû changer de numéro entre-temps ou n'a plus de ligne. Un dernier truc : quand il est venu ici, il avait plutôt... une sale gueule. Pas rasé, des yeux de mec perturbé, mal en point, pas loin d'imploser. Il tremblait méchamment en tenant son appareil photo. Alcolo ou camé. Voire les deux.

Il lui tendit la copie du dossier sur les cambriolages, avec des scans des photos.

— Je vous fais confiance, d'accord ?

— Vous pouvez compter autant sur moi que je compte sur vous.

Ils se saluèrent. Martel gardait un visage grave.

— Si vous découvrez quoi que ce soit, faites-m'en part, OK ? Daniel nous a quittés de façon si abrupte, emportant derrière lui tout ce mystère... J'ai besoin de savoir.

Camille acquiesça poliment et disparut.

Une fois dans sa voiture, elle soupira, le crâne contre l'appuie-tête. Son esprit bouillonnait. Son donneur, Daniel Loiseau, avait mené une enquête secrète, parallèle. Il avait photographié et identifié plusieurs cambrioleuses, sans jamais en parler à ses collègues. Il les avait suivies, traquées...

Puis les cambriolages avaient cessé comme par magie.

Camille se remémora son cauchemar. Cette fille qui le fixait lui, Daniel, suppliante, appelant à l'aide.

La jeune femme eut un frisson, parce que, comme

Martel très probablement, une horrible idée venait de lui traverser l'esprit. Elle fixa de nouveau la photo de Loiseau. Et si le noir profond de ces yeux cachait un terrible secret ?

Elle réprima cette pensée. Daniel était un flic. Lieutenant de police judiciaire assermenté. Il y avait forcément une explication simple à son cauchemar. Une explication qui prouverait que Daniel était un bon policier, intègre.

Elle ne pouvait pas avoir le cœur d'un salaud. D'un type qui…

Camille posa une main sur son cœur et respira fort. Elle étouffait, soudain. Elle ouvrit grandes les vitres, mit la climatisation à son maximum, essaya de se calmer. Ses questions, ses incertitudes la dévoraient, l'usaient. Et maintenant qu'elle avait mis le doigt dans l'engrenage…

Elle prit la carte de Mickaël Florès. Qu'est-ce que ce photographe était venu chercher dans ce petit commissariat ? Pourquoi ces questions sur Daniel ?

Elle lut l'adresse.

Non loin de Fontainebleau, mais dans le département limitrophe de l'Essonne.

Ça tombait bien, c'était sur la route qui était censée la mener chez ses parents.

21

9 h 30.

Ils étaient quatre, réunis autour d'une petite table rectangulaire au milieu de leur *open space*, dernier étage du 36, quai des Orfèvres.

Jacques Levallois, le plus jeune de l'équipe. Pistonné quelques années plus tôt par son oncle, mais un bon gars, discret, opérationnel, qui se bonifiait avec l'âge. Pascal Robillard, le cérébral qui s'éloignait rarement de son ordinateur sauf cas extrême ou pour se rendre dans une salle de sport afin d'y pratiquer des exercices de musculation intensifs. Franck Sharko, le vieux de la vieille, et finalement Nicolas Bellanger, leur chef.

Une équipe à laquelle manquait Lucie, dont le bureau était resté vide à l'entrée de la vaste pièce décorée de posters plutôt masculins, de plans de Paris, de photos personnelles épinglées derrière chaque espace de travail.

Tous avaient écouté une copie du message sur l'enregistreur numérique, de bon matin. Rien de tel pour vous réveiller un policier. Nicolas Bellanger n'avait pas meilleure mine que la veille. Il se tenait debout, à proximité d'un tableau blanc où il avait déjà noté quelques informations au marqueur noir. Par la grande fenêtre, pas un seul nuage. On prévoyait, encore aujourd'hui, des températures records. Les cerveaux risquaient de cuire sous les combles, les organismes allaient souffrir.

Étalés devant le chef de groupe, à côté d'un paquet de feuilles, douze visages apeurés.

Douze filles probablement disparues.

Dessous, les douze victimes photographiées de dos, nues, rasées, avec leurs mystérieux tatouages à l'arrière du crâne.

Les flics avaient tous un gobelet de café à la main, sauf Robillard, grand amateur de lait froid et ultra protéiné qu'il ramenait dans une bouteille Thermos.

— Bon... fit Bellanger. On procède en deux temps : faire la liste de ce dont on dispose pour le moment, et déterminer où on va. Je suis passé aux labos de la Scientifique ce matin. Ils ont bien bossé pour nous. Les nouvelles sont nombreuses mais ce n'est pas joli-joli, ce que je vais vous apprendre. On risque de passer une sale fin de mois d'août.

— Tu nous mets l'eau à la bouche, ironisa Robillard.

Le jeune lieutenant Levallois eut un rire nerveux. Il était le « négatif » de Robillard, tant physiquement que psychologiquement. Poids plume, pas du tout sportif, mais sans cesse sur le terrain, à fouiner, interroger, coordonner, mener les enquêtes de proximité. Il prit son stylo et le fit tourner entre ses doigts. Nicolas Bellanger plaqua la photo de la fille aux iris laiteux sur le tableau blanc à l'aide d'un aimant.

— On sait qui elle est ? demanda Sharko.

— Non. Mais on sait ce qu'elle a fait.

Sous la photo, il nota, au marqueur rouge, « cambrioleuse ».

— Ses empreintes digitales ne sont pas inconnues de nos fichiers. On les a trouvées dans deux maisons cambriolées au nord de Paris. Les effractions ont eu lieu il y a un peu plus de deux ans, à quelques semaines d'écart.

Il y eut un silence, le temps que les hommes intègrent l'information.

— Une cambrioleuse, dit finalement Robillard. Elle n'est donc pas tout à fait innocente. Et qu'est-ce qu'elle dérobait ?

Bellanger poussa dans sa direction une feuille qui ressemblait à un PV.

— À toi de me dire. Je veux tout savoir sur cette affaire. C'est le commissariat d'Argenteuil qui a bossé là-dessus. Mets-toi en contact avec les enquêteurs, creuse le sujet à fond. Cette fille et les onze autres ont peut-être un autre point commun que leur apparence physique ou leur origine sociale.

— Tu penses à un réseau, c'est ça ? fit Sharko. Des filles qui bosseraient ensemble ?

— En tout cas, ça pourrait expliquer pourquoi personne n'a jamais signalé leur disparition. Elles viennent peut-être de l'étranger ou sont en situation irrégulière, un truc dans le genre.

Le chef but une gorgée de café. Froid, déjà. Il grimaça et posa son gobelet sur la table.

— Ensuite… Petit point technologique : on a clairement identifié le réseau Wifi que Macareux piratait pour diffuser, semble-t-il, les images de sa caméra. On dispose des autorisations du propriétaire pour accéder aux traces, il a même mis à disposition son ordinateur. Un expert informatique est déjà sur le coup. Il va se mettre en contact avec le fournisseur de services Internet. Ça devrait aller vite, pour une fois.

— En gros, on pourra bientôt savoir si de sales petits pervers mataient ces images et remonter jusqu'à eux ? demanda Levallois.

— En théorie.

Bellanger consulta ses notes.

— Alors ensuite... Le carnet trouvé par Franck sous le plancher n'a rien révélé aux ultraviolets. Les laborantins vont le passer à des techniques plus poussées comme la fumigation, pour la recherche de traces papillaires.

Il lorgna en direction de Robillard, encore.

— Tu jetteras un œil au contenu de ce carnet dès que possible ? Cette histoire de Styx, et tout l'intérieur, avec ces cercles reproduits à l'infini. À première vue, c'est juste le délire d'un maniaque, mais on ne doit rien négliger.

— Dès qu'il me poussera un troisième bras, j'essaierai.

— Très bien. Concernant les tatouages, va falloir creuser, là aussi. On ne comprend pas. Aux labos, dans le domaine médical, chimie, physique, tout ce que vous voulez, ça ne dit rien à personne. Ils peuvent représenter n'importe quoi, ces lettres et chiffres.

Nouveau coup d'œil sur son petit carnet Moleskine.

— Les tableaux maintenant... Il y a quelques traces papillaires, mais comme le propriétaire y a touché, et qu'ils étaient entreposés dans son garage, ça ne facilite pas la tâche des techniciens. Bref, va falloir vérifier tout ça, sans la certitude d'en tirer quoi que ce soit d'intéressant. Par contre, on en sait plus au sujet de ces deux tableaux grâce à un type calé en peinture de la Section documents et traces, qui les a vus et reconnus en arrivant au labo ce matin. Ce sont des copies d'œuvres de Rembrandt.

Robillard siffla entre ses dents.

— Rembrandt… Notre taré a bon goût !

— Le laborantin a fait une petite recherche sur Internet, il ne se rappelait plus les titres exacts ni les dates. L'un des tableaux, celui aux nombreux personnages, s'intitule (il lut sur son petit carnet) *Leçon d'anatomie du docteur Tulp*, il date de 1632. L'autre, c'est *Leçon d'anatomie du docteur Deyman*, peint en 1656. Le premier tableau, Tulp, commémore une dissection annuelle à Amsterdam, réalisée devant trois cents spectateurs.

Le capitaine de police nota ces informations sur le tableau blanc, sous la photo de la fille aux iris blanchâtres. Entre-temps, Sharko demanda à Robillard de faire une recherche sur le Net et d'afficher le tableau *Leçon d'anatomie du docteur Tulp*. Le lieutenant s'exécuta et tourna son écran vers eux.

Sharko pria Levallois et Bellanger de s'approcher de l'image affichée sur tout l'écran.

— Regardez bien les expressions glaciales des observateurs, leurs yeux inquisiteurs orientés vers les entrailles du cadavre, expliqua-t-il. Il y a comme une forme de jouissance secrète là-dedans, une satisfaction à braver l'interdit. Ces hommes ne sont pas n'importe qui, voyez leurs vêtements, leurs traits soignés, leur élégance.

— Des médecins ?

— Oui. Des privilégiés qui partagent un moment rare, c'est certain. L'un agit en maître d'œuvre, les autres sont attentifs et aimeraient peut-être aussi plonger leurs mains dans les entrailles. Notez, l'endroit dans lequel ils se trouvent est sombre, secret. Je crois qu'il s'agit là de gens qui ont le pouvoir, qui s'offrent l'interdit. À votre avis, à quoi pensait Macareux en s'endormant ou en se tripotant face à ce tableau ?

Il garda le silence un temps, se dirigea doucement vers la fenêtre. En contrebas, le Seine, le Pont-Neuf. Paris rayonnait comme un diamant sous le soleil.

— Il croyait peut-être avoir autant de pouvoir qu'eux ? proposa Bellanger.

Sharko se retourna et revint vers l'ordinateur.

— Sans doute, oui. Le pouvoir… « Nous sommes ceux que vous ne voyez pas, Parce que vous ne savez pas voir. » Il y a de la condescendance dans ce message, du mépris. L'expression d'un pouvoir, comme tu dis. « Nous » se surestime, se croit supérieur aux autres. D'un autre côté, « nous » appartient forcément au commun des mortels, fait partie de notre quotidien. « Nous » n'est pas un marginal, il n'exprime pas forcément sa différence, sinon, nous le verrions.

Il pointa son index vers le cadavre.

— Seconde partie du message : « Nous prenons sans rendre. La vie, *la Mort*. Sans pitié. » Vous vous souvenez de la majuscule à « Mort », et non à « vie » ?

— Ça ne m'avait pas marqué, fit Levallois.

— C'est pourtant primordial. Il n'a pas de respect pour la vie, par contre, il en a pour la mort. Comme sur le tableau. Ces gens prennent la mort, elle a quelque chose de fascinant pour eux, ou alors d'effrayant, et c'est pour cette raison qu'ils essaient de la comprendre, de l'apprivoiser par l'intermédiaire de leçons d'anatomie.

Il se dirigea vers le tableau blanc et nota ◎ dans un coin.

— Ces cercles, en fin de message, sont une signature. Ce ne sont pas des initiales comme au bas des dessins trouvés dans la boîte à chaussures. C'est un symbole. Peut-être celui de l'appartenance à un groupe, à un clan. Ça confirme l'hypothèse que nous avons affaire à plusieurs individus, unis par... quelque chose qu'ils partagent, ou des affinités qui leur ont permis de se découvrir, de se rassembler. Il faudrait faire des recherches sur ce symbole.

— Difficile parce qu'il n'y a rien de concret à saisir dans les moteurs de recherche mais je vais essayer, fit Robillard.

Sharko retourna s'asseoir pour boire son café en silence, l'œil rivé vers le tableau blanc et ses différentes notes. Ses trois coéquipiers vinrent le rejoindre.

— Et donc, tu penses qu'ils sont plusieurs à avoir enlevé ces filles ? demanda son chef.

— Non. Je crois que ces enlèvements appartiennent à Macareux, et rien qu'à lui. Cette maison, cette carrière, c'était son petit endroit secret, son repaire, le cocon où ses fantasmes pouvaient s'exprimer. Il ne partageait avec les autres que par l'intermédiaire de la caméra, je pense.

Sharko réfléchit.

— Sinon, niveau ADN, empreintes et tout le toutim, la Scientifique a quelque chose, que ce soit dans la carrière ou la baraque ? demanda-t-il.

— Rien pour le moment, mais ils cherchent encore. D'ailleurs, ils vont passer le jardin et les environs au crible, avec des chiens et du matériel de détection, pour voir s'il n'y a rien d'enterré là-dessous. Si ces filles sont mortes, les corps sont forcément quelque part. Onze cadavres, ça laisse des traces. Il va falloir très vite quelqu'un de chez nous sur place. Après la réunion, tu retourneras là-bas et tu prendras en charge la coordination, Jacques, OK ?

Levallois acquiesça, Bellanger poursuivit :

— Mis à part tout ça, on a une piste sérieuse. Ça concerne le contenu de l'un des sachets en plastique que tu as trouvés sous le plancher, Franck.

On aurait pu entendre une mouche voler. Le capitaine de police sortit des photos de sous le paquet de feuilles.

— Là, il faut s'accrocher.

Il poussa un cliché vers ses subordonnés. La photo circula de main en main. Dessus, un gros plan sur le portefeuille. Les traits de Nicolas Bellanger se crispèrent.

— C'est de l'artisanal, du fait main.

Il avait lâché ça d'une voix blanche, ses mots étaient lourds de sens. Robillard leva deux yeux sombres.

— Du fait main... T'es quand même pas en train de nous dire...

— Il est fabriqué à base de peau humaine tannée et d'intestins pour les coutures.

Les hommes se regardèrent, stupéfaits. Robillard, toujours prêt à sortir une blague, gardait cette fois un visage impassible.

Bellanger reprit son souffle et poursuivit :

— L'analyse ADN a révélé la présence du chromosome X. Autrement dit, ce portefeuille a été fabriqué à partir... de la peau d'une femme.

— Bon Dieu, souffla Sharko.

Le lieutenant peina à s'imaginer la scène. De pauvres victimes couchées, peut-être encore vivantes, qu'on écorchait et éviscérait. Il se rappela les propos sur l'enregistreur numérique, ces ignobles « recettes de cuisine » exposées par le tueur.

— Celui-là, il est en bonne place pour figurer dans notre top, ne put s'empêcher d'ajouter Robillard.

— Et dans une poche intérieure sont gravées les initiales CP. Celui qui a fait ça a laissé sa marque.

— Il n'a pas pu s'empêcher de signer… Comme pour les dessins.

— Sauf que ce sont deux personnes différentes, précisa Sharko. PF pour les dessins, CP pour le portefeuille. C'est dément.

— Nouvelle preuve qu'ils sont plusieurs, continua Bellanger. Les dents aussi appartiennent à une femme. Ou plutôt, des femmes. On a quatre ADN distincts, et différents de celui du portefeuille.

À chaque seconde, les quatre hommes sombraient un peu plus dans l'horreur. Ils avaient déjà eu de sales affaires à gérer, mais celle-ci s'annonçait terrible. Nicolas Bellanger termina son café en silence, puis poussa d'autres photos. Gros plans sur les rognures d'ongles, les cheveux, les dessins trouvés dans la boîte.

— Voilà à présent le point d'orgue de nos découvertes, j'aime autant vous dire que les machines et les fichiers ont mouliné depuis hier, et qu'on a monopolisé toutes les ressources des labos. On a analysé ces rognures d'ongles et ces mèches de cheveux. Ils appartiennent à la même personne, un homme en l'occurrence. J'ai fait tirer un profil ADN que j'ai soumis au FNAEG, il y a une heure à peine. On a obtenu un enregistrement. Une identité. Je sais qui est le PF qui a signé les dessins.

— Qui c'est, ce fils de pute ? s'énerva Robillard, saisissant son gobelet vide d'une main ferme.

— Pierre Foulon.

Le nom claqua dans toutes les têtes. Pierre Foulon, tueur en série, auteur de sept meurtres. Sept jeunes femmes qu'il avait kidnappées, tuées, dépecées et mangées en partie. Une véritable figure du Mal. On connaissait bien l'individu, dans les locaux, parce qu'il avait été interpellé par le « groupe Lemoine », une équipe du 36 installée dans les bureaux voisins.

Le tueur croupissait depuis cinq ans à la maison centrale de Saint-Martin-de-Ré, sur l'île de Ré. Condamné à perpétuité avec une sûreté de trente ans.

Robillard avait transformé son gobelet en fleur et arrachait de fines lamelles de plastique. Levallois avait arrêté de faire tourner son stylo entre ses mains. Les visages étaient pétrifiés.

— L'enregistrement audio, c'était donc lui, dit Sharko. C'était lui qui déversait ces horreurs et expliquait comment il se délectait de ces femmes. C'est aussi lui qui a signé les dessins PF. Pierre Foulon...

— Et on peut m'expliquer ce que les ongles et les cheveux d'un mec enfermé en taule jusqu'à la fin de ses jours font sous le plancher de cette maison ? demanda Levallois. Comment c'est arrivé entre les mains de Macareux ?

— Il va falloir répondre à cette question, fit Bellanger. Mais en tout cas, les deux hommes ont forcément été en contact. Que ce soit avant ou après l'incarcération de Foulon. Je vais me mettre en relation avec le greffe de la maison centrale pour qu'on puisse accéder au registre des parloirs pour le numéro d'écrou de Foulon, histoire de savoir qui lui a rendu visite depuis sa détention.

Nicolas Bellanger nota une identité sur son tableau blanc. Albert Suresnes. Un lieutenant de l'équipe Lemoine, leurs voisins de bureau.

— Je vais demander à Albert d'aller à sa rencontre. Il connaît bien le dossier Foulon et...

— Pourquoi tu veux faire appel à lui, tu ne me fais plus confiance ? l'interrompit Sharko, un poil nerveux. J'ai un peu suivi l'affaire, et je connais ce genre de mecs mieux que quiconque.

Bellanger parut embarrassé.

— Je ne sais pas, Franck. Rappelle-toi, quand on a pénétré la maison de Saint-Léger… Et puis, tu m'as dit toi-même que si ça allait trop loin…

Les poings de Franck s'étaient serrés. Il fixa les photos des douze filles alignées devant lui. Un concentré de démence. Des yeux qui le suppliaient. Qui criaient à l'aide et réclamaient justice.

— J'assurerai. Je veux y aller. Foulon adore être sous les projecteurs, c'est un pervers narcissique de la pire espèce. Il va se jeter sur l'occasion de discuter avec un flic. Je saurai quoi faire. Je vais aller rencontrer ce fumier et lui faire cracher tout ce qu'il sait.

Bellanger hésita. Sharko se tenait droit, debout face à lui, et c'était difficile de lui refuser quoi que ce soit.

— T'es bien sûr de toi ?

— Absolument.

Ses yeux noirs n'offraient pas vraiment d'alternative à Bellanger.

— Bon, OK, mais pas le droit à l'erreur, on n'aura pas de deuxième chance. Tu vas quand même passer quelques heures au *brief* avec Suresnes ou Lemoine, auparavant, pour savoir comment t'y prendre avec Foulon. Ce type est à manipuler avec des pincettes. Je m'occupe des autorisations et de la paperasse, ça risque de prendre toute la matinée, mais on a le juge avec nous qui va accélérer la machine.

Il réfléchit quelques secondes.

— Le plan, c'est que tu te rendes sur place en

voiture pour consulter le registre en fin de journée si tout va bien. Et demain, tu t'offres une petite discussion avec Foulon. T'auras du temps pour gamberger, histoire d'être prêt à affronter cette ordure. (Il regarda sa montre.) Allez, au taf. Je suis dans mon bureau, on reste en contact à la moindre info.

Tous se levèrent et regagnèrent leur place sauf Sharko, qui resta immobile, se massant les tempes, les yeux clos. Dans sa tête, il vit le visage de Foulon et ses gencives couvertes de sang. Il se remémora tous ces morceaux de corps qu'on avait retrouvés enterrés dans son jardin. Il se rappela aussi les ignobles vidéos que le groupe Lemoine avait récupérées chez le tueur, à l'époque. Foulon avait filmé tous ses actes.

Tout le monde, à la Criminelle, avait maté ces horreurs. Parce que c'était le job, et qu'il fallait savoir.

Soudain, il rouvrit les yeux. Parcouru de picotements, il regarda ses mains qui tremblaient un peu. Il les glissa sous la table et sentit quelque chose au fond de son ventre.

Quelque chose qui ressemblait à de la peur.

Le Boucher, comme on avait surnommé Pierre Foulon, risquait de la flairer à des kilomètres.

22

L'horreur.

Juste là, sur l'écran de sa tablette reliée à Internet.

Camille s'était arrêtée sur une aire d'autoroute pour observer les clichés réalisés par Mickaël Florès, qu'elle venait de récupérer sur le Web.

Le photographe avait une particularité. Il ne commentait jamais ses photos et nommait chacune d'elles seulement par le prénom de la personne qu'il photographiait et l'endroit où il avait tiré le cliché. Pour lui, c'était suffisant. La photo devait parler d'elle-même, transmettre de l'émotion, raconter son histoire. Si elle ne le faisait pas, c'est qu'elle était mauvaise.

Et comme Camille, Florès donnait une importance considérable au regard de ses sujets. Toute l'essence de ses prises de vue, toute leur puissance se condensait dans sa manière de capturer l'esquisse d'une expression, la contraction d'une pupille, la force d'un regard.

Joseph, Pantang. Un enfant à genoux, attaché à un piquet par le cou, dans une cour crasseuse. Maigre, démoli. Des mouches et de la saleté plein le visage. Il tente de sourire vers l'objectif, d'une bouche molle, l'air hébété. Ses dents sont brisées.

Plan sur une femme, cadrage sur ses yeux. *Benita, Pantang*, est-il inscrit sous la photo. La mère, sans aucun doute. Les iris sombres, les sourcils droits, épais, sans féminité. Le visage est coupé en deux par l'ombre d'une toiture en tôle, la partie gauche plongée dans les ténèbres mais un éclair luit dans sa pupille invisible. Peut-être une lumière artificielle, peut-être autre chose. Le contraste entre elle, la dominante, et son fils, le dominé, est stupéfiant. Mère et enfant, séparés par une frontière effrayante.

Les photos sont extraites d'un reportage sur les handicapés mentaux, réalisé par Mickaël Florès au Ghana, huit ans plus tôt. Le journaliste qui l'accompagne raconte que, là-bas, la psychiatrie n'existe pas. Les malades sont des fardeaux, on ne sait quoi en faire. Alors, on les attache des années durant, dans des pièces, des cours, des jardins. Certains sont confiés à des hôpitaux. C'est presque pire dans ces structures rudimentaires.

Excision. Lapidation. Iran.

Mohammad, Rasht. Babollah, Rasht.

Deux clichés chocs. Non pas ceux des victimes, mais ceux de leurs bourreaux.

Le choc, parce que, dans le pli des lèvres de Mohammad et de Babollah, se cache l'ébauche d'un sourire. Parce que, dans la lumière qui transperce leurs rétines, se reflète un malaise inexprimable. Peut-être la sensation que quelque chose de maléfique flotte dans l'air, pas loin.

Florès avait le don de révéler l'invisible. Faire parler les sentiments interdits. Sans citer les pays ni les dates, sans donner de détails. À l'observateur de chercher, de faire le lien, de saisir la substance même de l'image pour palper l'horreur du monde. De notre monde.

Camille leva la tête, mal à l'aise. Dehors, sur le bitume brûlant, des gens insouciants riaient, mangeaient. Les enfants jouaient sur les balançoires, les tourniquets, ou croquaient dans des glaces à l'eau.

À l'intérieur, la jeune femme étouffait.

Elle tomba sur un portrait qui la transperça.

Rémi, Arles.

Elle avait déjà vu ce visage à la télévision, et le cliché était si puissant qu'elle se rappela aussitôt le nom : Rémi Lombes. Un pédophile que Florès avait photographié au parloir. La photo datait de six ans. Lombes était mort d'un cancer généralisé. Le Mal, rongé par le Mal. Juste retour des choses.

Les pommettes du tueur saillaient comme des lames, la peau semblait juste déposée là, sur un sac d'os. Mais si une chose était restée intacte, c'était le regard, enfoncé derrière les petites lunettes rondes à monture en acier noir. On pouvait y lire l'histoire des enfants que Rémi Lombes avait torturés. Mickaël Florès le disait lui-même, sur un blog : « À travers les yeux, pas de mensonge. »

Ce portrait-là, celui de Rémi Lombes, n'était pas destiné à un reportage pour un magazine. Camille était tombée dessus en tapant « Mickaël Florès » sur Google, et il avait été repris sur divers blogs ou sites consacrés aux tueurs en série. Florès avait photographié plusieurs de ces monstres, créant ainsi une macabre collection qu'on pouvait consulter sur son site. Les photos disaient bien plus qu'un long discours.

Presque nauséeuse, elle interrompit ses recherches – elle y reviendrait plus tard si nécessaire – et but une gorgée d'eau tiède, des images sombres plein la tête.

Des tueurs en série, des bourreaux, des exécuteurs… Dans quel merdier avait-elle mis les pieds ?

Dans les minutes qui suivirent, elle ne put s'empêcher de parcourir le dossier des cambriolages. D'un œil expert, elle tourna rapidement les pages, allant à l'essentiel. La série avait commencé en janvier 2010, pour s'arrêter en août 2010. Vingt-six cambriolages en huit mois sur Argenteuil et les villes adjacentes, rien que ça. Chaque fois, de belles demeures sans système d'alarme, un moyen simple de pénétrer par l'arrière, une opération éclair, où l'on n'emporte que les bijoux et l'argent. Des flics impuissants. Des propriétaires harassés, apeurés, à bout.

Les prélèvements d'empreintes digitales effectués sur les lieux fournissaient un indicateur précieux : ils montraient que certains individus avaient agi à trois ou quatre reprises, dans des endroits complètement différents : la côte d'Azur, la Bretagne, le nord de la France. Des itinérants... Des voleurs – ou voleuses, en l'occurrence – professionnels, experts, qui voyageaient en groupe, ne se faisaient jamais prendre, parce qu'ils étaient mobiles. Et n'embarquaient dans les demeures que le strict nécessaire. Les cambriolages devaient durer, grand maximum, dix minutes.

Camille se focalisa sur les photos tirées par Daniel Loiseau, que Martel lui avait photocopiées. Le lieutenant de police était en embuscade, planqué le long d'une rue. Il avait photographié des voitures, des maisons, des filles qui intervenaient. La jeune femme l'imagina suivre ces voleuses discrètement, comprendre à qui elles remettaient leur butin, saisir le fonctionnement du réseau qui s'était installé du côté d'Argenteuil...

Daniel Loiseau avait sans doute tous les éléments pour résoudre cette grosse affaire.

Alors, encore une fois, pourquoi avoir gardé le silence ?

Avant de redémarrer, Camille en profita pour enfiler une tenue décontractée, contorsionnant son mètre quatre-vingt-trois dans sa voiture : pantalon corsaire en toile bleue, tunique assortie, claquettes à boucles. Elle n'avait fait qu'effleurer l'univers de Loiseau et du photographe, mais ce qu'elle avait découvert lui avait glacé le sang. Le lieutenant Martel avait raison : qu'est-ce que Mickaël Florès était allé faire dans leur petit commissariat d'Argenteuil ? Lui, un type qui parcourait le monde et en rapportaient des images chocs après des semaines d'investigation ? Lui qui traquait les tueurs, les bourreaux, les pervers ? Pourquoi cet intérêt pour Daniel ?

Camille fit de nouveau une recherche sur Internet, pour se rendre compte que, à partir de la fin 2009, Mickaël Florès n'avait plus donné aucun signe de vie. Plus de reportage, plus de photo publiée. Il semblait avoir disparu de la circulation, et les fidèles qui suivaient son travail sur le Net s'interrogeaient.

Peut-être menait-il une enquête secrète, personnelle ?

De plus en plus, la jeune femme se sentait prise dans un étau glacial. Elle avait peur de ce qu'elle allait découvrir.

Peur de la vérité.

Elle fixa le portrait de Daniel réalisé dans la cour du commissariat. Ce sourire qui paraissait tellement sincère. Ses pulsations cardiaques se firent plus fortes, Camille sentit le sang affluer dans sa tête. Comme si Daniel Loiseau lui-même réagissait par l'intermédiaire du cœur.

Camille en frissonna.

Son téléphone sonna et la sortit de ses pensées. Le numéro de sa mère…

La jeune femme décrocha et expliqua qu'elle était sur Paris, à mener quelques recherches pour une enquête, et qu'elle avait embarqué ses valises au cas où son travail se terminerait un peu plus tôt que prévu. Ses parents l'attendaient avec impatience. Avec la distance, le travail, les Thibault et leur fille ne se voyaient plus que trois à quatre fois dans l'année. Garrigue odorante contre mine de charbon noirâtre.

La jeune femme fut soudain traversée par une pensée sinistre : peut-être n'y aurait-il pas de prochaine fois.

Derniers sourires, dernières vacances, derniers regards…

— Faut que je te laisse, maman. Je te rappelle plus tard.

Elle raccrocha soudain et réprima une envie de pleurer. Tout était si violent, abrupt. Réussirait-elle à tenir le coup, là-bas ? À cacher le mal qui la paralysait de l'intérieur ? Comment leur mentir ? Comment faire comme si tout allait bien alors que, dans son corps, la guerre était déclarée ?

Puis il y avait Daniel Loiseau, intimement uni à elle. Et cette fille qui hurlait, suppliait dans sa tête… Tous ces mystères effrayants.

Au fond, elle se dit qu'il y avait peut-être une raison pour laquelle son organisme refusait le cœur.

Peut-être que ce n'était pas un cœur bon.

23

Camille quitta enfin l'autoroute du Soleil, prit la direction de Bois-le-Roi, puis Samois. Le GPS la guida à travers de belles routes ombragées, bordées d'arbres et de champs. Les demeures étaient grandioses, enfoncées dans une végétation qui commençait à subir les effets de la chaleur.

Après avoir traversé la ville, la jeune femme pénétra dans une partie plus populaire, avec des maisons en brique essaimées le long de la voie. Mickaël Florès habitait une demeure isolée, à l'orée de la forêt, avec un toit de chaume. Enfin, ce qu'il en restait : une bonne partie de la toiture avait été arrachée par la tempête. C'était impressionnant. Elle s'était écrasée dans le jardin en plusieurs blocs et semblait avoir enfoncé la maison de l'intérieur.

Il était 10 heures. Camille se gara près de l'entrée bitumée et sonna plusieurs fois, sans obtenir de réponse.

— Ho ! Il y a quelqu'un ? Je dois vous parler, monsieur Florès !

Silence. Elle fit le tour de la maison, contournant les débris de toiture. Et si Mickaël Florès avait été blessé par la tempête ? Des parties de toit s'étaient affaissées et étaient tombées dans l'habitation. Elles avaient peut-être provoqué des effondrements de plafond.

Un bout de toit avait défoncé une partie de la véranda et fait exploser une vitre. Camille enjamba les morceaux de verre en un petit saut.

— S'il vous plaît ?

Sa gorge se noua lorsqu'elle pénétra dans la pièce. Elle se sentait gênée, mais hors de question de faire demi-tour à présent. Florès devait lui expliquer pourquoi il s'était intéressé à Daniel Loiseau.

Après avoir traversé la véranda, elle appuya du coude sur un interrupteur et pénétra dans un vaste séjour sens dessus dessous. Des bouteilles d'alcool sur la table basse, l'une renversée sur le sofa. Des mégots partout, de la vaisselle sale. Mickaël Florès avait vécu terré comme une taupe, semblait-il.

Elle décida de monter à l'étage, histoire de s'assurer qu'il n'y avait vraiment personne. Salle de bains, bureau, première chambre : rien. Dans la seconde chambre, le plafond s'effritait, du plâtre jonchait le sol. Camille se précipita vers le fond du couloir et grimpa l'escalier qui menait au grenier. Cette nuit-là, Florès avait peut-être entendu la toiture craquer, il était monté et...

Les combles étaient à moitié aménagés : parquet, isolation, électricité et... un morceau de charpente effondré. Camille s'approcha, slaloma entre de vieux meubles, des cadres, du matériel photo hors d'usage. Des dizaines de rouleaux de laine de verre encore emballés étaient écrasés par la charpente effondrée.

Heureusement, aucune trace de cadavre.

Elle manqua de faire demi-tour mais quelque chose

attira son attention derrière les rouleaux d'isolant. Elle s'approcha. Devant elle, cachée dans un recoin protégé par une grosse poutre, une boîte en bois banale, faite de contreplaqué en mauvais état, et couverte de terre sèche.

À l'intérieur se trouvaient de minuscules ossements.

Les os semblaient pareils aux pièces d'un puzzle macabre. Les yeux de Camille se posèrent sur le crâne aux deux petites cavités qui semblaient la fixer.

Un crâne qui avait tout d'humain.

La jeune femme frissonna. Sur le côté de la boîte, un album photo et une enveloppe ouverte. Camille s'en empara. L'adresse postale, sur le devant de l'enveloppe, était bien celle du photographe. La lettre venait d'Espagne, et plus précisément de la ville de Matadepera, d'après le sceau de la poste. Le tampon indiquait la date du 27 septembre 2011, presque un an plus tôt...

La jeune femme écarta les rebords de l'enveloppe, et une vieille photo glissa dans sa main : le portrait d'une femme jeune, brune, entourée de deux religieuses. Les expressions étaient strictes, froides. À en juger par l'usure du papier glacé, le cliché ne datait pas d'hier. Camille remarqua le ventre arrondi de la jeune femme. Elle était enceinte.

Elle retourna le cliché et put lire, d'une écriture manuscrite : *Maria, Valence*. Une identité, une ville. La signature de Mickaël.

Elle remit la photo en place, profondément perturbée par cette étrange découverte, et jeta un œil à l'album. S'y trouvaient des parents jeunes, maman enceinte, papa qui pose sa main sur le ventre arrondi en fixant l'objectif. Puis bébé à un mois, bébé dans son bain, papa donnant le biberon... Ils devaient appartenir aux parents de Mickaël Florès. De vieilles prises de vue, des dates, des lieux inscrits. La mère a un physique complètement différent de celui de Maria. Une grande blonde aux cheveux courts, plutôt bien portante. Elle ne devait pas sourire souvent. Une vraie tristesse se dégageait des photos. Ces visages du passé transmettaient beaucoup de souffrance.

Camille revint en arrière, remarquant des petites irrégularités dans la reliure de l'album.

Des pages avaient été arrachées, juste après la naissance de l'enfant.

Elle referma, intriguée. Mickaël Florès, qu'elle ne connaissait ni d'Ève ni d'Adam, planquait un squelette de bébé dans son cercueil, et des traces de son passé, semblait-il, au fond de son grenier.

Sinistre secret que la tempête avait mis au jour.

Camille laissa la boîte à son emplacement et redescendit. Alors qu'elle passait devant la première chambre, elle remarqua des traces qu'elle n'avait pas vues la première fois sur le plancher et une partie du mur. Ça ressemblait à du sang séché.

Que s'était-il passé dans cette pièce ? Elle imagina le pire.

Elle resta là un long moment, indécise. Que faire ? Appeler la police ?

À moins que la police ne fût déjà venue.

Il était peut-être arrivé malheur à Mickaël Florès.

Elle retourna au rez-de-chaussée.

Elle remarqua, au bout du hall, une porte avec un petit écriteau « Laboratoire photo ». Elle se rappela : Martel avait dit que le photographe travaillait surtout à l'argentique, il devait développer ses photos à l'ancienne, chez lui.

Camille ouvrit la porte et appuya sur un interrupteur. Une lumière rouge sang se déversa dans la pièce aux murs tapissés de clichés, excessivement, maladivement. Combien y en avait-il ? Des centaines ? Un millier, peut-être ? Visages rouges de bourreaux et de victimes mêlés. Une forêt de regards fous, suppliants, damnés, porteurs d'une étincelle de terreur ou de hargne. Camille avait l'impression d'être dévorée, transpercée par ces iris, ces pupilles qui racontaient leur histoire.

Enfants noirs en train de crever dans des lits alignés, frappés par la maladie. Gros plan sur des corps suppliciés, bafoués, dévorés par la haine. Sang écarlate, sombre, sec ou luisant. Camille souleva les photos. Derrière chacune d'entre elles, la marque de Mickaël. Une identité, une ville.

Camille eut la nausée. Elle devinait des pays lointains, des jungles hostiles, où le Mal avait jailli, d'un coup, sans prévenir.

Le Mal. C'était bien le mot approprié. Camille avait tapé juste.

Il était partout sur ces murs, étalé comme une vermine, un parasite. Ces visages, ces yeux bavards, ces corps meurtris en étaient l'expression la plus flagrante.

C'était lui que Florès traquait.

Le Mal.

Sur un des murs, il y avait un grand vide. Plusieurs dizaines de photos devaient manquer. Quelqu'un les avait ôtées de là.

Volées, peut-être.

Sans rien toucher, elle longea le matériel pour accéder au fond de la pièce. Elle passa devant des margeurs, des agrandisseurs, des cuves de développement et un tas de produits chimiques.

Une mouche la harcela, avant de disparaître. Camille réfléchit. Elle entreprit de faire le tour des photos accrochées avec plus d'attention. Certaines d'entre elles lui parleraient peut-être ?

Clichés sombres sur visages noirs. Rides profondes dans les fronts tannés. Ici, un soldat, kalachnikov à la main. Là, un malheureux, assis dans la poussière. Son nez coulait, rempli de morve. Les yeux vides d'espoir, déjà morts. La guerre, les cris. Après vingt minutes dans cet enfer, Camille fut soudain interpellée par une photo en particulier. Une silhouette qu'elle reconnut sur-le-champ. Une physionomie qui faisait désormais partie de son univers. Maintenant et pour toujours.

Celle de Daniel Loiseau.

Sur le cliché, le lieutenant de police fixait l'objectif sans le voir. Les yeux tranquilles, insouciants. Il était en civil, marchant dans une rue anonyme. De toute évidence, Mickaël l'avait photographié à son insu, sans doute au téléobjectif vu le flou en arrière-plan. Camille retint son souffle, elle retourna la photo. Il y était inscrit : *Daniel, Argenteuil*.

Ses yeux se décalèrent de quelques centimètres sur la gauche pour apercevoir une nouvelle photo volée de Daniel Loiseau. Malgré sa casquette et ses lunettes de soleil, elle le reconnut. Cette fois, il était avec un homme quelque part, sous un pont. Légère pénombre, endroit abandonné, sans promeneurs ni témoins. Son interlocuteur avait une quarantaine d'années, typé rom ou des pays de l'Est. Un visage sévère, un cou de taureau. Juste derrière eux, une bagnole vieillotte, grise. À voir le visage basané du type, Camille pensa immédiatement aux cambriolages, au réseau, à l'un des chefs de clan.

De quoi pouvaient discuter ces deux individus ?

Elle retourna la photo et lut : *Daniel, Colombes*.

Intérieurement, elle jura. Fichues manies de photographe. Elle ne pouvait rien tirer de ces informations trop succinctes.

Elle termina son tour d'observation, sur les quatre murs. *A priori*, plus aucune trace de Loiseau.

La jeune femme décrocha les deux photos où le flic apparaissait. Gestes interdits, elle le savait mieux que quiconque. Mais peu importait. Elle sortit du laboratoire et referma derrière elle. Elle frotta la poignée avec le bas de sa tunique, au cas où. Mieux valait ne pas traîner dans le coin ni laisser davantage de traces.

Elle hésita un instant et décida finalement d'embarquer le petit cercueil avec les ossements, l'album et la photo de *Maria, Valence*. La tempête lui avait livré ces éléments sur un plateau, il devait y avoir une raison à cela.

Le destin. Les faibles pourcentages.

Le bois du cercueil était fragile, humide, pourri. Elle le transporta avec précaution. Les bras chargés, elle sortit par où elle était entrée, sans laisser d'empreintes. Elle savait exactement comment les TIC procédaient, ce qu'ils observaient et analysaient en premier. Elle savait échapper à leur vigilance, si nécessaire.

À ce moment, elle éprouva de la honte. Elle ne valait pas mieux qu'une vulgaire cambrioleuse. Elle trahissait son métier, salissait son grade, reniait ses convictions. Ses instincts, ses envies de traque avaient pris le dessus. Mais elle n'avait plus rien à perdre, et elle était pressée.

Elle posa délicatement le cercueil dans son coffre, le planqua sous ses valises, démarra sa voiture et disparut.

Ni vu ni connu.

Elle se gara plus loin et respira un bon coup, à cran. Ça n'allait pas bien dans sa tête, dans son corps. Le cœur battait fort, grognait, lui heurtait les côtes. Camille eut peur d'une nouvelle crise. D'un nouveau coup de poignard de Daniel Loiseau. Parce qu'il était désormais clair que ce type n'était pas net. Impliqué dans quelque chose de grave. De monstrueux.

Et dire que son putain de cœur battait en elle.

La jeune femme essaya de se contrôler. Ses mains tremblaient, ses tempes battaient. Elle devait trouver une pharmacie où elle pourrait acheter une lame et des pansements. Se faire mal. Se punir, elle. Le punir, lui. Lui, Loiseau. Jusqu'au creux de sa chair.

Enfoiré.

Camille fixa le cliché de Loiseau et de son inter-locuteur, qu'elle avait décroché dans le labo photo.

Elle se focalisa sur la vieille voiture grise du type de l'Est, dont on ne voyait pas la plaque, parce qu'elle se présentait de profil.

Mais Camille avait déjà vu ce véhicule quelque part, elle en était sûre. Sa mémoire photographique ne la trompait jamais. *Le diable se cache dans les détails.*

Excitée, elle sortit les photos du dossier des cam-briolages que lui avait remis Martel. Elle les examina les unes après les autres et s'arrêta sur l'une d'elles.

Là, anonyme, rangée le long du trottoir parmi d'autres voitures, dans la rue, la même voiture grise. Et, à bien y regarder, on devinait une ombre, au volant.

Quelqu'un attendait la cambrioleuse.

Cette fois, la plaque d'immatriculation était bien visible.

Camille décrocha son téléphone.

Elle eut l'impression que sa plongée dans l'horreur ne faisait que commencer.

24

— Les biberons sont déjà stérilisés et prêts, au cas où. Il n'y a plus qu'à chauffer et servir les deux gloutons.

Lucie tendit le gros sac rempli de couches, de crème hydratante, de lait en poudre et autre matériel à Francine, une assistante maternelle à qui elle confiait Jules et Adrien pour la quatrième fois, et qui serait leur nourrice d'ici une dizaine de jours, lorsque la jeune maman aurait repris le travail.

La femme d'une cinquantaine d'années habitait à Montrouge, une ville voisine, et était une connaissance de Jacques Levallois, l'un des lieutenants de l'équipe. Une femme fiable, gentille, qui, de toute évidence, connaissait son job et savait s'occuper des nouveau-nés comme personne.

— Vous les récupérez à quelle heure ? demanda Francine.

Lucie regarda sa montre. Il était 10 h 30.

— Probablement en milieu d'après-midi, je ne sais pas encore, mais je vous tiendrai au courant. Et vous m'appelez au moindre problème. Vous avez aussi le numéro de leur papa ?

— Il n'a pas changé depuis la dernière fois, je suppose ?

Lucie embrassa ses jumeaux, confortablement installés dans une coque, côte à côte. Ils tentaient une espèce de sourire édenté, ce qui faisait craquer Lucie chaque fois. Le petit pli oblique d'Adrien se creusait comme un second sourire.

— Trop mignons, mes cœurs.

Elle leva un œil vers Francine.

— Prenez bien soin d'eux. À tout à l'heure.

— Ne vous inquiétez pas.

La porte du pavillon se referma. Lucie ressentit une petite pointe à l'estomac de les abandonner ainsi, mais, en même temps, une étrange excitation. Après tant de mois d'enfermement, elle éprouvait le besoin de respirer, de marcher, de vivre. De vibrer, aussi.

Elle rejoignit sa voiture et démarra, en route vers une destination noire qui la propulsait au cœur d'une enquête sordide.

Une enquête qui ne lui appartenait pas.

Pas encore.

Contre son gré, ses fichus démons étaient revenus. Ceux qui la poussaient à traquer, à s'acharner. Elle risquait de blesser Sharko, elle se faisait du mal, parce que en définitive, elle cherchait des réponses mais il n'y avait pas de réponses au Mal. Vous boucliez un meurtrier, et un autre apparaissait ensuite, dix fois pire. C'était une traque sans fin, qui vous usait, vous laminait. Et contre laquelle vous ne pouviez pas lutter.

Une traque qui lui avait volé ses deux filles jumelles.

Elle monta le son de la radio et quitta l'A1 au niveau de Senlis. Elle roula encore une bonne demi-heure, s'enfonçant toujours plus loin dans la forêt, s'approchant au plus près du premier endroit décrypté dans le carnet et indiqué par son GPS. L'appareil l'orienta par la suite sur une petite route qui s'enfonçait dans la forêt et se terminait en cul-de-sac.

Elle se rangea sur le bas-côté et poursuivit donc à pied. Elle avait bien fait d'enfiler un jean et un sweat à manches longues, même si elle étouffait et avait la gorge sèche, parce que les branchages se plaquaient contre elle. La lumière se déversait avec mollesse à travers les feuillages. Il n'y avait aucun sentier. Par précaution, Henebelle avait enregistré l'endroit où était rangé son véhicule sur le GPS. Elle longea un grand étang sur deux cents mètres jusqu'à ce que son appareil lui indique qu'elle était arrivée.

Elle discerna alors une structure en bois, sur la gauche, vers laquelle elle se dirigea. Elle poussa la porte et se retrouva dans une pièce unique. Il s'agissait sans doute d'un vieux poste d'observation d'oiseaux, ou peut-être d'une ancienne hutte de chasseurs. Mais la nature y avait repris ses droits.

D'après le carnet, le kidnappeur était venu ici à quatre reprises. Par exemple à 22 h 40, en février 2011, il y avait plus d'un an et demi, avec une fille codée « B-02.03-07.09-12.15-02.05 ». Pour quelle raison ? Pourquoi s'enfoncer si profondément dans un bois, en pleine nuit, et venir dans cette stupide cabane, difficile d'accès et située au milieu de nulle part ?

Lucie examina avec attention chaque recoin, chassa les feuilles du pied. L'eau de pluie avait pénétré ici, la toiture était défoncée, la végétation poussait de façon anarchique. Elle tourna sur elle-même et finit, après dix minutes de recherches, par abdiquer : il n'y avait plus rien à trouver dans ce local. Au pire, les équipes de police reviendraient avec des détecteurs, des chiens. Si un corps était enterré à cet endroit, on le trouverait.

Lucie lut une autre feuille imprimée et entra le deuxième groupe de coordonnées. Le kidnappeur y était venu à trois reprises, cette fois. L'appareil indiqua une distance de un kilomètre deux cents, plus loin dans la forêt.

Une fois sur place, nouvelle déception. Il s'agissait de deux gros rochers – sans doute des menhirs – placés l'un à côté de l'autre. Lucie eut beau chercher autour ou sur la pierre elle-même – en quête d'un message –, elle ne découvrit rien. Ça commençait à l'agacer franchement.

Dernier endroit, encore deux kilomètres à se farcir, dans la direction opposée. Lucie prit son courage à deux mains et se mit en route. Ses jambes pesaient et commençaient à lui faire mal. Manque de sport, de marche, de tout…

Elle tomba finalement, à deux cents mètres de sa destination, sur un grillage en mauvais état. Un panneau rouillé pendait : « Propriété privée. Défense d'entrer, sous peine de poursuites. » Lucie longea la cloison et trouva sans difficulté une brèche, dans laquelle elle s'engagea. Les arbres étaient partout, serrés, penchés, agonisant pour certains. Plus loin, une puissante bâtisse aux vitres explosées, aux portes inexistantes se dessina.

Abandonnée depuis longtemps, de toute évidence.

Lucie s'avança en pensant à l'auteur du carnet : lui aussi avait dû suivre ce chemin, entraînant peut-être avec lui de pauvres filles qu'il avait enfermées, rasées, tatouées dans une cachette quelconque auparavant. Elle imagina les pires scénarios et se rappela cette voix glauque, lente, déversée par l'enregistreur numérique.

Les grenouilles au ventre ouvert par un scalpel lui avaient laissé une image indélébile dans la tête. Lucie ne se sentait plus aussi sûre d'elle, subitement. Elle n'avait pas d'arme, rien pour se défendre.

Il n'y a aucune raison pour que ça tourne mal, pensa-t-elle. *Cet endroit semble abandonné depuis si longtemps...*

Elle pénétra dans la bâtisse par l'entrée principale. Le sol était poussiéreux, sale, boueux par endroits. Les murs tombaient en lambeaux, prisonniers de l'humidité. Lucie s'engagea dans le vaste hall au plafond très haut. Face à elle, deux escaliers partaient à droite et à gauche pour se rejoindre à l'étage supérieur. Les pièces étaient vides. Dans certaines, le lierre se faufilait par les fenêtres, colonisait les murs, tout comme les tags, d'ailleurs : des dessins en reliefs, des lettres bombées, noires, rouges, vertes, qui habillaient chaque mètre carré.

Lucie soupira. C'était trop vaste, trop usé, rongé par le temps.

Qu'avait-elle espéré y trouver ? Peut-être y avait-il des indices à découvrir, mais cela nécessiterait le travail de plusieurs enquêteurs, ratisser l'endroit en long, en large... Dans quel but, finalement ? Combien de squatteurs étaient venus s'installer ici entre-temps ? Combien de promeneurs curieux ? S'il y avait un corps quelque part, ne l'aurait-on pas déjà signalé ?

Après un tour à l'étage, elle redescendit, déçue, jetant un œil à droite, à gauche, au sol, sur les murs, partout. Elle s'était emballée à cause de ce maudit carnet. Elle avait fait n'importe quoi, réagi comme une gamine, elle en était consciente.

Ici, au milieu de nulle part, elle se sentait stupide.

Elle aperçut une autre issue qu'elle n'avait pas encore explorée. Un escalier descendait.

Le sous-sol…

Une bouche noirâtre s'ouvrit devant elle. Partout, de la tuyauterie rampante, des salles transversales, obscures. La gorge serrée, elle atteignit une immense cuisine avec une minuscule fenêtre au ras du sol, de vieux fours en ruine, un carrelage démoli, des hottes rouillées. Même des crochets pendaient depuis le plafond. C'était glauque, effroyable. Lucie songea à ces châteaux de l'ancien temps, où de riches chasseurs se réunissaient, dépeçaient leur gibier et festoyaient.

À ce moment, ses yeux captèrent quelque chose sur le mur de gauche.

Elle balaya le faisceau lumineux et figea son geste en découvrant le symbole des trois cercles : ◎

Identique à ceux reproduits à l'infini sur le carnet.

Il était réalisé au simple marqueur noir, sur le mur du fond.

Lucie s'approcha et put lire :

Suis venu, ai attendu. Livraison
02.03-07.08-09.11-04.19 urgente. Retrouve C
au Fleuve pour autre RDV.

◎

Lucie sentit un frisson la traverser, alors que les connexions s'établissaient dans sa tête, que les zones d'ombre s'éclaircissaient avec une effroyable froideur. Elle prit le message en photo avec son téléphone portable.

Elle avait beau ne rien savoir de l'enquête et naviguer à vue, ces quelques mots étaient parfaitement clairs.

Celui qui kidnappait ces filles n'était qu'un entremetteur.

Il venait dans ces différents endroits pour livrer ses colis humains.

25

Nouer un contact immédiat. Presque « sympa-thique ».

C'était la première chose que Sharko allait devoir faire face au « Boucher » Pierre Foulon. L'appeler par son prénom, lui donner de l'importance. Se plier à un cérémonial répugnant mais nécessaire pour éviter que Foulon n'abrège l'entretien. Ce salopard aimait la lumière et adorait parler de ses exploits. C'était là-dessus qu'il allait falloir attaquer la rencontre.

Après son *brief* avec le capitaine de police qui avait enquêté sur le Boucher, et avant son retour à l'appartement pour préparer son départ pour l'île de Ré, Sharko repassa dans l'*open space*, trouvant Robillard seul face à son ordinateur. Le lieutenant tout en muscles réfléchissait, les mains croisées der-rière la tête.

— T'as l'air pensif, fit Sharko en prenant sa veste.

Robillard déplia sa large carrure en se levant et en s'étirant.

— C'est cette histoire de cambriolages qui m'inter-pelle. Tout à l'heure, j'ai tenté de joindre le collègue dont le nom apparaît dans les PV, Daniel Loiseau.

Malheureusement, il est mort l'année dernière dans l'exercice de ses fonctions.

Sharko resta immobile. C'était le genre de réalité qui faisait toujours aussi froid dans le dos, que ce soit après deux, dix ou vingt-sept années de carrière. La mort pouvait surgir n'importe quand, même au moment où on s'y attendait le moins.

Robillard poursuivit :

— Un certain Patrick Martel, qui bosse dans ce même commissariat d'Argenteuil, m'a rappelé il y a juste une demi-heure. Il voulait à tout prix savoir pourquoi je m'intéressais à ces cambriolages. Il avait l'air nerveux, limite agacé. Alors je l'ai travaillé un peu, en lâchant moi-même du lest. Je lui ai dit qu'on bossait sur douze disparitions. Filles tsiganes, dont l'une d'elles était impliquée dans les cambriolages et que l'on a retrouvée vivante après plus d'un an d'enfermement, à errer dans des souterrains. Ça l'a fait réagir.

Il but bruyamment plusieurs gorgées d'eau à sa bouteille.

— Il m'a parlé d'une femme qui est venue le voir ce matin. Elle voulait en savoir davantage sur Loiseau et les cambriolages. Il a refusé de m'en dire plus à son sujet mais, selon lui, elle faisait des rêves prémonitoires où elle voyait une fille, type Rom, enfermée dans un endroit sombre. Rêves qui l'auraient menée jusqu'au bureau de Loiseau.

— Des rêves prémonitoires… Ben voyons.

— C'est ce que je me suis dit aussi. Mais avoue que la coïncidence est troublante, et qu'il y a du vrai, semble-t-il, dans ces « visions ». J'ai senti ce Martel sur la défensive. Alors, je vais aller faire un tour sur Argenteuil, histoire d'éclairer tout ça. Lui parler faceà-face, essayer de savoir qui est cette femme, et si elle a des choses à nous raconter.

— Bonne idée.

Robillard désigna le gros dossier que Sharko tenait sous le bras.

— Et toi, ça va aller avec Foulon ?

— J'adore ce mec. Je vais potasser ça cette nuit.

— Demande à cet enfoiré si la savonnette glisse bien dans les douches.

Sharko eut un petit sourire.

— Il risque de mal le prendre.

Le lieutenant descendit les trois étages, songeant à son entretien à venir. Nicolas Bellanger était sur le point de décrocher un parloir pour le lendemain matin – restaient les autorisations à obtenir, côté juge et côté prison.

Il marchait dans la cour du 36 en direction de sa voiture lorsqu'il crut halluciner : c'était bien Lucie, là-bas, en train de montrer sa carte tricolore au poste de garde. Seule, sans les jumeaux, cheveux noués en queue-de-cheval, pimpante comme au premier jour.

Il se précipita d'un pas vif, les poings serrés.

— Lucie ?

Il posa la main dans le dos de sa compagne pour l'emmener hors de la cour. Ils se retrouvèrent face à la Seine, devant les hauts murs du siège de la police judiciaire parisienne, entre les voitures de fonction et les Trafic alignés. Des prévenus, des avocats, des flics entraient et sortaient en permanence du Palais de justice voisin.

— Qu'est-ce que tu fais ici, bon sang ? Où sont Adrien et Jules ?

Elle jeta un œil rapide à la grosse pochette qu'il tenait sous le bras.

— Ils sont chez la nounou. Il fallait que je te voie à tout prix.

Sans lui laisser le temps de réagir, Lucie lui montra l'écran de son téléphone portable. Sharko observa la photo, focalisant sur le symbole des trois cercles. Il fronça les sourcils.

— Qu'est-ce que c'est ? Où tu as pris ça ?

Lucie inspira un bon coup, et lâcha tout d'un bloc.

— Quelque part, en forêt d'Halatte.

— En forêt d'Halatte ? Mais…

— Écoute… J'ai fouillé dans le coffre de ta voiture, la nuit dernière. J'ai trouvé la boîte à chaussures. (Elle leva la main pour l'empêcher de répliquer.) J'ai pris mes précautions, j'ai mis des gants. J'ai… écouté l'enregistrement, j'ai vu les dents, dans le portefeuille…

— Merde, Lucie, tu…

— Laisse-moi aller au bout ! J'ai trouvé des informations très importantes dans le carnet, elles étaient planquées au milieu de tous ces cercles. Tu les avais remarquées ?

Sharko secoua mécaniquement la tête.

— Une date et un lieu de rendez-vous en forêt d'Halatte pour chacune des douze filles, fit-elle.

Elle lui tendit la feuille avec ses douze lignes, fruit de ses trouvailles. Sharko y jeta un œil rapide.

— Ce matin, j'ai pris la voiture en direction de cette forêt, poursuivit Lucie. Il y avait trois lieux, séparés d'un ou deux kilomètres chacun. Pourquoi trois endroits différents ? Parce que, à mon avis, votre homme prend ses précautions, il ne veut pas instaurer une routine, il veut rester maître de la situation.

Sharko avait l'impression d'halluciner. Un sentiment de colère l'envahissait, mais il ne pouvait s'empêcher d'écouter ce que Lucie avait à lui raconter. Elle n'avait eu à sa disposition que quelques pièces du puzzle et semblait plus avancée qu'eux tous réunis. Encore une fois, elle le scotchait.

Elle parlait vite, avec entrain, comme immergée jusqu'au cou dans cette affaire qui n'était pourtant pas la sienne.

— Je ne sais pas où vous en êtes, je ne comprends pas grand-chose à votre histoire, mais je peux te dire qu'ils sont plusieurs sur le coup. Au moins trois. Le message sur le mur prouve que ces filles sont juste des objets qui transitent d'une personne – le kidnappeur – à une autre, celui qui a écrit le message, pour une raison que j'ignore. Il y a aussi ce « C », à retrouver au « Fleuve », qui est un troisième individu. « *Suis venu, ai attendu. Livraison 02.03-07.08-09.11-04.19 urgente. Retrouve C au Fleuve pour autre RDV.* »

Elle marqua une pause, une voiture de police démarrait, sirène hurlante, et continua une fois le bruit estompé :

— Le tatouage fait office de code-barres, c'est avec lui qu'on les identifie. J'ai vérifié à quelle fille correspond le tatouage 02.03-07.08-09.11-04.19, celui inscrit sur le mur. C'est à la dernière fille, celle du 10 août 2011. C'est bien elle que vous avez retrouvée vivante sous l'arbre, n'est-ce pas ?

Sharko acquiesça, bouche bée, comme hypnotisé.

— Quelque chose a merdé, poursuivit Lucie. Quelque chose qui a fait que le kidnappeur n'est pas venu au rendez-vous, malgré l'enjeu. Quelque chose qui a fait que cette fille aveugle est restée vivante, alors qu'elle n'aurait probablement jamais dû.

Un silence. Devant eux, la Seine grise paradait, admirée par des centaines de touristes répartis le long de ses berges. Sharko sentait la colère bouillonner en lui, mais ne retrouvait-il pas, au final, la Lucie qu'il avait toujours connue ? Ce tigre acharné, combatif, surprenant, mû par ses instincts de traque.

Le regard du flic suivit un bus touristique qui franchissait le Pont-Neuf.

— Elle est vivante, parce que, lui, il est mort, souffla-t-il.

Plus il y pensait, plus ça lui paraissait logique. Ça expliquait sa disparition soudaine de la maison louée à Saint-Léger, par exemple… Ou ces objets cachés sous le plancher et les tableaux, qu'il n'avait jamais pu embarquer.

Leur kidnappeur, mort…

Ses yeux revinrent sur Lucie. Elle aurait pu, encore cette fois, se mettre sérieusement en danger. Mais au lieu de la blâmer, il se retint. Parce qu'il allait devoir se maîtriser de la même façon face à Pierre Foulon. Ne pas craquer.

— Comment ? demanda-t-il d'une voix ferme. Comment t'as fait ?

— J'ai fait fonctionner ma tête. Tu vois, je crois que le Styx noté sur la couverture du carnet « *De l'autre côté du Styx, Tu m'as montré la voie* », c'est un lieu particulier. En mythologie, c'est le fleuve des Enfers. « *Retrouve C au Fleuve* », pour moi, ça veut dire que le kidnappeur a rendez-vous avec un certain « C » au Styx. Je vais creuser cette piste-là et le symbole des cercles. Voir ce que ça donne sur le Net.

Sharko avait des canons de fusil à la place des yeux, et Lucie crut bon de se justifier :

— Avoue que je t'ai quand même été utile sur ce coup-là, non ? Une cervelle supplémentaire ne sera pas de trop pour gérer les trois milliards de choses qui vous tombent dessus. Je sais qu'il me reste quelques jours de congé, mais j'ai envie de reprendre, Franck. Je n'irai pas forcément sur le terrain, je peux rester dans…

Sharko posa un doigt sur ses lèvres, incitant Lucie à se taire.

— Je ne veux rien entendre pour le moment, d'accord ? Laisse-moi le temps de… digérer tout ça. D'intégrer le fait que ma presque femme fouille dans mes affaires et s'aventure dans un endroit hyper dangereux alors que…

— Ce n'était pas hyper dangereux.

— … alors que je la croyais au calme chez nous. Une presque femme qui me ment et me trahit.

Il regarda sa montre, l'air un peu froid, distant.

— Je ne dormirai pas à l'appartement, ce soir.

— Où vas-tu ?

Sharko hésita. Lui ne pouvait pas lui mentir, et il le regrettait, parfois.

— À la maison centrale de l'île de Ré… Je dois fouiller dans les registres de parloir en fin de journée. Je dormirai à l'hôtel, histoire de ne pas reprendre la route ce soir.

— En général, on se les fait faxer, les registres. (Elle hocha le menton vers le dossier.) Qui vas-tu voir, là-bas ? Quel taulard ?

— Laisse tomber, Lucie, OK ? Ce serait bien si, au lieu de me poser des questions, tu allais chercher Jules et Adrien et me rejoignais ensuite à l'appartement. J'aimerais les embrasser avant de partir.

Lucie acquiesça et vint se serrer contre lui.

— Je suis désolée, Franck. Mais c'est plus fort que moi.

Sharko soupira, il aurait aimé la repousser, la blâmer, mais il en était bien incapable.

Si elle n'avait pas été comme elle était aujourd'hui, il ne l'aurait jamais rencontrée. Ni aimée.

Il lui glissa une main dans les cheveux.

Un couple maudit.

— Je sais…

26

Camille mordait dans un sandwich, assise à la terrasse ombragée d'un café, quand son téléphone sonna.

Elle décrocha prestement, sur le qui-vive.

— Merci de me rappeler, Boris.

— Salut, Camille. J'ai eu ton message. C'est quoi encore, ce délire ? Tu veux une immatriculation, maintenant ? Mais bon Dieu, t'es pas censée être sur la route des vacances ?

— Je le suis.

— Il n'y a pas beaucoup de bruits de moteur, autour de toi.

— Je déjeune au soleil, lunettes sur le nez, du côté de Fontainebleau. Ciel bleu, oiseaux qui chantent, le bonheur.

— Tu ne serais pas en train de te fourrer dans je ne sais quelle affaire ? Tes recherches sur mon ordinateur, le profil ADN, et cette demande à présent…

Camille soupira. Elle pensait encore au petit squelette, aux photos horribles dans le laboratoire, au sang dans la chambre de Florès.

— Écoute, je t'expliquerai tout ça, d'accord ? Je te

demande juste les infos. Et si tu m'as rappelée, c'est que tu les as en ta possession… Je me trompe ?

Petit silence.

— T'es chiante, Camille, tu sais ça ?

— C'est ma marque de fabrique.

Camille devina qu'il souriait, l'imagina assis à son bureau, chaussures sur la table et canette de Coca Light dans la main.

— Bon… Le dernier titulaire de la carte grise correspondant à l'immat que tu m'as fournie s'appelle Dragomir Nikolic. J'ai fouillé un peu. Nationalité serbe, installé en France depuis 2003. Il est artisan dans le bâtiment, céramique, briqueterie, un métier prisé qui lui a permis d'obtenir une carte de séjour longue durée. Le type a déménagé six fois en dix ans. Pas mal, non ?

— Il a un casier ?

— Il devrait ?

— Boris…

— Non. Il a l'air propre.

Trop propre, justement, pensa Camille.

— T'as sa dernière adresse ?

— Je ne sais pas si…

— Tu sais parfaitement que je me débrouillerai pour me la procurer si je la veux vraiment.

Un soupir.

— Il crèche à Rouen depuis un an environ.

À sa demande, Boris lui dicta l'adresse.

— Merci, Boris. Si tu peux m'envoyer toutes les infos par SMS, ce serait génial. Et me dire dans quelle société il bosse en ce moment.

— Je ne suis plus à ça près.

— Sinon, son adresse précédente, c'était où ?

— Colombes… C'est à côté d'Argenteuil, là où travaillait ton donneur, comme par hasard. Tu n'en as pas encore fini avec cette histoire ? Ce mec, Dragomir Nikolic, il a un rapport avec tes rêves ?

— Je vais devoir te laisser, Boris. T'es vraiment un chic type.

— C'est ça, défile-toi… T'es tellement dans ton délire que notre affaire du mont des Cats ne t'intéresse plus, je présume ?

Camille mit trois secondes à percuter. Elle avait complètement oublié.

— Ah, si, évidemment. Des nouvelles ?

— Tu m'étonnes. L'un des responsables de l'agence de biomédecine nous a rappelés une heure après avoir reçu le fax du juge. On a obtenu l'identité du greffé de peau et, donc, de notre assassin : Michel Lavigne, trente-sept ans. On a tapé à son domicile en milieu de matinée. Le type n'a opposé aucune résistance. Cramé au visage et sur une bonne partie du corps il y a un peu plus d'un an, pas vraiment beau à voir malgré la chirurgie réparatrice. Une sombre histoire de vengeance…

Silence au bout du fil.

— T'es toujours là, Camille ?

— Oui, oui, je t'écoute. Une vengeance, tu dis ?

— Arnaud Lebarre, notre victime étranglée, s'en était pris à Michel Lavigne sur Lille, l'été dernier, parce que Lavigne est homosexuel. À l'époque, Lebarre l'a entraîné de force dans une impasse avec un complice, l'a aspergé d'essence et lui a foutu le feu. Lavigne s'en est tiré de justesse, brûlé au troisième degré, mais l'affaire n'a jamais été résolue.

— Jusqu'à aujourd'hui…

— Par le plus grand des hasards, oui. Il y a une

semaine, Lavigne retombe sur Lebarre en se promenant. Il le reconnaît… Poursuit son chemin, regagne sa voiture… Et remonte avec un extenseur pour se faire justice lui-même. Tu connais la suite. Il le chope par-derrière et l'étrangle. Lebarre lui griffe le visage avant de mourir étouffé. Et il récolte ainsi les deux ADN qui nous ont tant intrigués.

— C'est une histoire bien triste. Bravo en tout cas, Boris.

— Ouais, j'ai pas fait grand-chose.

— Et merci encore pour l'immatriculation. Comment va Brindille, au fait ?

— Elle se porte comme un charme et mange toutes ses croquettes. Mais j'ai quand même l'impression que tu lui manques.

Camille sourit.

— Embrasse-la pour moi. Je t'enverrai un petit mail très bientôt, j'ai encore quelques étranges requêtes. Et je te bipe dès que je suis arrivée à Argelès, OK ?

— On va dire ça, oui. Où que tu sois, fais bien attention à toi.

— Promis.

— Au fait Camille, un dernier truc… Pour le type de cigarettes retrouvées sur le siège passager dans l'affaire de la gamine du coffre, la petite Aurélie Carisi…

— Oui ?

— J'ai vérifié : c'étaient des Marlboro Light, paquet de quinze. Tes rêves, c'étaient donc des conneries.

Perturbée, Camille raccrocha et engloutit rapidement le reste de son sandwich.

Non, ça n'était pas des conneries. Loin de là.

Cinq minutes plus tard, elle avait disparu.

Direction Rouen.

27

L'île de Ré sentait bon l'air iodé du grand large. Malgré l'invasion touristique, la bande de terre avait gardé un caractère sauvage, notamment sur sa partie ouest, faite de marécages, de forêts, de grandes étendues vierges et de plages parfois envahies d'algues chargées de l'histoire de l'océan. Les vacanciers brûlaient de se lancer à l'assaut des nombreuses pistes cyclables qui couvraient l'île d'un réseau de veines.

Sharko, lui, ne souriait pas au contraire de tous ces promeneurs insouciants. Après cinq heures de trajet harassant, il avait posé son sac dans un hôtel moyen choisi par le service des missions, à quelques kilomètres de Saint-Martin, situé au cœur de l'île.

Avant son départ, il était remonté en vitesse au bureau, histoire d'expliquer les incroyables découvertes de Lucie à Bellanger. Comme lui, le chef avait halluciné en apprenant la façon dont Henebelle avait pénétré dans l'enquête, mais Sharko avait su arrondir les angles. L'identité de la jeune femme ne serait citée dans aucun PV, et c'était Jacques Levallois qui avait hérité d'une visite en forêt d'Halatte pour confirmer les constatations effectuées par Lucie.

Le lieutenant avait en outre annoncé, à son grand regret, que sa compagne risquait d'abréger son congé, et qu'il faudrait probablement la remettre dans le circuit. Nicolas Bellanger, en manque d'effectifs, n'avait pu s'empêcher d'accueillir l'annonce avec enthousiasme.

Franck Sharko prit très vite la direction de la maison centrale, ancien bagne installé dans une citadelle de Vauban. Dreyfus, Seznec et « Papillon » y avaient séjourné avant leur départ pour l'enfer de Saint-Laurent-du-Maroni, au fin fond de la Guyane française. Désormais, c'étaient des types de la trempe de Foulon qui peuplaient ses cellules. La plupart des touristes qui erraient dans les rues de la charmante ville ignoraient sans doute que l'établissement renfermait aujourd'hui les plus grands criminels, dont la majorité ne sortiraient jamais.

Tous les papiers avaient été faxés en temps et en heure par Nicolas Bellanger aux autorités de la prison. La consultation du registre des parloirs pour le numéro d'écrou concerné ainsi que la rencontre avec Foulon avaient été approuvées par le directeur de la maison centrale. Le lendemain, 11 heures, Sharko serait face à celui qui ouvrait le ventre de ses victimes avant d'en cuisiner les entrailles aux petits oignons.

Le flic passa les contrôles drastiques et on l'orienta dans l'aile administrative, froide, éclairée au néon. Des portes à perte de vue dans un couloir infini. Des fonctionnaires en civil dans leurs bureaux, mines fatiguées. Cet établissement pénitentiaire était un joyau d'un point de vue architectural, mais était dévoré jusqu'au cœur par le désespoir, les suicides, les maladies psychiques, le manque de moyens. Sharko détestait ces antichambres de l'enfer et, pourtant, lui aussi faisait partie du système.

Juste un maillon parmi tant d'autres qui faisait tourner la lourde machine judiciaire française.

Il s'était installé dans une petite pièce déprimante, sans fenêtre, face au registre des parloirs ouvert aux pages concernant le numéro d'écrou 25 367, celui de Pierre Foulon, auteur de sept meurtres, incarcéré en mars 2007, condamné à trente ans de réclusion minimum sans remise de peine.

Le lendemain, le lieutenant allait l'affronter les yeux dans les yeux et, le moins qu'on pût dire, c'était qu'il avait du mal à se concentrer. Il pensait encore à Lucie, ses découvertes folles, son implication dans l'affaire. Elle s'était remise à chasser envers et contre tout, pour recevoir son shoot d'adrénaline, pour se sentir vivante et utile. Et surtout, parce qu'elle ne pouvait faire autrement.

Tous les deux, finalement, reproduisaient les erreurs du passé.

Il essaya de faire le vide dans sa tête et se focalisa sur les lignes du registre. Il nota les identités des visiteurs, ainsi que la fréquence des parloirs : peut-être celles de l'avocat de Foulon, d'anonymes, de proches, de tantes, de cousins. Des journalistes, parfois, qui écrivaient des articles sur ces tarés ou alimentaient les émissions de télé. Des criminologues qui cherchaient à « entrer dans la tête du tueur », ou des « amis » que Foulon avait rencontrés au cours de sa macabre existence. D'après le registre, Simone Hubeau, Alain Lorval, Lucas Bonneterre étaient des réguliers, environ une fois par mois. Sharko essaya d'imaginer les mots qu'ils pouvaient échanger avec le tueur. Parlait-on cuisine avec un homme qui avait commis l'indescriptible ?

Une nouvelle identité apparut, environ deux ans et demi plus tôt : Lesly Beccaro. Sharko releva son extrême assiduité : elle était venue toutes les semaines, pendant presque trois mois. Qui était-elle ? Une relation amoureuse ? Aussi étonnant que cela puisse paraître, il arrivait que des femmes tombent en extase devant ce genre de tueurs. Certaines allaient même jusqu'à les épouser, leur vouant un véritable culte.

Le lieutenant nota l'identité sur sa feuille et la souligna. En contactant le juge d'application des peines, il pourrait connaître le lien avec le tueur – ami, famille, etc. –, puisque c'était ce juge qui validait toutes les demandes de parloir. Sharko le ferait plus tard dans la soirée ou le lendemain matin.

Il poursuivit sa quête. Stéphane Bourgoin apparut, le spécialiste mondial des tueurs en série, se rappela Sharko. Foulon était une vraie star, il faisait se déplacer les personnalités, intéressait les psychiatres, les spécialistes du comportement humain. Le lieutenant n'omit de relever aucune identité. Si le Boucher se braquait ou abrégeait la rencontre, il pourrait être intéressant d'interroger les satellites qui gravitaient ou avaient gravité autour de lui à une époque donnée.

Il tourna les pages, jusqu'à ce qu'un nom lui saute aux yeux.

Sharko se recula sur sa pauvre chaise en bois, abasourdi.

Le 15 février 2011, Daniel Loiseau était venu ici.

Daniel Loiseau, le lieutenant de police d'Argenteuil qui enquêtait sur les cambriolages.

Le flic mort l'année passée.

Sharko continua de feuilleter le registre avec fébrilité, soudain survolté. Il avait beau chercher, Loiseau n'était plus jamais revenu. Mais une fois, c'était amplement suffisant pour faire clignoter tous les signaux.

Le lieutenant se rua dans le couloir, entra dans un bureau et trouva vite un téléphone. Il appela Robillard et tomba sur le répondeur.

— C'est Franck. Faudrait que tu me rappelles. Le lieutenant d'Argenteuil qui enquêtait sur les cambriolages, tu te souviens de la date précise de sa mort ? Je...

Sharko eut tout à coup une sorte de flash. Il y eut un long blanc sur le répondeur, avant qu'il poursuive, réorganisant sa pensée :

— Macareux, c'est une espèce d'oiseau, non ? Macareux, Loiseau... C'est le même homme ! C'est lui. L'homme qu'on cherche, Macareux... C'est Daniel Loiseau. Il est venu une fois rencontrer Foulon ici, en prison. Ce pourri est quelqu'un de la maison ! Préviens Nicolas !

Sharko raccrocha, tandis que son esprit tournait à cent à l'heure. Il s'enferma dans sa petite pièce, complètement sonné. *Nous sommes ceux que vous ne voyez pas, Parce que vous ne savez pas voir.*

Un flic, l'un d'entre eux.

Franck était ébranlé, bouleversé.

À ce moment-là, le lieutenant eut l'impression que la quête qu'il menait depuis plus de vingt-cinq ans n'avait pas plus d'importance qu'un vulgaire pâté de sable. Rien ni personne ne résistait à la violence ni au Mal. Pas même eux, les flics.

Tristement, il regarda l'horloge. Bientôt 19 heures.

Les enjeux de sa rencontre avec Foulon venaient de changer. Il ne s'agissait plus de savoir qui avait enlevé ces filles à présent, mais qui les avait réceptionnées.

Qui était le fameux C du Styx ? Et celui qui avait inscrit le message en forêt d'Halatte ? Pierre Foulon jouait-il un rôle là-dedans ? Comment lui et Loiseau s'étaient-ils rencontrés en dehors de cette prison ?

Sharko observa la liste des dates fournie par Lucie. Le lieutenant d'Argenteuil était venu ici en février 2011, alors qu'il avait déjà enlevé des filles. En pleine effervescence, Sharko se rappelait les cadres, la petite chambre, la carrière, expression de sa folie, matérialisation de ses fantasmes... Qu'est-ce que les deux hommes avaient pu se raconter ? Quels horribles secrets avaient-ils partagés ?

Il ferma les yeux et tenta de faire une synthèse.

À la fois angoissé et impatient d'être au lendemain.

Le Boucher allait passer à table.

Et, cette fois, ce serait Sharko qui assurerait le service.

28

18 h 05.

Une entreprise de BTP, à la périphérie de Rouen.

Des fourgonnettes, des bennes, des véhicules de société garés près d'un grillage derrière lequel s'étalaient à perte de vue des palettes de briques. L'air était si chaud que semblait s'élever, au loin, un nuage de poussière rousse.

Deux heures que Camille cuisait, l'œil rivé sur le véhicule gris de Dragomir Nikolic. Elle avait coupé la clim pour ne pas épuiser la batterie et elle se rafraîchissait comme elle pouvait, par petites gorgées d'eau tiède et avec les fenêtres ouvertes. Mais malgré cela, l'atmosphère restait suffocante.

L'homme sortit enfin en tenue de chantier, tout poussiéreux, les mains sales, accompagné d'un autre ouvrier à qui il serra la main. Le Serbe était un type enrobé, large d'épaules, les yeux noirs comme la mort. Il grimpa dans sa voiture crasseuse et démarra.

Camille le suivit à bonne distance, puis le doubla dès qu'elle en eut l'occasion. Elle connaissait sa destination, elle y était passée en repérage. Une barre grise d'immeubles plus au nord de la ville, côté zone industrielle.

La jeune femme avait la gorge nouée, consciente qu'elle ne suivait plus aucune règle, que le plan fou qu'elle avait en tête pouvait mal tourner. Mais il fallait prendre les raccourcis. Pousser Nikolic à parler dès qu'elle lui serait tombée dessus, le faire flipper comme jamais.

Comprendre ce que lui et Loiseau avaient magouillé.

Camille avait envoyé un mail sur sa propre boîte électronique, à la gendarmerie, avec toutes les informations qu'elle avait récoltées sur Loiseau, Florès… Elle savait que son message finirait par être lu s'il lui arrivait quelque chose.

Elle roula aussi vite que possible, vint se garer à deux cents mètres de l'immeuble, embarqua le matériel qu'elle avait acheté dans une armurerie du centre et se dépêcha de grimper au troisième étage. Le Serbe habitait le palier du dessus, et il passerait forcément devant elle puisque l'ascenseur était hors service.

La jeune femme patienta, l'œil rivé dans la cage d'escalier vétuste. Le bâtiment était délabré, mal entretenu. Elle se tortillait les doigts, se repassait le scénario à venir. Il allait falloir être précise, rapide et dissuasive. Pas le droit à l'erreur, pas d'hésitation possible. Elle aperçut quelques minutes plus tard la silhouette trapue de l'homme et se tapit dans l'ombre.

Le souffle rauque du Serbe, juste là. Elle le laissa filer, retenant sa respiration.

Puis le bruit d'une clé dans une serrure.

Apparemment, il ne verrouilla pas la porte derrière lui. Elle s'approcha, patienta jusqu'à percevoir le bruit de la douche et, après avoir enfilé une paire de gants en latex qui traînaient toujours dans sa voiture, ouvrit la porte d'entrée.

L'intérieur était à l'image de l'homme. Crasseux, sans goût. Un matelas jaunâtre, dans un coin. De vagues odeurs de friture. Un fauteuil craqué, un bordel innommable. En revanche, du matériel hi-fi dernier cri.

Elle prit ses trois paires de menottes GK en polypropène – l'armurier les vendait par lot de trois –, sa lame de rasoir et le pistolet antiagression à propulsion pyrotechnique. L'engin balançait un jet de capsaïcine, une substance fabriquée à partir de poivre de Cayenne et qui laissait l'agresseur hors d'état de nuire pendant une bonne vingtaine de minutes. Camille n'avait jamais utilisé ce type d'arme. Elle pria pour que ça fonctionne.

Elle prit une grande inspiration, puis se présenta d'un coup sur le seuil de la salle de bains, le pistolet tendu devant elle. Nikolic était en train de se savonner. Il s'immobilisa dès qu'il l'aperçut.

— Putain, t'es qui, toi ?

Il se jeta dans sa direction, se sentant pris au piège. Camille appuya sur la détente. Le jet de capsaïcine l'atteignit en plein visage. L'homme vint tout de même la percuter et se mit à cracher, les mains sur les yeux. Il voulut hurler mais fut comme pris à la gorge, aux poumons, les sons transformés en un souffle aigu. En bonus, Camille lui colla un coup de genou dans l'entrejambe.

Il s'effondra, sentit quelque chose autour de ses poignets, puis de ses chevilles. Ses yeux pleuraient, il avait l'air de souffrir le martyre, mais la jeune femme était intraitable.

Elle lui avait attaché chaque poignet aux tuyaux du radiateur, serrant à fond. Le seul moyen d'ôter ces menottes était de les couper avec une pince. L'homme était assis, face à elle, nu, encore plein de savon, velu comme un grizzli et les bras écartés.

En attendant qu'il récupère, elle verrouilla la porte d'entrée et entreprit une fouille rapide. Elle savait où chercher dans ce genre de turne, aller à l'essentiel. Dessus de meubles, couvercle de hotte, intérieur de chasse d'eau… Elle découvrit un sachet plastique emballé dans le four. À l'intérieur, des liasses de billets, des montres de marque – Rolex, Breitling. Dans une vieille armoire, sur une planche en hauteur et derrière des cartons, des sacs Vuitton empilés et quelques bijoux. Nikolic vivait dans la crasse, dormait sur un matelas à même le sol, entouré de milliers d'euros.

Ce porc avait le sens du sacrifice.

Camille sentit la colère monter en elle. Elle se présenta face à lui et s'assit durement sur ses genoux, son visage à vingt centimètres de celui du Serbe.

— Parle-moi de Daniel Loiseau.

L'homme avait les yeux gonflés, rouges comme la braise. Camille n'y lut que de la haine. Il gesticulait à s'arracher la peau des poignets.

— T'es qui, bordel ?

Un lourd accent slave roulait dans sa gorge.

— Ton pire cauchemar. Je répète une fois : parle-moi de Daniel Loiseau.

— Va te faire foutre !

Il lui cracha au visage avant de s'étouffer avec sa bile. Camille s'essuya doucement et étira un sourire forcé.

— Tu veux jouer à ça…

Elle sortit sa lame de rasoir, noire, rectangulaire, et la promena sur le torse du Serbe. Elle la descendit vers les parties, qu'elle saisit sans ménagement de son autre main gantée.

216

— On dit que les gars de ton genre ne pensent qu'avec la queue. Qu'est-ce que tu vas devenir, si je te la coupe ?

— T'oseras pas. T'es flic, hein ? Les flics font pas ça, t'aurais trop d'emmerdes. Ils sont où, tes collègues, pouffiasse ?

Camille souleva son sweat, dévoilant la partie labourée de son torse : les taillades récentes, celles qu'elles s'étaient faites dans l'après-midi, après sa visite chez le photographe. Certaines saignaient encore. Le Serbe resta sans voix.

— Je ne suis pas flic, Ducon. Regarde ce que je suis capable de me faire avec ce genre de lame. Alors imagine seulement ce que je pourrais te faire, à toi. J'ai pas de collègue, pas de règles. Et crois-moi, je crèverai ton gros bide sans l'ombre d'une hésitation si tu ne me donnes pas mes infos.

Nikolic se raidit, son regard changea. Il secoua la tête quand Camille approcha franchement la lame de son pénis.

— Je connais pas de Loiseau ! Je te jure !

La jeune femme le fixa au fond des yeux, puis lui montra la photo sur laquelle Loiseau et lui discutaient.

— T'es bien certain ?

Nikolic scruta le cliché, puis revint sur Camille.

— C'est tout ce que t'as ? Ça prouve que dalle. J'ai rien fait, je comprends pas ce que tu veux.

— Je vais te rafraîchir la mémoire. Des cambriolages : côte d'Azur, Bretagne, Argenteuil… Des filles qui bossent pour toi, qui forcent les maisons avec des tournevis. (Elle songea à son cauchemar.) Elles disparaissent et se retrouvent enfermées, torturées. Recel, traite d'êtres humains, vol en bande organisée. Il y en a assez pour te faire prendre quinze ans, minimum.

Il hésita.

— Que je parle ou pas, c'est pareil, de toute façon tu vas...

— J'en ai marre de discuter.

Elle lui écrasa la main sur la bouche et lui entailla l'abdomen d'un coup de lame bien profond. Les yeux du Serbe se révulsèrent. Camille fut surprise de son propre geste, de sa pulsion de violence, mais elle s'interdit de réfléchir ou de s'apitoyer. Elle revint vers le sexe, présentant le tranchant sur la peau. Une pointe de sang apparut. Nikolic haletait.

— C'est bon ! C'est bon !

Camille ne bougea pas, serrant au contraire la queue plus fermement. Elle pendait comme une vieille cosse au bout de sa branche.

— Ce Loiseau, je le connais seulement sous le nom de Macareux. C'est un flic. Un ripou qui nous avait logés.

— Qui ça, *nous* ?

Nikolic fixait la lame sans ciller. Ses yeux puaient la peur, désormais. Le sang coulait de l'entaille sur le torse.

— Tu crois qu'on peut gérer un réseau pareil tout seul ? Tu sors d'où ?

Un silence. Nikolic essaya de calmer sa respiration avant de poursuivre :

— Ce poulet avait tout pour nous faire tomber. Des preuves, des photos, les adresses des caravanes où on loge les filles. Un jour, il s'est pointé ici, comme toi, avec ses lunettes de soleil et sa casquette. J'ai jamais vu sa gueule, il savait se protéger. Il a braqué un flingue sur ma tempe et m'a dit qu'il avait une proposition à me faire. Qu'en coopérant avec lui on pourrait se faire plus de pognon qu'avec les cambriolages.

— C'était quoi, le deal ?

— Il voulait nous racheter nos filles. Une ou deux par mois, qu'y disait.

Camille accusa le coup, mais ne le montra pas. Il fallait aller vite, rester dans le rythme.

— Elles venaient d'où, ces filles ?

Il ne répondit pas, alors Camille le rappela à l'ordre en enfonçant la lame.

— Arrête, bordel ! À ton avis ? Tu sais à quoi ressemble la vie des femmes roms en Serbie ? Elles n'ont pas de papier, ne sont même pas enregistrées à la naissance. Des fantômes sans aucune éducation, sans aucun droit, des déchets. Leur propre famille les violente ou les fourgue dans des bordels. Le gouvernement n'en a rien à foutre. Alors nous, on les approche, on leur promet la France, la belle vie, on leur apprend à cambrioler et on les ramène ici, c'est aussi simple que ça.

Camille songea à tous ces réseaux organisés qui polluaient les grandes villes. Ces pilleurs de camions, ces enfants qui se jetaient aux vitres des voitures. Ces femmes qui soutiraient des signatures dans les grandes gares et réclamaient de l'argent. Les gamins qui dévalisaient les touristes dans le métro. Des réseaux, toujours des réseaux. Derrière, il y avait des pourritures de la trempe de Nikolic, un virus qui déferlait depuis l'est de l'Europe.

Elle avait envie de lui fracasser le crâne. Il le lut dans ses yeux, son visage se crispa davantage.

— Macareux avait une condition, fit-il, c'était qu'on arrête les cambriolages pour pas se faire prendre. Il nous proposait des sommes qu'on pouvait pas refuser. Du cash. On n'avait plus besoin de receler, de s'exposer. Juste faire des allers-retours au pays pour ramener les filles quand il en voulait.

— Combien il payait ?

— Dix mille par fille. Parfois douze. Ça dépendait.

Camille se rappelait ce que Loiseau avait dit à son collègue : sa volonté de quitter le métier, de changer de vie.

— D'où venait l'argent ?

Le Serbe secoua vivement la tête.

— J'en sais rien, je te jure. Et je sais pas non plus ce qu'il faisait avec les filles. Il les prenait, elles disparaissaient, on ne les revoyait plus jamais. Ce type, il… il avait quelque chose dans le regard. Dans le comportement. Un chien fou, comme toi.

Parlait-il du Loiseau qu'avait décrit Martel ? Ce flic timide avec les filles ? Timide en société… Et peut-être le pire des pervers lorsqu'il les tenait à sa merci… Camille marqua une hésitation et réalisa, durant une fraction de seconde, qu'elle était *vraiment* prête à aller au bout avec ce type. Sa main qui tenait la lame tremblait à présent, ce qui ne rassura pas le Serbe.

— Pourquoi les sommes variaient d'une fille à l'autre ? demanda Camille.

— Ça dépendait de leur groupe sanguin.

— Sois plus clair.

L'homme hocha le menton vers l'armoire à pharmacie. Camille se leva et ouvrit la porte. À l'intérieur, entre des médicaments, des seringues et des tubes bouchonnés, vides.

— Ton Loiseau, là, il choisissait pas les filles au physique, il s'en foutait. Ce taré voulait qu'on lui file les filles avec le groupe sanguin de son choix. C'était ça, le critère. Seules les filles au sang rare, B et AB, l'intéressaient. Les AB, il les achetait plus cher que les B. Nous, on prélevait leur sang directement en Serbie, on faisait les tests là-bas sur des tas de filles pour trouver les bonnes. Quand ça fonctionnait, on ramenait les filles en France.

La jeune femme se frotta le visage. Encore une sinistre coïncidence, parce qu'elle aussi avait un groupe sanguin rare, le groupe B. C'était juste dément.

En quoi le sang de ces filles intéressait-il Loiseau ? À ses pieds, le Serbe grassouillet faisait pitié à voir.

— Tu continues à livrer des filles ? demanda-t-elle.

Il secoua la tête.

— Non. Un jour, j'ai appris qu'un flic s'était fait buter à Argenteuil. C'était lui, c'était Macareux, je l'ai reconnu dans le journal. Alors, je me suis tiré pour venir ici. Je sais rien d'autre. J'ai plus rien à voir avec ça.

Camille ricana.

— Plus rien à voir ? Et qu'est-ce que tu fous ici ? Tu profites du soleil ?

L'air circulait bruyamment dans sa trachée, tant elle respirait fort. Ses poings se serrèrent.

— Maintenant que Loiseau n'est plus là, t'as repris les cambriolages, hein ? Puis tu vas finir par te tirer ailleurs. Encore, et encore.

— Je suis clean, je te dis.

— En livrant ces filles à Loiseau, tu les as envoyées à la mort, et tu le savais.

Le Serbe replia ses jambes contre son torse autant qu'il le put.

— Non, non. Je te jure que non. Ce qu'il faisait avec, c'était pas mon histoire.

— C'était pas ton histoire… T'as arraché ces filles à leur pays, t'en as fait de la matière première, des choses. Combien ? Combien de filles tu lui as livrées ?

— Je sais plus, putain… Je…

Elle s'approcha. Quelque chose brûlait en elle. Une rage indicible.

— Combien !

— Une dizaine. Douze, je crois.

Le visage de Camille se déforma de colère. Les lèvres du Serbe se mirent à trembler.

— Loiseau va te tuer, murmura la jeune femme.

Il voulut hurler, mais Camille fondit sur lui comme une araignée se laissant tomber sur sa proie.

29

Pascal Robillard faisait les cent pas devant la maison isolée lorsqu'une voiture banalisée arriva.

Nicolas Bellanger se gara n'importe comment, sortit et rejoignit son subordonné. Il fixa les morceaux de toiture sur le sol, impressionné.

— Suis-moi, fit Robillard.

Les deux hommes pénétrèrent dans la demeure de Mickaël Florès par l'arrière, se glissant par la porte de la véranda à la vitre fracassée. Ils se dirigèrent dans la chambre de l'étage, et le capitaine de police découvrit les marques de sang encore incrustées dans le parquet et sur le mur.

Il observa quelques secondes autour de lui, stupéfait.

— Explique-moi exactement ce qu'on fout ici et ce qui s'est passé.

— Tout s'est joué au commissariat d'Argenteuil, répliqua Robillard. J'ai voulu creuser l'histoire des cambriolages, j'ai travaillé ce Patrick Martel au corps, jusqu'à ce qu'il finisse par me confier deux éléments importants. Le premier, c'est que son collègue Daniel Loiseau n'était pas net. Il avait, semble-t-il, logé le réseau de cambrioleuses mais n'avait jamais rien dit à personne.

Il sortit son téléphone portable de sa poche.

— Franck vient de me laisser un message, juste avant que t'arrives. L'homme qu'on cherche, ce Macareux, c'est Daniel Loiseau. Il est notre kidnappeur, Nicolas. La pourriture qui était en possession d'un portefeuille en peau humaine et qui retenait ces filles dans la carrière était quelqu'un de la maison.

Bellanger écarquilla les yeux, tandis que Robillard lui tendait son téléphone pour qu'il écoute le message. Le jeune capitaine de police parut, pendant quelques secondes, dépassé par la succession des révélations. Il s'appuya contre un mur et se frotta le visage, comme s'il voulait en chasser la fatigue.

Il donna un léger coup de tête vers les marques de sang.

— Et ça ?

— Ça, c'est un meurtre. Quand j'ai découvert ces vieilles traces de sang, j'ai appelé la gendarmerie du coin. Mickaël Florès a été tué en février dernier. Ils l'ont retrouvé dans sa chambre, ligoté sur une chaise. Torturé, d'après les brûlures sur ses bras, son visage, et éventré du cou au sternum. On l'avait aussi énucléé. Les deux yeux reposaient sur le lit.

— Merde… Qui enquête ?

— Vu la nature du crime, c'est le groupement de gendarmerie départementale de l'Essonne et la SR[1] de Paris qui ont pris le dossier en main. Je t'attendais avant de me mettre en contact avec eux.

Nicolas Bellanger accusa le coup.

— Tu parlais de deux éléments importants.

— Le second truc, c'est qu'on n'était pas seuls à

1. Section de recherches, sous entendu « de gendarmerie ».

poser des questions sur Daniel Loiseau au commissariat d'Argenteuil. Deux autres personnes sont passées avant nous. Il y a lui, Mickaël Florès, venu à Argenteuil quelques semaines après le décès de Loiseau pour prendre des photos de son bureau et se rencarder sur le flic.

— Et l'autre ? fit Bellanger, impatient.

— L'autre ? Écoute bien parce que ça vaut son pesant de cacahuètes. Il s'agit d'une nana qui s'est présentée à Martel, pas plus tard que ce matin, sous l'identité de Cathy Lambres, une gendarme censée bosser à la caserne Richemont de Nantes. J'ai fait une vérif en route, elle n'existe pas. Identité bidon. Et pourtant, elle portait l'uniforme.

— De mieux en mieux. Qu'est-ce qu'elle voulait ? Pourquoi elle est allée voir ce flic, là, Martel ?

— Daniel Loiseau a été tué par balle, il a subi un prélèvement d'organes après sa mort. Cette femme disait porter son cœur. Elle a raconté que des rêves où elle voyait une fille enfermée – une Tsigane – l'avaient menée jusque-là.

— Le cœur de Loiseau ? Des rêves ? C'est du délire.

— Comme tu dis. Mais d'après Martel, cette femme était déterminée, elle suivait un plan. Le collègue était persuadé que sa prochaine étape, c'était ici, chez Mickaël Florès. D'où la raison de ma présence. On la talonne de près, mais elle nous échappe.

Bellanger se dirigea vers la fenêtre et leva un peu le visage vers le ciel, comme pour profiter des ombres qui grandissaient à mesure que le soleil déclinait. Un nœud de l'enquête se défaisait brutalement, mais un autre apparaissait, plus complexe, plus incompréhensible.

— Tu penses que cette femme est entrée dans la maison ? demanda-t-il en se retournant.

— Elle a peut-être fait comme nous et est passée par la véranda. Je ne sais pas. Mais en tout cas, on dirait que ses rêves la font suivre une bien curieuse ligne de sang, faite de disparitions et de cadavres. Tiens, viens voir le laboratoire photo.

Ils descendirent au rez-de-chaussée et pénétrèrent dans la pièce tapissée de photos. Bellanger avança lentement, l'œil rivé aux clichés. Il en souleva certains, les retourna.

— Des guerres, des génocides, des bourreaux... Sinistre.

Robillard désigna le vide au milieu d'un mur.

— Et certaines photos ont disparu, on dirait.

Bellanger sortit son téléphone portable, des interrogations plein la tête. Il le manipula nerveusement.

— Au fait, j'ai enfin eu le retour de l'expertise informatique au sujet de la caméra Wifi installée dans la carrière de Saint-Léger-aux-Bois, fit-il.

— Alors ?

— Notre... flic avait créé un site planqué sur le Net, accessible par login et mot de passe. Les images filmées dans la carrière allaient automatiquement sur ce site. Le technicien a réussi à tracer une seule et unique connexion entrante, c'est-à-dire quelqu'un qui se connectait au site, depuis l'extérieur, autre que Loiseau.

— Un mateur.

— Oui. La connexion était régulière, elle se faisait souvent la nuit. On a les dates, les horaires. La dernière connexion remonte à plus de trois mois.

— Donc, le mateur ne sait pas que nous sommes intervenus et avons libéré la fille.

— Probablement pas. De toute façon, sans lumière, il faisait noir dans la carrière. Le mateur ne pouvait plus rien voir.

— On sait d'où viennent ces connexions ?

— C'est compliqué. Notre internaute était prudent, il utilisait des machines relais. Mais le technicien a déniché une trace qui lui a permis de remonter jusqu'au serveur du centre hospitalier régional d'Orléans.

— Un CHR… C'est cohérent avec l'atmosphère morbide de cette enquête : les tableaux, la mort, la médecine…

— Ça donne une idée de l'endroit, mais c'est loin d'être gagné. Le technicien ne peut pas aller plus en profondeur, les connexions sont trop anciennes, les données importantes ont été effacées sur le serveur du CHR. Ça peut être n'importe qui bossant là-bas. Il y a des milliers d'employés sur l'ensemble du centre hospitalier.

— Merde…

Les yeux de Bellanger continuaient à parcourir les photos.

— Merde, oui. L'espace Internet de Loiseau hébergeait aussi une boîte mail. Sur cette boîte, il reste un seul et unique message envoyé depuis une adresse bidon, mais toujours depuis le serveur du CHR d'Orléans. D'après l'expert, le mail était crypté, donc son contenu était insaisissable, mais ils ont le matériel à la Scientifique pour venir à bout des cryptages. Le message date du 7 août 2011.

— Quelques jours après la mort de Loiseau…

— Exactement. Voici le contenu de ce mail.

Il sortit un imprimé et le tendit à Robillard.

Qu'est-ce que tu fous ? T'es où, bordel ? T'as pas remarqué que la fille se promène tranquille dans tes putains de galeries ? En plus t'as foiré le rendez-vous, Charon est en rogne, il t'a laissé un message là-bas, il paraît. Il t'est arrivé quelque chose ou quoi ? Si t'étais pas si parano et m'avais filé l'endroit où tu retiens ces putes, je pourrais faire quelque chose. Mais là...

T'as intérêt à te pointer au Styx dès dimanche avec une bonne excuse. Livraison reportée, mais t'auras pas intérêt à merder la prochaine fois.

Au fait, admire mon travail (voir photo). Je suis doué, non ? T'en penses quoi ?

C

Le lieutenant Robillard releva les yeux.

— Signé le fameux « C ». Le « C » que Loiseau était censé retrouver au « Fleuve » ?

— Il y a fort à parier, oui. Et ça confirme deux choses : que le Styx est bien un lieu de rendez-vous, et qu'ils sont au moins trois à être impliqués. Daniel Loiseau, ce C, et Charon, l'auteur du message sur le mur en forêt d'Halatte.

— Le chef de la bande ?

— Peut-être. Celui qui réceptionne les filles en tout cas. T'as étudié la mythologie grecque ?

— Ça remonte à loin.

— Charon est celui qui fait traverser le fleuve des Enfers... Et donc, c'est lui qui, dans notre version de l'histoire, a permis à Loiseau de « traverser le Styx »...

— Un guide, un mentor.

Bellanger soupira et dit, après un silence :

— Ce mail montre que, de son vivant, Daniel Loiseau n'a jamais révélé l'endroit de la planque où il retenait les filles. Il était prudent. Mais il n'a jamais pu effacer ce mail de son serveur Internet, puisqu'il était déjà mort… Depuis, ce « C » se connecte de temps en temps à la caméra pour prendre des nouvelles de la fille qui était enfermée. Espérant probablement qu'elle finisse par mourir de faim.

— Ça se tient, oui. T'as la photo jointe dont il parle ?

Bellanger poussa un lourd soupir. Il lui montra un autre imprimé.

— C'est quoi, ce truc ? fit Robillard, les yeux écarquillés.

La photo était une nouvelle abomination. Elle montrait une tête de femme coupée, crâne rasé, sans sourcils, posée sur une table en acier. Ses paupières étaient baissées. Très blanche, elle donnait l'illusion d'être presque irréelle, comme un modèle en cire. Certaines de ses dents avaient été arrachées et reposaient devant elle. Le gros plan ne permettait pas de distinguer dans quel genre d'endroit le cliché avait été pris.

— Airs de Tsigane, on dirait, fit Robillard. Enfin, ce qu'il en reste. C'est l'une de nos filles.

— J'ai l'impression, oui. « C » a l'air encore plus barge que Loiseau.

Robillard ne décollait plus les yeux du cliché.

— Où sont les corps, putain ? On finit toujours par les retrouver, tôt ou tard. Douze filles, onze corps disparus depuis plus d'un an. Ça ne peut pas passer inaperçu. Je ne comprends pas.

Tandis que Robillard réfléchissait, Nicolas Bellanger sembla accuser le coup. Il devint très pâle.

Son collègue lui posa une main sur l'épaule.

— Ça va aller ?

— La fatigue, tout ça… J'ai parfois l'impression de me battre contre des moulins à vent. Loiseau était un flic, tu te rends compte ? Un mec qui portait l'uniforme, qui avait une carte tricolore au fond de sa poche. Comment on peut lutter ? J'en ai marre, je suis usé par toutes ces conneries. Et j'ai que trente-cinq ans. Sharko a raison, je suis en train de griller toutes mes cartouches.

Il resta là, inerte, regard rivé au sol. Pascal Robillard le sentait chancelant, depuis pas mal de temps déjà. Il respira un bon coup, profitant de ce triste silence qui s'était installé autour d'eux, puis claqua brusquement des doigts.

— Il y a un truc qui me vient, là, comme ça, à voir cette tête coupée, dit Robillard. Tu te rappelles les dents dans le portefeuille ? Et surtout, la signature, à l'intérieur ?

— C'était gravé CP, je crois, fit Bellanger d'une voix neutre.

— CP, oui… Certaines dents du portefeuille viennent peut-être de cette tête coupée. Et d'ailleurs, le portefeuille lui-même provient peut-être du corps de cette pauvre femme. Tu vois ce que je veux dire ?

— Le « C » de ce mail serait en fait le « CP » qui a fabriqué le portefeuille en peau et l'aurait « offert » à Loiseau ?

— Exactement.

Robillard tapota la photo.

— Et donc, ça se précise. On sait que le mail a été envoyé depuis le CHR d'Orléans. Il y a des milliers d'employés, mais on pourrait chercher tous ceux dont les initiales sont CP ? Ça devrait bien écrémer, non ?

Bellanger approuva.

— Excellente idée. Tu t'en charges ? Je m'occupe de contacter les gendarmes qui gèrent l'affaire Mickaël Florès.

— OK.

Bellanger se sentit un peu mieux. Ils avaient un sérieux os à ronger, cette fois. Et des pistes claires qui s'ouvraient.

— Tu m'as dit que la femme qu'on cherche avait le cœur de Loiseau ? demanda-t-il.

— Exact.

— Porter le cœur d'un type pareil, je la plains, mais ça va nous aider. Il doit y avoir moyen de récupérer son identité en passant par le centre des greffes. Appelle Levallois, qu'il se rencarde là-dessus au plus vite. Je veux mettre la main moi-même sur cette drôle de nana et lui faire cracher tout ce qu'elle sait.

30

23 heures.

L'heure où les instincts de survie, issus de milliers d'années d'évolution, revenaient à l'assaut.

L'heure du biberon.

C'était toujours Jules qui hurlait en premier. Il était né le premier, il était un peu plus gros que son frère, il pleurait plus souvent, réclamant le maximum d'attention. Lucie se demandait même s'il n'était pas responsable du petit pli sur le front de son frère, genre on se boxe déjà dans le ventre de maman.

Un jumeau dominant dans toute sa splendeur.

La jeune mère le cala délicatement dans le creux de son bras et lui présenta la tétine. Ni une ni deux, la petite bouche avide engloutit l'appendice en caoutchouc et exécuta ses mouvements innés de succion. Le rituel allait durer un quart d'heure avec, après, un autre quart d'heure en attendant le rot libérateur. Puis viendrait le tour de son frère. Lucie n'osa imaginer les mères qui donnaient naissance à des triplés. Une véritable petite entreprise.

Son téléphone sonna à 23 h 05.

— T'es aussi ponctuel que ton fils, dit-elle dans un sourire.

— Jules a encore pris les devants sur son frère, je parie. Et il est là, sur toi, tranquillement enfoncé dans sa gigoteuse bleue ?

— À ton avis ? Enfin, pour la gigoteuse, il fait trop chaud, Franck. Il est juste en body rayé, on dirait un gros bourdon. T'es où ?

— À l'hôtel, je vais prendre une douche et me coucher. Je voulais juste entendre ta voix et le bruit du biberon.

Lucie plaça l'écouteur à quelques centimètres de la bouche de Jules. Le nouveau-né restait concentré sur sa tétine, imperturbable. Une bombe aurait pu exploser qu'il n'aurait même pas sursauté.

Dans sa chambre d'hôtel, Sharko était assis au sol, frottant ses yeux fatigués, entouré des éléments composant le dossier de Pierre Foulon. Des PV, des portraits des victimes, des rapports de l'identité judiciaire et de médecine légale, des résumés d'enquête de proximité. Il voulait être prêt pour sa rencontre du lendemain.

Avant d'appeler Lucie, il avait longuement échangé avec Nicolas Bellanger et fait un point sur l'enquête. Le capitaine de police lui avait appris qu'ils avaient peut-être une piste pour « CP », avec cette histoire de connexions depuis le CHR d'Orléans. Il lui avait aussi parlé de la tête coupée, du meurtre d'un photographe appelé Mickaël Florès. Bellanger en saurait plus là-dessus le lendemain matin, puisqu'il avait rendez-vous avec un commandant de la gendarmerie d'Évry.

Sharko fit le vide dans sa tête, écouta les bruits de succion, et l'image de ses fils se matérialisa devant lui.

— T'as entendu ? fit la voix de Lucie dans l'écouteur.

— Un bon gros mangeur, comme son père.

Sharko avait envie de discuter de tout, de rien, pour que les minutes passent plus vite. Sa famille lui manquait, lui qui, quelques années plus tôt, n'aurait jamais pu croire qu'il aimerait de nouveau un jour.

Mais ce genre de truc vous tombait dessus n'importe quand, sans prévenir.

Au bout du compte, ils en vinrent à parler de l'enquête, parce qu'elle les habitait tous les deux. Parce que leur métier faisait partie intégrante de leur identité. Lucie se pencha pour prendre les pages qu'elle avait imprimées.

— Au fait, j'ai fait des recherches sur le Net concernant le Styx et les trois cercles concentriques.

— Lucie…

— J'étais installée dans l'appartement, Franck, face à mon ordi ! Rien de bien méchant !

Sharko se massa les tempes, fatigué. Des images d'horreurs se percutaient encore sous son crâne. Des cris de femmes qu'on dépeçait. Le visage granuleux de Foulon, penché au-dessus d'elles. Il revit la femme aux iris blancs, hurlant alors qu'on l'emmenait dans l'ambulance.

— Très bien. Je t'écoute.

— OK. La piste du Styx, tout d'abord. J'ai cherché un lieu qui porterait ce nom, mais ça n'a rien donné de concret. Je te garantis que j'ai fouillé en long et en large sur Internet. Que dalle. Pourtant, c'est évident, vu le message dans la baraque de la forêt d'Halatte, qu'il s'agit d'un endroit. Mais c'est introuvable sur la Toile.

Lucie se rendit compte que le pauvre Jules cherchait

désespérément à attraper la tétine qu'elle avait sortie par mégarde de sa bouche, absorbée par sa conversation avec Franck. Elle reprit une position plus confortable.

— La partie intéressante vient des trois cercles concentriques. J'ai cherché dans la symbolique. Là encore, on trouve tout et n'importe quoi, beaucoup d'éléments polluants, mais il y a quelque chose qui est assez rapidement entré en résonance avec le Styx. C'est *La Divine Comédie. L'Enfer* de Dante.

Sharko se leva et vint s'asseoir sur le lit, une main sur le front. Sa journée avait été interminable, et il savait qu'il peinerait à trouver le sommeil. Trop, bien trop de ténèbres autour de lui.

— Vas-y, rafraîchis-moi la mémoire, fit-il.

— Je vais faire au plus simple et t'épargner le baratin. Dans *La Divine Comédie* de Dante, l'enfer est composé de neuf cercles. Virgile et Dante vont parcourir les cercles qui se déroulent en spirale jusqu'au plus profond de la Terre. Au fur et à mesure qu'ils descendent, les cercles se rétrécissent. Les péchés de ceux qui peuplent ces cercles sont plus graves, et les pécheurs sont de moins en moins nombreux, puisque le diamètre des cercles diminue. Tu me suis ?

— J'essaie.

— De cercle en cercle, on se rapproche de Lucifer, on s'éloigne de Dieu, du monde de la lumière. On plonge vers les ténèbres, l'interdit, tout ce qu'il y a de pire.

— Tu penses que ces trois cercles dessinés symbolisent les trois derniers cercles de l'enfer ?

— Je le crois, oui. Rappelle-toi le message sur le carnet : « *De l'autre côté du Styx, Tu m'as montré la voie.* » Dans *La Divine Comédie*, le Styx traverse l'enfer entre le cinquième et le sixième cercle. C'est Charon, le nocher des Enfers, qui permet le passage…

Charon… Bellanger venait d'en parler à Sharko par téléphone…

— … Ensuite, il y a la cité de Dité. Au-delà, dans les derniers cercles, se trouvent les êtres qui ont commis les fautes les plus lourdes, les plus répréhensibles, parce qu'ils ont usé de leur raison, de leur intelligence pour commettre le Mal. Ils ne sont ni fous ni simples d'esprit. Bien au contraire…

Jules poussait de sa petite langue sa tétine. Il restait un peu de lait mais le nourrisson était repu. Lucie posa le biberon sur le côté et redressa son enfant pour le rot. Elle avait placé son téléphone devant elle, haut-parleur activé.

— T'es toujours là ?

— Oui…

— Je crois que les trois types que vous recherchez sont des fanatiques qui signent avec un symbole, qui se reconnaissent à travers lui, et qui pensent faire partie des « meilleurs », des plus diaboliques, pour donner une image. Ils ne sont pas des gens qui commettent des actes isolés dans leur coin, je pense qu'ils agissent ensemble, qu'ils ont un but. La prudence de notre kidnappeur, qui code son carnet, choisit plusieurs lieux de rencontre, est plutôt révélatrice d'un esprit très organisé, cartésien, qui ne laisse pas de place au hasard. Il doit être socialement intégré, et…

— Te fatigue pas, on sait qui c'est, Lucie.

Sharko se mordit la langue. Trop tard. Il y eut un long blanc à l'autre bout du fil.

— C'est un flic, poursuivit-il. Un OPJ mort lors d'une intervention banale l'année dernière. C'est pour cette raison qu'on a retrouvé une fille vivante. Elle est restée enfermée dans une carrière avec suffisamment de nourriture pour survivre.

Lucie était stupéfaite. Elle reprit le téléphone dans sa main et coupa le haut-parleur.

— Pourquoi ? Pourquoi il a fait une chose pareille ?

— On n'en sait rien. On n'a aucune trace des filles. Celle qui est en vie est traumatisée, incapable de s'exprimer. Maintenant qu'on sait qui il est, je ne pense pas qu'elle nous apprendra grand-chose de plus, de toute façon. Tu as raison, notre homme n'était pas seul. On cherche désormais à savoir qui a inscrit le message dans la maison où tu t'es rendue et qui se fait appeler Charon, et à retrouver ce « C », qui se révèle être « CP », donc un prénom commençant par C et un nom par P, ou vice versa. Il y a beaucoup d'éléments dans cette enquête, beaucoup de pistes à creuser. Ça prend du temps, mais on avance. Les gars bossent bien et...

— C'est qui, ce flic ? Comment il s'appelle ?

— Je préfère ne pas te dire, Lucie. Pas pour le moment. Pas comme ça, au téléphone.

Lucie saisit la balle au bond :

— Donc, ça veut dire que t'es OK pour que je reprenne ?

— Avec autant de joie qu'un chat qu'on balance à la flotte, ouais. Mais vu que c'est plus fort que toi, et qu'à la limite je préfère savoir ce que tu fais plutôt que de te laisser mener ton enquête seule dans ton coin. Bellanger est en train de se renseigner pour que tu réintègres au plus vite, sans doute après-demain.

— Génial.

— Je te le fais pas dire. Mais il y a juste un petit

souci : les jumeaux. On n'est pas encore organisés avec la nounou et…

— Laisse, j'ai la solution. Ma mère. Ça fait tellement longtemps qu'elle veut passer du temps avec les enfants. On met les petits lits dans notre chambre, et maman dort dans celle des jumeaux. J'ai discuté avec la nounou. Elle pourra prendre les enfants en charge dans une grosse semaine…

Sharko tarda à réagir. Marie Henebelle, une semaine dans les pattes ? Certes, il s'entendait bien avec sa belle-mère, mais de là à vivre *avec* elle ?

— C'est ta mère, après tout. Très bien, faisons l'essai, on verra si je tiens le coup.

Lucie était folle de joie, et Jules lui gâcha un peu son plaisir avec un haut-le-cœur. Une mousse blanchâtre s'échappa de ses lèvres, que Lucie essuya avec le bavoir. De l'autre côté du couloir, Adrien commençait à s'agiter, poussant des petits cris. Il appelait sa mère qui aurait bien aimé avoir quatre bras à ce moment-là.

La maman se leva et plaça Jules dans sa balancelle.

— Je vais devoir te laisser si je ne veux pas réveiller tout l'étage, fit-elle. Ça va aller, toi ?

— Ça va comme un type qui dort seul dans un hôtel sur l'île de Ré, avec le mur de la baraque d'en face comme panorama.

— On se voit demain, c'est ça ?

— Demain, oui. Dis, je voudrais que tu fasses quelque chose pour moi.

Il lui expliqua, elle trouva que c'était une bonne idée. Il lui dit au revoir puis posa son téléphone sur la table de nuit. Il n'avait pas raccroché.

Avant de se doucher, il fixa une dernière fois les

238

feuilles étalées au sol, ces profils psychologiques de Foulon, dressés par des spécialistes. Le Boucher faisait partie de ces tueurs organisés, méticuleux, pleinement conscients de leurs actes. Il n'y avait pas pire dans la préméditation. Il aurait sans nul doute trouvé sa place dans le neuvième cercle de l'enfer de Dante. Lui, un animal sanguinaire, sans émotions, sans la moindre capacité à éprouver de l'empathie pour ses victimes. Une bête des ténèbres, solitaire, et qui, paradoxalement, n'errait pas seul dans l'obscurité la plus profonde.

Il y en avait d'autres comme lui. Des habitants des cercles.

Combien avaient franchi le Styx pour ne plus jamais revenir vers la lumière ?

Quelle sinistre voie avait trouvée Daniel Loiseau de l'autre côté de la frontière ?

Et surtout, quel sombre Charon lui avait indiqué le chemin ?

Après avoir fait sa toilette, Sharko se coucha et éteignit la lumière.

Puis il mit son téléphone sur haut-parleur. Lucie avait fait de même, de son côté, en disposant le mobile allumé entre les lits des jumeaux, avant d'aller se coucher.

Le lieutenant finit par fermer les yeux, bercé par les petits gazouillis de ses fils.

Loin, et pourtant si proches.

31

Un hôtel deux étoiles miteux, quelque part pas loin de l'autoroute, entre Rouen et Paris.

Un lieu perdu, sans identité, anonyme, comme elle. Un lit posé sur une moquette grise, une salle d'eau ridicule, avec une cabine de douche en PVC et un chiotte juste en face. Par la fenêtre, l'enseigne blafarde et clignotante d'une pauvre station-essence.

Camille était sous la douche, seule avec ses plaies à vif. De petits filets de sang rougissaient l'eau autour de la bonde, juste sous ses pieds, avant de se diluer. La jeune femme regarda ces fresques éphémères, cette coulée de vie. C'était cela, son chemin, une fuite perpétuelle vers nulle part. Aucun point d'attache, rien de construit. Son existence comme un feu de paille. Elle enviait tellement ceux qui avaient une famille, ces mères qui jouaient avec leurs mômes et qu'elle voyait depuis la fenêtre de sa chambre, à la caserne.

Elles n'étaient que joie et vie.

Et elle, tristesse et ténèbres. Elle allait mourir seule, comme une pauvre conne.

Elle leva la tête et ferma les yeux sous le jet puissant, essayant de vider son esprit ne serait-ce qu'une poignée de secondes.

Mais même dix secondes, c'était trop.

Camille allait mal, elle le savait. Elle n'avait encore prévenu personne de sa découverte dans la chambre de Florès. Quatre heures plus tôt, elle avait failli massacrer le Serbe. Une pulsion criminelle s'était emparée d'elle, comme si, soudain, elle n'avait plus été maîtresse de son corps ni de son esprit. Elle avait arrêté son geste au dernier moment, à deux centimètres de sa gorge.

Nikolic se souviendrait d'elle toute sa vie.

Un quart d'heure plus tard, elle passait un appel anonyme aux flics depuis la gare de Rouen, leur suggérant de se rendre à l'adresse de Dragomir Nikolic : on aurait entendu une bagarre dans son appartement. Sur place, ils avaient dû découvrir l'homme attaché aux tuyaux, bien vivant, entouré de sacs Vuitton, de montres de luxe, la bouche pleine à craquer de billets de banque.

Camille s'essuya en douceur, prenant garde à ses blessures. Son comportement la troublait de plus en plus. Elle était persuadée que, heure après heure, le cœur et Daniel Loiseau opéraient une emprise grandissante sur son esprit. Elle songeait au film *Alien*, avec ces bêtes extraterrestres qui pondaient à l'intérieur même des explorateurs, et dont les larves grossissaient dans les organismes humains.

Même malade, l'organe continuait à se connecter à son système nerveux, à la coloniser, à la pousser dans ses retranchements. Il battait grâce à elle, se nourrissait de son sang. Et elle n'y pouvait rien. Le seul moyen de le combattre était de s'en débarrasser comme on avorte, de recevoir un nouveau cœur. Mais évidemment, elle n'avait toujours pas eu le moindre signe du docteur Calmette.

Super-urgence, mon cul !

Elle refit ses pansements et se précipita vers son ordinateur connecté au réseau Wifi de l'hôtel lorsqu'elle entendit le bruit caractéristique de l'arrivée d'un mail qu'elle attendait avec impatience.

Il provenait de l'adresse personnelle de Boris. Camille savait que le lieutenant était extrêmement prudent et n'avait pas pris le risque de l'envoyer depuis le serveur de la gendarmerie. Elle lui avait demandé, plus tôt, d'effectuer pour elle plusieurs recherches.

Elle l'ouvrit et le lut :

Salut Camille,

Je ne sais pas dans quoi tu te fourres, mais j'aimerais VRAIMENT *que tu me dises la vérité à présent. N'oublie pas que je m'implique, de mon côté, et que toutes ces étranges recherches pourraient finir par me retomber dessus s'il venait à t'arriver quelque chose.*

Bon... Comme tu me l'as demandé, j'ai passé mon après-midi et une bonne partie de la soirée à essayer d'obtenir des informations sur la famille de ce Mickaël Florès, reporter et photographe qui a l'air de traiter des sujets plutôt glauques. Avait l'air, plutôt. Il est mort, on l'a assassiné chez lui.

Camille leva les yeux, sous le choc. Voilà qui expliquait l'origine des taches de sang. Un meurtre…

Elle revint vers le mail.

C'était le 23 février 2012, il y a presque six mois. Et attends, parce qu'en me renseignant sur le père, j'ai découvert qu'il avait été lui aussi assassiné, le même jour ! Et quand je dis assassiné, je pèse mes mots. Il a été retrouvé dans un abattoir désaffecté au Havre. Un truc vraiment sordide, il paraît. C'est le type de la mairie avec qui je me suis mis en contact qui m'en a parlé, encore bien marqué par cette histoire, visiblement...

Tuerie du fils et du père dans la foulée, à quatre cents kilomètres d'écart. T'es sur du lourd, ma grande.

Je n'ai pas grand-chose sur le fils Mickaël, mais j'ai pu retrouver les infos dans un article numérisé de Ouest-France *(en PJ) concernant son père Jean-Michel. Je n'ai pas voulu appeler les gendarmes d'Évry qui se sont occupés de l'enquête sur le fils ni les collègues du Havre qui ont géré l'affaire côté paternel, tu te doutes bien qu'ils m'auraient posé des questions. Mais d'après le monsieur de la mairie du Havre, le dossier serait toujours irrésolu. J'ai tout de même réussi à grappiller l'identité du capitaine de police qui était chargé de l'enquête pour le père. Il s'appelle Guy Broca, il est à la retraite depuis quelques mois. Il habite à Étretat, pas loin des falaises. Je me doute bien que tu vas te rendre là-bas. Ce que j'ignore encore, c'est pourquoi.*

Quelle famille au destin tragique ! La mère, pour finir, est morte six mois après la naissance de Mickaël, en 1970. Elle s'est jetée sous un train.

Voilà, voilà. C'est très gai, quoi.

Je peux difficilement aller plus loin sans que ça se remarque ici.

Il est tard. Demain, je m'occuperai de rechercher pour toi cette Maria dont tu m'as envoyé la photo. Le cliché avec ces étranges bonnes sœurs semble assez ancien, la femme a dû prendre de l'âge. D'après Google, Matadepera est une toute petite ville proche de Barcelone. Et donc, si cette Maria habite encore là-bas, on a une chance de mettre la main dessus. Dès que possible, j'essaierai de savoir qui elle est.

Tout cela est tellement intrigant. Tu m'expliqueras ?

Je ne sais pas quand tu liras ce message, mais tiens-moi au jus, je t'en prie. Parce que, l'air de rien, même si je ne laisse rien transparaître depuis tout ce temps... Enfin, c'est important qu'il ne t'arrive rien, je veux dire. Ça me ferait mal.

Je suis trèèèèèès maladroit, je sais.

Je te laisse. Bonne nuit à toi.

Boris.

Camille s'appesantit sur les derniers mots de Boris. Il se livrait, enfin, à demi-mot. Lui, le grand timide.

Et cela fit plus mal encore à la jeune gendarme. Elle n'osa imaginer un début d'histoire sentimentale entre eux. Vu son état de santé, avait-elle le droit de l'impliquer dans une relation amoureuse ? Non, ce serait bien trop de souffrance. Pour eux deux.

Elle préféra revenir à ses ténèbres, s'empresser d'ouvrir la pièce jointe et lire l'article de *Ouest-France*. L'auteur parlait d'une macabre découverte dans un abattoir, d'un crime hors du commun qui avait frappé un homme sans histoire, patron d'une boutique de vêtements à Honfleur. Le reste ne lui apprit pas grand-chose de plus. Juste du baratin de journaliste.

Camille referma le document, interloquée. Un meurtre sauvage, un père et son fils tués le même jour, d'après Boris, une mère suicidée...

Elle songea au petit squelette qu'elle avait trouvé

244

dans le grenier et qui avait échappé à la vigilance des gendarmes. Quelle malédiction avait frappé cette famille ? Pourquoi ce double meurtre hors du commun ? Que cherchait l'assassin ?

Et pourquoi, aussi, le suicide de la mère, six mois après la naissance de Mickaël ? Assise sur son lit, Camille parcourut de nouveau l'album photo, passant l'index sur le visage terriblement triste de la mère. Le père non plus ne souriait pas, on aurait dit un album d'enterrement, pas celui d'une naissance.

Si seulement Camille pouvait savoir pourquoi les pages du début de l'album avaient été arrachées, et ce qu'elles contenaient...

L'enseigne commerciale clignotait par la fenêtre, illuminant le visage de la jeune femme plongé dans l'ombre. Camille avait l'impression d'être le personnage d'un film glauque en quête d'un sinistre secret. Un de ceux qui errent d'hôtel en hôtel, et qui traquent le diable en personne, jusqu'à se retrouver face à lui.

Dans un frisson, elle se leva et tira le double rideau d'un coup sec. Elle rabattit le capot de son portable, referma l'album et éteignit la veilleuse. L'obscurité n'était qu'illusoire, la lumière continuait à entrer par les côtés du rideau. Des teintes bleues, froides, qui se projetaient sur les murs, dessinaient des triangles, des carrés, des formes géométriques qui la mirent mal à l'aise.

Elle garda les yeux rivés sur le plafond, pensive. De nombreuses questions la taraudaient. Le meurtre des Florès était-il lié aux reportages que Mickaël menait ? Avait-il découvert quelque chose qu'il n'aurait jamais dû découvrir ? Mais pourquoi le père ?

Une question l'obsédait cependant plus que les autres : que venait faire Daniel Loiseau là-dedans ?

Agacée par la lumière, elle se réfugia sous ses couvertures et déclencha son métronome qu'elle avait posé sur la table de chevet. Les pulsations régulières de l'instrument, toutes les demi-secondes, recréèrent autour d'elle un environnement familier, rassurant. Comme un cocon protecteur. Elle ferma les yeux jusqu'à ce que le tic-tac se confonde avec les battements du cœur.

Boum boum... Boum boum... Boum boum...

Au bout de quelques minutes, elle ressentit un goût de tabac au fond de la gorge. C'était sec, râpeux, comme si elle venait de sucer de la sciure. Elle plissa les yeux, ouvrit grande la bouche, avec l'impression que quelqu'un appuyait sur ses mâchoires. Une main, puis un bras sortirent alors du plus profond de sa gorge. Et, du fin fond de son larynx, deux yeux noirs et brillants l'observaient.

Brusquement, elle se releva, le souffle coupé, les mains plaquées sur la poitrine.

Trempée de sueur.

Elle alluma et se rua sur son sac, d'où elle sortit la photo de son donneur.

Elle la plaqua contre le rideau qui lui-même s'écrasa contre la vitre de la fenêtre.

Et elle lui déchiqueta le visage à coups de lame de rasoir.

Une partie du rideau était en lambeaux quand Camille se laissa choir sur le sol, en pleurs.

32

Vendredi 17 août 2012

Pierre Foulon mesurait un mètre quatre-vingt-dix-sept et pesait plus de cent kilos.

Les femmes qu'il avait mutilées, démembrées, dévorées puis abandonnées en morceaux sous des bâches avaient été minces, de petite taille, toutes quarantenaires. Facile d'imaginer leur calvaire lorsqu'on avait en face de soi cette masse au visage grêlé, à la grosse moustache noire et aux lunettes qui faisaient ressembler ses yeux à des œufs sur le plat.

Sharko avait appris, suite à un coup de fil au juge d'application des peines, que Lesly Beccaro, la visiteuse assidue deux ans et demi plus tôt, s'était présentée comme sa « petite amie ». Elle habitait La Rochelle, à quelques kilomètres de l'île. Le lieutenant se dit que, en cas d'échec de l'entretien, il pourrait être intéressant d'aller lui rendre une petite visite. Quant à Daniel Loiseau, il avait prétexté l'envie d'écrire un roman autour des tueurs en série pour rencontrer Foulon. Le JAP n'avait pas été plus surpris que cela : de plus en plus de journalistes ou de policiers se mettaient à écrire ce genre de livres très prisés par les lecteurs. Le fait qu'il fût de la maison avait facilité les démarches pour la rencontre.

Évidemment, Loiseau avait menti, Sharko en avait la certitude.

Ses motivations avaient été autres.

Nicolas Bellanger avait bien bossé : vu les enjeux de l'affaire, Franck avait eu droit à une pièce spéciale de quelques mètres carrés, isolée, avec une table en bois et deux chaises scellées au sol. Le contact direct était infiniment préférable à la vitre en Plexiglas percée de petits trous dans les parloirs communs.

Il attendait l'arrivée du Boucher depuis dix minutes, son pied droit battant avec impatience le béton. L'air était frais, aucune lumière naturelle ne perçait. À l'extérieur, avant que Sharko pénètre dans la prison, le temps était devenu menaçant, le ciel s'était chargé de gros nuages noirs qui arrivaient du large.

Comme un présage à l'entretien.

Le flic était mal à l'aise parce que, chaque fois qu'il fermait les yeux, il voyait le sourire de ses jumeaux, leur fragilité. Foulon avait un jour été comme eux. Lui aussi avait souri, joué avec un hochet et été bercé. Lui aussi avait été aussi innocent que Jules et Adrien. Mais la violence avait commencé à s'enraciner en lui, à le gangrener de l'intérieur sans qu'il s'en rende compte. Une araignée qu'on écrase gratuitement. Une mouche dont on arrache les ailes, une fourmi qu'on crame à la loupe. Tout le monde avait fait ça, pour jouer, parce que le copain le faisait.

Mais lui, Foulon, il avait fonctionné différemment. Ses pulsions l'avaient mené chaque fois un peu plus loin. Les chats, les chiens… Jusqu'à son premier passage à l'acte sur des êtres humains. Sa toute première fois.

Dès lors, la machine meurtrière avait été lancée, impossible à arrêter.

Un claquement de verrou résonna contre la pierre glaciale. Sharko se raidit, tandis que le colosse entrait, les mains menottées par-devant, vêtu d'un uniforme pénal bleu trop serrant. Cheveux noirs et courts, lunettes grises plaquées sur son nez droit. Les os des pommettes saillaient comme si son visage aussi était une arme. La prison avait affûté les angles, durci les chairs, et fait de cet homme une barre de fer.

Foulon se dirigea vers la chaise et s'assit, fixant Sharko dans le blanc des yeux. Deux surveillants se tenaient proches de la porte.

Le flic s'efforça de parler d'une voix monocorde, sans tremblements.

— Je suis le commissaire Franck Sharko, de la brigade criminelle du 36, quai des Orfèvres. Merci d'avoir accepté de me rencontrer.

Ça lui arrachait la gueule de faire des courbettes à ce salopard.

— On m'a dit, oui, répliqua Foulon. Comment va votre collègue, le capitaine Lemoine ? J'aurais bien aimé le revoir. Discuter un peu avec lui.

— Il est loin, en ce moment. Les vacances…

— Ah, les vacances. Les miennes sont perpétuelles. Comme celles des filles dont je me suis occupé. Quelque part, je me dis qu'elles ont de la chance.

Il pesait chaque mot. Cette voix lente, ce timbre langoureux, comme sur l'enregistrement audio.

— Dites, combien de petits soldats travaillent pour vous, commissaire ?

— Vingt-sept officiers de police judiciaire.

Foulon eut un imperceptible sourire. Il fixa le nœud de cravate de son interlocuteur, descendit son regard en direction de la main gauche – sans doute à la recherche d'une alliance – puis revint vers son visage. Sharko referma légèrement cette main, infime geste qui n'échappa pas à Foulon. Le tueur se détendit sur sa chaise, profitant de chaque centimètre de liberté.

— Et vous venez en personne ? Pas de vacances vous concernant ?

— C'est une affaire très importante. J'ai besoin de votre aide.

— Mon aide ? C'est très flatteur. Et dites-moi donc ce que, moi, je pourrais obtenir en échange. Avez-vous, par exemple, le pouvoir de me faire sortir de ce trou à merde ?

— Vous savez bien que non.

Foulon lui adressa un regard méprisant. Ses sourcils disparurent derrière la monture de ses grossières lunettes.

— Vous ne m'êtes d'aucune utilité. Vous vous sentez peut-être grand parmi vos hommes mais ici, vous n'êtes qu'un *flicaillon* sans pouvoir.

Sharko groupa ses mains sous son menton et se pencha un peu vers l'avant, l'air serein.

— J'ai au moins eu le pouvoir de te faire venir jusqu'à cette pièce, Pierre.

Le Boucher, à qui le soudain tutoiement du flic n'échappa pas, ôta ses lunettes et se mit à frotter méticuleusement les verres en cul de bouteille à l'aide du bas de sa chemise. Il y avait quelque chose d'effrayant, d'obsessionnel dans ce geste.

— Je faisais toujours ça avant de les taillader. Je frottais mes lunettes avec leur petite culotte, tout doucement, puis je les mettais sur leur jolie frimousse. Tu sais pourquoi ?

— Tu les enlaidissais, tu leur barbouillais aussi les dents de cirage noir acheté au surplus militaire pas loin de chez toi. Puis tu les cognais, encore et encore, juste pour leur montrer ce que toi tu avais subi plus jeune. Pour qu'elles ne se moquent plus de toi. Quelque part, je te comprends, Pierre.

Le tueur replaça ses doubles foyers sur son nez. Les deux œufs sur le plat réapparurent.

— « *Je te comprends, Pierre* », répéta-t-il d'un air moqueur. Tu récites bien tes leçons, co-mmi-ssaire. T'as vu mes vidéos ? T'as lu quel livre sur moi ?

— Aucun, malheureusement. Mais je compte bien me les procurer très vite et les mettre en bonne place dans ma bibliothèque.

— Tu sais que j'apparais dans une dizaine de bouquins sur les tueurs en série ? Qu'on me connaît au-delà des frontières, contrairement à toi ?

Il se leva et se pencha d'un coup vers l'avant, ce qui provoqua une réaction des gardiens. Son visage se colla presque à celui de Sharko, qui eut une accélération soudaine du rythme cardiaque et un léger mouvement de recul.

— Moi aussi, j'ai eu le pouvoir de te faire venir jusqu'ici. La différence, c'est que, moi, je n'ai fait que quelques mètres et que, toi, tu t'es farci plus de cinq cents bornes. J'espère que la route n'a pas été trop longue et que tu vas au moins profiter un peu de ton voyage sur l'île de Ré. On y mange de bonnes huîtres, il paraît, bien juteuses. J'ai toujours aimé ce qui était juteux. Tu penseras à moi en glissant ces petites chattes humides et salées dans ta bouche.

Il se tut, figé.

— Tu sues, commissaire. T'as l'air contracté, soucieux. C'est bien...

Puis il se retourna pour partir. Il marchait d'un pas lourd en direction des gardiens.

— Douze filles, enfermées dans un sous-sol, filmées, et qui ont disparu, s'écria Sharko. Elles sont rasées, tatouées sur le crâne avec une ou deux lettres, et une série de numéros, comme au Loto. Et toi, Pierre Foulon, tu es concerné au plus haut point. Voilà pourquoi je suis venu te voir.

Foulon s'arrêta net. Puis, après quelques secondes de totale immobilité, vint se rasseoir.

— Concerné ? Explique-moi.

— Je pense que tu sais exactement de quoi il s'agit, et de qui il s'agit, parce que l'auteur des faits est venu te voir ici. On l'a coincé et on le retient dans nos locaux.

Sharko y allait au bluff. Enfermé entre ses quatre murs, Foulon avait très peu de chances de savoir que Daniel Loiseau était mort d'une balle en pleine tête lors d'une opération de police.

— Je ne vois pas de quoi ni de qui tu parles.

— Daniel Loiseau.

Foulon réagit après quelques secondes.

— Ah, lui...

— Oui, lui. Tu sais, il n'a plus l'air de t'apprécier beaucoup vu la façon dont il nous a parlé de toi. À mon avis, l'élève se croit supérieur au maître.

— Qu'est-ce qui te fais dire une chose pareille ?

— « Je m'en suis fait douze, il s'en est fait que

252

sept et il s'est fait prendre comme un bleu », voilà le genre de phrases qu'il nous a sorties. Il n'a pas hésité à te balancer.

Foulon restait immobile, le regard insondable. Sharko poursuivit, il avait désormais toute l'attention du Boucher :

— Il nous a même refilé tes rognures d'ongles, tes cheveux, et un enregistrement sur lequel tu te vantes de tes exploits. Les dessins que tu lui as donnés étaient arrachés. C'était dans un sac-poubelle, au fond d'une cave.

Le tueur inspira lourdement. Sa poitrine semblait peser des tonnes.

— Un sac-poubelle... Et il t'a dit que je lui avais donné ces petits cadeaux en prison, c'est ça ?

Y avait-il un piège dans la question ? Sharko se rappela les dessins en noir et blanc, les barreaux, les cellules où les personnages étaient enfermés. Foulon était forcément déjà en taule au moment où il avait réalisé ces esquisses.

— Oui, quand il est venu te rendre une petite visite, il y a pas mal de temps à présent. Tu te souviens ?

Le tueur acquiesça sans desserrer les lèvres.

— Si je suis ici, c'est parce qu'il ne veut rien me dire pour le moment, poursuivit Sharko, et que je suis pressé. Je pense que d'autres filles sont encore vivantes, quelque part. Alors, je me suis dit que tu pourrais peut-être damer le pion à Loiseau et nous dire où elles se trouvent. Ça réduirait son score, si tu vois ce que je veux dire. Évidemment, ta coopération remonterait aux oreilles du directeur de la prison et du juge. J'ai appris que les conditions de vie n'étaient pas des plus simples, ici.

Pierre Foulon regroupa ses mains et fit lentement tourner ses pouces l'un autour de l'autre.

— Ce serait du donnant-donnant, alors ?

— On peut dire ça.

— Faut que je réfléchisse…

Il bascula la tête vers l'arrière, les yeux fermés. Sharko lança un coup d'œil aux surveillants, qui secouaient la tête de dépit. Après deux ou trois interminables minutes, Foulon rouvrit les yeux.

— Très bien.

Sharko trouva étrange qu'il accepte aussi facilement. Foulon était le genre de type qui savait livrer les informations au compte-gouttes, histoire de faire durer, de jouer, d'énerver. Il aurait très bien pu aussi exiger des papiers signés.

Quelque chose clochait.

— Mais avant, ajouta-t-il, je vais te raconter en détail comment j'ai tué Carine, puis Bélinda, et je finirai par Christine, c'est la meilleure. Les autres sont un peu moins intéressantes. T'es pressé mais t'as bien un peu de temps pour m'écouter, j'espère ?

Sharko ne put s'empêcher de serrer les mâchoires. Cela n'échappa pas au Boucher, qui eut un large sourire.

— Je vois que ça te convient.

Le flic dut l'écouter déverser ses horreurs, comme sur l'enregistrement audio. Un délire verbal, un souci du détail, une capacité à restituer la réalité qui donnait envie de vomir. Sharko emmagasinait, encaissait, stockait sans broncher, mais il hurlait intérieurement de douleur. Foulon était tout ce qu'il détestait au plus haut point, un déchet, un rebut, un habitant du neuvième cercle de l'enfer, socialement irrécupérable. Les types comme lui avaient détruit sa vie, assassiné ses proches.

À la fin de son monologue, Foulon porta ses deux mains à son sexe en érection, mais les surveillants pénitentiaires se précipitèrent. Il éclata de rire, gigotant pour qu'on le laisse tranquille, profitant au maximum de son faible pouvoir, de son emprise temporaire.

— Les laisse pas m'embarquer ou tu ne sauras jamais.

Après quelques éclats de voix, le flic et le prisonnier finirent par retrouver leur position initiale, face à face. Pierre Foulon roula des épaules, rajustant sa veste.

— De vraies brutes… Et maintenant, parce que je n'ai qu'une parole, je vais t'aider un peu, puisque tu patauges dans la vase comme une pauvre anguille sans défense. Mais je vais pas tout te dire. On va plutôt jouer.

— Écoute, j'ai franchement pas envie de…

— T'as droit de me poser une seule et unique question. Si je n'ai pas la réponse à ta question, tu auras grillé ton crédit. Si je l'ai, je te répondrai au mieux. Toi et toute ta clique de morveux, vous aurez beau revenir ici, je ne parlerai plus jamais. Réfléchis bien, maintenant.

Sharko comprit, à l'attitude de Foulon, qu'il n'y aurait aucune négociation possible. Il se mit à marcher dans la pièce. Le Boucher le suivait du regard, l'air amusé, jouant avec les maillons de ses menottes.

Une seule question…

Quel thème aborder ? Les tatouages ? Chercher à connaître l'identité de Charon, celui à qui Loiseau remettait les filles ? Demander qui était « CP », l'auteur du mail avec la photo de la tête coupée ? Que savait réellement Foulon ? Qu'ignorait-il ? Il fallait assurer. Repartir avec peu plutôt que repartir bredouille. Taper au plus juste.

Sharko revint vers la table et posa les deux mains à plat sur le bois, se penchant à son tour vers l'avant. Il dominait Foulon, l'autre le sentit et lui demanda immédiatement de s'asseoir. Mais Sharko ne bougea pas, lui tenant tête. Il se sentait mieux, il ne tremblait plus. Il avait réussi à se sortir sa famille de l'esprit. Ses vieux réflexes revenaient, il était au combat, dans l'arène.

Le Sharko d'autrefois. Vif, intuitif.

Dangereux.

— Pourquoi Daniel Loiseau est-il venu te voir au parloir ?

Le Boucher plissa les yeux derrière ses grosses lunettes.

— C'est une bonne question. Excellente, même !

Cette fois, Sharko s'assit pour se rapprocher un peu, sans le lâcher du regard.

— Alors ?

— Au risque de te décevoir, je n'avais jamais vu ton Loiseau auparavant. Je ne le connais pas plus que ça, en fait.

Le flic commença à bouillir intérieurement.

— Déconne pas.

— Si, c'est vrai. C'était très rigolo de voir ton sérieux, d'écouter ton baratin, de me foutre un peu, juste un peu, de ta gueule. Et tu veux savoir ? Ça me ravit que l'apprenti écrivain soit passé à l'action. Douze, tu dis ? Et il les tatouait, les rasait ? Un bon petit gars.

Il pouffa, désormais vautré sur sa chaise, les jambes écartées.

— En réalité, s'il est venu ici, c'était juste pour me parler du bouquin qu'il voulait écrire.

Foulon afficha un sourire macabre, dévoilant des dents mal entretenues, grises pour certaines.

— Tu sais que je reçois des lettres d'admirateur, parfois ? Des déclarations d'amour, même ? Que des femmes tombent amoureuses de moi ?

Il marqua un silence, l'air subitement contrarié, puis retrouva son aplomb :

— Loiseau disait qu'il voulait me voir en face pour que ça fasse plus vrai pour son roman, mais moi, je savais qu'il m'estimait à un point tel que tu ne peux l'imaginer. Je l'ai lu dans ses yeux, même s'il essayait de le cacher. Il m'ad-mi-rait.

Sharko ressentit une grande déception. Alors Loiseau serait juste un de ces tarés d'admirateurs ? Ou Foulon s'enfonçait-il dans le mensonge ? Impossible de savoir.

Le tueur en série sembla s'amuser d'avoir déstabilisé le flic à ce point.

— Je vois que tu t'attendais à autre chose, *poulet* ?

Il fit glisser ses mains sur son torse.

— Il m'a dit que, grâce à moi, à mes actes remarquables, il avait rencontré des gens qui lui avaient permis de se révéler, de sortir de sa chrysalide, de « naître » enfin. Avec ce que tu m'as raconté, je me rends compte qu'il ne me parlait pas de la naissance de l'écrivain, mais de sa partie obscure…

Les lèvres de Foulon s'étirèrent.

— Cette partie qui fait que je suis enfermé ici. Cette partie qui fait que, toi, tu existes. (Il caressa la table comme s'il s'agissait d'un corps allongé dont il aurait l'entière maîtrise.) Il t'a parlé de son projet de bouquin ? demanda-t-il.

Sharko secoua la tête sans le quitter des yeux.

Foulon déversait son miel infâme avec délectation et froideur.

— Non, bien sûr… Pourquoi il l'aurait fait ? C'était très intéressant. Dans son idée, des gens auraient pour objectif de répandre le Mal. Mais le vrai Mal, *poulet*, avec un « M » majuscule. Tuer, corrompre, considérer la race humaine pour ce qu'elle est réellement : un troupeau de bestiaux qui méritent d'être abattus comme de vulgaires porcs. Rien que ça.

Son index dessina des figures invisibles. Des cercles.

— Il imaginait trois cercles concentriques d'individus, symbolisant une hiérarchie dans la perversité et la souffrance infligée à ces chers petits humains. C'était ça, son idée : il y aurait des gens dans les trois cercles, à différents degrés du Mal, si tu veux. Beaucoup d'individus dans le cercle extérieur, beaucoup moins dans le deuxième, et un seul dans le premier. Le plus intelligent, le plus monstrueux. Celui tout habillé de noir. L'homme en noir, celui qui erre dans les abysses.

Sharko était suspendu à ses lèvres. Le symbole des trois cercles, *l'Enfer* de Dante, les catégories d'individus malfaisants… Tout cela lui parlait.

— … Tu penses bien que ça m'a un peu énervé, quand il m'a dit que, selon lui, je ne faisais partie que du troisième cercle, le plus extérieur. Que les actes que j'avais commis n'étaient pas suffisants pour franchir les autres cercles, parce qu'ils ne servaient que mes propres… ambitions mais aucune autre cause. Que j'étais encore très éloigné du véritable noyau du Mal. Pas assez altruiste à son goût.

Il se leva et écrasa ses deux index en même temps sur la table, jusqu'à en faire blanchir les extrémités.

— Qu'on m'explique ce qui peut être pire que ce que, moi, j'ai fait. Le troisième cercle… Puis quoi, encore ? Je fais partie du premier cercle, moi. Je suis l'homme en noir. Je lui ai dit de se tirer, à ce connard, il n'est plus jamais revenu.

Le Boucher se rassit, le regard immobile vers la table. Ses poings gros comme des pierres étaient fermés.

— Comment je remonte jusqu'à ces types ? demanda Sharko. Ceux des autres cercles ?

Foulon redressa ses yeux. Il parut surpris.

— Attends… Parce que t'y crois, à ce délire ? Ce gars, même s'il a pris un chemin intéressant, racontait juste une histoire, à l'époque.

— J'aime bien les histoires.

— Va te faire foutre. Quand bien même je saurais, tu crois que je te le dirais ? Ceux qui continuent à œuvrer sont ma seule liberté. Je ferme les yeux et me dis qu'en ce moment, quelque part dans le monde, une salope est en train de crever avec ce même regard qu'elle avait face à moi. Je l'imagine à ma guise, je la construis dans ma tête. (Il rouvrit les yeux.) C'est ça le Mal, tu comprends ? Il se répand dans les esprits, dans chaque individualité, comme un virus qu'on ne peut arrêter.

— Comment il les a rencontrés ? Où ? Est-ce qu'il t'a parlé du Styx ?

Foulon émit un bruit de succion.

— T'as épuisé ton crédit de questions.

De nouveau, il se tint immobile, remuant à peine les lèvres, le regard froid, impénétrable. Sharko ressentit un frisson lui parcourir le corps. Cet homme semblait changer de masque à chaque seconde.

Puis le tueur se leva, les mains groupées au niveau du bassin.

— Depuis le début, je sais que tu me mens, sale *poulet*. Loiseau, vous ne le tenez pas. Soit parce qu'il a disparu, soit parce qu'il est mort.

Il tira sur l'un de ses cheveux et le posa délicatement devant Sharko.

— Ces petits objets très personnels dont tu me parles et qui étaient en sa possession, je n'étais pas au courant. Je ne lui ai jamais remis quoi que ce soit.

— Impossible. Sinon, explique-moi comment il les a récupérés.

Foulon se passa la langue sur les lèvres.

— T'es qu'une vulgaire merde qui flotte à la surface de l'océan, commissaire. Si tu veux comprendre, il va falloir que tu plonges un peu plus profond.

Sur ces ultimes paroles, il se tut. Puis il se dirigea vers la sortie sans se retourner.

La porte claqua, et Sharko sursauta.

En attendant qu'un surveillant revienne, Franck resta là, fixant ses mains qui ne tremblaient plus. Il souffla un bon coup, relâchant toute la pression accumulée. Le cheveu se décolla de la table. Le flic l'attrapa et le porta devant son regard.

Peut-être était-ce grâce à ce cheveu que le flic d'Argenteuil avait rencontré des gens qui lui avaient permis de se révéler, de « naître » enfin, comme avait expliqué Foulon. Mais comment s'était-il procuré ces morceaux de Foulon ? Et comment un simple cheveu avait-il permis d'éventuelles rencontres ?

Sharko ne lâcha pas son idée, il fallait creuser cette piste. Les dessins, les ongles étaient forcément sortis d'ici par l'intermédiaire de quelqu'un qui avait accès au parloir. Quelqu'un en qui Foulon avait confiance, quelqu'un sur qui il pouvait compter.

Le lieutenant sentait qu'une partie de la réponse était là, toute proche.

C'est alors qu'un nom clignota en rouge dans son esprit.

Lesly Beccaro, l'ex-petite amie.

33

La grande caserne de gendarmerie qui rayonnait sur les départements au sud de la capitale se trouvait 18, rue Jean-Malézieux, à Évry, à proximité de l'autoroute du Soleil. L'endroit où les bâtiments étaient implantés était plutôt agréable, cerné d'arbres, de bureaux modernes, de terrains de sport. Mais Évry restait une ville de banlieue parisienne, avec ses quartiers sensibles, sa jeunesse en souffrance, dans les rames de RER matin et soir.

Nicolas Bellanger avait rendez-vous avec Fabrice Blaizac, le commandant de gendarmerie en charge du dossier Mickaël Florès. Ce n'était que le début de la journée, pourtant il n'était pas en forme. Les réunions avec le juge, les comptes à rendre au divisionnaire, les hommes à gérer, la paperasse à régler, le tout tenant tant bien que mal dans des jours de seulement vingt-quatre heures. Au fond de lui-même, il se dit que c'était bien trop pour un seul homme.

Il avait avalé, une heure plus tôt, un cachet de Guronsan, histoire de se donner un coup de fouet. Il n'avait jamais touché à ces saloperies auparavant mais il ne voyait pas d'autre solution pour tenir.

En outre, les « petits problèmes » freinant l'enquête s'accumulaient. Le service juridique du CHR exigeait une autorisation du juge avant de leur donner accès aux données du personnel. Résultats : ils allaient perdre une journée. Ce même juge ne pouvait pas appuyer la demande d'identité sur la greffée du cœur de Daniel Loiseau puisqu'elle n'était, jusqu'à preuve du contraire, impliquée dans aucune affaire criminelle. Le centre de bioéthique était très strict sur ce point et ne voulait rien lâcher. Secret médical, protection des patients avant tout, et bla et bla et bla.

Ils n'avaient donc aucun moyen de la retrouver.

Nicolas s'enfonça dans le bâtiment et mit quelques minutes avant de trouver le bon étage. Ici régnait un ordre méticuleux, militaire. Sans âme. Le capitaine de police préférait le bazar de leurs combles, au 36. Les dossiers posés de travers les uns sur les autres, les objets personnels de chacun qui s'accumulaient dans les bureaux ou les *open spaces*…

La quarantaine affirmée, les cheveux ras et l'air déterminé, Fabrice Blaizac l'attendait dans son cube de béton et de placo et le salua chaleureusement. Les guerres de clan entre gendarmes et policiers se dissipaient avec le temps, et désormais nombre de données, de fichiers informatiques étaient mutualisés pour accroître l'efficacité des services.

Après quelques mots de politesse, les deux hommes embrayèrent sur l'affaire.

Nicolas fit un résumé clair, net et précis des grandes lignes de l'enquête qui l'avaient mené jusqu'à Mickaël Florès, avec des documents et des photos à l'appui : son dossier sur des enlèvements de jeunes femmes, leur remontée jusqu'à Daniel Loiseau grâce aux empreintes d'une des cambrioleuses, la visite de Mickaël Florès au commissariat d'Argenteuil. Il savait qu'il devait lâcher des infos, montrer sa bonne foi, pour que Blaizac agisse de même en retour.

Le commandant de gendarmerie examina attentivement les documents, posa quelques questions. Il apprécia la franchise de Bellanger et livra à son tour les élements qu'il possédait. Les deux hommes parlaient évidemment sous le sceau du secret : rien ne filtrerait en dehors de leurs services respectifs.

Il sortit des photos d'un dossier et les poussa devant lui.

— Ce sont des clichés de la première scène de crime.

Nicolas exprima sa surprise.

— Première scène de crime ? Pourquoi première ?

— Parce que le père aussi a été assassiné. Vous n'étiez pas au courant ?

Le capitaine de police secoua la tête, interloqué.

— C'est la police judiciaire de Rennes qui se charge de l'autre dossier. On bosse en accord, on se partage les informations, même si ce n'est pas toujours simple. Le mieux eût été une enquête diligentée par un seul service, mais comme vous vous en doutez, personne ne veut lâcher.

Bellanger observa le cliché et s'arrêta sur le visage du cadavre de Mickaël Florès. Cheveux longs et barbe épaisse. Du sang séché au bord des lèvres. Un corps vidé de son jus dans sa chambre, attaché sur une chaise. Deux cavités béantes à la place des yeux.

— Parlons du fils, d'abord. Mickaël, Juan, José Florès. Né le 8 octobre 1970, à la maternité de l'hôpital public Lariboisière, Paris. Il avait quarante et un ans au moment de sa mort.

264

Il marqua un silence, tandis que Nicolas scrutait avec soin chaque cliché. Celui montrant les yeux posés sur le lit lui laissa un sale goût dans la bouche.

— J'ai là un extrait du rapport médico-légal extrêmement intéressant, je vous lis : « Présence de groupes et arrangements linéaires de larges lésions de 1 à 5 mm, couvertes par des croûtes rouge-marron, quelquefois entourées par des érythèmes de 1 à 2 mm de large, qui se répartissent en zones avec des bords irréguliers et indistincts sur les bras, les jambes et le sexe. »

Il referma la pochette.

— Qu'est-ce que ça veut dire ? demanda Nicolas.

— Qu'il a été torturé aux chocs électriques. Le légiste pense à l'application d'électrodes en forme d'aiguille à tricoter et alimentées par une batterie. On a fait des recherches, et, vu les lésions, on a estimé qu'il s'agissait d'une technique de torture qui a été utilisée principalement pendant la dictature en Argentine.

— La *Picana*, fit Bellanger.

— Je vois que vous connaissez.

Nicolas était stupéfait. Il n'y connaissait pas grand-chose à l'histoire de l'Argentine mais avait entendu parler des horreurs qui s'étaient passées là-bas, durant la fin des années 70, début des années 80, avec la dictature militaire.

— On se demande encore pourquoi les yeux ont été sortis de leur orbite et posés sur le lit. Peut-être une façon de nous souhaiter la bienvenue ? En tout cas, il y a de la technique chirurgicale, là-derrière. Ça a été fait proprement, laissant les globes oculaires intacts. D'après le légiste, cela nécessite le doigté d'un spécialiste. Chirurgien, ophtalmologue… Bref, on n'a pas affaire au premier venu.

Nicolas se rappela les tableaux de Rembrandt, le message dans la carrière, le mail envoyé depuis un centre hospitalier. Des connaisseurs, passionnés de dissection, qui se croyaient au-dessus des lois.

— Vous avez pu récupérer des traces, des empreintes ? demanda le capitaine de police.

— Non, son ou ses assassins n'ont rien laissé traîner. Sur place, on n'a rien trouvé. Aucun ordinateur, carte mémoire, téléphone portable, carnet de notes. Florès n'était enregistré chez aucun opérateur téléphonique, les gens qui bossent sur des sujets sensibles sont difficilement traçables et achètent souvent des téléphones jetables, des mobicartes ou possèdent des cartes SIM trafiquées. On a tout passé au crible, croyez-moi. On a aussi jeté un œil aux photos accrochées dans son laboratoire, on n'a pas pu en tirer grand-chose.

— Il y avait un endroit où elles manquaient, sur les murs. C'est vous qui les avez prises ?

— Non, c'était déjà ainsi. Sans doute l'assassin. On ne dispose d'aucune donnée sur ce que Florès a fait les derniers mois de sa vie, hormis les quelques traces administratives qu'il a laissées. Avec ses relevés de banque, on obtient des informations intéressantes mais difficilement exploitables.

Il sortit un paquet de feuilles, copies des relevés bancaires.

— Florès a beaucoup bourlingué à travers le monde pour ses reportages, mais ses derniers voyages sont l'Albanie, le Kosovo et, devinez…

Bellanger haussa les épaules.

— L'Argentine. Ça crée une connexion évidente entre l'assassin et lui, si on tient compte de la forme de torture qu'il a subie. Ces trois voyages sont regroupés entre la fin 2009 et la mi-2010, et ils n'étaient pas sous le coup d'un contrat ou d'une commande : Florès ne bossait pour aucun magazine, n'avait aucune demande de la part de ses différents employeurs, n'était pas accompagné. Depuis fin 2009, il semblait mener une quête personnelle dont il n'avait parlé à personne.

Il désigna un imprimé.

— Ses relevés de compte bancaire indiquent qu'il a passé environ un mois à divers endroits d'Albanie et dans la capitale du Kosovo, et enfin un peu plus d'un mois en Argentine. On a pu localiser les hôtels, les quelques restaurants où il a pris des repas. Beaucoup de coins paumés où on n'aurait jamais l'idée d'aller. Des retraits d'argent à droite, à gauche, des paiements par carte qui nous ont permis, globalement, de suivre sa trace, mais impossible de savoir quelles étaient ses activités ni la raison de ses voyages. Tout ça, c'est trop maigre pour qu'on exploite quoi que ce soit. On ne sait pas quoi chercher.

— Vous pourrez me laisser une copie de ces relevés ? Des photos de Michaël Florès également ?

— Sans problème. Vous ferez de même, je présume, avec votre dossier.

— Bien sûr.

Blaizac poussa une autre photo devant lui.

— Celle-là était sur l'un des murs de son laboratoire, noyée dans la masse, à l'opposé de celles qui manquaient. C'est la seule qui nous ayons trouvée en rapport avec ses derniers voyages. Ici, il s'agit encore de l'Argentine.

Nicolas observa le cliché. Il représentait un adulte de type hispanique, assis sur des marches. Il avait fait un cercle avec ses pouces et ses index et les avait placés devant ses yeux comme s'il tenait des jumelles invisibles.

Le capitaine de police retourna la photo. L'écriture manuscrite de Mickaël Florès était bien là. Il était noté, au centre du rectangle : *El Bendito, Boedo, Buenos Aires.*

El Bendito… Le bienheureux.

— D'après les relevés bancaires qui correspondent à son séjour en Argentine, Florès a effectué un petit périple là-bas. Il est allé en juillet 2010 à Arequito, un patelin au beau milieu du pays, à quatre cents bornes de Buenos Aires, où il est resté quatre jours.

Il déplaçait en même temps son index sur une carte.

— Puis il est allé dans un hôtel appelé le Gran Guarani, situé dans la ville de Corrientes, à sept cents kilomètres au Nord de Buenos Aires, à quelques pas seulement de la frontière paraguayenne. Il y est resté trois jours, avant de voyager plus de trois semaines dans la capitale argentine, bougeant d'hôtel en hôtel presque tous les jours. Il a alors parcouru Buenos Aires en long et en large, quartier par quartier, semble-t-il. Son dernier hôtel avant son retour pour la France était situé dans le quartier Boedo.

— Là où il a pris la photo de cet homme…

— Exactement.

— Donc, il cherchait ce type-là en particulier dans Buenos Aires.

— C'est ce qu'on pense, oui.

— Et vous avez pu tirer quelque chose de ce cliché ?

— Impossible. Comment voulez-vous qu'on mette la main sur ce *El Bendito* ? Il y a plus de trente mille habitants dans ce quartier, Buenos Aires est une fourmilière. Et qui nous dit que ce type habite effectivement Boedo ? Tout cela est trop maigre pour qu'on l'exploite, même si l'on pressent que l'Argentine joue un rôle important. On a quand même creusé, appelé quelques hôtels où Florès a séjourné, envoyé les photos. Comme on pouvait s'y attendre, personne n'en avait le moindre souvenir, deux ans après.

Nicolas fixa de nouveau le portrait de cet homme qui formait des jumelles devant ses yeux. La *Picana*, l'Argentine… Cette photo était peut-être l'une des clés.

— Vous m'en ferez une impression couleur de bonne qualité ?

— Si vous voulez.

Bellanger embraya avec d'autres questions.

— Vous n'avez rien sur l'assassin ? L'enquête est au point mort ?

— Au point mort, oui. On n'a ni trace, ni mobile, ni suspect. Le fait que Mickaël Florès ait laissé lui-même très peu de pistes ne nous aide pas.

Le téléphone fixe sonna. Le commandant y jeta un œil et signala qu'il rappellerait plus tard. Ses yeux bleu-vert revinrent vers ceux de Nicolas :

— On a creusé la personnalité de Mickaël Florès. Un vrai baroudeur, comme vous pouvez vous en douter. Attiré par les sujets les plus sombres de notre monde. D'une part, c'était un type capable de se fondre dans le décor, un véritable caméléon. Tous ceux qui ont travaillé avec lui comme ses amis nous l'ont répété. Il n'hésitait pas à se déguiser, à revêtir différentes identi-tés, à s'installer parmi une population durant plusieurs semaines. Bref, c'est ce qui lui a permis d'obtenir des clichés aussi forts que ceux que vous avez vus dans son laboratoire.

— Ils étaient impressionnants, en effet.

— Mais l'autre aspect de sa personnalité, c'est qu'il était prêt à franchir tous les obstacles pour atteindre ses objectifs, pour obtenir le reportage ultime. Pour sombrer au plus profond de l'horreur, quitte à laisser des crimes être commis sous ses yeux. Un peu à l'image de ces surfeurs qui recherchent la vague rêvée jusqu'à enfreindre toutes les règles de sécurité et à y laisser leur vie. Ses collègues nous ont tous fait part de ces obsessions qu'il avait à rechercher le pire en l'être humain. À traquer les pires déviances, les trafics les plus sombres, partout à travers la planète.

Il montra une grande photo en noir et blanc. Une jeune femme noire était en train d'agoniser sous le soleil, les lèvres pelées, attachée en croix à des piquets de bois au beau milieu d'une cour crasseuse.

— C'est un de ses clichés qui n'a jamais été publié, mais que l'un des rédacteurs avec qui il avait l'habitude de bosser nous a remis. Cette jeune femme était une malade mentale, dans un petit village du Ghana. Florès marque systématiquement, au dos de ses photos, le prénom de la personne photographiée et la ville.

Nicolas retourna le cliché. *Afua, Ankaful.*

— Là-bas, les malades mentaux sont considérés comme moins que rien, pire que des animaux. Elle était violée tous les soirs par ses trois frères. Florès a photographié ça… Et il n'a rien tenté pour sauver cette pauvre femme de cet enfer. Il aurait pu pourtant, ne serait-ce qu'en dénonçant les auteurs auprès de la police locale.

Il soupira.

— On a trouvé d'autres cas tout aussi monstrueux, je vous les mettrais en copie. Tout cela pour vous expliquer qu'il y avait autre chose que le reportage photo dans la quête de Florès. Quelque chose de plus profond, de plus… impalpable. Une volonté d'aller au bout du bout. De sonder les abysses de l'âme humaine. Quitte à se mettre lui-même hors la loi pour contempler le vrai visage du Mal. Sans nul doute ce qui a été la cause de sa mort.

Fabrice Blaizac fit venir un gendarme et lui demanda de faire toutes les copies nécessaires. Puis il ouvrit un autre dossier.

— On va passer au père, maintenant. Mais là, c'est dix fois plus gratiné.

34

Le ciel était coupé en deux.

Au loin, au-dessus de la Manche, un front noir obscurcissait la mer, ce qui donnait l'impression d'une grande mâchoire qui engloutissait tout sur son passage. Partout ailleurs, le ciel limpide offrait aux falaises une blancheur d'émail.

Camille était descendue de sa voiture pour profiter de la vue, de ce paysage qui avait inspiré tant d'écrivains et de peintres. Boudin, Monet, Flaubert, Maupassant... Elle songea à Maurice Leblanc aussi, en apercevant, sur sa gauche, ce bloc pointu de roche blanchâtre planté dans l'eau comme une aiguille.

Le genre d'endroit où elle aurait aimé mourir, assise dans un vieux rocking-chair face à la mer, après une vie bien remplie, pleine de joies, d'enfants, de petits-enfants.

Mais Camille n'avait pas le choix de sa vie.

Ni de sa mort.

Encore une fois, elle n'avait presque pas dormi. Le cauchemar récurrent était revenu, la fille tsigane avait longtemps hurlé dans sa tête et s'était recroquevillée telle une bête apeurée, la fixant d'un air désespéré.

Durant la nuit, le cœur avait fait varier le rythme de ses battements, comme s'il voulait montrer à Camille qu'il était le seul maître à bord, qu'il jouait la partition et qu'elle, elle n'avait rien d'autre à faire que subir. Le combat se poursuivait.

Elle, contre Daniel Loiseau.

Ses nerfs qui se connectaient aux siens dans sa poitrine.

La colonisation de son organisme, l'altération de ses sens.

Elle ne se laisserait pas faire. Jamais.

Elle manipula son téléphone portable, elle avait envie d'appeler Boris, de réagir à son mail. Mais elle ne savait pas quoi dire ni comment aborder la révélation finale qu'il lui avait faite. Devait-elle faire comme si de rien n'était ? Elle se contenta de lui envoyer un SMS, c'était le plus simple.

Bonjour, Boris, merci pour ton message. Tu imagines bien qu'il m'a à la fois refroidie et... réchauffé le cœur. Je vais bien, ne t'inquiète pas, mais disons que ça bouge pas mal en ce moment. Dès que tu as des news sur cette Maria, je prends ! Bises, Camille.

Après une longue hésitation, elle envoya. Puis elle remonta dans son véhicule et se rendit à l'adresse de Guy Broca. Il habitait une belle petite maison de pêcheur, à une centaine de mètres de la plage de galets. Camille s'était assurée de sa présence en le joignant par téléphone assez tôt dans la matinée. Elle voulait lui parler de Jean-Michel et de Mickaël Florès. L'évocation de ce simple nom de famille avait éveillé chez le jeune retraité beaucoup d'intérêt.

Camille se présenta à lui en tenue civile, toujours sous l'identité de Cathy Lambres. Broca dut lever la tête pour la regarder dans les yeux. Les siens étaient bleu-gris, la couleur de la mer juste après l'orage. Il avait un visage rond, les rides semblables aux failles dans les falaises, notamment celles du front. Ses cheveux étaient d'un beau gris uniforme, coupés très court comme au temps où il exerçait dans la police. Certaines habitudes ne se perdaient jamais.

Il l'invita à entrer. Le café était déjà prêt et dégageait un agréable arôme.

— Vous en prendrez bien une tasse ? demanda-t-il, alors que Camille s'installait à la table du salon comme il le lui avait proposé.

— D'ordinaire, je suis plutôt thé, mais un bon café ne me fera pas de mal. Je me suis levée tôt pour prendre la route.

Camille avait, cette fois, vraiment envie d'un café. Elle jeta un coup d'œil à la ronde. Guy Broca devait mener une vie paisible, ici. Un retour aux sources dans la simplicité, la lumière et le calme. Il les servit et s'installa en face d'elle, sur un petit tabouret en rotin. Après quelques formules de politesse, Camille entra dans le vif du sujet. Comme elle l'avait fait avec Martel, elle décida de se livrer : elle était gendarme et portait le cœur d'un homme sur lequel elle s'était mise à enquêter, et qui l'avait menée jusqu'ici. Elle ne lui parla pas de sa visite chez Mickaël Florès ni de sa virée chez le Serbe.

Broca fut touché par son récit, et cette espèce de quête d'identité que la jeune femme menait. Alors qu'il réfléchissait, Camille ajouta sans vraiment s'en rendre compte un morceau de sucre et avala une gorgée de café. Elle eut l'impression d'en redécouvrir le goût, un mélange lointain de tanin, d'agrumes, et ça lui fit tout drôle. Finalement, Broca se leva et alla chercher une pochette en carton qu'il avait à l'évidence préparée pour sa venue.

Il la posa sur la table, fermée.

— Je pourrais davantage vous parler du père que du fils, fit-il. Il y a eu tout un bordel entre services de police et de gendarmerie concernant ce dernier.

Il désigna sa pochette.

— On emmène toujours ses démons avec soi. Ce que j'ai vu là-bas, ce jour-là, ne m'a jamais vraiment quitté.

Il ouvrit et sélectionna des photos, qu'il tendit à Camille.

— C'est dans cette position qu'on a trouvé Jean-Michel Florès, fit Broca d'une voix grave. Suspendu de cette drôle de façon dans la chambre froide d'un abattoir désaffecté.

Camille observa le cliché. Le père n'était plus qu'un bloc de chair sanguinolent, nu, éventré. Une corde lui traversait le menton par-dessous et ressortait par la bouche, une autre transperçait l'épaule, et les deux se rejoignaient jusqu'à une poulie. Un contrepoids le maintenait debout tel un sinistre pantin. Ses yeux étaient grands ouverts.

Une mise en scène ignoble, diabolique.

L'ancien policier posa sa main à plat sur la pochette.

— Les rapports médico-légaux ont indiqué que les crimes du père et du fils ont eu lieu à quelques heures d'écart. D'abord le fils, puis le trajet depuis l'Essonne jusqu'ici, et ensuite, le père... On a prélevé les yeux au fils pour les poser à côté de son corps, rien de tel avec le père. Lui, c'était... différent. Tant dans les mutilations que dans la manière d'infliger les blessures. Ce rapport médico-légal sur le meurtre de Jean-Michel Florès n'est qu'une accumulation d'horreurs qu'a subies la victime alors qu'elle était encore vivante. Les analyses toxicologiques ont révélé la présence dans son organisme de sédatifs puissants, qui ont probablement servi à l'endormir avant de l'emmener jusqu'à l'abattoir et de le placer dans cette position. C'est le SRPJ de Rennes qui s'est rapidement branché sur le dossier, vu la nature du crime. Nous, les gars du Havre, on s'est fait éjecter comme des malpropres, mais j'ai toujours veillé à garder un œil sur l'affaire du père. Pour le fils, comme je vous disais, ça a été plus difficile...

Ses yeux de mer grise exprimèrent soudain un sentiment qu'on voyait souvent chez les anciens flics : celui d'avoir quitté le job avec un goût d'inachevé. La plupart mouraient avec leurs obsessions ou le regret de n'avoir jamais pu connaître la vérité sur une affaire qu'ils avaient traitée.

— Il y a eu des pistes ? demanda Camille.

— Aucune de sérieuse, le point mort jusqu'à présent. Mais... Je crois que cette histoire risque de vous surprendre. Écoutez avec attention.

Il but une gorgée de café, Camille l'imita.

— Dans l'abattoir, l'assassin n'a laissé aucune trace biologique. On suppose qu'il bosse dans le milieu médical ou, en tout cas, que la médecine est un grand centre d'intérêt pour lui, et ce pour plusieurs raisons, poursuivit Broca. D'abord, la nature du crime, les produits et instruments utilisés. Par exemple, les sédatifs ne se trouvent pas en pharmacie. Le légiste a affirmé que des pans complets de peau avaient été ôtés dans le dos et sur les cuisses avec un dermatome, une espèce de racloir à lames utilisé lors des prélèvements. L'assassin a emporté cette peau avec lui…

Une véritable boucherie, songea Camille en s'attardant sur les clichés. Elle imaginait un être sans visage, un monstre paré d'une cape de peau, courant dans l'ombre projetée des falaises et disparaissant dans une cavité de l'aiguille creuse.

— … Et puis, il y a la nature du crime en elle-même, la position de la victime, poursuivit l'ex-flic. Cette « suspension » bien particulière avec le système de cordes remonte à plus de cinq cents ans.

Il sortit des imprimés en couleur de son dossier et les poussa sur la table. Les dessins représentaient des corps écorchés, placés dans cette même position, avec les cordes, les poulies, les contrepoids…

— Ce sont des planches anatomiques issues de la *Fabrica* de Vésale.

Il laissa Camille observer les dessins. Son regard s'obscurcissait tandis que les nuages s'accumulaient et absorbaient la lumière, au-dehors.

— Vésale a été l'un des plus grands médecins de la Renaissance. Il a bouleversé l'histoire de l'anatomie en brisant de nombreux tabous et dogmes enracinés dans la culture scientifique de l'époque. Je ne vais pas vous faire un cours, je n'y connais pas grand-chose moi-même, mais c'était le début d'une période où les médecins n'hésitaient pas à voler les cadavres dans les cimetières, dans les morgues, sur le gibet, pour pratiquer des dissections. Un temps où le praticien fait clairement la distinction entre le corps et l'âme et ose s'aventurer là où personne n'est jamais allé : à l'intérieur même de la matière humaine.

Camille songea au trafic des filles tsiganes, à ce

que lui avait raconté Nikolic. Ne s'agissait-il pas de « vols » d'êtres humains, là aussi ?

Broca prit une copie de planche anatomique et la contempla à son tour, comme si c'était la première fois.

— Vésale aura mis trois ans pour écrire les sept volumes de la *Fabrica*, un livre fondateur de l'anatomie moderne. Un monstre de précision, d'érudition, qui a créé une rupture en épluchant le corps humain jusque dans ses secrets les plus intimes. Cette position verticale que l'on retrouve souvent, avec les cordes et la poulie, lui permettait lors des séances de dissection de manipuler le cadavre avec aisance et d'accéder à la partie qui l'intéressait.

Camille considéra les planches magnifiques, où les êtres réifiés étaient mis en scène, exposés, dépossédés de leur peau, de leurs nerfs, étaient découpés en tranches.

— L'une des grandes caractéristiques de cette nouvelle époque, ce sont les dissections publiques qui transforment l'anatomie en spectacle pour initiés. On loue des théâtres, on place des chandelles autour du cadavre allongé au milieu de la scène, on fait payer des spectateurs triés sur le volet. Des chirurgiens, des barbiers, des médecins, mais aussi des mondains en quête de sensations fortes. Avant, on se cachait pour disséquer, on méprisait les médecins qui s'adonnaient à cette activité, au même titre que les bourreaux ou les bouchers. Mais dès lors, la mort fascine, intrigue, le corps humain recèle des mystères à découvrir. Alors, on se regroupe par petites communautés, on vient voir, on assiste à un spectacle édifiant qui procure des frissons en toute sécurité. Puis on se retrouve à un repas pour discuter, philosopher, et traiter de sujets tabous, peu appréciés de l'Église… On brave les interdits, si vous voulez.

Camille écoutait avec passion, touchée en son for intérieur. N'était-ce pas aussi ce qui l'avait attirée vers le métier de TIC ? Cette possibilité de côtoyer la mort des autres pour se rassurer elle-même ? Pour se sentir simplement en vie ? Pour satisfaire, quelque part, sa propre part de ténèbres ?

Broca remarqua le désarroi de la jeune femme.

— Vous devez vous demander pourquoi je vous raconte tout ça.

Il se leva.

— Venez. Faut que vous voyiez de vos propres yeux.

35

Les anciens abattoirs étaient encore dans leur jus.

C'étaient d'immenses blocs de béton monolithiques plantés à proximité d'une centrale électrique et d'interminables lignes de containers entreposés sur la zone portuaire du Havre. Le bâtiment des années 50 était protégé par un haut mur, des barbelés, mais avait un point faible vers l'arrière, au niveau d'un grillage branlant. Ce fut par là que Camille et Guy Broca entrèrent, alors que l'orage grondait, au loin, répandant ses gris saumâtres loin au-dessus de leur tête.

Un signe, peut-être, cette météo capricieuse.

Midi sonnait quand ils se faufilaient par une porte métallique défoncée à coups de masse et évoluaient dans les entrailles du monstre. Il fit soudain plus frais dans le bâtiment. Le flic retraité éclairait devant lui avec une lampe torche.

Le téléphone de Broca se mit à vibrer, alors qu'ils longeaient des rails de saignée. Il regarda le numéro, s'excusa et s'éloigna de quelques mètres, laissant Camille seule. Sa voix résonnait en écho contre les parois invisibles. Sans transition, la jeune femme sentit l'histoire de l'ancienne structure s'abattre sur ses épaules. Cet endroit avait abrité, entretenu, banalisé la mort. Au plus profond de son esprit, Camille eut l'impression d'entendre les animaux hurler.

Pourquoi Broca l'amenait-il dans ce trou ? Qu'y avait-il encore à voir, six mois après les faits ? L'homme avait sans doute besoin de venir brasser ces ténèbres parce que, quelque part, il était encore habité par son affaire. Qu'il avait besoin, de temps en temps, de raviver le feu de l'enquête.

Broca revint enfin vers elle, après avoir discuté longuement.

— Je suis désolé. Ma femme, vous savez...

Il s'avança sans préciser davantage. Ils marchèrent cinq bonnes minutes dans cet incroyable dédale de salles d'abattage, de postes d'observation, d'ateliers de découpe. Des crochets pendaient encore, de gros bacs d'échaudage ouvraient leurs gueules avides de sang. Au plus profond du bâtiment et de l'obscurité, Broca s'arrêta devant une porte en métal entrouverte, qui portait encore quelques traces de scellés aujourd'hui disparus.

Il se tourna vers Camille.

— C'est là-dedans que ça s'est passé, voilà six mois. On n'est pas les premiers, les curieux et amateurs de sensations fortes sont venus hanter les lieux en nombre, mais les traces sont toujours là, indélébiles.

Ils entrèrent. La torche révéla des flaques sombres au sol. La pièce avait été vidée. Il demeurait l'odeur du renfermé, de la poussière. Celle du sang avait disparu.

La voix de Broca résonna soudain :

— Il y a d'abord ceci, écrit avec le sang de la victime.

Il pointa le mur d'en face, sur lequel était inscrit un symbole d'environ dix centimètres de diamètre : trois cercles concentriques.

— Une idée de sa signification ? demanda Camille.

— Non. Le sens de cette signature est toujours resté mystérieux.

Camille prit une photo avec son téléphone portable. Broca parla dans son dos :

— Savez-vous que le sang d'une carotide tranchée peut être projeté à plusieurs mètres ? Pour peu que vous rajoutiez un point de compression, et là, vous avez l'impression d'arroser une pièce au jet d'eau. Regardez derrière vous...

L'œil jaune se dirigea cette fois vers le mur de gauche et en éclaira les catelles blanches.

Camille resta là, immobile, le souffle coupé.

Le mur était couvert de gouttes de sang, sur deux mètres de large au moins, et autant en hauteur.

Sauf à certains endroits.

Des formes avaient fait obstacle au flux de liquide.

Des formes humaines.

— Voilà pourquoi je vous ai parlé du spectacle anatomique de l'époque de Vésale, souffla le retraité. On a estimé que deux personnes observaient. On pense à des adultes.

Soufflée, Camille s'approcha de cette empreinte en négatif de la scène de crime.

Ce qu'elle découvrait allait au-delà de toute norme, de toute logique.

— Difficile d'être précis sur leur taille, poursuivit le retraité. Leur empreinte a été marquée par le sang vraisemblablement propulsé par la carotide. Je crois que... que l'exécuteur a même tourné le cadavre au bout de ses cordes, à droite, à gauche, pour que le sang arrose bien le mur. Comme s'il voulait nous faire prendre conscience qu'il n'était pas seul. Que quelqu'un l'accompagnait pour voir *ça*. Et pour se baigner dans le sang d'un mort.

Une monstruosité. Et Loiseau ne pouvait pas être de la partie, puisqu'il était déjà mort.

— Pourquoi ont-ils fait une chose pareille ? questionna Broca. Pour « s'amuser » ? Pour montrer leur toute-puissance ? Pour se foutre de notre gueule ? Aussi dingue que cela puisse paraître, on n'a retrouvé aucune trace de sang à l'extérieur de cette pièce. Les observateurs étaient peut-être nus, ou en combinaison. Peut-être même qu'ils ont participé à la boucherie. Trois tueurs, vous vous rendez compte ?

Camille imaginait la scène : une espèce d'orgie tribale de types nus, devant un cadavre suspendu et crachotant ses litres de sang par les artères. Florès avait été exécuté par trois monstres. Quels malades avaient pu faire une chose pareille ? Et pour quelle raison ? Que cherchaient-ils à travers ces horreurs ?

La jeune femme n'y comprenait plus rien.

Broca avait raison : tout cela dépassait l'entendement.

Elle essaya de se concentrer, de synthétiser l'ensemble de ses découvertes pour en tirer quelque chose. Un fil rouge, une nouvelle piste à explorer.

— Et, hormis les meurtres sauvages du père et du fils, il n'y a jamais eu d'autres crimes similaires ? demanda-t-elle.

Guy Broca déplaçait son faisceau sur chaque forme, épousant les contours qu'on devinait à peine. Camille en profitait pour bombarder de photos, comme avaient dû le faire tant et tant d'aventuriers en quête de sensations fortes.

— Pas à ma connaissance. Ce qui s'est passé dans cet abattoir est un acte unique, isolé. Ce qui renforce le fait qu'il s'agit probablement d'une histoire liée à la famille Florès. À son passé, ou aux sombres recherches menées par le fils. Mickaël est peut-être tombé sur quelque chose qu'il n'aurait pas dû voir.

Il la précéda et sortit de la pièce. Camille jeta un dernier coup d'œil et le suivit.

Malgré les gros nuages noirs, elle fut heureuse de revoir enfin la lumière du jour et s'emplit les poumons d'air frais.

— Est-ce qu'une Maria, habitant Valence, ça vous dit quelque chose ? demanda-t-elle.

Elle songeait à la photo trouvée dans le grenier de Mickaël : le portrait de cette femme enceinte, entourée de deux religieuses. Elle se rappela d'ailleurs que, à ce propos, Boris ne l'avait toujours pas recontactée.

— Jamais entendu parler. Valence en Espagne, vous voulez dire ?

— Je crois, oui…

Il la sonda au fond des yeux.

— Qui est-ce ? demanda-t-il. Quel est le rapport avec les Florès ?

— Il n'y en a pas, mentit Camille. Juste une identité qui est ressortie avant que je croise le chemin des Florès.

Broca ne sembla pas détecter le mensonge. Ou, en tout cas, il n'insista pas.

— J'ai étudié l'histoire de cette famille, fit-il, pour essayer de comprendre les raisons d'un tel massacre. Il y a de nombreuses zones d'ombre dans l'histoire des Florès, j'ai tout consigné dans le dossier.

— Je peux y jeter un œil ?

— Voilà ce que je vous propose : on va déjeuner dans une brasserie du centre-ville, puis on rentre chez moi. Je vous prête le dossier. Il y a tout ce qu'il faut savoir sur la famille, vous y verrez mes notes, mes recherches, mes suppositions. Vous le feuilletez et voyez si cela vous parle.

Camille trouva la proposition alléchante.

— Ce serait parfait. Mais… votre femme…

Sous le faisceau, les yeux de Broca transpercèrent ceux de Camille.

— Ma femme ne nous causera aucun problème.

36

La dame qui ouvrit la porte à Sharko portait un tablier de cuisine avec des motifs à fleurs.

Cheveux bouclés et permanentés, le visage de Mme Tout-le-monde préparant tranquillement le repas du soir. Elle devait avoir quarante-cinq ans et vivait dans une HLM qui n'avait rien à voir avec les barres sombres parasitant les banlieues des grandes villes. L'immeuble, à quelques minutes du centre de La Rochelle, était situé face à l'océan et abritait quelques commerces au rez-de-chaussée.

Un vent chaud s'engouffrait dans l'entrée principale, tandis qu'à quelques kilomètres seulement le tonnerre grondait, accompagné d'éclairs. L'orage se gonflait d'électricité, soulevant les vagues à coups de bourrasques.

Le lieutenant se présenta et montra sa carte tricolore. Le visage de Lesly Beccaro resta impassible, elle ne parut même pas surprise.

— Qu'est-ce que vous voulez ? demanda-t-elle.

— Discuter un peu avec vous de Pierre Foulon.

Elle rabattit légèrement la porte, son corps de moineau dans l'embrasure pour empêcher le flic d'entrer.

— Pourquoi ? Foulon est en prison et n'en sortira pas, je ne vois pas en quoi je peux vous aider.

— Je mène une enquête particulièrement délicate. Douze femmes d'une vingtaine d'années ont été enlevées en moins de deux ans, onze d'entre elles ont disparu et la dernière est dans un hôpital psychiatrique. Celui qui a commis ces actes était, semble-t-il, en contact avec Pierre Foulon. Il est venu le voir une fois au parloir. Vous avez côtoyé Foulon. Je pense que vous pouvez m'aider.

Elle hésita, visiblement mal à l'aise, puis finit par le laisser entrer, ôtant son tablier dans la foulée. Ils s'installèrent dans un canapé en toile jonché de poils de chat. L'intérieur du salon était vieillot, décoré sans goût et respirait la solitude. Le lieutenant bloqua quelques secondes sur la paire de charentaises à carreaux de son hôtesse, avant de s'attarder sur une grande bibliothèque aux casiers écrasés d'ouvrages sur la criminologie, les tueurs en série, les affaires criminelles. Les livres et documents s'entassaient dans tous les coins.

Il y en avait partout. Beccaro semblait carburer au meurtre et au sang.

— Je n'y peux rien, c'est comme ça, fit-elle en s'asseyant. Je les achète tous et les accumule depuis des années et des années. C'est une vilaine obsession, il n'y a aucun plaisir là-dedans.

Elle proposa un jus d'ananas à Sharko. Elle colla ses lèvres au bord du verre et but en silence. Le flic n'avait pas envie de la juger. Quelque part, ils étaient semblables, elle, lui, Lucie. Des personnalités qui n'entraient dans aucune case, des esprits *borderline* dont les motivations pouvaient parfois choquer, provoquer l'incompréhension.

— J'aimerais savoir si vous connaissez un certain Daniel Loiseau, demanda le lieutenant, verre à la main.

Elle caressa machinalement le chat persan qui était venu s'asseoir à ses côtés. Un animal parfaitement entretenu, au poil magnifique. Un exutoire. Plus le policier observait cette femme, moins il l'imaginait échanger avec un pervers de la trempe de Foulon. Elle paraissait tellement fragile, déconnectée du monde des tueurs et de la violence. Mais les règles n'existaient pas en matière de caractères humains, Sharko le savait mieux que quiconque.

— Ce nom me dit quelque chose... Oui, Foulon m'en avait parlé. Un type qui était venu le voir au parloir. Un policier qui écrivait un bouquin, je crois me rappeler. Foulon m'a expliqué à quel point l'homme était fasciné par lui. (Elle haussa les épaules.) Foulon parlait souvent de lui et de ses exploits, vous savez. L'une des caractéristiques principales du pervers narcissique.

Sharko remarqua qu'elle ne semblait pas vraiment le porter dans son cœur, elle l'appelait d'ailleurs par son nom dans un claquement de langue froid.

— Vous n'avez jamais vu Loiseau ? Jamais croisé, rien ?

Elle secoua la tête.

— Non, non.

Sharko se pencha un peu plus vers l'avant, de manière à la fixer dans les yeux. Elle avait le regard fuyant et se tenait dos voûté, un peu recroquevillée sur elle-même, tortillant ses mains l'une dans l'autre.

— J'ai cru comprendre qu'en prison Foulon aimait dessiner, dit Franck.

— Oui, il aime ça. Et il est plutôt doué, d'ailleurs.

Il a la fibre artistique… Y compris dans la manière dont il perpétrait ses crimes.

— Vous pouvez me montrer certains de ses dessins ?

— Comment je pourrais ? Vous savez bien qu'on ne peut rien sortir de prison.

— Allez, ne compliquez pas les choses et faites voir.

De nouveau, elle se renfrogna, incapable d'assumer. *Une pauvre fille*, songea Sharko, manipulable, fragile. Foulon avait bien dû s'amuser avec elle. Ce type était un vampire psychique, il avait dû la faire espérer, mijoter, comme un chat peut jouer de la patte avec une souris. Puis, peut-être, mettre un terme à leurs rencontres. Ne plus jamais accepter de la recevoir.

Lesly Beccaro se leva, fouina dans un tiroir et revint avec deux dessins soigneusement protégés par un film transparent. Même genre de délires que Sharko avait déjà vus dans le sachet plastique : la présence des couteaux, des figures brisées comme vues à travers un miroir cassé, l'enfermement. Signées PF.

Le lieutenant les lui rendit.

— C'est tout ce que vous avez ?

— Oui, c'est tout.

— Pourtant, Pierre Foulon m'a confié vous en avoir donné beaucoup plus.

Elle parut déstabilisée.

— C'est qu'il vous a menti. Il ment en permanence, quel que soit le sujet. Même un détecteur de mensonges ne viendrait pas à bout d'un type comme lui.

— Il ne vous a pas non plus remis des rognures d'ongles, des mèches de cheveux ? N'y a-t-il pas un enregistrement audio qui traîne quelque part, où il décrit avec un sens du détail chirurgical la façon dont il a tué ses victimes ?

— Non, non, jamais, je…

— On a retrouvé ces objets chez Daniel Loiseau. On sait qu'ils ont forcément été sortis de la prison par un proche de Foulon. Quelqu'un qui avait une relation forte avec lui, quelqu'un qui le comprenait.

— Je ne l'ai jamais compris ! Ne croyez surtout pas que je cautionnais les horreurs qu'il a commises. Que je n'ai pas eu de la pitié pour les victimes qui sont passées entre ses mains. Je ne suis pas un monstre. Si j'allais le voir, c'était parce que, derrière les barreaux, Pierre ne pouvait pas me faire de mal. Il ne pouvait pas me… cogner parce qu'il avait trop picolé, ou pour n'importe quelle autre fichue raison. Aussi paradoxal que cela puisse paraître, j'étais en sécurité dans une telle relation. (Elle soupira.) Et puis, laissez tomber, vous ne pouvez pas comprendre.

Elle se tut, le regard rivé au sol. Sharko avait déjà entendu parler des raisons qui poussaient ces femmes à côtoyer les tueurs. Les notions de « sécurisation » et d'aspect rassurant de la prison revenaient souvent.

— Qu'avez-vous fait de ces objets ? insista Sharko. Allez, dites-moi, et ne me forcez pas à passer par une voie plus formelle pour vous interroger.

Elle garda les yeux baissés.

— Quelqu'un me les a achetés.

— Achetés ? Des ongles et des cheveux ?

Elle agrippa son regard pour ne plus le lâcher. Sharko y vit, pour la première fois, l'éclat d'une flamme. La luminosité avait sérieusement baissé, et les roulements du tonnerre se faisaient de plus en plus présents.

— Que croyez-vous ? dit-elle. Des gens donneraient des fortunes pour porter un pull ou obtenir un morceau de chemise de leur star préférée. Pensez à Claude François, à ces fanatiques qui y laissent bien plus que leur salaire, qui pleurent chaque année devant sa tombe, qui vont jusqu'à faire de la chirurgie esthétique, qui s'évanouissent devant l'un de ses sosies. Alors pourquoi n'existerait-il pas l'autre versant du phénomène d'adoration ou de fétichisme ? Des admirateurs beaucoup plus discrets de ce qu'il y a de plus noir en l'être humain. Des gens prêts à tout pour obtenir leur petite parcelle de ténèbres.

Elle se redressa un peu, soudain plus sûre d'elle. Même sa voix changeait. Plus régulière, plus forte.

— Avant son exécution en 1994, John Wayne Gacy, coupable de sévices sexuels et de meurtres sur au moins trente-trois jeunes hommes, a vendu ses tableaux de clowns pour une fortune, annonça-t-elle. Des lettres de Gerard Schaefer à sa petite amie se monnaient à prix d'or. On trouve des poupées Jeffrey Dahmer qui s'ouvrent sur des viscères, des horloges à l'effigie de Ted Bundy, un flacon de déodorant ayant appartenu à Richard Ramirez, une enveloppe léchée par Dennis Rader, *alias* BTK, auteur de dix meurtres… Il y a un marché pour ces « objets » du Mal. Un marché avec des cotes, selon le tueur en série, sa médiatisation, s'il est mort ou vivant.

Sharko sentait qu'il tenait quelque chose de sérieux avec ce marché de l'ombre, où ceux qui avaient les mêmes goûts morbides pouvaient se rencontrer, et avoir des conversations qu'ils ne pourraient jamais imaginer ailleurs. Parler de leurs idoles, échanger sur des crimes ignobles… Se sentir sur la même longueur d'onde. Communier.

C'était peut-être en se procurant ces objets appartenant à Pierre Foulon que Loiseau avait croisé ce Charon qui lui avait permis de se « révéler ». De franchir le Styx et de pénétrer dans les derniers cercles de *l'Enfer* de Dante.

Une odeur de brûlé le tira de ses pensées. La femme s'excusa et partit éteindre la gazinière. Sharko en profita pour jeter un œil à la bibliothèque. Il lorgna les tranches des livres, les journaux amoncelés, parfois en mauvais état. Un pan complet était consacré à Gerard Schaefer, sans doute l'un des pires tueurs en série qui ait existé. On lui attribuait une centaine de victimes et un panel de perversions qui défiait n'importe quel dictionnaire de langue française.

Sur cette étagère, une accumulation de faits divers, de viols, de meurtres. Le flic ouvrit un ouvrage, puis un autre. Des paragraphes entourés, des pages usées, à force de lectures. Il remarqua la place énorme que Lesly Beccaro réservait aussi aux tueurs en série français. Guy Georges, Chanal, Fourniret… Et Pierre Foulon. Il y avait des articles, des bouquins, même des rapports de criminologie. Ils semblaient confidentiels. Comment cette femme ordinaire, insignifiante, se les était-elle procurés ?

Intrigué, il en ouvrit un au hasard et tourna les pages. Il remarqua que, à quasiment chaque paragraphe, elle avait souligné, stabiloté, commenté : « aime qu'on lui parle de football » ou alors « faire en sorte qu'il pense avoir l'ascendant ».

Sharko en prit un autre.

— Non, ne touchez pas à ça, s'il vous plaît !

Beccaro était extrêmement nerveuse. Avant qu'elle arrive, Sharko avait vu que ce dossier-là aussi était noirci de notes, de remarques sur les comportements à adopter. Elle lui arracha le rapport des mains et le remit en place.

Franck resta là, secouant la tête, se moquant de lui-même.

— Je dois dire que vous m'avez bien eu, bon sang.

— Je ne vois pas ce que…

— Je crois que ces tueurs français, vous allez tous les voir, les uns après les autres, peut-être même plusieurs en même temps. Vous leur écrivez des lettres d'admiration, sans doute, pour commencer. Ensuite, les parloirs… Les rencontres…

— Vous racontez n'importe quoi.

Sharko eut un petit rire.

— Pour tout vous dire, Foulon ne m'a jamais parlé de vous pendant l'entretien. Pourtant, il n'a pas hésité à parler des lettres d'amour qu'il recevait… Mais sur vous, rien. Il s'en serait forcément vanté s'il vous avait fait du mal, maintenant que j'y pense. Ce n'est pas lui qui vous a manipulée, c'est vous qui l'avez fait. Vous vous êtes payé Foulon. Je dis bravo. Respect.

Il la vit pâlir. À ce moment, un violent coup de tonnerre résonna et fit trembler les vitres. La femme sursauta.

— Vous l'avez approché, étudié, non seulement parce qu'il vous fascinait, mais aussi pour récupérer des objets qui lui appartenaient. Vous le faites avec chacun d'entre eux. Puis vous vendez ces objets, histoire de gagner pas mal de fric sur leur dos.

Elle le fusilla du regard. Fini, la petite femme voûtée à l'air si fragile.

— Dites-moi ce que vous attendez de moi exactement, et fichez le camp d'ici.

— Très bien. D'abord, est-ce que Pierre Foulon est bien coté sur ce marché ?

— Très bien, vu sa notoriété, le nombre de victimes et la cruauté de ses actes. Pires ils sont, mieux ils sont cotés. Moins que des tueurs exécutés, mais quand même…

Elle ne se rendait même pas compte du décalage de ses propos. Qui étaient les plus monstrueux, finalement ? Les tueurs, ou ceux qui enchérissaient sur leur compte, dans le confort de leur salon, bien installés derrière leurs guichets de banque, leur caisse de magasin, leur ordinateur ?

— Comment ça fonctionne ? demanda Sharko. Comment un acheteur fait-il pour se procurer ce genre d'objets ?

Elle retourna vers le canapé. Franck la suivit.

— Rien de bien compliqué si on reste dans le « classique ». Le marché du *murderabilia*, comme on l'appelle dans le milieu, a pris beaucoup d'ampleur, il existe depuis des dizaines d'années. Aujourd'hui, les mises en contact se font principalement par Internet. Ça commence sur des forums publics, où les objets « classiques » sont à vendre. Des vêtements, des ustensiles, des éléments corporels comme les poils, les cheveux, les squames de peau…

— Et si on va plus loin ? Si on sort du « classique » ?

— Je n'en sais rien.

— Vous n'en savez rien… Moi je crois que si, vous savez. Alors je répète ma question, plus clairement peut-être : si on se rend par exemple dans la partie privée des forums, que trouve-t-on ?

Elle prit son chat sur les genoux et se ravisa,

consciente que l'homme, en face d'elle, ne la lâche-
rait pas.

— On n'accède pas à la partie privée facilement.
L'internaute doit prouver une passion plus que dévo-
rante pour tel ou tel tueur en série. Il faut poster des
messages, être investi, avoir soi-même des objets rares
et particulièrement originaux à proposer. Il y a un
système de parrainage. Ne franchit pas les barrières
qui veut...

Sharko moulina des bras pour l'inciter à poursuivre,
ne lui laissant pas le temps de reprendre son souffle.
La pluie s'était soudainement mise à tomber avec une
violence inouïe. Il faisait nuit en plein jour.

— Dès le cap passé, il y a des regroupements par
affinités, des sous-groupes qui se créent. Certains ne
s'intéressent qu'aux tueurs en série africains. Pour
d'autres ce sont les nécrophiles, les cannibales, les
vampires, les pédophiles. Il y en a pour tous les goûts,
tous les délires. Les discussions sont crues, violentes,
et pourraient facilement vous donner la nausée... Je
tiens à vous signaler que je n'ai rien à voir avec ça.

— Mais vous êtes déjà allée y jeter un œil.

— J'en ai fini avec toute cette cochonnerie. Foulon
a été le dernier. Ça a tout détruit autour de moi, ça
m'a forcée à déménager. J'ai perdu plusieurs jobs.
Aujourd'hui, j'ai une vie stable, presque normale. Je
suis restée ici, à La Rochelle, mais je n'ai plus rien
à voir avec Foulon ni avec les autres de son espèce.
Je ne les approche plus qu'à travers les livres. C'est
déjà trop.

Elle porta les yeux vers son chat et lui adressa un
regard tendre. Sharko apprécia sa franchise. Il savait,
cette fois, qu'elle disait la vérité.

— Vous pensez que ces gens qui communiquent entre eux sur ces forums privés sont potentiellement dangereux ? Qu'ils pourraient... être influencés par leurs « idoles » ?

— Difficile de répondre à cette question. Certains vont très loin, mais ça reste des paroles. Même si c'est privé, protégé par des administrateurs qui sont souvent des cracks en informatique, ces internautes demeurent prudents. Jamais de vrais noms ni de confidences sur d'éventuels passages à l'acte. Seulement du vomi verbal. Mais bien sûr, rien ne les empêche de se côtoyer en dehors des forums...

— Vous avez mis les objets de Foulon en vente sur ces forums privés ?

— L'enregistrement sonore uniquement. Je me suis arrangée pour que Foulon laisse son empreinte digitale sur la carte mémoire, ce qui garantissait son authenticité. C'est elle que j'ai vendue, soigneusement emballée. C'était une pièce unique, rare, et troublante. Vous avez écouté ? Le coup des grenouilles qui glissent sur le fil de son bistouri et s'ouvrent le ventre, c'est dément comme manière de penser.

— Dément, oui...

Elle se racla la gorge, consciente qu'elle avait quand même un flic de la Criminelle en face d'elle.

— Les prix pouvaient monter haut. Les autres objets ont été placés sur les sites publics.

— Qui a acheté ? Comment avez-vous été payée ?

— Je crois me rappeler que trois personnes différentes ont acheté. En général, on fixe un rendez-vous dans un lieu neutre et fréquenté, on règle en liquide. L'un voulait les cheveux et les ongles, certificat d'authenticité ou ADN à l'appui. On obtient ces certificats

ADN dans les labos privés sur Internet, ça coûte une centaine d'euros…

Sharko avait l'impression d'halluciner. Le marché avait ses règles, ses codes, ses habitudes. Quels esprits malades avaient eu l'idée de créer, de réguler une monstruosité pareille ?

— … Un autre, c'étaient les dessins. L'enregistrement audio, c'était encore pour quelqu'un de différent. La carte mémoire originale a d'ailleurs été remise en vente quelques semaines plus tard, à un prix un peu plus élevé. C'est comme partout. L'offre, la demande…

Le lieutenant fit une synthèse. Daniel Loiseau avait tout récupéré, il devait avoir lui-même racheté ces objets aux différentes personnes. Un véritable passionné de Foulon, qui devait avoir intégré les forums, qui y nageait sans doute comme un poisson dans l'eau. Sharko avait de plus en plus la conviction que c'était par ce biais que Loiseau avait été approché. Qu'il avait peut-être franchi ses premières barrières à l'aide de Charon. *De l'autre côté du Styx, Tu m'as montré la voie.*

— Vous avez le moyen de me fournir tous les pseudos des acheteurs, voire ceux des autres membres ? De me permettre d'accéder à ces forums ?

Elle secoua la tête.

— Mon compte n'est plus actif. Il faut surfer régulièrement, sinon, vous vous faites jeter, et c'est quasiment impossible ensuite de se reconnecter. Ils repèrent votre adresse IP, ils surveillent. Au mieux, je pourrais vous fournir quelques liens vers les principaux sites et forums de *murderabilia*. Mais vous pourrez les trouver sans mal par vous-même. Et recommencer le processus d'accès aux forums privés prendrait trop de temps. Des semaines avant de pouvoir y naviguer sans attirer l'attention. Si vous ou vos services y allez trop franco, vous vous ferez remarquer, je vous le garantis.

Franck Sharko observa cette femme, cantonnée dans son trente mètres carrés, écrasée par ses folles obsessions. Combien étaient-ils, comme elle, à graviter dans cet univers morbide ? À laisser libre cours à leurs déviances, leurs fantasmes ? Jusqu'où pouvaient aller certains ?

Il songea au message inscrit dans la carrière : *Nous sommes ceux que vous ne voyez pas, Parce que vous ne savez pas voir*... Combien de Loiseau ou de Foulon en puissance, derrière les façades de maisons anonymes ? Des gens ordinaires dans leur tabliers de cuisine ou leur bleu de travail ? Combien jouaient avec leurs enfants dans leur jardin le jour, et se repaissaient d'horreurs la nuit ?

Sharko se recentra sur son interlocutrice. À présent, celle-ci déchiquetait une serviette en papier.

— Est-ce que le Styx, ça vous dit quelque chose ?

Elle le regarda comme s'il avait prononcé une aberration, stoppant tout mouvement.

— D'où est-ce que vous tenez ce nom ?

— C'est confidentiel, désolé. Parlez-m'en, s'il vous plaît.

Elle se sentait prise au piège et n'eut d'autre choix que de poursuivre.

— Ce nom apparaît parfois dans des conversations privées, mais à l'envers : xyts, afin que les moteurs de recherche ne puissent pas l'indexer. Le Styx serait un endroit où se déroulerait le Marché Interdit.

— Le Marché Interdit ?

— Un lieu où se donneraient rendez-vous les plus extrêmes des collectionneurs d'objets de criminels. Des individus sans limites dans le fétichisme ou l'adoration

298

macabre. Sur les forums, même dans la partie privée, on reste dans le légal. Mais le Styx, c'est un lieu sans frontières, dédié à la dépravation, où, paraît-il, circulerait le pire du pire.

— C'est quoi, le pire du pire ?

La pluie et le tonnerre se déchaînaient dans un fracas abominable, le vent sifflait contre les volets. Lesly Beccaro se leva pour allumer la lumière.

— Aucune information ne circule à ce sujet. Je n'en sais rien et je préfère ne pas savoir.

Par la fenêtre, la pluie cognait, cinglait, emprisonnait le paysage. Le lieutenant avait envie de se glisser sous l'eau, le visage au ciel, pour se purger de toutes ces horreurs. Ses yeux revinrent vers son interlocutrice.

— Où se trouve le Styx ? demanda-t-il.

Elle hésitait entre chaque réponse, comme si le simple fait de prononcer ces paroles la faisait replonger.

— Sous un club sadomaso qui s'appelle L'Olympe. Une immense structure, l'un des plus grands clubs privés de Paris. Il est situé rue Royer-Collard, du côté de Denfert-Rochereau. Là où se trouvent les catacombes, mais sûrement dans des parties méconnues ou interdites au public.

— Vous y êtes déjà allée ?

— Non.

C'était un « non » ferme, sec. Elle secoua la tête après coup.

— J'étais prête à le faire, un jour. Pour savoir. Mais… Je n'ai pas franchi la frontière. J'ai approché le pire en côtoyant des tueurs en série, mais il y avait les barreaux, le cadre de la prison. La taule vous contraint à suivre des règles, elle vous guide, d'une certaine façon. Mais affronter ce qu'il y a là-bas, sous terre, c'est ne plus jamais pouvoir revenir en arrière. C'est se pervertir définitivement. Parce que chacun est libre d'y faire ce qu'il veut. Il n'y a plus de société, plus de règles ni de tabous.

Sharko voyait parfaitement ce qu'elle voulait dire. Une fois happé par l'engrenage, il n'y avait d'autre choix que de se laisser aspirer par la machine. On affrontait ce qu'il y avait de pire en soi, comme si on creusait sa propre tombe à l'intérieur de soi-même.

Lesly Beccaro semblait usée, au bout du rouleau. Le lieutenant la laissa émerger de ses pensées, et quand elle releva enfin les yeux, il demanda :

— Comment on descend vers le Styx ? Je suppose que c'est contrôlé ?

— Parce que vous envisagez...

Elle s'interrompit et le fixa longuement. Puis elle s'arrêta, comme l'avait fait Foulon, sur l'alliance qu'il portait à l'annulaire gauche.

— Vous avez une femme, peut-être des enfants. N'allez pas là-dessous, vous remonteriez... différent.

Sharko serra les lèvres.

— Je suis déjà différent, confia-t-il après quelques secondes de silence.

Lesly Beccaro acquiesça comme quelqu'un de résigné, quelqu'un qui n'a plus envie de lutter et qui ne demande qu'à retrouver sa solitude et sa tranquillité.

— En espérant que rien n'ait changé depuis deux ans... Quand vous serez sur place, vous devrez fournir un mot de passe pour rencontrer un type qui se fait appeler Érèbe. Dans la mythologie grecque, Érèbe est une divinité infernale née du Chaos, personnifiant les Ténèbres. Je ne sais pas à quoi il ressemble. Il vous demandera de l'argent, une centaine d'euros, et vous conduira aux portes de l'enfer. Prévoyez du cash si vous êtes acheteur. Beaucoup de cash. Mille, deux mille euros, davantage si vous pouvez.

Sharko se demanda ce qu'on pouvait acheter à ce prix-là.

— Et le mot de passe ?

— C'était Nyx, N-Y-X, à l'époque. Là encore, j'espère pour vous que rien n'aura bougé. La descente se fait le dimanche soir. Il y a du monde, et rien ne se remarque. Je suppose qu'il doit y avoir une autre entrée pour les vendeurs ou les habitués, quelque part. Mais j'ignore où.

— Dimanche, c'est après-demain, souffla Sharko.

— Après-demain, oui. On risque de vous demander votre pseudonyme sur Internet, le forum que vous fréquentez ou avez fréquenté, petite précaution de leur part. Je suis presque sûre qu'ils vérifieront. Mon pseudo, c'était Gorgone. Le petit hic, c'est qu'ils savent que je suis une femme.

Sharko se leva et désigna un ordinateur portable, dans un coin.

— C'est celui-là que vous avez utilisé pour aller sur ces sites ?

— Non. L'autre, je l'ai revendu. Désolée.

Le flic lui tendit sa carte.

— Je vais devoir rentrer sur Paris. Vous allez me transmettre par mail ou téléphone toutes les infos que vous avez, et au plus vite. Les pseudos, les adresses, les détails, d'accord ?

— Je vais essayer de me souvenir de tout ça.

— Possible qu'on ait encore besoin de vous pour une déposition dans les prochains jours. Alors, ne partez pas trop loin.

37

En cette fin d'après-midi, les orages étaient passés et avaient laissé place à un ciel de traîne chaotique.

Mais lorsqu'on était perché au sommet des falaises d'Étretat, ce chaos revêtait une beauté divine.

Camille était assise sur un rocher, sur une étendue au vert bien tendre, face à la mystérieuse aiguille qui défiait les lois de la nature, fruit de siècles d'érosion. Elle imaginait le romancier Maurice Leblanc, assis au même endroit qu'elle, en train de rédiger les aventures d'Arsène Lupin.

Lui racontait des histoires policières, elle les vivait.

Et celle-ci était la plus sordide qu'elle ait connue de toute sa vie.

Une partie d'elle-même s'en voulait d'être là, à s'enfoncer dans les ténèbres alors que le temps lui était compté. Il fallait être clair : elle allait mourir et gâchait le peu d'énergie qui l'animait encore. Camille s'était souvent demandé ce qu'elle ferait s'il ne lui restait que quelques jours à vivre. Dépenser tout l'argent de ses livrets d'épargne, voyager, découvrir de merveilleux paysages, faire l'amour avec des inconnus sans honte de son corps, et dire à ses parents qu'elle les aimait.

Guy Broca lui avait prêté son dossier. Il avait insisté pour qu'elle le feuillette chez lui, mais, après leur déjeuner, elle avait dit préférer prendre l'air, marcher un peu dans les rues avant de venir s'installer sur la falaise.

Après avoir parcouru en diagonale l'effroyable rapport médico-légal de Jean-Michel Florès, jeté un œil à toutes les photos de scène de crime et aux différents rapports d'expertise, elle s'intéressa aux notes et aux recherches de Broca, principalement celles qui portaient sur la famille Florès.

Car deux questions revenaient sans cesse au-devant de la scène : pourquoi les Florès avaient-ils été tués ? Et pourquoi Jean-Michel Florès avait-il été l'objet d'une si macabre mise en scène ?

Il n'y avait, pour le moment, aucun rapport entre les sombres activités de Daniel Loiseau et les meurtres sordides des Florès, mais le gendarme avait l'intime conviction qu'il existait un lien ténu, caché quelque part. Et que le photographe Mickaël Florès, le fils, l'avait peut-être mis à nu, déclenchant ainsi leur exécution à tous les deux.

Malheureusement, il n'avait pas eu le temps de mener sa quête jusqu'au bout.

Qu'avait fait Jean-Michel Florès pour mériter pareil traitement ? Il n'avait pas de casier judiciaire d'après les documents. N'avait jamais été inquiété par la police. Un citoyen *lambda*, intégré, fondu dans la masse.

Camille parcourut les notes de Broca avec attention. Né à Paris d'un père espagnol et d'une mère française, Jean-Michel Florès avait vécu une grande partie de son temps à Paris et était le patron d'un magasin de chaussures qu'il tenait avec sa femme Hélène.

Le bébé Mickaël était né à l'hôpital public Lariboisière, Paris. Un mois après, les Florès déménageaient dans la précipitation pour Honfleur. D'après Broca, tout semblait avoir été fait dans l'urgence : la maison qu'ils achetèrent dans la ville normande, le magasin de prêt-à-porter acquis dans la foulée, comme s'ils avaient voulu fuir la capitale au plus vite.

Camille lut attentivement les remarques manuscrites de Guy Broca :

[...] J'ai interrogé la sœur de Jean-Michel Florès. Elle se souvient du comportement étrange de son frère, quelque temps après la naissance de Mickaël. Lui et sa femme, d'ordinaire si ouverts et souriants, ont subitement refusé de voir des gens. Ils vivaient coupés du monde, ils ont fermé leur boutique et sont partis en Normandie. « Comme ça », a dit la sœur dans un claquement de doigts.

Pourtant, Hélène était une femme rayonnante. Elle a donné naissance à leur fils dans une grande joie. La sœur était à la maternité, elle a vu l'enfant naître, aux côtés de Jean-Michel, le 8 octobre 1970. Un enfant désiré plus que tout au monde. Jean-Michel aimait fort sa femme. Ils se connaissaient depuis plus de quinze ans, avaient toujours vécu à Paris et voyageaient régulièrement en Espagne, pays d'origine de Jean-Michel.

Était-ce la naissance de Mickaël qui avait provoqué la rupture avec leurs proches et le départ de la capitale ? Impossible de savoir. Toujours est-il que Jean-Michel Florès a déménagé pour reconstruire une nouvelle vie avec Hélène.

Mais, six mois plus tard, elle se suicidait en se jetant sous un train.

Autre point, et non des moindres : la belle-sœur était persuadée que Jean-Michel était impliqué dans « quelque chose », mais elle était incapable de préciser quoi. Il lui a demandé une forte somme d'argent deux semaines après la naissance (plus de 30 000 francs à l'époque, ce qui était beaucoup), jurant qu'il les lui rendrait. Il n'a jamais honoré sa parole [...].

Camille sortit de sa lecture perturbée, mal à l'aise. Pourquoi ce suicide de la mère après avoir donné naissance à un enfant si désiré ? Pourquoi ce brutal déménagement, et cette rupture avec les proches ? Et à quoi avait bien pu servir l'argent ?

Après la mort de son épouse, Jean-Michel Florès était resté veuf, abattu, au fond du trou. Il n'avait jamais voulu refaire sa vie et avait élevé seul son fils Mickaël, sans plus jamais quitter Honfleur ni son magasin.

Quarante et un ans plus tard, on les assassinait tous les deux.

Camille resta pensive. Elle lut, relut les notes, persuadée que le passé des Florès cachait quelque chose, peut-être en rapport avec la naissance de Mickaël. Que la solution se trouvait là, sous ses yeux. Elle pensait évidemment au petit squelette, à la photo de cette Maria, enceinte, entre deux bonnes sœurs. Et à l'album de famille aux pages arrachées… À cette mère qui ne souriait jamais.

Mais même en retournant le problème dans tous les sens, elle ne trouva pas de faille, de liens avec le reste de ses investigations. Qu'avait-elle espéré, d'ailleurs ? Des dizaines de flics s'étaient penchés sur l'affaire, et tout ce qu'ils avaient pu en sortir était ces quelques feuillets…

Mais eux ne disposaient ni du squelette, ni d'un album, ni d'une photo avec une identité, Maria. Camille avait malgré tout de quoi poursuivre sa quête. S'enfoncer toujours plus dans le passé. Remonter aux origines.

Elle ferma le dossier et jeta un œil à son téléphone portable qui vibrait. C'était Boris. Elle décrocha immédiatement.

— Salut, Boris.

— Salut, Camille. Il fait quel temps à Étretat ?

— Comment tu sais ?

— Tu me prends pour un bleu ?

Camille leva un regard fatigué, se massant les tempes. Le soleil était toujours assez haut, il était à peine 16 heures. La plupart des touristes avaient déserté, chassés par les violents orages ou intimidés par le ciel encore menaçant. Restaient quelques amoureux ou des gens qui promenaient leur chien. Des hommes, des femmes qui devenaient de petites ombres chinoises à cause du contre-jour.

— Je te promets que je t'expliquerai tout ça, dit Camille, mais c'est trop compliqué par téléphone. Oui, tu as raison, je ne suis pas sur la route des vacances. L'enquête sur le propriétaire du cœur m'a menée vers le double assassinat des Florès, alors, je creuse un peu…

— Quel rapport entre Daniel Loiseau et les Florès ? Surtout qu'ils sont morts six mois après ton donneur.

Camille ne voulait pas lui avouer au téléphone qu'elle portait le cœur d'un pourri. D'un homme qui avait kidnappé et peut-être assassiné douze jeunes femmes.

— Leurs chemins se sont croisés par le passé, se

contenta-t-elle de répondre. Tu sais à quel point cette quête me tient à cœur.

— C'est le cas de le dire.

— Boris… Je voulais vraiment te remercier pour tout ce que tu fais pour moi.

Vague soupir au bout du fil.

— Ça va, répliqua-t-il. Tu me paieras un repas au mess des officiers quand tu seras de retour.

Camille eut un petit sourire.

— T'auras même droit à un restau. Avec option bowling après, si t'as des nouvelles de cette Maria.

— Oui, j'en ai, je devais te rappeler. Heureusement que je ne suis pas trop mauvais en espagnol. L'employé de la mairie que j'ai eu en ligne dans l'après-midi a trouvé trois Maria vivant à Matadepera, mais une seule dont l'âge pourrait correspondre. Elle s'appelle Maria Lopez, elle a aujourd'hui cinquante-huit ans…

Camille avait l'oreille plaquée à son téléphone. Elle fixait deux silhouettes lointaines et immobiles, en contrebas, sur sa droite.

— … D'après le type, cette Maria-là a toujours été un peu simple d'esprit, poursuivit Boris. À ce qu'il m'a raconté, elle a été internée il y a quelques mois à l'hôpital psychiatrique de Mataró, une ville à une vingtaine de kilomètres de Barcelone. On l'a recueillie chez elle, aux trois quarts morte, elle s'était infligé des blessures avec un sécateur qu'elle tenait encore à la main quand on l'a retrouvée. D'autant plus étrange lorsque tu fais gaffe à la date d'internement. Le 15 février 2012.

Camille sentit sa gorge se serrer.

— Soit à peine une semaine avant la mort de Jean-Michel et Mickaël Florès, constata-t-elle avec surprise.

— Exactement. Difficile de croire à une coïncidence.

La jeune femme réfléchissait à toute vitesse. La lettre avec la photo qu'elle avait trouvée au-dessus du petit squelette avait été envoyée à Mickaël le 27 septembre 2011, environ six mois avant que Maria Lopez se fasse interner. Donc, ils se connaissaient. Se côtoyaient, peut-être.

Cette femme, ça valait sans aucun doute le coup d'essayer de lui parler, de lui montrer des photos de Mickaël…

La voix de Boris la sortit de ses pensées.

— Et donc, après Étretat, je suis prêt à parier que ce sera l'Espagne. Tu comptes faire beaucoup de kilomètres, comme ça ?

Camille avait les yeux rivés au loin. Elle vit l'une des deux silhouettes immobiles pointer un index dans sa direction, et l'autre se mit à grimper à un bon rythme vers elle, avant de disparaître dans un renfoncement.

La jeune femme lorgna autour d'elle, à droite, à gauche. Elle était désormais presque seule. L'ombre restée proche du sentier ne bougeait pas, elle l'observait, Camille en avait la certitude. Méfiante, elle se leva.

— Je vais devoir te laisser, Boris. On se tient au jus.

— Très bien. J'attends ton prochain appel. Et pas dans une semaine, d'accord ?

— Ça roule. Au fait, Boris…

— Oui ?

— La fin de ton mail… Elle ne m'a pas laissée insensible. Je voulais que tu le saches.

Et elle raccrocha brutalement, sans lui laisser le temps de répondre. Les mots étaient sortis tout seuls, et elle regrettait déjà de leur avoir laissé une petite fenêtre d'espoir, à tous les deux. Elle n'avait pas le droit d'aimer.

Loin derrière, la seconde silhouette réapparut au bord du golf improbable planté à proximité des falaises. Camille dévala la pente herbeuse et traversa la passerelle qui l'amena vers un trou creusé dans la roche. Elle sortit son mobile et fit mine de photographier le panorama, tout en gardant un œil vers le golf.

Plus personne. Se faisait-elle des films ?

Sur place, nichée dans sa grotte, elle en profita pour avaler un biscuit. Un goéland argenté plana juste devant elle et plongea dans un court virage en direction de l'aiguille. Camille le suivit des yeux jusqu'à ce qu'il se perche sur la falaise.

Il y eut un roulement de cailloux, pas loin. La jeune femme détourna la tête, sur ses gardes, et se colla à la paroi, dans un renfoncement.

Le cœur battait fort dans sa poitrine : Daniel Loiseau se réveillait.

Camille serra ses deux poings.

L'ombre vint soudain obstruer le cercle de clarté, à l'entrée du trou, pareil à une éclipse dangereuse. Elle s'approcha d'elle, de plus en plus lourde et menaçante. Camille s'apprêtait à frapper.

— Qui êtes-vous ? demanda-t-elle.

La silhouette était désormais là, juste en face d'elle. Un rai de soleil descendit sur le visage de l'intrus, au fur et à mesure de sa progression. L'œil droit s'illumina, rond de clarté dans les ténèbres.

Les deux individus n'étaient plus qu'à un mètre d'écart.

— Je m'appelle Nicolas Bellanger.

38

Camille resta figée, plaquée contre la roche, tandis que le capitaine de police lui montrait sa carte tricolore. Elle entraperçut l'éclat de la crosse d'une arme sous la veste, au niveau de la ceinture.

— Je crois qu'on a des choses à se dire, fit le flic.

Nicolas Bellanger observa ce visage fin mais sévère, ce nez droit, tranchant. La femme était un peu plus grande que lui. Les cernes noirs sous ses yeux donnaient l'impression qu'elle n'avait pas dormi depuis des lustres. Sur ce point, ils pouvaient rivaliser.

— Pourquoi vous êtes là ? demanda Camille sur la défensive. Qu'est-ce que vous me voulez ?

— Depuis deux jours, on trace une femme qui se fait appeler Cathy Lambres et qui semble mener une enquête qui nous intéresse au plus haut point. On constate que sa curieuse épopée la mène à Daniel Loiseau, puis à Mickaël Florès... Et nous, on est juste dans leur sillage...

Il observait ses réactions, la scrutant avec attention. Camille était sans voix, prise au piège. Les yeux du flic ne la lâchaient pas. Deux serres d'aigles affûtées.

— On découvre que le photographe a été torturé et tué il y a six mois, et que, dans la foulée, son père a été violemment assassiné, poursuivit Bellanger. Alors, on appelle le SRPJ de Rennes, et surtout le responsable d'enquête de l'époque. Et devinez ce que Broca nous apprend au téléphone ?

Camille se rappela le coup de téléphone dans l'abattoir, puis le curieux comportement de Broca qui avait tout fait pour la retenir en attendant que les flics débarquent. Ainsi, tout s'éclairait.

— Que Cathy Lambres est justement en face de lui ! dit Bellanger.

— Coup de bol, faible pourcentage.

— Faible pourcentage, oui, c'est le cas de le dire. Mais je vous ai retrouvée. Le flic d'Argenteuil que vous avez rencontré, Patrick Martel, raconte que vous seriez remontée à Loiseau parce que... vous avez reçu une greffe et que vous possédez son cœur. Et que vous feriez des espèces de rêves prémonitoires en rapport avec notre enquête.

Camille se sentit mise à nue, trahie, avec l'impression que la terre entière était désormais au courant de sa greffe. Martel lui avait pourtant promis de ne rien dévoiler. Il avait dû être mis sous pression : la Crim était connue pour être un véritable rouleau compresseur.

— Ce ne sont pas des *espèces de rêves prémonitoires*, répliqua-t-elle sèchement. Je vois ce que les yeux de Loiseau ont vu. Je ressens parfois ce qu'il ressent. J'ai le cœur d'un salaud de la pire espèce.

— Un salaud ? Qu'est-ce qui vous fait dire ça ?

Camille ne devait pas s'emporter ni trop en dévoiler.

— Je crois que vous savez parfaitement ce que je veux dire. Et que c'est pour cette raison que vous êtes ici. Vous aussi, vous enquêtez sur cette affaire de disparitions de jeunes femmes roms. Je me trompe ?

Ils se jaugèrent en silence. Nicolas Bellanger se sentit troublé par cette femme qu'il avait imaginée complètement différente. En arrière-plan, Guy Broca était apparu et venait de s'asseoir dans l'herbe, les observant du coin de l'œil.

Camille savait qu'elle devait jouer serré. Ce capitaine de police, de la prestigieuse Crim, était certes presque aussi jeune qu'elle, mais certainement pas né de la dernière pluie. Une sacrée belle gueule, mais déjà marquée. Elle sortit avec calme une carte de sa poche, qu'elle tendit devant elle. Il était temps pour elle de se dévoiler.

— Je m'appelle Camille Thibault, et je suis sous-officier de gendarmerie. Technicienne d'investigation criminelle à la caserne Sénépart, Villeuneuve-d'Ascq, depuis huit ans.

Nicolas scruta la carte dans ses moindres détails.

— Vous l'avez compris, il n'y a rien d'officiel dans ma démarche, ajouta la jeune femme. Il s'agit d'une quête personnelle. Je n'enfreins aucune règle.

— Aucune règle ? répéta Bellanger avec une pointe d'ironie. Vous ne seriez pas entrée chez Mickaël Florès par effraction, à tout hasard ?

— Absolument pas ! Je suis bien allée sur place, j'ai bien insisté en frappant à la porte, mais il n'y avait personne. Alors, je suis repartie. Que vouliez-vous que je fasse d'autre ?

Nicolas Bellanger essaya de percer ce regard qui le fixait sans ciller.

— Vous êtes repartie… Et vous n'avez même pas fait le tour de la maison ?

— Il faut vous le dire en quelle langue ? En japonais ?

— Vous interrogez des officiers de police en leur

mentant sur votre identité, répliqua-t-il sévèrement. Vous accédez à des dossiers confidentiels.

— Je ne force la main à personne. Ce sont eux qui m'ouvrent les portes.

— Peut-être. Mais je pourrais donner un petit coup de fil à votre caserne pour les mettre au parfum.

Camille serra les dents, ses lèvres lui brûlaient et elle ne put se retenir :

— Je n'en ai plus rien à foutre. Vous pouvez imaginer ce que ça fait de porter le cœur d'un criminel ? D'un salaud qui a prêté serment et qui est la pire des ordures ? Je vais vous dégoupiller une grenade dans la poitrine, vous allez vite comprendre. Ma quête va au-delà de toute logique. Je n'ai pas le temps de bavarder et de me farcir les procédures. C'est pour cette raison que j'avance vite, et plutôt bien. La preuve : j'étais là avant vous.

Les yeux noirs de Camille sondaient Bellanger, qui eut l'impression d'être transpercé. Cette femme dégageait de la force, de la rudesse, comme l'écorce d'un arbre. Mais elle le touchait, l'intriguait. Il avait envie de creuser, parce qu'elle savait à l'évidence des choses qu'il ignorait.

Ce fut elle qui prit les devants.

— Il y a deux possibilités, poursuivit-elle. La première, vous me mettez des bâtons dans les roues et on perd tous du temps, parce que je ne vous dirai rien. La seconde, on bosse ensemble. Vous jouez cartes sur table, je fais de même.

— Vous plaisantez ?

— Je suis gendarme, vous êtes flic. On a un intérêt commun, vous et moi : faire éclater la vérité. Alors, réfléchissez bien avant de répondre.

C'était un vrai coup de poker, mais sans mensonges cette fois : Camille n'avait vraiment plus rien à perdre. Elle lui tourna le dos et s'approcha du trou dans la roche. Elle se laissa hypnotiser par le vide, sous elle, la gorge serrée. Des centaines de mètres d'à-pic et de liberté, dont profitaient les goélands. Ses yeux remontèrent vers l'aiguille, et elle murmura :

— *Nous sommes deux ennemis qui savons parfaitement à quoi nous en tenir l'un sur l'autre, c'est en ennemis que nous agissons l'un envers l'autre, et c'est par conséquent en ennemis que nous devons traiter l'un avec l'autre.*

Il y eut un silence. Un moment où le temps sembla s'arrêter.

La page d'un livre qu'on tourne…

Nicolas Bellanger fixa cette silhouette presque fantomatique perchée entre ciel et mer.

La curieuse impression de flotter dans un rêve.

— Très bien, dit-il. Vous prenez votre voiture et vous me suivez quand même jusqu'à Paris. On va trouver une solution. Ça vous convient ?

Camille se retourna avec une mine satisfaite.

— C'est parfait.

Elle lui tendit la main.

— Ravi de faire votre connaissance, capitaine Bellanger.

Le policier la lui serra. Elle avait des mains plus grandes que les siennes.

— Ne pensez pas que nous soyons ennemis. Quelqu'un capable de citer de mémoire un passage de *L'Aiguille creuse* doit forcément être quelqu'un de bien.

Elle lui sourit.

— Et quelqu'un qui le reconnaît doit l'être aussi.

39

On sonna à la porte de l'appartement de L'Haÿ-les-Roses, en ce vendredi soir.

Il était 21 heures passées.

Lucie terminait les préparatifs dans la cuisine. Ils seraient quatre adultes à dîner, avec, au menu, cadavres et ténèbres.

Sa mère arrivait le lendemain matin, par le TGV de 8 h 13. Marie Henebelle avait tout de suite répondu présent à la demande de sa fille, même si le fait que Lucie reprenne son boulot de flic avec dix jours d'avance ne la réjouissait pas vraiment.

Lucie se précipita pour ouvrir. C'était Nicolas Bellanger, son *boss*, accompagné d'une femme au physique impressionnant. Il lui fit deux bises et la serra affectueusement contre lui, tapotant son dos.

— T'as plutôt bonne mine.

Lucie s'écarta un peu de lui.

— Certainement parce que vous en avez tous une mauvaise.

— Ça se voit tant que ça ?

— J'ai le même à la maison.

Bellanger fit les présentations avec Camille. Lucie l'accueillit avec un sourire.

— Ça ne te gêne pas trop qu'on débarque comme ça ? ajouta la capitaine de police. Franck pense que c'est le meilleur endroit pour mettre tout le monde à niveau. Toi y compris.

— Au contraire.

Son « invitée » portait un jean plutôt serré et une large tunique beige qui lui descendait jusqu'aux hanches. Peu maquillée, l'air crevée, elle aussi, comme si elle faisait partie de l'équipe de son chef.

— Nicolas m'a expliqué longuement au téléphone sur la route du retour, fit Lucie. On a été voisines, j'habitais Lille, quartier Vauban, et j'ai exercé à la PJ, boulevard de la Liberté. Mais mon presque mari de flic m'a kidnappée jusqu'ici !

— Mon quartier est un peu moins glamour que Vauban ou le centre de Lille. Béton et uniformes bleus à Villeneuve-d'Ascq. Mais bon, on s'y fait.

— Et vous êtes une vraie nordiste ?

— Vraie de vraie. J'ai grandi à Roubaix.

— Moi, Dunkerque. Heureuse de vous recevoir, en tout cas.

Nicolas posa une bouteille de bordeaux sur la table ainsi qu'une chemise à rabats apparemment bien remplie.

— Au fait, Franck arrive tout de suite, dit Lucie. Il est parti chercher du pain. J'oublie toujours…

Bellanger prit une profonde inspiration.

— Demain, on t'attend au bureau. Difficile de rester loin de tout ça, hein, quand l'autre moitié part tous les jours au charbon ?

— Au lieu de fuir, on est comme irrémédiablement

attirés. Même si ça nous fait mal et que, une fois dedans, on ne demande qu'à en sortir. C'est chaque fois pareil. Affaire après affaire, année après année. Il m'arrive souvent de haïr ce métier et, l'instant d'après, de me dire qu'il n'y a rien de mieux.

— Je suis du même avis, fit Camille. Il doit y avoir mieux que de passer ses journées en compagnie de cadavres, et pourtant...

La jeune femme demanda à se rendre aux toilettes. Lucie la regarda s'éloigner, il n'avait suffi que de quelques mots pour qu'elle accroche avec Camille. Sans doute parce qu'elles avaient les mêmes origines et que, il y a quelques années encore, elle aussi exerçait encore dans le Nord. Elle prit la veste de Bellanger et l'accrocha au portemanteau. Le capitaine de police mit les mains dans les poches de son jean, restant debout.

— Bon, je dois t'avouer que je ne crache pas sur des cellules grises supplémentaires, confia-t-il à Lucie. Pascal et Jacques ont la tête sous l'eau. Moi, je suis carrément noyé. Je tape à droite, à gauche, dans les autres équipes pour un peu d'aide, mais beaucoup de gars sont en congé. Ce fichu pont du 15 août est une vraie plaie.

— On ne peut pas reprocher aux gars d'être en vacances. En tout cas, heureuse d'en être. Mon bureau me manque.

— Tes ardeurs risquent d'être vite calmées, quand tu sauras. T'as pas cuisiné du saignant, j'espère ?

— J'ai dû faire dans l'urgence et l'efficacité. Spaghettis bolognaise.

— Avec le vin, ce sera parfait.

— C'est incroyable, cette histoire de greffe et de rêves dont tu m'as parlé au téléphone, murmura Lucie.

317

Il y a encore des choses en ce bas monde qui ne trouvent pas d'explications, c'est rassurant, quelque part. Moi, je crois à tout ça. Les visions, les esprits, les coïncidences troublantes qui ne seraient pas que des coïncidences. Tout ce qui sort de la logique.

— Le plus horrible, là-dedans, c'est l'origine de son cœur. Porter un morceau de tueur en soi. C'est pire que... qu'avoir une grenade dégoupillée au fond de la poitrine.

Ils se turent lorsque Camille les rejoignit, et Sharko arriva dans la foulée avec des baguettes.

Bellanger fit de nouveau les présentations de cette équipe improbable : flic, chef, mère, gendarme, tous unis autour d'obsessions communes, avec cette même volonté d'aller au bout, de comprendre et résoudre.

Franck alla jeter un œil aux jumeaux endormis, les deux petites frimousses lui avaient manqué. Il caressa le front de Jules, le petit pli d'Adrien, puis retourna avec les autres.

Ils s'installèrent autour de la table du salon, transformant la pièce en une espèce de centre de commandement, distribuant de quoi écrire à chacun. Lucie avait servi l'apéritif : Martini rouge pour Camille et elle, whisky pour les hommes.

La gendarme du Nord ne refusa pas l'alcool, ce n'était pas un verre qui la tuerait. Elle sourit intérieurement à ce trait d'esprit et observa à la dérobée les porte-bébés, les bavoirs et les biberons qui traînaient un peu partout. Puis elle jeta un œil aux deux flics, en face d'elle. Franck et Lucie... Comment s'étaient-ils rencontrés ? Ils semblaient heureux, en tout cas, et s'aimaient. Ça se voyait à leurs regards, à leur complicité.

Nicolas Bellanger, quant à lui, resta debout, les mains appuyées sur le bois, sa pochette et un paquet de cigarettes devant lui. Il avait mal aux articulations, un peu au crâne à cause des comprimés excitants, mais se garda bien de le montrer.

Il fixa Camille dans les yeux.

— Je vais devoir faire passer la pilule à mon commissaire divisionnaire en lui expliquant que je vous mets au courant. Aussi, je ne vous cache pas que j'ai fait une requête concernant vos états de service. Discrètement, bien sûr. Ils sont irréprochables.

— Merci.

— Je vais faire passer ça comme on fait avec les indics. Ils existent sans exister, leurs noms ne figurent nulle part, mais ils aident. Ça vous va ?

— Parfait.

— Rien de ce qu'on va se dire ne doit sortir d'ici, je veux être le seul référent, le seul juge de ce qui doit être fait ou pas. On doit être carrés, rien ne doit filtrer.

— Nos intérêts sont communs, répliqua Camille.

Bellanger approuva, au moins elle n'était pas contrariante. Il se tourna vers Lucie.

— Quant à toi, j'ai fait tout ce qu'il faut auprès de l'administratif. Tu signeras quelques papiers demain matin, en arrivant au 36. Officiellement, tu réintègres. Tout le monde est OK ?

Il récolta une série d'acquiescements, puis revint vers la nouvelle recrue. Il parut troublé une fraction de seconde. Durant tout le trajet, il avait eu en tête l'image de cette grande silhouette qui lui tournait le dos, à Étretat. Quelque chose l'avait marqué à ce moment-là, sans qu'il puisse en définir la raison.

— Euh... Je propose que vous commenciez par

nous raconter en détail votre enquête. Ensuite, on vous délivrera tout, depuis le début, à Lucie et vous. Car, comme vous l'avez peut-être déjà compris, Lucie abrège son congé maternité. Elle vient d'être maman…

— … de jumeaux visiblement, termina Camille. Mes félicitations.

— Merci.

Camille adressa un sourire amical à Sharko, porta son verre à ses lèvres et en but une petite gorgée. Elle n'avait jamais touché à une goutte d'alcool de sa vie, mais le goût sucré ne lui parut pas si inconnu que cela. C'était plutôt agréable, comme la peau d'une pêche sur la langue.

— Très bien, fit-elle. Sans mensonges ni tabous.

Et elle se mit à tout expliquer depuis le début. Sa greffe l'année d'avant, les rêves récurrents, son obsession de retrouver le propriétaire du cœur, qui l'avait menée jusqu'à Daniel Loiseau.

Elle expliqua la notion de mémoire cellulaire, concept qui souleva beaucoup d'interrogations. Puis elle parla aussi de sa visite chez Mickaël Florès. Oui, elle était entrée par l'arrière parce que c'était défoncé, et que, au fond d'elle-même, *quelque chose* l'y avait poussée.

— Il faut que je vous montre un truc, confia-t-elle. C'est dans le coffre de ma voiture, et ce serait peut-être… malvenu de l'amener ici.

— Pourquoi donc ? répliqua Lucie.

— J'ai trouvé un petit cercueil dans le grenier de Florès.

Elle fixa Nicolas, qui la regardait avec gravité.

— J'ai jeté un œil, avoua-t-elle. Vu l'état de la toiture, je me suis inquiétée. Le cercueil devait être caché derrière un ensemble de rouleaux de laine de verre, mais la tempête l'a mis au jour. Je... je l'ai emporté.

— Faites voir, fit Bellanger.

La voiture de Camille était garée juste en bas de la résidence. Ils descendirent tous pour observer les petits ossements. Lucie se força à regarder, mais elle éprouva un dégoût profond. Le crâne n'était pas plus gros que celui de ses jumeaux. Sharko lui prit la main.

Cinq minutes plus tard, ils étaient tous, de nouveau, autour de la table, avec l'album photo des Florès, la photo de Maria encadrée des deux religieuses et son enveloppe devant eux. Les os étaient passés du coffre de Camille à celui de Nicolas Bellanger.

— Un collègue à moi qui n'est au courant de rien m'a aidée à localiser cette Maria, dit Camille. Elle s'appelle Maria Lopez, elle est actuellement internée dans un hôpital psychiatrique proche de Barcelone. C'est là-bas que doit se poursuivre ma route.

Elle pointa du doigt le ventre bombé sur le cliché en noir et blanc.

— J'ai l'impression qu'un des secrets de la famille Florès se cache dans cette grossesse. C'est ma partie de l'enquête, je vous demande de me la laisser. En route, j'ai réservé un vol pour Barcelone, l'avion décolle demain à 13 heures. Évidemment, je vous tiendrai au courant de toutes mes découvertes.

Sharko voyait à quel point Lucie dévorait des yeux Camille. Les deux femmes n'avaient rien en commun du point de vue physique, mais il reconnaissait sa compagne dans l'acharnement dont faisait preuve la jeune gendarme. Les gens du Nord portaient sans doute le lourd héritage de leurs ancêtres, ce peuple de forçats qui arrachait le charbon du fond des mines et laminait l'acier.

Bellanger, de son côté, réfléchissait. Il n'avait pas envie de jouer les fortes têtes et ne pouvait se permettre de se passer d'un renfort supplémentaire.

— Ça doit être jouable.

Camille hocha la tête, puis montra les deux photos sur Loiseau qu'elle avait « empruntées » sur le mur, consciente que, désormais, ces flics pouvaient lui poser de graves problèmes. Mais elle sentait qu'elle pouvait leur faire confiance.

— Bon... Ce n'est pas tout, poursuivit la jeune gendarme. Tant qu'on en est aux révélations...

Elle raconta ses découvertes sur Dragomir Nikolic, chef du réseau de cambrioleuses. Sa visite là-bas, les confessions du Serbe... Chacun l'écoutait avec attention, surpris, déboussolé par ce récit improbable d'une greffée qui portait le cœur d'un flic meurtrier. Une jeune femme qui avait accompli, seule, le boulot de dix policiers, outrepassant toutes les règles. Difficile d'imaginer la douleur de cette inconnue qui vivait avec une parcelle de ténèbres en elle. Difficile également de ne pas éprouver de la compassion pour celle qui resterait à jamais hantée par un monstre défunt.

Camille sentait que son auditoire était touché, peut-être parce qu'elle était vraie, sincère, et qu'elle ne cherchait, en définitive, que la vérité. Le capitaine de police ne la lâchait pas des yeux, comme s'il l'encourageait, la soutenait.

Leur rencontre avait été si explosive !

Psychologiquement violente.

Elle conclut avec sa visite chez Guy Broca. La seule chose dont elle n'avait pas parlé, c'était son espérance de vie, le cœur qui devenait pierre, ses crises violentes qui la mettaient au sol. Elle voulait paraître forte, combative, prouver qu'elle était compétente et en pleine possession de ses moyens.

Il le fallait pour poursuivre.

Lucie ne détachait plus ses yeux de Camille. La gendarme était une vraie tête brûlée, acharnée, prête à tout et durement frappée par le destin. Un destin qui l'avait amenée ici justement, entre ces murs anonymes d'un petit appartement de la banlieue parisienne. Lucie se dit qu'il n'y avait sans doute pas de hasard. Que certaines destinées, dans ce bas monde, étaient faites pour se rencontrer.

— Je suis consciente que, avec ce que je vous ai raconté, avec ce que j'ai « emprunté » chez Mickaël Florès, je risque de sérieux problèmes, ajouta Camille. Agression, vol sur ancienne scène de crime, intrusion, j'en passe. Mais ce que je vis, cette quête que je poursuis, ça défie toute logique. Plus rien ne compte à part ça. Plus rien…

Son regard se perdit dans le vague. Épuisée, elle plongea les lèvres dans son verre. Nicolas Bellanger mit également du temps avant de reprendre la parole, soufflé par son récit. Sa nuit et sa journée avaient été interminables, le Guronsan lui tapait sur le système, et tout se mélangeait dans sa tête.

— Bon… On va éviter de parler de ces photos de Daniel Loiseau, elles n'existent pas. Elles n'ont jamais existé. Tout le monde est OK ?

Sharko, Lucie et Bellanger se mirent d'accord d'un regard. Le capitaine de police avait besoin d'une équipe soudée. Et elle l'était. Les flics étaient une famille. Sa seule famille, aujourd'hui.

Il se sentit en confiance et poursuivit :

— Très bien. Pour le cercueil avec l'album et

l'enveloppe... on va s'arranger pour les trouver nous-mêmes, dès demain, en racontant qu'on voulait jeter un œil au domicile de Florès, et que cette histoire de toiture nous a menés au grenier... Je vous laisse le voyage en Espagne, mais ce n'est pas impossible que l'un d'entre nous mette les pieds là-bas pour « officialiser » vos découvertes, si vous en faites. Autrement dit, pour être très clair, on se les appropriera. Je suis désolé, mais c'est nécessaire pour avoir un dossier judiciaire *clean*. C'est la seule façon de fonctionner.

— C'est normal, répliqua Camille. Je ne cherche aucune gloire personnelle, je n'y vois donc pas d'inconvénients.

— Parfait. On va se charger de l'analyse du squelette, je le fais partir pour l'anthropo dès demain.

Elle approuva d'un mouvement de tête.

— Quant à Nikolic, il est sûrement entre les mains des collègues de Reims, continua Bellanger. Un sacré cadeau pour eux, faire tomber un tel réseau. Je mettrais ma main à couper qu'ils vont tirer toute la couverture à eux, surtout auprès de la presse. Ils n'auront aucune difficulté à oublier « la grande et belle inconnue », venue de nulle part, qui leur a livré ce truand sur un plateau.

Il avait prononcé ces mots sur un ton détaché, peut-être pour cacher son trouble. Camille lui répondit avec un sourire timide.

— Encore une fois merci, fit-elle simplement.

— On a tous franchi les barrières à un moment donné... dit Bellanger.

Sharko se racla la gorge. Lui ne les avait pas juste franchies à certains moments de sa carrière, il les avait défoncées.

— Ça fait partie du job, et c'est ce qui crée aussi les rencontres improbables.

Sur ces mots, le capitaine de police défit les élastiques de sa pochette.

— À nous, maintenant. On expose tout ce qu'on a côté Loiseau, et on fera un bilan après, tous ensemble, pour la partie Florès. J'ai le sentiment que des liens vont se tisser grâce à nos deux enquêtes, et qu'on va avancer. Mais avant, pause clope, même si je suis le seul à fumer.

40

Après sa cigarette, Nicolas reprit leur histoire depuis le début, de la découverte dans la carrière à Saint-Léger-aux-Bois, jusqu'à leur remontée vers Daniel Loiseau. Lucie notait, mémorisait, son visage passait de l'excitation au dégoût. Les photos circulaient : le message dans la carrière, celui dans la maison abandonnée en forêt d'Halatte, les tableaux de Rembrandt...

Franck exposa à son tour le bilan de son séjour dans l'Ouest, sa rencontre avec Foulon, puis avec Lesly Beccaro. Il parla des forums de *murderabilia*, des accès privés, de ce lieu interdit appelé Styx, caché quelque part sous une boîte SM parisienne. Une piste très sérieuse, qu'il allait falloir évidemment exploiter.

Camille buvait ses paroles, sombrant chaque minute un peu plus dans l'horreur. Lucie remarquait à quel point la gendarme du Nord posait sa main à plat sur sa poitrine ou sur sa gorge au niveau de la carotide, sans s'en rendre compte, d'un geste naturel, coutumier. Comme si elle traquait chaque battement de cœur. Elle donnait presque l'impression de les compter.

De son côté, Nicolas Bellanger notait des mots, les entourait sur des feuilles blanches. Les quatre cerveaux carburaient de concert, analysaient, tiraient les fils. Le chef de groupe canalisa les questions qui fusaient et décida qu'il était temps de faire une synthèse, de définir les objectifs et de lever les interrogations.

— Premier fil à tirer : l'histoire des douze filles. Au regard de nos avancées, on peut dire qu'on possède le début et la fin de la chaîne.

Il posa, côte à côte, deux photos : celle fournie par Camille, montrant une cambrioleuse en train de pénétrer dans une maison. Et la seconde, trouvée en pièce jointe dans un mail envoyé à Daniel Loiseau par « CP » : la tête coupée, rasée, posée sur une table en acier.

La vie d'un côté, la mort dans son plus sombre habit de l'autre.

Camille était stupéfaite, touchée intérieurement. Elle pensait à la fille de son cauchemar, enfermée, apeurée... Et voir cette tête coupée, là, lui fit penser à la fille de son cauchemar et amenuisait son espoir de la retrouver vivante.

— Nikolic, nationalité serbe, ramène ces filles de l'Est pour les revendre à Daniel Loiseau au rythme d'une ou deux par mois environ, dit Bellanger. Loiseau achète ces filles à des prix variant en fonction, d'après ce que nous a dit Camille, de leur groupe sanguin. Des groupes B et AB uniquement.

— B et AB, répéta Lucie. C'est ce qui est noté au début de chaque tatouage, si je ne m'abuse.

La liste des tatouages fit le tour de la table. Lucie avait raison. Une partie de leur signification s'expliquait donc enfin.

— Les groupe B et AB sont les plus rares, moins de trois pour cent de la population pour AB, et moins de dix pour cent pour B, dit Camille. Je le sais, car je suis de groupe sanguin B. Loiseau cherchait des filles avec des groupes peu répandus. Le Serbe les sélectionnait en conséquence.

— Pourquoi ? demanda Sharko.

Un silence.

— On ne sait pas encore, intervint Nicolas. Ce qu'on sait, en revanche, c'est que Loiseau rachète les filles et les retient dans une carrière. Il les nourrit, les lave, les épile, les tatoue avant de les livrer à un deuxième individu dont on ne sait absolument rien, si ce n'est qu'il se fait appeler Charon.

— Celui qui a permis à Loiseau de traverser le Styx, ajouta Lucie. Son mentor...

— Plausible. Nous possédons les dates, heures, lieux de rendez-vous, en forêt d'Halatte. Le mail envoyé à Loiseau, avec ce passage « *En plus t'as foiré le rendez-vous, Charon est en rogne* », nous indique qu'ils sont trois : Loiseau, Charon et CP. Le kidnappeur, l'intermédiaire, l'exécuteur.

— Je dirais même quatre, fit Camille, si on tient compte de la scène de l'abattoir. Quelqu'un tuait Jean-Michel Florès pendant que deux autres observaient. Or, Loiseau était déjà mort.

— Quatre... répéta Lucie dans un soupir. C'est dément.

— Plusieurs questions découlent de ce que je viens de vous raconter, dit Nicolas. D'où Loiseau tire-t-il de telles sommes en liquide pour payer Nikolic ? Qu'est-ce qui peut justifier de pareils montants ? Que fait Charon avec ces filles ?

Lucie fixa la photo de la tête coupée avec dégoût.

— Pourquoi Loiseau paierait-il de telles fortunes

pour qu'elles finissent de cette façon ? ajouta la flic. Il ne s'agit pas de prostitution ni de traite d'êtres humains. C'est autre chose...

— C'est toute la partie manquante de la chaîne, reprit Bellanger. On sait d'où viennent les filles, comment elles finissent entre les mains de ce « CP ». Quant à savoir ce qu'en fait Charon et quel est le rôle du quatrième individu...

— Ce quatrième individu remplace peut-être Loiseau, estima Camille. Enfin, c'est juste une supposition.

Les hypothèses étaient nombreuses et soulevaient toujours plus de questions. Sharko imaginait le quatuor maudit... Une horde de chiens sanguinaires, qui avaient réussi à se regrouper et œuvraient dans l'ombre avec un but caché.

— Vous avez fait des recherches sur Loiseau ? demanda Camille. Creusé son passé ?

— Pascal Robillard, un gars de mon équipe, est en train d'essayer d'accéder à son compte en banque, pour voir s'il y a eu des mouvements importants. Ça fait plus d'un an que Loiseau est mort, son père a vendu son appartement. Vu comment il était prudent et parano, Loiseau n'a pas dû laisser beaucoup de traces derrière lui, même fauché par le destin comme il l'a été. Aux dernières nouvelles, on n'a pas d'abonnement téléphonique le concernant, hormis une ligne fixe. Donc, côté historique des appels, c'est mort. Un flic comme Loiseau savait pertinemment que les portables sont de vrais mouchards, et qu'il n'y a rien de tel qu'une bonne ligne fixe pour ne pas être tracé lorsqu'on a des choses pas nettes à faire...

Il agita son verre de whisky et en but une gorgée.

— Deuxième fil à tirer à présent, et non des

moindres : Mickaël et son père, Jean-Michel Florès. Assassinés tous les deux, à quelques heures d'intervalle. J'ai ici des copies de pièces de dossier que m'ont fournies le commandant Blaizac de la gendarmerie d'Évry d'un côté, et Broca, de Normandie, de l'autre. Il y a des photos, des portraits de Florès et de son père, en plusieurs exemplaires. Je pourrai vous en fournir des doubles, au besoin.

Il résuma son entretien avec le gendarme d'Évry : la découverte du corps torturé dans la chambre, la méthode de torture argentine appelée la *Picana*, l'énucléation chirurgicale du fils, l'absence d'indices, la personnalité ambiguë de Mickaël, et ces frontières qu'il était prêt à franchir. La photo de la femme ghanéenne attachée en croix dans sa cour, entre autres, laissa tout le monde sans voix.

Puis il plaça, à côté de la photo de la tête coupée, celle de l'Argentin tenant ses poings presque fermés devant ses yeux.

— Lui, c'est un Argentin, *El Bendito*, ce qui signifie « le bienheureux », expliqua Bellanger. La photo a été prise dans un quartier de Buenos Aires, Boedo. Elle était accrochée dans le laboratoire de Mickaël Florès, au milieu des autres. Les gendarmes d'Évry l'ont récupérée lors de leur perquisition parce qu'elle touchait l'Argentine, mais ils n'ont rien pu en tirer. Il va falloir qu'on fasse mieux qu'eux.

Chacun essayait d'assembler des pièces du puzzle, de trouver des liens. Bellanger reprit :

— En Argentine, Florès s'est rendu dans deux endroits éloignés, plantés au milieu de nulle part, avant de revenir vers Buenos Aires et de parcourir ses nombreux quartiers pour trouver ce *Bendito*. Ce type est peut-être la clé, mais comment mettre la main sur lui ? C'est quasi impossible. Buenos Aires est l'une des villes les plus grandes et les plus peuplées du monde.

Camille fixait attentivement la photo. Quelque chose la dérangeait dans ce cliché. Un truc évident qui lui sautait aux yeux, sans qu'elle pût l'exprimer à ce moment précis. Bellanger l'arracha à ses pensées, revenant finalement sur la photo en noir et blanc trouvée dans le petit cercueil.

— Et puis, il y a cette dernière photo que vous nous avez fournie. *Maria, Valence*... Un élément en plus dans ce puzzle. En espérant que votre voyage en Espagne nous apportera des réponses.

Sharko pointa le cliché.

— Cette femme est enceinte. Mickaël Florès a eu un fils ?

— Le commandant de gendarmerie m'a donné tout le pedigree de Florès. Non, il n'a jamais été marié et n'a jamais eu d'enfant. Le nom de cette Maria n'apparaît nulle part dans le dossier. Est-elle la mère du squelette, et Mickaël son père ? Les tests ADN devraient nous permettre de savoir si le bébé est génétiquement lié au photographe.

— D'après l'enquêteur d'Étretat, son père allait souvent en Espagne, souligna Camille.

— Vous pensez qu'il voyait cette femme ? Que Maria n'est pas liée à Mickaël, mais à son père ? Et qu'elle serait enceinte du fruit de leur relation ?

— Ça reste une possibilité. Le cliché est plutôt ancien. Et puis il y a cet album de famille aux pages arrachées… Comme un secret à cacher.

— Dans ce cas, je vais demander également une comparaison du profil ADN du squelette avec celui du père, qui doit être stocké quelque part dans une base de données. Nous verrons s'il y a une filiation.

La jeune femme considéra la photo du père mutilé, que Bellanger avait récupérée dans le dossier de Guy Broca. Elle exposa ses remarques à voix haute :

— La présence des trois cercles sous les différents messages et sur la scène de crime de Jean-Michel Florès prouve sans aucune ambiguïté que votre fil et le mien sont reliés. Ils font partie d'une même pelote. Une pelote avec plusieurs tueurs, kidnappeurs, violeurs, appelez-les comme vous voulez.

— Il y a encore un autre lien que les cercles, observa Sharko, concentré. C'est le goût pour l'anatomie, la dissection, et aussi la pluralité des observateurs... Observateurs sur les tableaux, observateurs sur le lieu du crime de Florès... Les observateurs des tableaux sont des gens de pouvoir, ils appartiennent à des cercles fermés, ils se considèrent au-dessus du peuple et s'octroient le droit de braver l'interdit. J'ai le sentiment que les individus qu'on cherche se coulent dans ce modèle. Des êtres qui se croient privilégiés, autorisés à tout. N'oublions pas que Loiseau payait des dizaines de milliers d'euros au Serbe. Cet argent liquide, il venait bien de quelque part. De bourses bien garnies.

Ses déductions prêtèrent à réflexion. Chacun enregistrait, acquiesçait. Le lieutenant poursuivit :

— Les individus impliqués dans notre affaire partagent les mêmes goûts, le même genre de passion morbide pour la dissection. Il y a, chez eux, une volonté d'être vus, admirés. Et aussi, de « voir », tout simplement. Loiseau filmait ses prisonnières pour montrer de quoi il était capable... Et « CP », de son côté, lui renvoyait l'ascenseur en exposant cette tête tranchée. « *Au fait, admire mon travail* », dit le message retrouvé sur la boîte mail de Loiseau.

— Tu penses que CP est l'auteur des crimes des Florès ? demanda Lucie.

— Peut-être l'un d'eux, en tout cas. La peau de Jean-Michel Florès a été prélevée, et on sait que CP a fabriqué un portefeuille en peau humaine… En revanche, les yeux sont restés en place, contrairement à ceux de Mickaël.

— Et Broca a parlé de mode opératoire, de façon de procéder différente, précisa Camille.

— Donc, c'est peut-être Charon en personne qui a tué le photographe, et qui a laissé CP agir pour le père.

— Le ou les maîtres auraient laissé agir l'élève ?

— Ça se tient. CP a agi, et c'est peut-être Charon et son acolyte qui se sont abreuvés du sang de Florès dans cet abattoir.

— Des fous…

— Des fous, oui, qui ont suffisamment d'affinités pour en arriver à de tels extrêmes. Des maîtres et un élève ? Des élèves et un maître ? Trois individus qui, comme Loiseau, se croient au-dessus des règles, et franchissent les cercles dans un but précis.

Un grand silence s'ensuivit. Sharko agita son verre, cherchant peut-être des réponses dans les reflets d'ambre. Il n'arrivait pas à se faire une idée claire du genre d'individus auxquels ils avaient affaire. Sans doute parce qu'ils étaient plusieurs, justement, et que dresser un profil psychologique était par conséquent quasiment impossible.

— Pascal a pu obtenir la liste du personnel du CHR d'Orléans ? demanda-t-il.

— Il a été en contact avec le directeur du site, on leur a envoyé la commission rogatoire aujourd'hui. Demain, on devrait avoir un listing des « CP » et des « PC » si tout se passe bien, du personnel de nettoyage aux chirurgiens.

Il fixa Lucie.

— Tu pourras aider Pascal ? Mettez-vous-y tous les deux, c'est notre meilleure piste.

— C'est une bonne tâche pour reprendre, répliqua Lucie. Pas trop physique ni compliquée.

Nicolas se massa le cuir chevelu.

— Quoi d'autre ?

— Le plus important : le Styx, lâcha Camille. Avec ce que vous venez de raconter, je crois que c'est la pierre angulaire de notre affaire. L'endroit où, sans doute, Loiseau, CP et Charon se sont rencontrés en chair et en os. Vu le message sur la maison en forêt d'Halatte, il y a une chance d'y trouver plus particulièrement CP : « *Retrouve C au Fleuve pour autre RDV* », avait écrit Charon.

Elle orienta son regard vers Sharko.

— Lesly Beccaro, *alias* Gorgone, est une femme. Vous en avez besoin d'une pour descendre là-dessous. Je suis celle qu'il vous faut. Vous, vous êtes flics au 36, vous êtes peut-être grillés, imaginez qu'on connaisse vos visages ou ceux de vos collègues féminines. Moi, il n'y a aucun risque qu'on m'identifie, qu'on sache qui je suis. Ça se passe dimanche soir, je serai revenue d'Espagne.

— C'est hors de question, répliqua du tac au tac Sharko. C'est trop risqué, trop dangereux.

— Dangereux ? Et vous croyez qu'affronter un type comme Nikolic, ça ne l'est pas ?

Franck poussa la photo de la tête coupée devant elle.

— Ces types-là sont dix fois pires que Nikolic. Des bêtes sauvages. On ne sait pas ce qu'on trouvera là-bas. Et comment reconnaîtrez-vous celui ou ceux qu'on cherche ? Vous croyez peut-être qu'il suffira de poser des questions du genre : « Bonjour, c'est vous, CP ? »

Camille posa une main sur son cœur.

— Lui le reconnaîtra…

Sa réponse cloua le bec à Sharko.

— On devrait lui faire confiance, fit Lucie en fixant son compagnon. Tu sais parfaitement que, moi, je l'aurais fait en temps normal. Je serais descendue là-dessous sans la moindre hésitation.

Un regard entre les deux femmes suffit pour qu'elles comprennent qu'elles étaient sur la même longueur d'onde depuis le début. Sharko chercha du soutien auprès de son chef, qui ne lâchait plus le visage de Camille.

— Si on voulait être arrangeant, on pourrait dire qu'on ne peut pas vous empêcher d'entrer dans cette boîte, fit Nicolas Bellanger. Vous êtes une citoyenne majeure et libre de faire ce que vous voulez.

— Exactement, répliqua Camille. On n'a jamais eu cette conversation, et disons que j'ai des loisirs nocturnes un peu particuliers… (Elle promena une main sur son torse.) Et croyez-moi, j'ai des atouts pour me noyer dans la masse dans ce genre d'endroit.

Bellanger garda le silence quelques secondes, se demandant ce qu'elle voulait dire.

— Vous savez ce que ça implique ? fit-il.

— Que vous ne pourrez pas me couvrir « officiellement ». Que mon nom ne figurera dans aucun rapport et que je serai seule, sous terre.

Sa voix était forte, exprimait de l'assurance. Bellanger reporta son attention vers ses deux collègues.

— Qu'est-ce que vous en pensez ?

— Moi, ça me va, fit Lucie.

Sharko n'ouvrit pas la bouche pour s'opposer, au final, mais ses yeux répondirent pour lui : il capitulait. Difficile de trouver une autre solution dans l'immédiat. Camille était impliquée à fond dans l'enquête, dans le rythme, elle paraissait avoir les épaules solides et avait pas mal bourlingué. Nicolas Bellanger acquiesça pour lui-même, les yeux rivés vers ses papiers qu'il criblait de notes.

— Très bien, très bien. J'ai le sentiment qu'on avance enfin.

Ils finirent leur apéritif tout en continuant à partager les informations, à réfléchir, à tirer des conclusions, les photos étalées sur la table telles des cartes à jouer.

Sauf que leur jeu à eux n'avait rien de festif.

41

Le repas était terminé.

Nicolas Bellanger grillait une clope sur le balcon, dernier bouton de sa chemise défait. La fatigue l'engourdissait. Pour ne rien arranger, l'air était moite, lourd. Une de ces nuits d'après orage, enivrante, qu'on préférerait passer dans un restaurant, à manger des crustacés au bord de la mer sous une petite brise rafraîchissante.

La nuit s'était installée depuis longtemps. La grande masse noire du parc de la Roseraie semblait absorber la lueur des lampadaires. Au loin, les lumières de la capitale palpitaient.

— Vous en avez une pour moi ? fit Camille en venant à ses côtés.

Il lui tendit son paquet. La jeune femme tenait son verre de vin à la main. Elle prit une cigarette et la porta à ses lèvres d'un geste machinal, naturel. Elle se pencha un peu pour qu'il la lui allume.

— Je ne savais pas que les greffées du cœur avaient le droit de fumer.

— Je fume, je picole, j'ai le cœur d'un assassin.

Pour une fois Camille se sentait bien, décontractée, l'alcool aidant. Elle tira une bouffée. La fumée monta directement dans ses narines. Elle toussa, les yeux au bord des larmes.

— Mince ! Je ne suis pas au point.

— On dirait que c'est votre première fois pour tout. La cigarette, le vin...

La jeune femme récupéra son souffle et contempla l'extrémité embrasée.

— Ça l'est sans l'être.

Elle s'appuya à la rambarde du balcon. Dans le salon, Sharko et Lucie s'occupaient des jumeaux, assis l'un à côté de l'autre sur le canapé. Ils biberonnaient, leurs visages illuminés comme ceux de deux jeunes de vingt ans.

— Ils forment un joli couple, dit Camille en tentant une nouvelle bouffée qui, cette fois, passa mieux.

— Ils ont traversé beaucoup d'épreuves avant d'en arriver là. Franck a été commissaire, vous savez ? D'ailleurs, c'est comme ça que les hommes continuent à l'appeler : « commissaire ». Au meilleur de sa forme, il a commandé plus de trente hommes.

Camille écarquilla les yeux.

— Passer de commissaire à lieutenant ? C'est possible, ça ?

— Franck a insisté pour être rétrogradé. Enfin bref, c'est compliqué, et il faudrait des lustres pour que je vous raconte rien que ce que je connais de Franck. C'est un homme extra. Dur avec lui-même, avec les autres, mais extra.

Il les contempla en silence.

— Je crois que, maintenant, ce qui les unit est impossible à briser. On a des métiers où il faut avoir un sas de décompression, sinon, on devient fous. Le sport, les amis, la famille...

— Quel est votre punching-ball, à vous ?

Bellanger souffla un nuage de fumée par les narines.

— Je cherche encore.

Il n'avait pas l'air de plaisanter. Ses yeux noisette, fatigués, avaient retrouvé une certaine gravité. Camille se rendit compte qu'elle regardait avec insistance la forme de son visage, son petit nez en trompette, ses lèvres pleines, et elle détourna le regard lorsqu'il la surprit. Elle tira sur sa clope et crapota, comme aurait fait une adolescente.

Nicolas Bellanger explosa subitement de rire. Ça lui fit mal dans le bas du ventre. Trop de nœuds, là-dedans. Depuis quand n'avait-il pas ri de bon cœur ?

— Faudrait vraiment que je vous donne des cours ! Mais un conseil, lâchez cette saloperie avant qu'elle vous bouffe.

— Un proverbe chinois dit qu'il faut profiter de la vie parce qu'il est plus tard qu'on ne le pense.

— Fataliste ?

— Comment ne pas l'être quand vous avez déjà affronté la mort ?

Elle haussa les épaules et poursuivit :

— Bah, et puis on devrait arrêter de parler de choses sordides, on a tous eu notre dose, aujourd'hui.

— Je crois, oui.

— Pour tout vous dire, j'aime bien aussi ne pas penser au lendemain. C'est tellement bon de prendre la vie telle qu'elle vient, sans plans, sans rien. Se laisser porter. Oublier. (Elle inspira profondément.) C'est horrible ce que je vais vous dire là, mais cette enquête, même si elle me fait mal, me donne l'impression d'exister. Parfois, la vie ne commence vraiment que lorsqu'on sait que la mort est proche.

— Vous parlez souvent de la mort, vous êtes encore jeune.

Ils se faisaient à présent face. Camille sentait de la chaleur en elle, quelque chose d'inhabituel, de dérangeant. Des sentiments bruts qu'elle avait pourtant pris soin d'étouffer. Sa montre sonna et la tira de l'embarras.

— C'est l'heure, fit-elle dans un soupir.

— L'heure ?

Elle sortit un semainier de sa poche dont elle préleva un petit cachet rond.

— Ciclosporine, je l'ai toujours sur moi. C'est pour... le cœur. Loiseau a faim.

Elle avala son médicament avec une goutte de vin et montra son poignet.

— J'ai une montre avec quatre alarmes différentes. Deux pour le matin qui se suivent d'un quart d'heure, et deux pour le soir. 10 heures, 23 heures. Je sais, 23 heures, c'est tard, mais je suis une couche-tard. Et la double alarme, c'est au cas où je n'entendrais pas la première.

— Prudente.

— Vaut mieux l'être quand vous avez une bombe à retardement dans la cage thoracique.

— Vous devez le prendre pendant longtemps, ce traitement ?

— À vie. Quelques oublis peuvent rapidement entraîner un début de rejet. Le cœur s'emballe, on a l'impression qu'il va exploser. (Elle grimaça.) Ça m'est déjà arrivé, c'est terrible. Et, pour rattraper le coup, on vous bourre de corticoïdes. Bref, le pur bonheur.

Elle parvenait à le prendre à la rigolade, il fallait bien. Il y eut un grand blanc, et ce fut Nicolas qui le rompit :

— Tout est allé très vite à table, tout à l'heure.

J'ai l'impression de vous avoir forcé la main pour descendre dans ce sinistre endroit, après-demain. En tout cas, je n'ai rien fait pour m'y opposer. J'en suis désolé, je commence à le regretter.

— Vous n'y êtes pour rien, je vous garantis que je l'aurais fait de toute façon. Je ne peux plus faire demi-tour. Et d'ailleurs, je n'en ai pas envie.

Elle leva les yeux au ciel. Des milliers d'étoiles brillaient, certaines filaient. La jeune femme se sentait libre, loin de la caserne. Ne plus suivre de rails, pouvoir même enfreindre les règles. Foncer sans réfléchir.

— C'est la période des Perséides, fit-elle. On appelle ces minuscules météores « les larmes de saint Laurent ». Si vous avez des vœux à faire, c'est le moment.

Quand elle se retourna, elle surprit Bellanger qui bâillait.

— Excusez-moi, fit-il, mais, justement, mon vœu le plus cher, c'est une bonne nuit de sommeil. J'ai dû dormir quatre heures en deux jours.

— Je ne dois pas être loin de ce score-là. Je crois qu'il est temps d'aller nous coucher.

— Pas tout à fait pour moi malheureusement, de la paperasse à régler. Des trucs horribles qu'on ne peut jamais reporter au lendemain, et mon commissaire divisionnaire n'est pas un rigolo, si vous voyez ce que je veux dire.

— On a le même à la caserne, mais version colonel.

— Je vous ai réservé un hôtel à deux kilomètres d'ici, dans le centre-ville. Tout droit en sortant de la résidence.

— Impeccable.

— Alors voilà comment on s'organise, demain : vous venez déposer le matin, histoire qu'on soit carrés au maximum. Dans la version officielle, vous direz que vous vouliez juste connaître votre donneur, que ça vous a menée chez Florès, puis chez Guy Broca. Vous n'êtes jamais entrée chez le photographe, vous n'avez jamais « emprunté » quoi que ce soit chez lui et vous ignorez qui est Dragomir Nikolic, d'accord ?

— Parfait.

— C'est moi qui prendrai la déposition.

Elle acquiesça avec un sourire.

— Ça me rassure.

— Ensuite, je ne veux plus vous voir au 36. Vous disparaissez, vous vous envolez pour l'Espagne, vous nous communiquez vos découvertes en temps réel. Si ça contribue à faire avancer l'enquête, on officialise en débarquant avec nos gros sabots et en prenant l'affaire en main.

— OK.

— Entre-temps, on va récupérer des infos auprès de Lesly Beccaro pour ces histoires de forums et de *murderabilia*. Je mettrai également en place une stratégie pour la soirée de dimanche. On va faire des recherches sur ce club SM, voir où on peut planquer. On n'impliquera pas mes deux autres lieutenants, Robillard et Levallois. Je vais tout de même les mettre au courant de notre réunion de ce soir mais, moins ils en sauront, mieux ce sera. Il est préférable de rester en comité restreint. C'est uniquement entre vous, Lucie, Franck et moi. On ne peut pas vous épauler officiellement, mais on le fera officieusement. On sera à vos côtés, n'ayez crainte.

— C'est sympa. Vous allez me faire regretter de ne pas avoir choisi la police plutôt que la gendarmerie.

Bellanger afficha un sourire comme il n'en avait pas eu depuis des lustres.

— Il est toujours temps de changer. Une seconde

femme dans mon équipe, ce serait bien. J'ai toujours été pour la parité.

— Je vais y réfléchir.

De nouveau, leurs regards s'accrochèrent longtemps. Troublé, Bellanger finit par la saluer, puis retourna dans le salon pour prendre congé. Camille le fixait discrètement, puis observa le ciel, à la recherche d'une étoile filante. C'était son père qui lui avait expliqué ce qu'étaient les Perséides. Elle se rappela les soirs où ils étaient, tous les deux, assis dans leur jardin, à contempler la voûte céleste. Il lui expliquait les constellations, lui prêtait aussi – sans doute la seule fois dans l'année – sa paire de jumelles Bushnell.

Les jumelles... Les yeux...

Soudain, elle se précipita dans le séjour, alors que Nicolas se dirigeait vers la porte.

— J'ai compris ! s'écria-t-elle.

Tous la regardèrent d'un air interloqué. Même les bébés détournèrent la tête.

— *El Bendito*, j'ai compris, reprit-elle d'une voix plus posée.

— Qu'est-ce que vous avez compris ? demanda Nicolas, revenant dans le salon.

Camille s'approcha.

— Ce qui intéressait Florès, c'étaient les regards. Vous pouvez retourner dans son laboratoire, jamais vous ne trouverez le portrait d'un individu dont on ne distingue pas les yeux. Florès était astucieux, perfectionniste, il aimait faire réfléchir les observateurs de son travail. Les faire pénétrer dans son univers. (Elle tendit la main vers Nicolas.) Vous partiez, j'en suis désolée, mais... vous pourriez me ressortir le cliché de l'Argentin ?

Bellanger acquiesça. Il fouilla dans sa pochette et

lui tendit la photo : *El Bendito*, mimant le geste de tenir des jumelles invisibles. Camille vérifia sa théorie et afficha un petit sourire.

— C'est bien ça.

— Ne dites rien et faites voir, fit Lucie qui voulait relever le défi.

Elle glissa Jules dans les bras de Sharko et se focalisa sur le portrait de l'Argentin. La peau tannée par le soleil, les sourcils en accent circonflexe. Cette bouche un peu ouverte en diagonale. Ses mains placées devant les yeux, façon jumelles.

Lucie haussa les épaules.

— Il n'a pas capté son regard, cette fois, mais... je ne comprends pas ce que ça implique...

— Au contraire, il a mis en lumière son regard, corrigea Camille. Son regard, ce sont ses mains.

— J'ai sans doute bu un peu trop de vin, répliqua Lucie, mais... je ne comprends pas.

— Je pense qu'il est aveugle.

Le flic était sans voix. Camille pointa l'ordinateur de l'index.

— Je peux ?

Sharko acquiesça :

— C'est allumé.

— On peut essayer de trouver les établissements pour aveugles...

Camille ouvrit un navigateur et lança une recherche, tapant les mots clés adéquats, en espagnol. Buenos Aires, Boedo, *ciegos*, *asociación*, *fundación*... Elle fit le tri dans les réponses et cliqua sur un lien.

— Il n'y en a qu'un sur Buenos Aires : c'est l'Apanovi, une association d'aide aux aveugles. Située le long de l'avenue Boedo. Au numéro 1170, plus précisément. (Elle se tourna vers Bellanger.) Mickaël Florès est bien descendu dans un hôtel de ce quartier ?

Le capitaine consulta ses feuillets et acquiesça.

— Hôtel… La Menesunda. 742, avenue Boedo.

Camille se redressa, satisfaite, et leva son verre.

— On dirait qu'on a retrouvé notre *Bendito*… Et maintenant, si vous permettez… Je vais finir mon verre de vin et je me mettrai en route.

Elle retourna sur la terrasse. Les trois flics échangèrent des regards muets, surpris, et des sourires. Leurs yeux parlaient pour eux : cette fille était incroyable.

— Tu nous as caché que tu avais une petite sœur, plaisanta Bellanger en fixant Lucie.

— Je l'ignorais moi-même, répliqua-t-elle sans plus lâcher la photo des yeux.

Lucie se demandait encore comment elle avait pu passer à côté de ce détail. Cinq minutes plus tard, Nicolas marchait dans le carré de verdure devant la résidence. Il ne put s'empêcher de se tourner vers la façade de l'immeuble.

Il voulait la revoir une dernière fois.

Elle était toujours là, au balcon, à l'observer.

Il lui adressa un petit signe de la main, auquel elle répondit.

Une fois dans sa voiture, il resta sur place, immobile, secoué. Il aurait pu s'abattre une pluie de grenouilles sur son pare-brise qu'il n'aurait pas été davantage surpris que par ce qui venait de se produire depuis leur rencontre devant l'aiguille à Étretat.

Il avait flashé sur elle, c'était le mot.

Dès le premier échange de regards, dès ses premières paroles.

Comme si sa vie n'était pas suffisamment compliquée.

42

Samedi 18 août 2012

Franck était resté à l'appartement avec les jumeaux, tandis que Lucie était partie chercher sa mère à la gare du Nord en RER, très tôt ce matin-là.

Marie Henebelle apparut parmi la foule qui descendait du train, avec ses cheveux teints en blond platine, ses chaussures à talons et deux valises à roulettes, l'une bleue et l'autre aux motifs floraux. À soixante et un ans, c'était une femme qui faisait encore chavirer certains passants. Les deux femmes s'embrassèrent chaleureusement. Elles s'appelaient souvent mais ne s'étaient pas revues depuis un bon mois. Marie toisa sa fille de la tête aux pieds.

— Tu es superbe, dit-elle.

— Merci, maman. Toi aussi.

Elles prirent le RER, et Marie passa rapidement à l'attaque.

— Je suis vraiment heureuse de pouvoir m'occuper de Jules et d'Adrien. Mais tu sais bien que j'aurais aimé les revoir dans d'autres circonstances. Que tu reprennes ton fichu job, et plus tôt que prévu en plus, ça ne me réjouit pas vraiment.

— J'ai déjà Franck sur le dos, maman... Si on pouvait éviter de remettre le sujet sur la table.

Le visage de Marie s'assombrit.

— Les blessures du passé sont encore fraîches, Lucie. C'est important d'en parler, tu ne crois pas ?

— J'y ai bien réfléchi. C'est en bossant que je me sens le mieux. Aujourd'hui, je veux juste trouver l'équilibre entre ma vie familiale et professionnelle. Laisse-moi le temps de m'organiser, et tout ira bien.

Marie sentait que sa fille était sur la défensive. Toutes les deux, elles avaient le même caractère : de la roche en fusion. Aussi préféra-t-elle embrayer sur des sujets plus légers. Elle lui montra les vêtements qu'elle avait achetés pour les jumeaux et elles discutèrent fringues.

Après une demi-heure de trajet, elles descendirent à L'Haÿ-les-Roses et regagnèrent l'appartement avec la voiture de Lucie, garée près de la sortie du RER. Sharko attendait sur le canapé avec Jules et Adrien, installés chacun dans leur balancelle. Les retrouvailles furent pleines de joie. Marie s'extasiait devant ses petits-fils, peinant d'abord à distinguer l'un de l'autre. Puis elle se souvint du petit pli d'Adrien.

Elle les câlina, prit ses quartiers, tandis que Lucie lui donnait toutes les informations nécessaires, les numéros de téléphone en cas de besoin, lui montrait les emplacements des couches, des biberons, des changes... Sharko observait sans rien dire. Ce qui était certain, c'était que Marie allait prendre de la place mais, heureusement, l'appartement était grand.

— Tu es sûre que ça va aller ? demanda Lucie, sur le point de partir.

— Évidemment. Tu crois que ça s'oublie, ces choses-là ?

Elles échangèrent un sourire. Sharko la salua chaleureusement, et les deux flics prirent la direction du Quai des Orfèvres.

— Tu vois bien que ça va rouler, affirma Lucie en conduisant. Ça fait tellement plaisir à maman.

— Je sais que ça va bien se passer. Mais n'oublie pas que c'est toi la mère, quand même.

Au 36, Lucie se rendit à l'administration, puis monta au troisième étage, empruntant ces vieilles marches qu'elle connaissait par cœur, laissant sa main glisser sur la rambarde, comme pour s'imprégner à nouveau de l'âme du bâtiment. Elle retrouva rapidement ses habitudes. Elle serra des mains, fit des bises, on la félicita, la charria, lui souhaita aussi bon courage. Elle allait en avoir besoin. Dans l'*open space*, elle salua affectueusement Pascal Robillard, toujours assis à la même place, avec son vieux sac de sport orange à ses côtés. Il faisait partie du décor.

— T'as encore pris du muscle, constata-t-elle en posant son sac à sa place, près de l'entrée.

— Peut-être, mais c'est de plus en plus difficile. À pas loin de quarante berges, tu sais, le corps ne donne plus comme avant.

— Je vois exactement de quoi tu parles.

Elle adressa un sourire à Franck, cantonné dans son coin, et jeta un œil au tableau blanc criblé de flèches, de mots clés et de photos, avant de s'installer face à son ordinateur. Les odeurs, les habitudes, les gestes… Tout lui revint.

Elle était à peine en train de récupérer des données – mails, mises à jour informatiques – que Nicolas

Bellanger entrait accompagné du lieutenant Jacques Levallois. Après de nouvelles salutations, le capitaine de police ferma la porte derrière lui et s'assit sur le coin du bureau de Lucie. Ce n'étaient plus des allumettes qu'il fallait pour lui maintenir les yeux ouverts, mais des aiguilles à tricoter.

Il fixa Lucie.

— Prête à plonger dans le bain ?

— Plutôt deux fois qu'une.

— T'en es où, Pascal, avec le CHR d'Orléans, Daniel Loiseau ?...

— Pour le CHR, je viens d'appeler, fit Robillard. Ils nous ont certifié qu'on recevrait le listing aujourd'hui, fin d'après-midi au plus tard. Dès que ça arrive, Lucie et moi, on se met sur le coup. Et pour Loiseau... j'ai enfin eu accès à ses données bancaires, j'ai commencé à fouiner. Rien de bizarre, à ce que j'ai pu voir. Aucune transaction louche qui mérite analyse. Pas de voyage à l'étranger non plus. Aucune trace des loyers qu'il versait à Saint-Léger-aux-Bois. Il doit posséder un autre compte, quelque part. Je vais essayer de mettre la Financière sur le coup, mais vous savez comme moi...

— ... que ça va prendre des plombes.

Lucie écoutait sans rien dire. Les informations fusaient, les hommes étaient en véritable osmose. Elle avait perdu l'habitude d'un tel rythme, il allait falloir s'y replonger sans délai.

— Bon... Deux points, annonça le chef de groupe. D'abord l'Argentine. Hier soir, en rentrant, j'ai immédiatement appelé le centre pour aveugles, les coordonnées étaient sur leur site Internet. Avec le décalage horaire, c'était la fin de journée là-bas. J'ai été en contact avec l'un des responsables, je lui ai parlé d'*El Bendito*... Il le connaissait...

— Camille a donc tapé juste, fit Lucie.

— Oui. *El Bendito* est un malheureux, handicapé mental et aveugle, recueilli par un des salariés de l'association, José Gonzalez. En ce moment, ce Gonzalez accompagne un groupe d'aveugles à un important championnat de cyclisme handisport qui se déroule à quatre cents kilomètres de Buenos Aires, *El Bendito* est à ses côtés. Ils ne rentreront pas avant demain en fin d'après-midi, heure argentine. Le responsable n'a pas voulu me donner le numéro de Gonzalez, il était méfiant. Mais on dispose d'assez d'informations pour aller là-bas. On se rend au centre pour aveugles, on découvre ce que Florès est allé faire et pourquoi il recherchait ce *Bendito*. C'est une excellente piste pour remonter jusqu'à Charon ou CP.

— Quand tu dis « on », tu penses à qui ? demanda Sharko avec ironie.

— Je ne sais pas. À quelqu'un d'expérimenté, qui a déjà fait l'Égypte, le Brésil, la Russie... Un baroudeur qui saura se débrouiller même s'il ne parle pas la langue.

Sharko échangea un regard avec Lucie. Bellanger en remit une couche.

— Ce n'est pas une mission compliquée, *a priori*. On sait où on va, ce qu'on cherche. Juste un petit aller-retour, vite fait.

— Arrête avec tes « on », répliqua Sharko. T'as déjà regardé les horaires des vols, je présume ?

— Orly, 13 h 32. Presque en même temps que le vol de Camille. Rigolo, non ?

— Rigolo, oui... En gros, j'ai à peine quatre heures

pour me préparer. Heureusement que je ne suis pas une femme.

Nicolas alluma une cigarette et partit en direction de la fenêtre, qu'il ouvrit. L'air brûlant lui frappa le visage. En bas, la foule bigarrée des touristes circulait sans interruption. Il se tourna vers Sharko, qui discutait à voix basse avec Lucie.

— Alors ?

— Alors quoi ? Tu sais bien que je vais y aller. J'aime les avions, les décalages horaires, j'adore l'espagnol, et Buenos Aires, avec ses je ne sais combien de millions d'habitants, est vraiment la destination qui me fait rêver. Et puis, ça tombe plutôt bien, vu que mon appartement est squatté par la mère de Lucie en ce moment.

Nicolas eut un sourire.

— Bon, eh bien, c'est parfait alors. (Il fixa Levallois.) Tu vois tout de suite avec le service des missions pour Franck. Jacques ? Fais-leur se bouger les fesses, c'est urgent.

Jacques Levallois acquiesça et disparut.

— Ça va coûter bonbon, dit Lucie. Le divisionnaire va être heureux comme un pape de voir la facture arriver.

Bellanger souffla de la fumée par la fenêtre, avant de revenir vers ses lieutenants.

— Rien à foutre, du divisionnaire. Il est juste bon à entrer des chiffres dans des tableaux, celui-là. Je l'emmerde, OK ?

Lucie s'abstint de tout commentaire. Apparemment, le chef avait passé un sale moment avec Lamordier. L'ambiance venait d'en prendre un coup.

— Un truc important avant ton départ, Franck,

ajouta Bellanger. J'ai déposé le petit squelette trouvé dans le grenier de Florès au laboratoire d'anthropologie. Officiellement, Jacques et moi, on l'a récupéré chez Mickaël Florès ce matin. J'ai expliqué à Jacques et Pascal pour Camille…

Trois paires d'yeux inquisiteurs étaient tournées vers lui.

— L'étude ADN sur un squelette, et sa comparaison avec l'ADN de Mickaël Florès et du père va prendre un peu plus de temps, mais j'ai mis la pression, on l'aura peut-être lundi, au pire mardi. L'étude squelettique dans le néonatal est un peu plus compliquée que pour les adultes, d'après le spécialiste. C'est très technique, basé sur des courbes, des calculs, il y a des histoires d'os solidifiés ou pas. On étudie surtout le crâne, on mesure les os, on regarde la dentition. Pour le sexe, c'est en rapport avec le diamètre pelvien. Aussi, à ce stade, l'expert pense qu'il s'agit d'un individu de sexe masculin, sans être formel à cent pour cent. Âge estimé à moins d'un mois de vie. Mais le bébé pourrait avoir une semaine comme trois, ça dépend de sa taille à la naissance, de la durée de gestation, bref d'un tas de paramètres. On pense qu'il s'est intégralement décomposé dans la caisse où on l'a trouvé.

— On sait depuis quand il y était enfermé ? demanda Lucie.

— Toujours difficile à estimer. Si le cadavre est resté dans cet environnement hermétique, il faut au moins un ou deux ans pour parvenir à cet état. Les os étaient propres, dépourvus de toute matière musculaire ou de tendons. Ça dépend surtout de l'environnement, des insectes, de la profondeur d'enfouissement…

Mais vu l'état de dégradation du cercueil et l'absence complète de matière organique autre que les os, le spécialiste pense plutôt à plusieurs années. Au moins une dizaine.

— Donc ça n'exclut pas le fait qu'il puisse être le fils de Mickaël Florès.

— Non. Un dernier point concernant ce corps, et certainement le plus important : l'anthropologue a tout de suite remarqué des lésions traumatiques importantes sur le crâne du bébé. D'après lui, elles viennent d'un choc qu'il aurait pu recevoir après sa naissance. Il pense à une chute, un coup qui lui a été fatal.

Ils se réfugièrent dans le silence, avec le sentiment qu'il y avait forcément un fil directeur derrière toute cette histoire. Franck Sharko voyait le père et le fils Florès, assassinés. Et désormais, ce petit être anonyme, mort d'un coup sur la tête peu de temps après sa naissance. Le fils de Mickaël ? Cherchait-on à anéantir toute une lignée ? Quel était le lien avec Maria Lopez et son ventre rond ?

Pascal Robillard se leva et sortit de l'*open space* avec une envie pressante. À cause des protéines et du lait qu'il ingurgitait pour ses séances de musculation, il passait sa vie aux toilettes.

Quand il fut sorti, Nicolas Bellanger regarda de nouveau l'heure.

— Camille va arriver d'un instant à l'autre. Je vais m'occuper de sa déposition rapidement, avant son départ pour l'Espagne.

Sharko jeta un œil en direction de Lucie et eut un bref sourire.

— Camille ?

— Comment tu veux que je l'appelle ? Géant vert ?

— Bleu, plutôt. C'est pas toi qui t'occupes de ce genre de paperasse, d'ordinaire.

— Là, si. Ensuite, j'irai la déposer à Antony, elle prendra l'Orlyval pour l'aéroport. En voiture, ce ne sera pas praticable. Vous vous croiserez peut-être.

L'œil de Sharko brilla.

— Elle a droit à une sacrée attention, j'ai jamais eu ce privilège de me faire accompagner, moi.

Sourire de Bellanger.

— Ça va…

— Avec Lucie, on a remarqué à quel point c'était violent. Je n'ai jamais compris ces choses-là. Merde, c'est tellement mystérieux.

Nicolas précipita sa clope à sa bouche pour éviter de répondre.

— Si ça peut marcher, pourquoi pas ? fit Sharko. Lucie et moi, on s'est bien connus à cause de… Enfin bref.

Il se leva et frotta ses mains l'une contre l'autre.

— C'est pas tout ça, mais j'ai bientôt un avion à prendre. Et ça va aller, merci, je vais me débrouiller.

Il emmena Lucie à l'écart. Ils parlèrent à voix basse.

— Je file à l'appartement faire ma valise et je me mets en route. Ça va bien se passer, avec Jules et Adrien ?

— À ton avis ? Deux mères poules pour s'occuper d'eux, ils vont être aux anges. Surtout, tu fais bien attention là-bas, d'accord ? N'oublie pas qu'on t'attend à la maison, tous les trois.

— C'est une promenade de santé. J'atterris, je récupère les infos et je reviens. Je ne sentirai même pas le décalage horaire.

— Appelle dès que tu arrives.

354

Lucie jeta un œil vers Nicolas, qui leur tournait le dos et observait la rue par la fenêtre.

— Dis, t'as vu le *boss* ? On dirait qu'il se passe quelque chose avec la Miss cent mille volts du Nord.

Sharko approuva.

— Il fallait bien que ça finisse par lui tomber dessus à lui aussi, un jour ou l'autre.

43

La magie de la science, de la technologie, des nouveaux moyens de communication. Après avoir fait sa
déposition, Camille avait quitté le Quai des Orfèvres
à 11 h 30, et elle venait de se faire déposer en taxi en
périphérie de Mataró, Espagne, à tout juste 15 heures,
avec quelques changes dans sa valise à roulettes, au
cas où elle raterait le dernier vol de retour aux environs de 20 heures.

Nicolas Bellanger l'avait accompagnée jusqu'aux
portes de l'Orlyval, la navette qui permettait de
rejoindre l'aéroport. Ils avaient échangé leurs numéros de portable – geste purement professionnel –, et
le capitaine de police lui avait souhaité bonne chance.
Camille ne l'avait pas quitté des yeux jusqu'à ce que
l'engin sans chauffeur disparaisse dans un virage.

Devant l'aéroport, Camille s'isola dans un endroit
calme et appela sa mère, la gorge serrée. Elle mentit
sur toute la ligne. Elle raconta qu'une affaire urgente
venait juste de la rattraper sur Lille, que ses collègues
avaient besoin d'elle pour deux ou trois jours supplémentaires, mais que, en contrepartie, elle prolongerait
d'autant ses vacances à leurs côtés. Il n'y eut pas de

mensonge lorsqu'elle lui confia qu'ils lui manquaient terriblement.

Elle raccrocha avec beaucoup d'amertume et se dirigea avec tristesse vers l'aérogare. Elle avait repéré le vol pour Buenos Aires de Franck Sharko et avait entraperçu le flic parmi la foule, aux contrôles de sécurité. Il l'avait reconnue – avec sa grande taille, on la distinguait facilement –, saluée d'un geste chaleureux de la main, avant de disparaître sous les portiques.

Décidément, Camille appréciait bien cette petite équipe qui l'avait tout de suite adoptée.

Retour au sol espagnol. Ça sentait bon l'été, les vacances, mais l'air était étouffant, comme brûlé par le désert du Sahara. On enregistrait des 52 °C en plein soleil à Madrid. Une chape d'acier en fusion qui vous écrasait et annihilait toute énergie. Même elle qui n'aimait pas la plage rêvait d'une bonne baignade. La mer Méditerranée était tout juste à trois kilomètres mais invisible de cet endroit. Elle l'avait narguée à travers le hublot de l'A320 de la compagnie Vueling Airlines, et la gendarme se dit que, si elle en avait le temps, elle irait tremper ses orteils dans son eau salée, ne serait-ce que quelques minutes.

Elle prit la direction du gros bâtiment gris, plutôt moderne, planté au pied du massif de Montserrat qui semblait pousser de force les villes vers l'eau. Montagne verdoyante, palmiers bruissants, ciel profond. La vue, de l'extérieur, était séduisante. De l'intérieur du bâtiment, elle devait l'être beaucoup moins.

Avant le départ, elle avait préparé le terrain, donnant les coups de fil nécessaires. Ainsi sa visite était-elle annoncée. Lorsqu'elle se présenta avec son anglais plutôt bon à l'accueil du centre de santé mentale, le docteur Marisa Castilla, psychiatre, ne la fit pas attendre.

La femme avait les épaules voûtées et se déplaçait avec lourdeur, sans joie, comme ceux qui attendent leur retraite et pour qui chaque jour de travail est devenu un fardeau. Camille expliqua brièvement la raison de sa venue – une enquête criminelle dont elle ne pouvait divulguer le contenu mais qui était en relation, peut-être, avec le passé de Maria Lopez.

La spécialiste ne chercha pas à en apprendre davantage. Elles échangèrent en anglais, Camille avait un bon niveau scolaire en espagnol pour l'écrire ou le comprendre mais beaucoup de difficultés pour le parler.

— Je ne suis pas la psychiatre chargée de son dossier, ma consœur est en vacances à l'étranger, fit Castilla.

— C'est dommage. Vous pouvez tout de même me parler de Maria ?

— Elle ne communique quasiment plus et suit un traitement lourd. J'ai peur que votre visite ne soit inutile et que vous n'ayez dépensé de l'argent pour rien.

Elle n'avait pas l'air très sympathique mais elle avait accepté de la recevoir, c'était l'essentiel.

— Dites-moi, savez-vous, au moins, comment Maria est arrivée ici ?

— Oui, j'ai jeté un œil au dossier médical. Elle vivait seule dans une petite maison isolée et plutôt délabrée de Matadepera. Pas de famille, personne pour s'occuper d'elle. Ce sont les services sociaux qui nous ont alertés, il y a six mois. Elle était quasiment morte quand ils l'ont récupérée, le corps traversé de coups de… (elle chercha le mot quelques secondes, afin de le traduire au mieux) ciseaux de jardin.

Elles avançaient dans des couloirs propres, où évo-luaient quelques patients en compagnie d'infirmiers ou de médecins. L'air était agréable, ni trop chaud ni trop froid. On se sentait mieux entre ces murs que dehors, finalement.

— Elle n'a pas d'enfants ? demanda Camille.

— Aucun. Elle a longtemps travaillé pour une petite entreprise de ferronnerie, avant de se retrouver au chô-mage, il y a cinq ans. Elle n'est plus jamais sortie de la solitude et du désespoir…

Où est donc passé le bébé qu'elle portait ? songea Camille.

La jeune femme pensait de plus en plus que le bébé de Maria pouvait être le petit squelette. Elle montra une photo récupérée auprès de Nicolas Bellanger, où l'on voyait Mickaël Florès souriant, assis à une table. Il avait été assassiné une semaine après l'internement de Maria donc, théoriquement, il avait pu se rendre dans cet hôpital.

— Cet homme est-il déjà venu lui rendre visite ? demanda-t-elle.

— Jamais vu. Mais notre hôpital est grand, les patients sont nombreux et, comme je n'assure pas le suivi de Maria Lopez, je ne puis en être certaine.

Après avoir monté un étage, Marisa Castilla s'arrêta devant une porte fermée.

— C'est une chambre sans fenêtre, les vitres lui font peur, d'après le dossier. Maria n'est pas dangereuse mais peut avoir des réactions violentes malgré son traitement. On l'a prévenue de votre venue, mais je vous le répète, je doute que vous en tiriez grand-chose.

— Elle comprend l'anglais ?

— Je ne sais pas. Ça m'étonnerait.

Elle ouvrit et invita Camille à pénétrer dans la chambre. La psychiatre parla en espagnol à Maria qui était allongée dans son lit, les bras sur le torse. Aucune réponse.

— Impossible de savoir si elle comprend l'anglais.

— Vous pouvez rester pour traduire ? demanda Camille. J'ai pratiqué un peu l'espagnol, mais... Ce sera plus simple si vous êtes là.

La psychiatre jeta un rapide coup d'œil à sa montre et soupira.

— Si ça ne dure pas...

Camille fixa la femme qui n'avait plus rien à voir avec celle de la photo. Elle avait face à elle un corps squelettique. Maria portait un vieux tee-shirt blanc, un pantalon en toile beige, des chaussettes vertes usées. On aurait dit qu'elle avait, à la place des yeux, des morceaux de charbon. Noirs, déjà consumés, sans flamme. À première vue, elle n'aurait pas été capable de lever le petit doigt : ils avaient dû bien la charger.

— Je suis une gendarme française, je suis venue spécialement de Paris pour vous voir.

Castilla traduisit, mais la patiente resta de marbre. La gendarme parlait à un mur. Elle remarqua le Christ au-dessus du lit, la Vierge Marie sur la table de nuit.

Elle s'approcha du lit.

— Est-ce que vous connaissez Mickaël Florès ?

Camille vit la main de Maria se crisper sur le drap. Les os de ses mâchoires roulaient sous sa peau. Malgré tout, ses lèvres restaient scellées, et son regard glacé.

L'adjudant sut qu'elle le connaissait, qu'au fin fond de cette carapace, un peu de combustible brûlait encore.

Elle hésita, puis lâcha finalement :

— Mickaël est mort. On l'a retrouvé assassiné chez lui.

La pupille de Maria se rétracta, comme si elle voyait quelque chose juste au-dessus de l'épaule de la gendarme. Camille se surprit à se retourner. Évidemment, il n'y avait rien. Elle fut traversée d'un frisson mais ne le montra pas. Elle revint vers la patiente, calmement. Une larme roulait sur la joue de la vieille dame. Camille et la psychiatre échangèrent un regard.

— Vous le connaissiez bien ? demanda la gendarme.

Castilla prit le relais de la question, mais n'obtint aucune réponse. Camille montra le portrait de Mickaël. La patiente ne le regarda pas.

— Mickaël est venu vous voir chez vous, à Matadepera ? Il vous a rendu visite ? Est-il venu ici, dans cet hôpital, juste après votre arrivée ?

Silence…

— Connaissiez-vous son père ? Il s'appelait Jean-Michel Florès. Il s'est aussi rendu en Espagne, il y a longtemps. Peut-être pour vous rencontrer ? Vous voir ?

Camille se dit qu'il était inutile de préciser qu'il avait été assassiné, lui aussi. Elle essayait de trouver le rapport entre cette femme, Mickaël, Jean-Michel et le petit squelette. Il existait forcément, et il était peut-être l'une des clés de l'enquête.

Maria Lopez était toujours immobile, puis se retourna finalement de l'autre côté, vers le mur. Camille jeta un œil à la psychiatre qui lui signalait que tout allait à peu près bien, et qu'elle pouvait poursuivre cet entretien à sens unique si elle le souhaitait. Elle fit le tour du lit et se baissa, pour être au niveau du regard de Maria.

Elle approcha une autre photo de son visage.

— Regardez, Maria. C'est vous sur cette photo. Vous étiez beaucoup plus jeune, même pas vingt ans, entourée de deux religieuses. Et vous étiez très jolie.

Camille resta là sans bouger, patiente, silencieuse. Au bout d'un certain temps, les yeux morts se déplacèrent enfin vers le cliché. Le visage se crispa. Maria regroupa ses mains, comme pour faire une prière. Puis elle se frictionna le ventre, exécutant de petits cercles.

Les lèvres de Maria se mirent à trembler, à murmurer quelque chose. La psychiatre s'approcha et écouta, avant de se retirer.

— Qu'est-ce qu'elle dit ? demanda Camille.

— Elle répète toujours la même chose. *El diablo…* *El diablo…* Le diable.

Maria avait pris la position du fœtus et ne bougeait plus. Ses pupilles s'étaient dilatées à nouveau, ses lèvres rapprochées. Camille ne voulait pas lâcher, cette femme connaissait une partie de la vérité.

Elle considéra la psychiatre, dont le téléphone portable vibrait. La spécialiste le consulta très brièvement avant de le rempocher.

— Elle était enceinte sur cette photo, vous m'avez dit qu'elle n'avait pas d'enfant, affirma Camille. Demandez-lui où se trouve l'enfant qui était dans son ventre.

La psychiatre s'exécuta, parlant d'une voix douce. Maria Lopez se contracta plus encore, ses genoux étaient presque collés à son menton. Elle se mit à pleurer. Puis, d'un coup, ses jambes se détendirent, lançant violemment ses deux pieds devant elle. Elle ne heurta que le vide. Elle se leva, tituba et se rua vers la gendarme, frappant des deux poings au hasard, presque au ralenti. Camille lui attrapa les poignets, elle s'agitait désormais comme une forcenée et lui colla des coups dans les tibias. Elle se mit à hurler.

— *¡ Me robaron mi niño ! ¡ Me robaron mi niño !*

Un infirmier arriva dans les trente secondes et la maîtrisa, aidé par Camille. Elle ne se calmait pas, son visage se tordait de colère, si bien que la psychiatre lui administra un sédatif. Dix secondes plus tard, elle sombrait. On la reposa sur son lit.

Camille reprit son souffle. La psychiatre l'invita à sortir et referma derrière elle.

— Je suis désolée, fit-elle.

— Elle a bien dit : « Ils m'ont volé mon enfant » ?

La psychiatre s'arrêta net dans le couloir et lui demanda la photo. Camille la lui tendit.

— Des religieuses, dit-elle à voix basse.

— Ça vous parle ? demanda Camille.

Castilla retourna le cliché.

— *Maria, Valence.* Elle est dans une *Casa cuna…*

— Qu'est-ce que c'est, une *Casa cuna* ?

Elle rendit la photo et regarda la gendarme gravement.

— Un centre pour jeunes femmes enceintes, comme il en existe de nombreux à travers l'Espagne.

Elle désigna le ventre bombé de Maria.

— Je pense que ce bébé existe, confia-t-elle. Vous cherchez à connaître son identité, je présume ? C'est la raison de votre venue ici et de votre rencontre avec Maria ?

— En partie, oui.

Marisa Castilla sembla hésiter, puis dit :

— Suivez-moi.

Elle se dirigea vers son bureau, feuilleta un gros

répertoire puis composa un numéro. Elle parla quelques minutes en espagnol et raccrocha.

— Filez tout de suite à Valence, c'est à deux heures de train. Il y a là-bas un historien du nom de Juan Llores, on a parlé beaucoup de lui dans nos journaux et il a déjà eu un proche hospitalisé dans notre structure. Je le connais bien. Il accepte de vous rencontrer.

Elle nota son identité sur un coin de feuille qu'elle tendit à Camille.

— Probable que la photo ait été prise à la *Casa cuna Santa Isabel* de Valence. Juan vous donne rendez-vous devant la porte d'entrée de Santa Isabel à 19 heures.

— Très bien mais… pourquoi ?

— Il y a un scandale qui secoue l'Espagne depuis quelque temps, et dont Maria Lopez semble être l'une des victimes. Ce scandale, c'est celui des bébés volés du franquisme. Allez à Valence, Juan vous expliquera mieux que moi.

44

Le listing envoyé par le CHR était arrivé deux heures plus tôt, aux alentours de 15 heures.

Il y avait presque quatre mille employés au CHR d'Orléans, mais « seulement » cinquante-trois personnes dont les initiales étaient CP ou PC. Lucie avait estimé que l'individu qu'ils recherchaient devait être un homme, quelqu'un capable de transporter une femme, de trancher une tête, de commettre pareilles atrocités. Non qu'elle jugeât qu'une femme en fût incapable – l'Histoire lui eût facilement prouvé le contraire –, mais le mail « *Je suis doué, non ?* » indiquait un rédacteur masculin.

Robillard étant occupé à autre chose, c'était elle qui s'était chargée de récupérer le listing et de travailler la première dessus. D'emblée, elle avait mis de côté toutes les femmes. Restaient vingt-neuf identités à vérifier. Cela faisait encore beaucoup trop.

La direction du centre hospitalier avait mis le temps, mais avait bien travaillé. Lucie Henebelle et Pascal Robillard disposaient des nom, prénom, date de naissance, adresse personnelle et fonction des différents employés concernés.

— Quatre d'entre eux ont plus de cinquante-cinq ans, je les ai éliminés d'office, fit Lucie.

— Je n'éliminerais personne, moi, répliqua Robillard. On ne sait jamais.

Il ferma son traitement de texte, il en avait terminé et allait pouvoir aider Lucie. Cette dernière écrasa l'index sur la photo de la tête coupée.

— CP se vantait de ses horreurs. Il était en contact régulier avec Daniel Loiseau, les deux hommes se livraient au petit jeu du : « T'as vu ce que, moi, j'ai fait ? » Ils cherchaient encore à rivaliser, à se prouver quelque chose. Je vois mal quelqu'un de moins de vingt ans faire une chose pareille, et après quarante, on sort un peu des normes...

— Baratin de bouquins, tout ça. Fourniret, il avait quel âge ? Soixante berges ? Tu crois que ça l'a empêché de jouer les docteurs ?

— Oui, mais de manière générale, ces statistiques se vérifient. Alors on va dire qu'on fait confiance aux statistiques dans un premier temps, OK ? On doit aller vite, à l'essentiel.

— Très bien.

— J'ai fait deux paquets, selon les critères d'âge. Ceux entre vingt et quarante ans, et les autres. Si on prend ceux qui entrent dans les normes, il en reste seize. On se fait une petite recherche dans le STIC ?

Le STIC était le fichier des infractions constatées. Lucie s'épongea le front avec de l'essuie-tout. Elle était en nage et plutôt éprouvée par sa première journée de travail. L'air était étouffant malgré les ventilateurs qui tournaient à fond. Pascal Robillard entra au fur et à mesure dans le STIC les noms de tous les hommes qu'elle lui dictait.

— Rien, fit-il. Ils sont tous *clean*.

— Pas de bol.

— Donne-moi quand même l'autre groupe d'hommes, les hors-normes, comme tu dis, que je jette un œil.

Alors que Robillard fouinait dans les fichiers de la police, Lucie se concentra sur sa propre liste. Plus tôt dans l'après-midi, elle s'était renseignée sur le CHR d'Orléans. Il était composé de nombreux sites : hôpital, centre d'accueil pour personnes âgées, laboratoires, instituts de formations paramédicales, de kinésithérapie, de soins d'urgence. Un véritable réseau qui s'étendait sur plusieurs hectares.

Les employés concernés se répartissaient entre les différents hôpitaux et les services du centre universitaire. Difficile rien qu'avec des fonctions de cerner leur homme, mais elle se dit qu'il ne pouvait s'agir d'employés de maintenance, qui n'avaient pas accès aux ordinateurs. Or, d'après l'expert en informatique, « CP » se connectait très souvent, y compris la nuit. Cela faisait six individus en moins.

En restaient dix dans sa liste. Trois médecins/enseignants, un médecin urgentiste, deux infirmiers, un cardiologue, un kinésithérapeute, un chef de service de traumatologie et un radiologue. Que des Christian Poidevin, Corentin Panais, ou des Pierre Candelieu, Patrick Chauvert. CP et PC... Ils habitaient tous du côté d'Orléans, à une petite centaine de kilomètres d'ici. Et tous avaient, évidemment, d'excellentes compétences médicales.

Lucie rageait parce qu'elle ne pouvait rien en déduire de plus. N'importe lequel d'entre eux pouvait être celui qu'ils cherchaient.

— J'ai un truc, fit Robillard, l'œil rivé sur son écran.

Lucie prit son stylo.

— Vas-y.

— Christophe Poirier, quarante-quatre ans. Il a été impliqué dans une bagarre en 2010, à la sortie d'un bar à Orléans. Il a failli envoyer un type à l'hôpital. Il bosse en rééducation.

Lucie nota l'adresse qu'il lui fournit et l'entoura en rouge. Un quart d'heure plus tard, Robillard en avait terminé avec ses recherches.

— Sur les vingt-neuf, c'est donc le seul à être connu des services de police, conclut-il. Mais ça ne veut rien dire, c'était juste une bagarre. Celui qu'on cherche pourrait être n'importe lequel d'entre eux. Dans ta liste comme dans la mienne.

— Je sais, répliqua Lucie en soupirant, je sais.

Elle se leva, nerveuse, regarda encore une fois l'heure.

— Je te vois venir, fit Robillard en l'observant. Tu n'as pas changé depuis un an. Mais on n'aura pas de commission rogatoire avant lundi.

— On peut toujours aller sur le CHR et faire un tir groupé. Voir si on trouve certains de ces employés, juste leur poser quelques questions, parler à leurs collègues. Pas besoin de papiers, pour ça.

Robillard secoua la tête.

— Sans la CR, on ne pourra pas perquisitionner chez eux, au besoin. Et puis, on va galérer comme des fous pour se rendre sur Orléans. C'est un samedi de chassé-croisé, ma grande. Et la plupart de ces employés seront rentrés chez eux quand on arrivera sur place, si on y arrive. T'as vu l'heure ? N'y pense même pas. Lundi, je te dis. La Terre ne s'arrêtera pas de tourner d'ici là.

Lucie marqua une hésitation, et finit par se résigner. Pascal avait raison, ça ne servait à rien dans l'immédiat. Et puis, il y avait les jumeaux... Pour une première grosse journée, mieux valait rentrer à l'heure et ne pas abuser de la générosité de sa mère.

Elle rassembla les listes et les fourra dans son sac.

Pascal Robillard éteignit son ordinateur, plutôt satisfait.

— Quelle semaine d'enfer ! Mais on a bien bossé. On a logé Loiseau, on se rapproche de CP. Ça sent plutôt bon. Il n'y a plus qu'à attendre le retour du juge pour la commission rogatoire et notre tournée au CHR dès lundi, si tout va bien.

Lucie resta pensive.

— Quant à Charon et la seconde silhouette dans l'abattoir, fit-elle... C'est toujours le grand mystère.

— Leur tour viendra, peut-être avec le voyage de Franck en Argentine. On finit toujours par les avoir.

— On doit quand même toute cette enquête à la tempête et à cet arbre déraciné qui nous a menés à la fille aveugle. C'est-à-dire juste au hasard.

— Le hasard fait partie du métier. (Il regarda sa montre.) Bon, excuse-moi, faut vraiment que j'y aille. Ma fille rentre d'un petit séjour à la ferme et il faut que je la récupère.

— Elle a quel âge, maintenant ?

— Sept ans.

— Bon Dieu... Ce que ça passe vite. On bosse ensemble depuis combien... trois ans ? Et je ne l'ai vue qu'une fois.

— On se fera une bouffe, si tu veux, quand tout ceci sera terminé.

— Avec plaisir.

Il mit les voiles avant elle, Tupperware vide de protéines dans une main, sac de sport dans l'autre. Lucie l'aimait bien, Robillard. Un gars discret, droit, qui faisait le job du mieux qu'il pouvait, sans jamais faire de vagues.

Après son départ, elle resta encore quelques minutes. Seule sur le pas de la porte, elle observa cet endroit à l'odeur de vieux bois, au plancher craquant, peuplé de dossiers empilés et de tonnes de procédures. Elle se sentait bien, ici. À sa place. Prête à foncer.

Malgré l'horreur de leur enquête, elle sourit, heureuse d'avoir rempilé.

Mais elle savait, au fond d'elle-même, que ça ne durerait pas.

45

Il était presque 18 heures, Camille était à une demi-heure de sa destination.

Le train Euromed mordait le rail à grande vitesse, le long de la côte espagnole, dévoilant dans le lointain des étendues bleutées, des cathédrales blanches, des plaines infinies, magnifiquement verdies par le climat méditerranéen. Un bouquet de couleurs qui vous explosait au visage.

La gendarme avait la tête appuyée contre la vitre, les yeux mi-clos sous l'effet de la climatisation, essayant de se reposer un peu malgré les Espagnols et les touristes qui parlaient fort. Les accents roulaient, les langues claquaient.

Elle pensait à Nicolas Bellanger.

Plus tôt, elle lui avait téléphoné pour le mettre au courant de l'avancée de ses recherches : il y avait, peut-être, une chance de retrouver l'enfant de Maria, de comprendre une partie de l'histoire des Florès. Nicolas avait alors cédé à un coup de folie : la rejoindre à Valence pour le dîner. Et, éventuellement, repartir avec elle le lendemain vers Paris afin de préparer la descente au Styx.

Camille avait accepté cette proposition délirante avec plaisir. Nicolas avait de nouveau parlé « d'officialiser » les découvertes avec la présence d'un OPJ de la Crim, cependant la jeune femme n'était pas dupe : il prenait le prétexte de l'enquête pour la rejoindre.

Il en pinçait pour elle.

C'était réciproque. Quelque chose de puissant brûlait dans le ventre de Camille. Un alcool fort qui l'enivrait, brisait les tabous. D'un autre côté, elle songeait à Boris et se sentait fautive. Leur relation était tellement différente, presque respectueuse. Deux collègues qui travaillaient ensemble depuis si longtemps, qui se tournaient autour sans jamais avoir osé franchir la barrière.

L'arrêt du train l'arracha à ses pensées. Elle arriva finalement à la gare València-Nord. À peine sortie, elle attrapa un taxi et indiqua l'adresse au chauffeur : « *Casa cuna Santa Isabel* ». L'homme parvint à comprendre son espagnol, jeta un œil dans son rétroviseur et se mit en route sans poser de questions.

Camille ne voyait rien de la ville, revenue dans l'enquête et plongée dans ses réflexions. Les bébés volés du franquisme… De quoi s'agissait-il, précisément ? En quoi Mickaël Florès, né à l'hôpital Lariboisière de Paris d'après son état civil, était-il concerné ? Quel était le lien avec Maria Lopez et le petit squelette au crâne meurtri ?

La gendarme se représentait encore le visage de Maria Lopez, cette folie qui l'habitait, ses lèvres qui palpitaient : « *El diablo… El diablo…* » Elle avait réagi ainsi en voyant la photo d'elle enceinte, touchant son propre ventre. Qui était le diable ? Le bébé lui-même ?

Valence mêlait avec harmonie les quartiers de la vieille ville et une architecture des plus modernes.

Bâtiments aux formes futuristes, immeubles design, stades démesurés. Certains chantiers étaient encore en cours mais semblaient abandonnés, laissant là des verrues effroyables d'acier et de béton. C'étaient les vestiges des dégâts causés par la crise : plus personne n'avait d'argent pour financer ces travaux pharaoniques. Camille avait même entendu parler d'un aéroport qui n'avait jamais vu d'avions atterrir, et qui était aujourd'hui à l'abandon ou utilisé comme piste de karting.

Un panneau indiqua « *Calle de la Casa Misericordia* ».

Ils y étaient.

Le taxi s'arrêta devant un grand mur austère en brique rouge, rehaussé de grilles à pointes et portant une caméra. Camille régla le chauffeur et se dirigea vers une porte qui semblait blindée. Un panneau bordeaux, collé au mur, indiquait « *Casa cuna Santa Isabel* ».

Il était presque 19 heures. Camille s'essuya le front avec un mouchoir et patienta à l'ombre. La chaleur était toujours insupportable, la gendarme se liquéfiait. Elle pria pour avoir une bonne climatisation dans son hôtel, quitte à attraper la crève.

Un homme s'approcha, il tenait une pochette violette sous le bras. Un petit gars à l'air bourru et au regard perçant, vêtu d'une chemise crème et d'un pantalon fin de la même couleur. Il traversa la route prestement, vint d'un pas assuré à la rencontre de Camille et lui tendit la main. Il avait de grosses auréoles de sueur sur sa chemise, au niveau des aisselles.

— Juan Llores, on doit se voir, fit-il dans un français plutôt bon.

Camille lui adressa un sourire de politesse.

— Camille Thibault. Je travaille à la gendarmerie, section criminelle.

— Je sais. Marisa m'a brièvement expliqué... Cette chaleur va finir par tous nous tuer. C'est comment, en France ?

— Démoniaque.

Il sonna à l'interphone. La caméra était braquée dans leur direction. Au bout de quelques secondes, la porte s'ouvrit.

— C'est une vraie forteresse ici, mais depuis que je suis médiatisé, elles n'osent plus me refuser l'entrée, confia-t-il. Suivez-moi.

Ils évoluèrent dans un jardin à la végétation luxuriante avant de rejoindre un grand bâtiment en U qui ressemblait à un collège : deux étages, toits plats, murs orange et gris. Une vieille religieuse en robe noire apparut sur le perron, l'air sévère.

— La mère supérieure, toujours aussi sympathique. Regardez-la, on dirait un corbeau sur un fil électrique... Attendez-moi.

Juan Llores alla discuter une petite minute avec elle puis revint vers Camille. Ils s'installèrent sur un banc, entre deux palmiers. En face, un saint Jean en métal dominait l'espace arboré.

— Nous ne sommes pas les bienvenus entre ces murs, mais peu importe. C'est ici le meilleur endroit pour discuter de notre sujet. Marisa m'a dit que vous recherchiez un enfant volé ?

Camille lui montra la photo de Maria Lopez.

— Disons que c'est un peu plus compliqué. Mais on pense qu'une partie de l'affaire sur laquelle on travaille, en France, peut trouver des réponses ici, en

Espagne. Maria Lopez a, d'après cette photo, passé du temps à la *Casa cuna*. Et son bébé a probablement disparu, puisque officiellement elle n'a jamais eu d'enfant.

— Elle a eu un enfant, mais on le lui a enlevé, trancha Llores, catégorique. Que connaissez-vous de l'affaire des bébés volés du franquisme ?

— Rien du tout.

Juan Llores fixa un rideau qui bougeait sur la gauche, puis se tourna vers Camille.

— Elles détestent les journalistes et les étrangers. La mère Marguerita et toutes les religieuses qui travaillent pour elle depuis des années nieront l'évidence jusqu'à la fin de leur vie. Ce sont des blocs de marbre froid et sans âme.

Il ouvrit sa pochette et tendit un agrandissement photo à Camille, sur lequel paraissait une tombe sans nom.

— Cette photo a été tirée dans le petit cimetière de San Roque, en Andalousie, il y a deux ans… L'origine du scandale, le patient zéro, dirait-on en virologie. À l'époque, un père veut faire des travaux sur le caveau familial. De ce fait, il demande à récupérer les ossements de son bébé mort en septembre 1987. Il fait ouvrir le petit cercueil, et ne trouve que du tissu vert et un peu de gaze chirurgicale. Aucun ossement. La tombe est vide. L'homme se rappelle : le jour de la naissance de son enfant, l'équipe médicale ne le laisse pas voir le corps du bébé, que l'on déclare mort-né. Les parents ne récupèrent qu'un cercueil déjà scellé à la sortie de la maternité.

Il fut secoué par une quinte de toux violente. Ses poumons sifflaient.

— Excusez-moi... Grâce à son acharnement, ce pauvre père va réussir à médiatiser sa sinistre histoire. C'est alors que des milliers de familles vont se rendre compte qu'elles se trouvent exactement dans le même cas. Asturies, Canaries, Catalogne, Andalousie, c'est partout pareil. Les plaintes se multiplient. L'Espagne creuse, ouvre des tombes vides, à la recherche de la vérité : où sont passés les corps de ces bébés déclarés mort-nés ?

Il sortit un fin cigare et en proposa un à Camille, qui refusa.

— Je ne devrais pas fumer ici, maugréa-t-il en désignant deux femmes enceintes qui se promenaient, au loin. Mais il y a bien pire qu'un peu de fumée, vous ne croyez pas ?

L'homme avait les cordes vocales usées par le tabac. Il craqua une allumette, tira une bouffée et prit ses aises sur le banc, calant son pied gauche sur sa cuisse droite. Sa chemise était entrouverte et laissait transparaître un torse velu. Camille lisait une forme de défi dans ses yeux lorsque l'historien observait en direction des fenêtres. Il semblait détester ces religieuses.

— Donc, d'un côté, les familles désœuvrées qui n'ouvrent que des tombes vides. Et, d'un autre côté, des individus de trente, quarante ans, qui découvrent d'eux-mêmes qu'ils ont été adoptés, ou l'apprennent de la bouche de leurs parents. Les secrets finissent toujours par éclater, vous savez : un père adoptif aux portes de la mort qui décide de se confier, ou des langues qui se délient après des années de mensonge.

Il rapprocha ses poings l'un de l'autre, jusqu'à ce qu'ils se percutent.

— Des parents qui cherchent d'un côté, des enfants

qui apprennent qu'ils ont été adoptés de l'autre. Et voilà comment la déferlante se met à balayer le pays. D'un coup, on se met à parler de réseaux d'adoption occulte, de trafics d'enfants à l'échelle nationale, qui existeraient depuis des décennies.

Camille pensait à l'album de naissance trouvé chez Mickaël Florès : sa mère Hélène était bien enceinte, elle avait bien accouché de lui dans un hôpital parisien, d'après les différents témoignages. Elle se rappelait même les recherches de Broca, qui avait noté : « *La sœur était à la maternité, elle a vu l'enfant naître, aux côtés de Jean-Michel, le 8 octobre 1970.* »

Donc, Mickaël ne pouvait pas être le fils de Maria Lopez, même si tout conduisait à la conclusion contraire. La gendarme ne réussissait toujours pas à comprendre.

Juan poursuivit ses explications :

— Vous avez quel grade ? demanda-t-il.

— Adjudant.

— Un petit cours accéléré d'histoire, adjudant ? Prête à plonger dans l'une des périodes les plus sombres de l'Espagne ?

Camille acquiesça :

— Je vous écoute.

— 1939. Après trois ans de guerre civile, le général Franco et son armée écrasent la République et installent une dictature d'extrême droite basée sur deux fondements principaux : le nationalisme et le catholicisme. Selon ses propres termes, la « race » doit être régénérée, purgée des déchets qui l'ont empoisonnée des années durant. La purification passe, entre autres, par l'enlèvement pur et simple des enfants des opposants.

Il toussa encore puis pompa sur son cigare.

— Augusto Valero, le psychiatre militaire du régime franquiste, va théoriser scientifiquement l'enlèvement des enfants. Dans une étude intitulée *Psiquismo del fanatismo marxista*, il va établir que les « rouges » sont des malades mentaux et que leur progéniture doit leur être retirée pour être rééduquée selon les vraies valeurs franquistes. Des mots comme eugénisme, ségrégation émaillent ses écrits. Dès lors, on enlève systématiquement les enfants aux familles républicaines, petits ou grands. Dans les prisons, on retire les nourrissons aux républicaines qui viennent d'accoucher. On place alors ces enfants dans des « bonnes » familles ou dans des orphelinats tenus par des religieux, on les nourrit de chansons fascistes, les curés et les Jésuites les éduquent dans la rigueur du régime. On leur apprend à renier les idées de leurs « bâtards de parents ». Un lavage de cerveau très efficace, si vous voyez ce que je veux dire.

— Je vois, oui.

— Mais ce n'est pas tout, loin de là. Un décret du 4 décembre 1941 permet de changer les noms des enfants enlevés. Dès lors, vous devinez la suite…

— On coupe définitivement le lien. Leurs familles d'origine ne pourront jamais les retrouver.

— Exactement. À l'époque, trente mille enfants républicains ont ainsi été arrachés à leurs pères et mères pour être placés ailleurs. Mais ce qui est hallucinant, c'est que le système va changer d'objectif à partir des années 60, et s'amplifier après la mort de Franco, en 1975, et jusqu'à l'aube de l'an 2000. Presque cinquante ans de mensonges et de monstruosités, madame. Je suis d'ailleurs en train d'écrire un livre sur le sujet.

Cigare aux lèvres, il écrasa son index sur la pochette.

— Je montre comment aux bébés volés du franquisme succèdent les enfants volés de la démocratie. Comment on passe, dès les années 60, 70, du vol politique au vol économique. Et vous savez comme moi que, dès qu'il y a économie, profit, il y a...

— ... trafic.

Juan acquiesça dans un nuage de fumée.

— C'est le mot, oui, « trafic ». Trafic de bébés. L'outil initial de terreur politique instauré par Franco va devenir une pratique à l'échelle quasi industrielle, tellement installée que personne n'osera dire quoi que ce soit durant des années. On passe de trente mille à trois cent mille bébés volés dans l'Espagne moderne. Trois cent mille, adjudant, je ne sais pas si vous imaginez la portée de ce nombre. C'est une pure aberration, et pourtant, dans notre belle et grande société capitaliste, ça a existé jusqu'à il y a peu. Pendant que des gens achetaient des téléphones portables et découvraient Internet, d'autres volaient des bébés en masse.

Sa voix se teintait d'amertume. Il désigna l'ensemble du bâtiment d'un mouvement de bras.

— Vous êtes ici dans l'un des endroits où le trafic atteignait son essor dans les années 60. Au cœur même de notre chère Église catholique. Comment vous dites ? C'est toujours dans la bergerie que le loup se cache ?

— C'est à peu près ça, oui.

— Ici, on recueillait – et on recueille encore – des jeunes filles enceintes en difficulté. Surtout celles qui voulaient cacher leur grossesse, ou qui étaient placées par leurs parents, parce que ces derniers ne voulaient plus s'occuper d'elles : à l'époque, être enceinte pour une jeune fille de moins de vingt ans, célibataire, c'était une honte, un déshonneur. Ici, elles menaient une vie rude, austère. On les redressait.

Il montra de vieilles photos jaunies de ces établissements religieux. Camille parvenait à se figurer l'ambiance dans l'Espagne du milieu des années 60. Une population qui vivait sous un régime où régnaient la terreur et l'oppression.

— Les *Casas cuna* se multiplient comme la peste dans les années 50 et 60, poursuivit l'historien. De véritables usines à bébés. Les jeunes mères qui accouchaient entre ces murs voulaient évidemment garder leur enfant, mais les religieuses mettaient la pression pour récupérer le futur nourrisson, expliquant qu'une mère célibataire ne pourrait jamais l'élever correctement ni lui inculquer les bonnes valeurs de la « Nouvelle Espagne ». Et quand la mère opposait trop de résistance, on lui disait que son bébé était mort-né.

Juan déposa ses cendres dans un petit morceau d'aluminium qu'il sortit de sa poche. Camille l'écoutait, parcourue de frissons. Toutes les nations avaient leurs squelettes dans le placard. Les histoires sordides finissaient toujours par ressortir, un jour ou l'autre.

— Mais il y a eu pire, bien pire que les *Casas cuna*, dit Juan.

Autre photo. Celle d'un hôpital.

— Voici la clinique San Ramon, à Madrid. Là où eut lieu le trafic le plus abouti, le mieux organisé. San Ramon était la pointe du triangle de la mort, comme on l'appelle encore aujourd'hui. Triangle composé également de l'hôpital Santa Cristina et de la maternité O'Donnell, tous situés à Madrid. Des endroits où les employés travaillaient ensemble, s'échangeant les nouveau-nés. C'était le triangle dans lequel on volait les bébés à grande échelle.

Juan lui tendit un paquet de photos. Elles représentaient le portrait en noir et blanc d'un homme aux cheveux courts plaqués vers l'arrière, aux yeux sombres, et à la bouche fine et droite. Une gueule de pitbull. L'adjudant de gendarmerie observa attentivement chaque cliché.

— C'est le docteur Antonio Velasquez, le chef de l'hôpital San Ramon, celui que j'ai identifié comme l'une des têtes du réseau. Il employait des religieuses comme sages-femmes. Le scénario était identique à celui des *Casas cuna* : des mères célibataires fragiles venaient pour accoucher, passaient deux ou trois jours dans une chambre, tandis que leur enfant était censé rester en nurserie. Puis la sœur venait leur annoncer que leur bébé était mort.

Camille passait d'une photo à l'autre. Velasquez avait été photographié à divers endroits. Dans la rue, dans son bureau, devant sa clinique. Sur un cliché flou, Camille remarqua la présence, juste à ses côtés, d'un homme habillé tout en noir, portant un chapeau de feutre. Sa tête avait été entourée au marqueur.

— Étrange photo, non ? fit Juan. Elle est complètement trouble, alors que toutes les autres de la série sont nettes. C'est la seule où l'on aperçoit cette silhouette noire… J'ai cherché : personne ne sait de qui il s'agit.

Juan poursuivit la descente aux Enfers. Cette fois, il montra un nouveau-né à moitié recouvert d'un drap blanc, posé sur le compartiment d'un réfrigérateur dont la porte était ouverte.

— J'ai obtenu ces photos dans les années 80, d'un grand reporter qui enquêtait déjà sur la clinique

San Ramon. Je vous enverrai des doubles si vous voulez.

Camille lui tendit une carte.

— Merci, fit-elle.

— Là, il n'y a qu'un seul nouveau-né dans le frigo. Mais l'hôpital San Ramon disposait de plusieurs bébés congelés.

— Congelés ? répéta Camille, stupéfaite.

— Oui. La bonne sœur montrait un bébé mort aux mères qui insistaient pour voir leur enfant, déjà parti pour l'adoption. Il y avait différentes tailles de bébés congelés, la sœur prenait alors le plus ressemblant. Cette technique était radicale pour étouffer les soupçons des mères et les rendre dociles. Celles qui, malgré tout, ne se laissaient pas duper et osaient porter plainte étaient prises pour des folles, rejetées, malmenées. Après 75, la démocratie était faible, l'ombre du franquisme continuait à planer, et le docteur Velasquez jouissait d'une excellente réputation.

— Où allaient les enfants ?

— Au départ du trafic, que ce soit dans les *Casas cuna* ou les cliniques, les bébés étaient vendus à des familles espagnoles qui ne pouvaient pas avoir d'enfants et qui voulaient adopter. Ces familles s'endettaient sur des années, mettaient leurs maisons sous hypothèque pour « acheter » un bébé. Elles étaient mises au courant de la possibilité « d'adopter » par des sages-femmes, du personnel hospitalier ou par des connaissances. La manière dont cela se passait peut paraître complètement hallucinante, mais ce que je vous raconte est la pure vérité : vous arrivez devant l'hôpital, une sage-femme vous attend dans la rue, vous lui remettez un acompte – l'équivalent de trois mille euros à l'époque –, et vous montez dans la nurserie prendre l'enfant, récupérant par la même occasion de faux papiers : vous devenez alors officiellement le parent d'Untel, né dans tel hôpital, sceau du ministère de la Justice à l'appui. Puis vous payez des traites pendant des années, comme pour un crédit quelconque, jusqu'à débourser, au total, dans les vingt mille euros, l'équivalent d'un bel appartement. Et croyez-moi, vous avez intérêt à payer.

Camille se rappela ce qu'elle avait lu dans les notes du flic d'Étretat : Jean-Michel Florès avait demandé une grosse somme d'argent à sa sœur, peu de temps après la naissance de Mickaël.

Aucun doute, Jean-Michel Florès était venu acheter un bébé en Espagne.

Juan poursuivait, emporté par son propre récit :

— Un bouche à oreille mondial s'est parallèlement mis en place, et ce dès le milieu des années 60. La haute société a immédiatement su, loin d'ici, que l'Espagne fournissait des bébés. Alors, des gens riches, bien placés, commerçants, hommes d'affaires, ont commencé à venir de l'étranger avec de l'argent. Là, à l'endroit exact où nous nous trouvons, des groupes de visiteurs étrangers entraient et se promenaient comme on visite un salon de l'automobile, touchaient les nouveau-nés, les photographiaient. Le lendemain, des enfants avaient disparu. La plupart des acheteurs venaient d'Amérique latine. Mexique, Argentine…

L'Argentine… Le mot résonna dans la tête de Camille. Elle le répéta en forme de question.

— L'Argentine ?

— Oui. L'Espagne avait des relations privilégiées avec l'Amérique latine ou les États-Unis. Et n'oublions pas que l'Argentine a connu sa propre dictature entre 1976 et 1983. Une succession de généraux tous plus sanglants les uns que les autres, avant que la guerre des Malouines mette un terme à toutes ces horreurs. Il s'est passé là-bas la même chose qu'ici : le vol de bébés comme butin de guerre ou pour les placer, souvent, dans les familles des militaires du régime. Mais, avant la dictature, des Argentins fortunés et des réseaux venaient se servir ici comme dans une boutique.

Camille était tout ouïe. L'historien grinça des dents et éteignit son cigare en étouffant l'extrémité dans l'aluminium.

— On a pris ces enfants pour des jouets. On les a manipulés, vendus, on a trompé leurs mères. Aujourd'hui, ils sont pleins de rancœur, de haine envers leur pays d'origine. Ils exigent réparation.

Camille avait l'impression d'avoir les poches débordantes de pièces de puzzle, et que celles-ci se renversaient partout autour d'elle. Elle essaya de se concentrer, de faire un bilan, de poser les bonnes questions. Les réponses devaient être là, toutes proches.

— On sait où est le directeur de cette clinique morbide, cet Antonio Velasquez ? demanda-t-elle.

— C'est seulement maintenant que la justice commence à s'intéresser à lui. Tout est tellement long, compliqué, labyrinthique. Mais Velasquez, qui doit avoir aujourd'hui soixante-dix ans, a disparu depuis bien longtemps. Et bien malin celui qui saura où il se cache désormais.

Dans un soupir, la gendarme considéra la photo de Maria Lopez. Elle la retourna vers son interlocuteur.

— On peut en tirer quelque chose ? Retrouver l'en-

fant de Maria Lopez dans des papiers, des hôpitaux ?
Fouiller dans les archives des *Casas cuna* ?

— Vous ne trouverez malheureusement plus rien.
Le bébé de Maria Lopez ne s'est jamais appelé Lopez.
Même en supposant que les papiers n'aient pas disparu,
il n'y a aucun moyen de remonter la piste en passant
par les voies administratives. Presque plus rien ne relie
Maria à son enfant volé.

— Presque ? Il y a un espoir, alors ?

— Dieu merci, il y a toujours un espoir. Dans les
papiers, tout était faux : les noms, la filiation, les
villes et dates de naissance. Mais il y a quelque chose
qu'aucune administration, qu'aucun régime ne pourra
falsifier. (Il plaqua une main sur son torse.) C'est ce
que nous avons de profondément enfoui en nous.

— L'ADN, percuta Camille.

— Exactement.

Camille écouta avec attention.

— Il y a quelques années, devant l'ampleur de l'affaire, le gouvernement espagnol a décidé de prendre les
devants. Un poste spécial « bébés volés » s'est créé au
ministère de la Justice. Des campagnes d'information
et de sensibilisation ont encore lieu aujourd'hui dans
les grandes villes d'Espagne. Toutes les mères qui
pensent avoir été victimes d'un vol de bébé sous le
franquisme peuvent se faire prélever leur ADN. De
l'autre côté, des enfants du monde entier qui pensent
avoir été adoptés ou en ont la certitude peuvent également donner leur ADN. Tous les profils sont stockés au
siège de Genomica, à Madrid, l'une des plus grandes
banques ADN d'Europe.

— Et donc, quand il existe une correspondance
entre deux ADN distincts, c'est que…

— Mère et enfant se sont enfin retrouvés, oui. Si vous voulez savoir où est passé cet enfant, qui il est réellement, c'est là-bas que vous devez vous rendre, à Madrid.

Juan regarda sa montre.

— Le centre Genomica est fermé à cette heure-ci, mais il est ouvert sept jours sur sept, la campagne bat son plein et les échantillons arrivent par centaines tous les jours. Avec un peu de chance, vous retrouverez dès demain la véritable identité de ce bébé fantôme qui semble tant vous intéresser.

46

Nicolas Bellanger était angoissé comme avant une intervention risquée.

Juste avant de pénétrer dans le restaurant de l'hôtel, il prit une grande inspiration. Son cœur battait la chamade, et le flic eut l'impression que la salle entière pouvait l'entendre.

C'était la première fois qu'il se laissait aller à un tel coup de tête : attraper un avion et dîner avec celle qui lui retournait le cerveau. Peut-être faisait-il la plus grosse bêtise de sa vie, peut-être n'était-ce pas le moment – le divisionnaire Lamordier frôlait l'hystérie –, mais Nicolas avait suivi ses pulsions. Besoin de changer d'air, aussi, ne serait-ce que quelques heures. Après tout, il aurait dû être en congé. L'administration française lui devait au moins ça.

Camille se tenait à une petite table ronde, dans un coin calme entouré de plantes. Elle portait une tenue d'été légère aux couleurs vives et s'était maquillée. Le mascara soulignait l'intensité de son regard, le rouge à lèvres, rose clair, donnait envie de l'embrasser. Nicolas s'approcha et lui tendit un petit paquet cadeau. Il s'était habillé de façon simple mais classe, avec une chemise blanche à col pelle à tarte, premier bouton défait, et un pantalon en flanelle gris clair tombant élégamment sur des chaussures bateau.

— J'espère que ça te plaira.

— Fallait pas. Merci.

Ils se tutoyèrent naturellement. Elle le regarda avec intensité lorsqu'il s'assit.

— C'est complètement improbable, ce rendez-vous, tu ne trouves pas ?

— Oui, mais à ce que j'ai cru comprendre, tu aimes bien ce qui est improbable, non ?

Camille déballa son cadeau. Un sourire illumina son visage. Elle prit délicatement le livre à deux mains, il passa dans ses yeux un brin de nostalgie, un relent de vieux souvenirs d'enfance.

— *L'Aiguille creuse*, commenta Nicolas. Édition originale Pierre Lafitte de 1909 sur papier courant, couverture rouge illustrée.

— T'es encore plus fou que je le croyais.

Elle hésita, puis secoua la tête, avant de lui tendre l'ouvrage.

— Je ne peux pas.

— Garde-le. Ça me fait plaisir. Je n'ai jamais eu personne à qui l'offrir.

Camille finit par accepter.

— Je lisais tout le temps, gamine, confia-t-elle. Des livres scientifiques sur le corps humain mais aussi ce genre de romans d'aventures et des polars. C'était mon moyen à moi de m'évader, de voyager. Un jour, j'ai vendu la plupart de mes livres à une brocante, il y en avait trop. Mais j'aurais dû les garder. Ils étaient comme des petits morceaux de ma vie. Des bouts de moi.

Elle inclina la tête, pensive.

— Tout le monde a un souvenir qui se rapporte à un livre. Et quand on rouvre le livre, plus tard, quand on sent à nouveau l'odeur de ses pages, quand on voit les marques du chocolat qu'on croquait à l'époque incrustées sur ses pages, alors le souvenir revient, très net.

Nicolas approuva.

— Mes parents étaient libraires, ils tenaient une boutique dans une petite rue de Paris, pas loin du boulevard des Italiens, expliqua-t-il. C'était du bonheur, parce que je n'avais pas de problème de stockage. Et j'avais à disposition tous les livres que je voulais.

— J'ai toujours imaginé les flics du 36 issus de familles de flics.

— Faut croire que, comme toi, je suis en dehors des statistiques.

— Et comment on passe des livres au flingue ? Des mots sur du papier à la balle Parabellum neuf millimètres ? Comment t'es devenu capitaine de police dans un des services les plus prestigieux de France ?

— Quand ma mère est tombée malade, mon père a revendu la boutique, il a refusé que je la reprenne, trop de boulot, de contraintes, de galères. Il est parti vivre en Bretagne. Moi, j'avais tout juste vingt-trois ans, je venais de m'engager dans la police pour suivre un copain dans un petit commissariat de banlieue. J'ai aimé ce métier tout de suite. L'adrénaline, la diversité des opérations, ce truc inexplicable qui te prend aux tripes quand tu dois interpeller un individu. Je me suis passionné pour l'enquête criminelle. Et pour le reste, j'ai bossé, tout simplement.

Ses yeux s'évadèrent, un temps. Camille sentit qu'il avait du mal à parler de son passé. Qu'il avait un poids au fond de l'estomac. Le serveur les tira de l'embarras. Ils commandèrent un apéritif.

— Dire que je partais en vacances sur Argelès chez mes parents, raconta Camille, et je me retrouve dans un hôtel de Valence, à dîner avec un capitaine de police que je ne connaissais ni d'Ève ni d'Adam il y a encore deux jours. À l'heure qu'il est, je devrais être en compagnie de mon père et de ma mère.

Elle mit une main sur sa poitrine.

— À cause de lui, tout part en vrille. Je le hais à un point que tu ne peux imaginer et, pourtant, il fait partie de moi. Il m'offre chaque goulée d'air que je respire. Je voudrais l'arracher de ma poitrine, le presser entre mes mains et lui demander : « Pourquoi tu as fait ça ? Pourquoi tu as fait tout ce mal à ces filles ? »

Elle eut le regard vide, longtemps, et songea avec amertume à ses malaises. Quand viendrait la prochaine crise ? Quand tomberait-elle sans pouvoir se relever ? Elle tourna la tête vers Bellanger et, ne sachant plus quoi dire, demanda :

— Sinon, la journée, l'enquête ? Ça avance ?

Le capitaine de police se frotta le visage et soupira.

— Ça avance, oui… On va oublier tous les points négatifs et ne parler que du positif. Lucie et Pascal ont bien avancé avec le listing du CHR. Lucie a ciblé autour de dix employés, Robillard est plus sceptique mais, en élargissant au maximum, ils ont vingt-neuf suspects potentiels. L'un d'entre eux est fiché, suite à une bagarre. On a de quoi fouiner à présent, dès qu'on a les papiers officiels lundi. On devrait peut-être reporter ta descente au Styx et…

— Le Marché Interdit ne se déroule que le dimanche soir, si on le manque il faudra attendre une semaine supplémentaire. N'essaie pas de me convaincre de faire demi-tour. Je suis prête, pour demain.

On leur apporta deux cocktails aux couleurs d'un coucher de soleil. Ils trinquèrent.

— Au grand choc frontal de nos deux destins, sourit Bellanger.

Camille lui rendit son sourire.

— À nos trajectoires perforées par l'Aiguille creuse, oui.

Elle aspira un grand coup avec sa paille. Ça aurait dû être l'un des plus beaux moments de sa vie : ces picotements agréables qu'elle ressentait au fond du ventre, l'impression de tomber amoureuse, déjà, comme si tout se passait en accéléré. Camille savait qu'elle aurait dû contrôler, garder de la distance comme elle l'avait fait avec Boris, mais, cette fois, elle s'en sentait incapable.

Nicolas la sortit de ses pensées.

— Lesly Beccaro a été très coopérative, elle nous a envoyé un tas de mails et on a passé du temps au téléphone avec elle. Elle n'a rien caché, *a priori*. Un de nos spécialistes en informatique planche sur les forums privés, c'est difficile d'avoir de l'information, des noms dans l'immédiat. Ça va prendre du temps de s'immiscer dans leur cercle par la voie Internet.

— Et le temps, c'est ce qui nous manque.

— Oui. Pour en revenir à Beccaro, elle a développé depuis des années une obsession pour Gerard Schaefer, fétichiste, sadique, nécrophile…

— Un bon petit gars qui rassemble à lui seul toutes les perversions, on dirait.

— Tu vas devoir potasser sur lui avant le Styx, pour te mettre dans le bain. Je t'ai rapporté quelques livres. On va dire que, à partir de ce soir, c'est ta personnalité préférée.

— Ce sera toujours mieux que Justin Bieber.

— Tu sais que ce taré se photographiait sous tous les angles à l'aide d'un retardateur, avec son slip baissé aux chevilles en feignant d'être attaché à un arbre ? continua-t-il. Sharko m'a dit qu'on donnerait le bon Dieu sans confessions à cette Lesly Beccaro. Je ne comprends pas comment elle a pu en arriver là.

Camille serra son verre de ses deux grandes mains.

— Il n'y a rien à comprendre, et c'est certainement un brin de conscience qui l'a fait renoncer à descendre là-dessous au dernier moment. Les gens aiment flirter avec l'interdit, sortir des rails d'une société qui les étouffe. Avec mon métier, j'ai déjà vu des gens s'approcher d'une scène de crime, rien que pour voir ce qui n'est pas regardable… Et puis, regarde ce bouquin, là, *Cinquante Nuances de Grey* qui paraît bientôt. Un vrai phénomène partout dans le monde, déjà premier sur tous les sites de ventes en ligne. Et qu'est-ce que ça raconte au final, hein ? Une histoire de dominant/ dominé. Du cul, du SM, de la transgression. Les Lesly Beccaro sont plus nombreux qu'on ne le croit. Il n'y a qu'à regarder ce qui est le plus présent sur Internet.

— Le sexe, encore et toujours.

— Le sexe, le pouvoir, l'argent. Réunis tout ça dans un seul homme, et tu en fais un prédateur redoutable. C'est peut-être à ce genre d'individus qu'on est confrontés en ce moment.

Un serveur vint prendre la commande. Nicolas opta pour une escalope d'espadon, tandis que Camille choisit une paella. Elle aspira bruyamment le fond de son cocktail. La tête lui tournait un peu, déjà. Mais elle aimait cet état nouveau de semi-conscience provoqué par l'alcool.

On leur apporta les plats, ils dînèrent, burent un peu de vin espagnol, Nicolas embraya sur le sujet délicat des conquêtes amoureuses, auquel Camille coupa court : elle n'avait pas envie d'en parler, et Nicolas comprit qu'il ne fallait pas insister.

Tandis qu'elle mangeait, sa main caressait sa gorge, doucement, palpait, cherchait le pouls. Et elle ne s'en rendait même pas compte. Nicolas toucha sa propre carotide, sentit la force de son cœur.

— Tu risques de trouver ça dingue, mais je n'ai jamais dit à personne que je voudrais donner mes organes en cas de... d'accident, confia-t-il. Nous les flics, on a des métiers à risques, ce serait important d'en parler entre nous, à notre famille. Clairement exposer notre position face au don d'organes.

— C'est ça le problème, répliqua Camille. On n'en parle pas. Plus de la moitié des organes que l'on pourrait greffer ne le sont pas à cause du manque de communication. La moitié, tu te rends compte ? Des reins, des cœurs, des foies en parfait état de fonctionnement. C'est la vie qu'on gaspille. Un donneur peut sauver jusqu'à cinq ou six personnes si ses organes sont bien distribués.

— Je crois que ce n'est pas le don qui fait peur, mais c'est d'envisager la mort. Elle est taboue, les gens n'aiment pas en parler. Et puis, ils imaginent qu'on charcute les corps, qu'on dépouille l'être aimé.

— Tu sais, quand on interroge les gens, la plupart seraient prêts à donner leurs organes. C'est un acte tellement magique, un don de soi par-delà la mort, une continuité de la vie. Quand tu leur demandes s'ils donneraient leur accord pour qu'on prélève ceux de leur époux ou épouse, ils accepteraient encore, mais ce serait beaucoup plus dur, il y a comme un sentiment de profanation inexplicable, une peur de déranger le défunt, de le souiller. Mais quand tu passes à la question des enfants, il y a un véritable blocage. Ils refusent presque systématiquement.

— Or, nous sommes tous les enfants de quelqu'un...

— Exactement, c'est ce qui crée le problème. Pourtant, les parents qui refusent de donner les organes d'un fils décédé en condamnent un autre à la mort. Culpabiliser les gens n'est pas la solution, mais la réalité est ainsi. Brute, cruelle.

Elle suivit de l'index le bord de son verre, en récolta le sucre et le déposa sur sa langue. Elle se rendit compte de son geste et reposa sa main à plat sur la table.

— Pour en terminer avec ce sujet ultra gai, je vais te faire part d'une anecdote véridique que m'a racontée un médecin coordinateur des greffes et qui, je crois, résume tout le problème. Un jour, un homme de quarante-trois ans meurt d'un accident de moto. Sa femme ne s'oppose pas au don d'organes, heureusement ils en avaient parlé et c'était ce que son mari souhaitait. Le cœur part sur un jeune homme de trente-trois ans, célibataire, qui, sans cet organe arrivé *in extremis*, serait mort dans la semaine...

Camille avait le don de fasciner. Nicolas l'écoutait sans bouger.

— ... Ce chanceux se remet de sa greffe, tout se passe pour le mieux, il mène à nouveau une existence normale, profite de la vie à fond. Mais, terrible coup du sort, il meurt d'une rupture d'anévrisme deux ans plus tard, à une pompe à essence. (Elle claqua des doigts.) Comme ça.

Nicolas plissa les lèvres.

— C'est qu'il devait probablement mourir, fit-il. Rattrapé par son destin.

— Comment ne pas se faire cette réflexion, en effet ? Rattrapé par son destin, oui… Bref, son cerveau meurt, mais pas ses organes. Le cœur pourrait de nouveau être greffé, et permettre à une autre personne de vivre. Tu imagines le destin de… ce cœur ? Mais là, devine ?

— Les parents refusent de donner les organes de leur fils ?

— Tu as vu juste. Mais peut-on leur en vouloir pour autant ? On touche là à toute la complexité du don d'organes, de l'éthique, tout ce que tu veux. J'ai même entendu, récemment, qu'un mari qui avait donné l'un de ses reins à sa femme a voulu le reprendre lorsqu'ils ont divorcé.

Nicolas ne put se retenir d'exploser de rire. Il glissa sa serviette devant ses lèvres, gêné, mais sa poitrine continuait néanmoins à tressauter.

— Excuse-moi. Je sais que le sujet est grave mais…

Il rit de plus belle. Ça le prenait tout au bas du ventre, et il n'y pouvait rien. Ses yeux s'humidifièrent un peu.

— C'est bon ça, le coup du mec divorcé qui veut reprendre son rein en même temps que la machine à café !

Il avait le rire communicatif, et Camille fut prise au piège, elle aussi. Elle se laissa aller avec délice, se fichant des gens qui se tournaient dans leur direction. Ils étaient deux, rien que tous les deux, et ils se sentaient bien, libres, le reste importait peu.

Le fou rire finit par passer, ils discutèrent encore un moment devant un thé (Camille y ajouta une quantité démentielle de sucre) de sujets graves, et d'autres plus légers.

La salle s'était vidée, l'ambiance était devenue tamisée. Une musique douce s'échappait du bar, où ils prirent un dernier verre. Puis, au fil de la nuit qui avançait, les mots se firent plus rares, laissant davantage place à des sourires, des regards, jusqu'à ce que Nicolas se penche vers elle et l'embrasse avec douceur.

Il se recula, gêné.

— Excuse-moi, mais j'en avais terriblement envie. Si tu crois que ça va trop vite...

Camille se pencha vers lui, ils s'embrassèrent encore.

— J'ai besoin que tout aille vite, justement, confia-t-elle. Et puis t'es ici, à deux mille kilomètres de chez toi, ce n'est pas juste pour manger une escalope d'espadon... (Elle posa une main sur son cœur.) Si t'es prêt à faire ménage à trois.

Lorsqu'ils arrivèrent dans la chambre, Camille le plaqua contre le mur et le dévora de baisers. Elle fut surprise de ses propres gestes, de ses pulsions, et décida de ne plus penser à rien. Juste de se laisser embarquer par ses sens plutôt que de se projeter au lendemain. Elle lui ouvrit la chemise, il voulut soulever sa tunique mais elle lui bloqua la main.

— Non.

Camille le poussa sur le lit, il se laissa faire quand elle ôta d'un geste sec son pantalon. Elle fondit sur lui, se frotta à lui. Nicolas commençait à haleter, voulait la déshabiller, mais elle le repoussait chaque fois. Elle se releva, tira les rideaux occultants et éteignit la lumière.

Elle revint à tâtons vers le bout du lit, abandonnant ses vêtements derrière elle.

Ce fut nue qu'elle le chevaucha en lui tournant le dos. Nicolas ferma les yeux, se laissa porter par le mouvement de va-et-vient qu'elle imprimait avec rythme. Les décharges l'arrachaient du lit, l'emmenaient à la limite de la jouissance, comme autant de vagues violentes. Il se redressa, plaqua sa joue trempée de sueur contre le dos de son amante, profita qu'un orgasme brise les défenses pour glisser ses mains sur les seins en pointe. Instantanément, il sentit une pression sur chacun de ses poignets.

— Non !

Il résista, elle le repoussa sur le lit et se tourna vers lui. Elle lui maintint les mains derrière la tête, l'écrasant de tout son poids. C'était devenu un combat, une lutte pour le plaisir. Leurs poitrines se levaient en même temps, leurs souffles se mêlaient. Nicolas sentit les rugosités des cicatrices lorsqu'elle se plaqua contre lui. C'était râpeux et doux à la fois, étrange et mystérieux. Dans un sursaut de plaisir, Camille rejeta la tête en arrière et vit un tas d'images défiler sous son crâne, comme dans un rêve éveillé. Des rondes d'enfants, des manèges qui tournaient, du sable soufflé par le vent. Des filles au crâne rasé qui hurlaient.

Le cœur tambourinait contre ses côtes, assourdissant, se débattant comme un diable en elle. Elle pleura et rit en même temps, heureuse, malheureuse, alors que Nicolas jouissait en elle, plantant ses doigts dans son dos. Camille se laissa choir sur le matelas, à ses côtés, essoufflée, à plat ventre.

Nicolas bascula vers elle et lui caressa tendrement la nuque.

— J'aurais aimé te voir, murmura-t-il.

— C'est impossible.

— Impossible ? Pourquoi ? C'est aux cicatrices de tes opérations que tu penses ? Ce n'est rien. Elles font partie de toi, tu ne dois pas en avoir honte.

Il parlait avec une voix douce, rassurante. Camille avait envie de se serrer contre lui mais elle se retenait. Elle avait trop peur de tomber amoureuse. Elle avait déjà tellement la frousse de mourir.

Elle se redressa, puisa au hasard dans la pile de vêtements et enfila un maillot de corps. Puis elle alluma la lumière avant de s'asseoir au bord du lit. Elle poussa la flèche du métronome, qui se mit à se balancer, déclenchant le tic-tac régulier.

— Vaut mieux que tu ailles dans ta chambre, maintenant…

— Pourquoi ?

— C'est préférable.

— Tu en es bien certaine ?

— Je suis désolée, Nicolas, mais je préfère rester seule. On se verra demain matin.

Nicolas remarqua le mascara qui avait coulé sous ses yeux et le long de ses joues. Il voulut aller vers elle mais jugea qu'il valait peut-être mieux la laisser tranquille.

— C'est comme tu veux. En tout cas, j'espère que je n'ai rien fait de mal.

— Non, Nicolas. Ne pense surtout pas ça. J'ai passé… un moment merveilleux. Et c'est génial que tu sois venu me rejoindre. Vraiment génial.

Camille avait envie de tout lui dire. Lui avouer qu'elle allait mourir, qu'il n'y avait presque plus d'espoir. Qu'un jour, elle tomberait et ne se relèverait plus jamais. Mais elle n'en eut pas le courage, ni la force.

Nicolas se rhabilla en fixant le métronome, embrassa Camille une dernière fois et ajouta, juste avant de sortir :

— Je ne pourrai jamais savoir ce qu'il y a dans ton cœur, ce que tu ressens. Parce qu'on ne peut pas lire dans le cœur des autres. Mais... Je peux lire ce qu'il y a dans le mien.

Il baissa les yeux, les releva.

— Je ne suis jamais tombé amoureux. Mais si ça devait m'arriver, là, maintenant, j'aimerais bien que ce soit avec quelqu'un comme toi.

Sans attendre de réponse, il ferma la porte derrière lui.

Camille serra le roman de Maurice Leblanc contre sa poitrine et eut l'impression qu'une aiguille creuse venait de lui transpercer le cœur.

Elle explosa en sanglots.

47

Dimanche 19 août 2012

À l'atterrissage de l'Airbus A330 à l'aéroport Ezeiza, Buenos Aires, la température annoncée était de 9 °C, avec un vent du sud soufflant à soixante kilomètres par heure sous un ciel sans nuages.

Il était minuit, heure locale et c'était l'hiver. Franck Sharko s'était néanmoins attendu à des températures plus clémentes, vu le genre de vêtements qu'il avait emportés : pantalons légers, chemises à manches courtes… Heureusement, il avait tout de même plié un blouson écossais, très fin, dans lequel il se glissa dès qu'il récupéra sa valise sur le tapis roulant.

Queue pour l'immigration, justificatifs de domicile ou d'hôtel, douanes, récupération de pesos au premier distributeur croisé. Sharko comprit immédiatement qu'il était en Amérique latine : les odeurs d'épices dans l'aérogare, les chauffeurs de taxi qui vous sautaient dessus, les sonorités espagnoles. Et surtout, l'eau dans les chiottes qui tournait à l'envers.

Avant de monter dans un taxi, il lut ses SMS. Il y

avait une confirmation de réservation à son hôtel et un message de Lucie qui disait : *Bien joué, tu as oublié ta carte de réquisition dans la poche de ta veste.*

Sharko pâlit, fouilla par réflexe dans ses poches. Elle avait raison. C'était ça, faire ses valises avec Marie Henebelle sur le dos, et partir dans la précipitation.

Il regarda sa montre et fit un rapide calcul. En ajoutant les heures de décalage, il était 5 heures en France. Il envoya un message, signalant que son voyage s'était bien passé – malgré la climatisation glaciale dans l'avion et le peu d'espace entre les sièges qui vous détruisait les jambes – et qu'il pourrait bien survivre sans sa carte de police.

Une fois à bord d'un taxi, il annonça au chauffeur sa destination : l'hôtel La Menesunda, quartier Boedo.

Au bout d'une vingtaine de minutes, Buenos Aires apparut dans un halo de lumière orangée, loin à l'horizon. Sharko devina d'abord ses gratte-ciel, puis ses routes droites et immenses, parmi les plus longues et larges du monde. Malgré l'heure tardive, les bus sillonnaient encore les rues – des rues quadrillées, ordonnées comme les rangées et les colonnes d'un damier –, bouffaient l'asphalte dans un ronflement fatigant. Le flic se rappela un ancien voyage au Caire, et se fit la réflexion que cette ville plate comme une galette était un mélange d'influences, de genres, d'époques, avec une partie qui semblait figée dans le passé et une autre beaucoup plus moderne.

Mais Sharko se rappela qu'il avait aussi, face à lui, une nation qui avait connu son lot de souffrances, avec les guerres, les coups d'État, les dictatures qui s'étaient succédé dans les années 70 et 80, la crise financière qui, au début des années 2000, avait entraîné la banqueroute et plongé la population dans une misère noire. Des gens avaient crevé de faim, ici.

Quartier Boedo. Vieilles bagnoles, maisons à deux étages. Odeurs d'amandes grillées, de laurier. Terrasses de cafés attrayantes, boutiques alléchantes : confiserie Trianon, Café Margot, restaurant Esquina dos Mundos... Partout, des affiches pour des spectacles de tango, des invitations à danser à chaque coin de rue, à s'abandonner aux sons des bandonéons et des guitares sèches. Une ville au sang chaud, latino. À cette heure pourtant tardive, tous les bars du quartier étaient bondés. Population jeune, bruyante, sophistiquée.

Sharko fut déposé devant son hôtel. Il annonça son nom à l'accueil, s'installa rapidement. Chambre propre, correcte, sans personnalité : il aurait très bien pu se trouver à L'Haÿ-les-Roses ou à Montréal. Il prit une bonne douche – on se sentait toujours crasseux après quatorze heures de vol, surtout collé à côté d'un type qui ronflait – et dormit jusqu'au début d'après-midi, le lendemain. Plus de douze heures d'un sommeil sans rêves, ininterrompu, amplifié par le décalage horaire. Aussi, en se réveillant, eut-il l'impression de s'arracher à des sables mouvants.

Sans même croquer un morceau au restaurant de l'hôtel, il sortit, habillé d'un pantalon de costume anthracite, d'une chemise claire et de son blouson écossais. Dehors, le ciel était pur, d'un bleu puissant. Le soleil tapait, jouait avec les longues ombres des jacarandas aux feuillages bleu-violet agités par le vent. Pourtant, Sharko remonta la fermeture de son blouson jusqu'au cou.

L'Apanovi – *Asociación Pro Ayuda a No Videntes* – était située juste à côté d'un club de foot, à l'angle des avenues du 25 de Mayo et Boedo. À l'intérieur, lignes épurées, larges couloirs, peintures le long des murs. Le lieutenant se présenta à l'accueil et, lorsqu'il parla de « police française », il vit les yeux de l'homme s'agrandir. Son français et son charisme lui suffisaient, sa carte de réquisition n'était pas utile.

— José Gonzalez est ici ? demanda-t-il.

L'homme acquiesça et décrocha son téléphone. L'Argentin vint à sa rencontre quelques minutes plus tard. Une tige d'au moins un mètre quatre-vingt-quinze, avec une moustache grise en poils de sanglier et des lèvres comme des calebasses. Il devait avoir aux alentours de soixante ans et était vêtu simplement, peu soucieux de son apparence. Un type venu d'un milieu modeste, Sharko le sentit immédiatement.

Le lieutenant attaqua en anglais, Gonzalez le comprenait à peu près.

— En quoi puis-je vous aider ? demanda l'Argentin.

Sharko expliqua avec sa maîtrise habituelle qu'il était policier et qu'il menait une enquête compliquée. Il lui présenta dans un premier temps la photo de Mickaël Florès.

— Vous le connaissez ?

Le regard de Gonzalez s'assombrit.

— Un photographe français. Il est venu ici, oui, il y a peut-être deux ou trois ans, si je me souviens bien…

— C'était à l'été 2010, précisément.

— Sans doute, oui. Que se passe-t-il ?

— Il est mort il y a six mois. On l'a torturé, et assassiné.

L'Argentin blêmit.

— C'est horrible. Et… Et pourquoi vous venez ici, si loin de chez vous ?

Sharko lui tendit cette fois la photo d'*El Bendito*.

— Nous estimons que cette photo retrouvée chez Mickaël Florès est un élément suffisamment important de l'enquête pour justifier un déplacement.

Gonzalez mit un peu de temps à réagir, à l'évidence bouleversé par l'annonce du lieutenant.

— Je me souviens de ce moment où le photographe est venu ici, oui… Il est resté quelques jours, il a sympathisé avec Mario. Une fois, il a demandé à Mario d'aller sur les marches du bâtiment, de mettre ses mains devant ses yeux, comme s'il tenait des jumelles. Une vraie mise en scène qui a pris un sacré bout de temps. Mario n'est pas facile à… diriger. C'est une de ces photos-là que vous avez sous les yeux.

— Pourquoi Mickaël Florès est-il venu ici ?

— Il parcourait tous les foyers d'accueil, les structures sociales, les instituts d'aveugles de la ville. Quartier après quartier.

Sharko songeait aux différents hôtels de Buenos Aires dans lesquels Florès avait dormi.

— Il cherchait Mario ?

— Exactement.

— Pourquoi ?

— Suivez-moi.

Ils longèrent une salle avec de grosses imprimantes bizarres, puis un local informatique où des gens avec des casques étaient assis devant des ordinateurs. La plupart avaient les yeux fermés et semblaient méditer. Un silence incroyable régnait, comme dans une crypte. Sharko avait toujours imaginé le monde des aveugles comme un territoire de ténèbres, mais les couleurs s'étalaient partout. Au sol, sur les murs, les meubles, pareilles à des traces de vie. La lumière entrait en oblique par les fenêtres, comme pour éclairer chaque visage, pénétrer chaque rétine.

Plus loin, dans une petite bibliothèque, un homme était assis de dos, devant une table, les cheveux d'un noir flamboyant. Il oscillait légèrement d'avant en arrière, et ses deux mains grandes ouvertes couraient sur les pages du livre placé devant lui comme celles d'un pianiste.

— Voilà Mario. Il adore venir ici et parcourir les livres en braille. Malheureusement, il ne pourra jamais les lire ni les comprendre. Il est handicapé mental. Malformation du cerveau due à un retard de croissance, d'après les spécialistes qui l'ont ausculté. Il aurait une bonne quarantaine d'années, mais on ne sait pas avec précision. Il faudrait faire d'autres examens plus coûteux, et je n'ai pas l'argent. Je l'ai appelé Mario, mais j'ignore son véritable nom.

— Comment l'avez-vous connu ?

— Je l'ai trouvé il y a douze ans, à moitié mort dans le quartier de la villa Soldati, l'un des endroits les plus pauvres de la ville. Déshydraté, les pieds nus, en sang. Je n'ai jamais eu les moyens d'accueillir quelqu'un et, pourtant, je l'ai fait. Parce qu'il était là, sur mon chemin, comme une évidence. Je l'ai emmené et, depuis, nous ne nous sommes plus quittés. Je ne sais pas qui il est ni d'où il vient.

Gonzalez rayonnait d'une aura bienfaisante, Sharko le sentait. Un type né pour donner de son temps, aider les autres.

— L'Argentine a lancé depuis peu un grand programme ADN d'enfants enlevés pendant la dictature, poursuivit Gonzalez, dans le but de rendre aux familles leurs enfants disparus grâce à la correspondance génétique. Les Folles de la Plaza de Mayo sont l'unique organisation de femmes dans mon pays. Depuis près de trente ans, elles se battent pour retrouver leurs enfants enlevés par la dictature militaire. *Sans corps, pas de mort,* c'est leur devise. Aujourd'hui, l'ADN est une véritable aubaine pour elles. Parce que l'ADN ne peut pas mentir.

— Et il y a eu une correspondance ADN pour Mario ? demanda Sharko.

— Aucune. Mario est et restera sans doute un enfant du néant, comme des milliers d'autres. La seule chose qui soit jamais sortie de sa bouche est un prénom féminin. Florencia.

Le portable de Sharko vibra, c'était Lucie. Il le mit en mode silencieux.

— Excusez-moi… Florencia, vous dites. Sa mère ?

— Impossible de savoir.

— Et Mario était-il déjà aveugle quand vous l'avez recueilli ?

Gonzalez ouvrit la porte. Les deux mains de Mario se figèrent sur le papier épais, sur lequel se succédaient des ensembles de points en relief.

Lentement, il se retourna.

Sharko sentit son cœur se serrer.

Les paupières de l'homme retombaient à moitié sur deux cavités béantes.

Deux trous noirs, qui s'enfonçaient dans le visage comme deux puits asséchés.

Mario n'avait plus d'yeux.

— Comment aurait-il pu ne pas l'être ? se contenta de répondre Gonzalez.

48

Genomica était situé en pleine zone industrielle de Coslada, à la périphérie Nord de Madrid.

Heureux hasard, l'aéroport international Barajas n'était qu'à quatre kilomètres de là, Camille et Nicolas pourraient éviter l'enfer de la circulation madrilène pour retourner en France et même y aller à pied. Ils ne verraient la capitale espagnole que depuis le hublot de leur avion mais, globalement, ils s'en fichaient. Ils n'étaient pas là pour faire du tourisme.

Le bâtiment était impressionnant, mastodonte de verre et de métal, rectangulaire, sur deux étages. D'après les informations que Camille avait récupérées sur Internet, l'entreprise, fondée en 1990, était le leader espagnol dans la technologie de l'analyse ADN. Identification génétique médico-légale, diagnostic de maladies infectieuses, recherches d'individus par prélèvements sur place où à l'aide de kits qu'on pouvait commander en ligne. Elle était présente dans trente-sept pays du monde.

Tirant leur valise à roulettes, ils entrèrent dans le bâtiment. Ils n'avaient pas parlé de l'épisode de la veille, préférant le mettre de côté pour le moment. Nicolas avait pu mesurer, à travers ces quelques heures passées ensemble, toute la fragilité de la jeune femme et ses profondes fêlures qu'elle dissimulait derrière son physique de guerrière.

Eux qui pensaient être seuls dans les locaux furent surpris : on se serait cru à l'intérieur d'un commissariat de police un jour d'émeute. Des gens attendaient sur des bancs ou debout, et il y avait la queue à l'accueil, où travaillaient deux hôtesses. Ils remontèrent la file d'attente non sans provoquer des grognements. Nicolas montra sa carte tricolore à l'une des réceptionnistes : il menait une enquête et voulait discuter avec une personne qui s'occupait des bébés volés du franquisme.

— Comme tous ces gens, répliqua la jeune femme dans un soupir.

Elle passa un coup de fil, transmit l'identité de Nicolas Bellanger et lui indiqua le premier étage. Il suffisait de suivre le panneau « *Perfil genético para búsqueda de familiares* » – profil génétique pour la recherche de parents – et de se rendre dans la salle d'attente. Un médecin prévenu de leur visite allait les recevoir au plus vite.

La salle d'attente était pleine de monde – pour la plupart des femmes seules d'une cinquantaine d'années. Des brochures explicatives étaient à disposition sur des présentoirs. Nombre de ces feuillets étaient aux couleurs de l'ANADIR. Même sans parler l'espagnol, l'acronyme n'était pas bien difficile à comprendre : *Asociación Nacional de Afectados por Adopciones Irregulares.*

Nicolas savait à quel point les laboratoires de ce type étaient engorgés par les demandes. En France, il fallait parfois attendre six mois pour obtenir un retour de profil ADN suite à un cambriolage, alors que le test en lui-même ne prenait que quelques heures. Ici, en Espagne, il faudrait sans doute encore des années et beaucoup d'énergie pour réunir des centaines de milliers de membres d'une même famille.

Un homme appela Nicolas après une dizaine de minutes. Un écusson sur sa blouse blanche indiquait « Dr Martinez Fernandez ». Un vrai clone de Mario Bros. Dans un anglais convenable, il invita Camille et Nicolas à le suivre dans un bureau dont la paperasse montait quasiment jusqu'au plafond. Il scruta la carte tricolore de Nicolas et demanda s'il pouvait la photocopier, question de sécurité.

Le capitaine de police attendit que Fernandez lui rende sa carte et expliqua la situation, tout en montrant la photo de Maria Lopez : il voulait savoir si Lopez était venue ici et avait éventuellement réussi à retrouver son enfant.

— Vous connaissez la ville où elle habite ? demanda Fernandez tout en tapotant à son ordinateur.

— Elle est actuellement en hôpital psychiatrique, répliqua Camille. Mais elle habitait Matadepera il y a encore quelques mois.

— Très bien.

Il entra les données et valida. Gendarme et policier étaient suspendus à chacun de ses gestes.

— Oui, j'ai bien une Maria Lopez, Matadepera, dans notre base.

Il actionna la roulette de sa souris sans véritable entrain. On était dimanche un jour d'été, et Fernandez devait se coltiner des visiteurs à la pelle. Il en avait déjà ras le bol, ça se voyait à ses gestes ralentis.

— Elle a donné un échantillon de son ADN lors de la première campagne de sensibilisation menée par

409

l'ANADIR qui a eu lieu à Valence, au début de l'année 2011. L'échantillon est remonté ici, on l'a enregistré dans la base en février 2011.

Il cliqua sur un bouton qui affiwcha une autre fenêtre. Ses sourcils se froncèrent légèrement.

— Il y a bien eu correspondance... Filiation mère fils, prouvée par l'ADN.

— De qui s'agit-il ?

— D'un dénommé Mickaël Florès, qui a envoyé son ADN grâce à nos kits de prélèvement. Ça coûte une centaine d'euros, ça évite les déplacements. Nous avons réceptionné son échantillon posté depuis la France, en juillet 2011.

Les deux Français se regardèrent, et Camille se recula sur son siège, perturbée. Cette hypothèse ne l'avait jamais vraiment quittée. Ainsi, Mickaël était bien le fils biologique de Maria Lopez. Le bébé qu'elle portait sur la photo prise à la *Casa cuna*.

Mais comment pouvait-il aussi être né à l'hôpital Lariboisière, à Paris ?

À moins que...

Les engrenages s'assemblèrent soudain dans la tête de la jeune femme. Elle s'excusa auprès du médecin, lui signala qu'ils revenaient dans deux minutes et entraîna Nicolas dans le couloir. Elle devait lui expliquer immédiatement son ressenti, ses déductions, de peur d'en perdre le fil.

— Tu te souviens de ces photos de la mère enceinte, puis du bébé âgé d'un mois environ, dans l'album de famille ?

— À peu près, oui.

— Est-ce que tu te rappelles avoir vu des photos de la naissance ou du bébé à la maternité ?

Nicolas réfléchit.

— Non. Je crois que les premiers clichés commençaient quand le bébé était un peu plus grand.

— Exact. Il n'y a rien entre les deux, parce que les pages ont été arrachées. Arrachées, pour la simple et bonne raison que le bébé né à Lariboisière ne ressemblait pas à Mickaël. Et si le vrai fils biologique de Jean-Michel Florès et de sa femme était en réalité le petit squelette au crâne meurtri ?

Nicolas fixait Fernandez dans l'entrebâillement de la porte. L'homme avait le nez rivé à son écran, l'air dubitatif.

— Leur bébé aurait eu une sorte d'accident qu'ils auraient camouflé ?

— Oui. Imagine la mère qui laisse tomber le môme sans le faire exprès, par exemple. Un bête accident domestique, mais fatal au nourrisson. Ou alors, un bébé secoué suite à un accès de colère. Le nouveau-né meurt sur le coup. Le mari découvre l'horrible drame ou en est l'auteur. Bref, peu importe. Abattu, désemparé, les Florès décident de ne rien dire pour éviter des ennuis avec la justice.

— Et donc, dans tous les cas, il faut agir.

— Jean-Michel Florès sait qu'il peut acheter un bébé en Espagne, parce qu'il a des relations, qu'il a entendu parler du réseau d'adoptions illégales. Les deux parents se coupent de la famille, déménagent pour éviter que les proches ne se rendent compte que le bébé est différent…

Nicolas acquiesça et compléta la déduction de Camille :

— Mais la femme de Jean-Michel ne supporte pas cette abomination d'élever un enfant étranger, volé, aux cheveux aussi noirs qu'elle est blonde. Elle finit par se suicider en se jetant sous un train.

— Exact. Tout cela fonctionne à merveille. Des années plus tard, le père, incapable de garder son secret plus longtemps, annonce sans doute la vérité à Mickaël. Il lui révèle alors où il a enterré le corps de son fils biologique, lui donne l'album photo, lui avoue tout. Mickaël entend parler du grand programme ADN lancé par l'Espagne. Il donne alors son ADN pour retrouver sa mère biologique : Maria Lopez.

L'hypothèse se tenait. Camille lut de l'admiration dans les yeux de Nicolas et retourna dans le bureau. Elle s'installa de nouveau face à Fernandez.

— Comment ça se passe lorsqu'il y a une correspondance entre deux ADN ? demanda la jeune femme. Vous contactez les personnes concernées ?

Fernandez répondit lorsque Nicolas fut assis à son tour.

— On informe toujours en priorité l'enfant, on lui dit qu'on a trouvé une correspondance et on lui demande s'il souhaite connaître sa mère. En général, c'est oui, c'est la raison de leur présence dans notre base, mais il arrive que certains se rétractent au dernier moment parce que leur situation familiale a évolué entre-temps, par exemple. S'ils veulent poursuivre, on leur fait signer des papiers ici, dans notre centre, qui attestent de leur identité. Quand tout est en règle, on fournit à ces enfants les coordonnées de leur mère. On informe également l'ANADIR, dont le siège social se trouve ici, à Madrid. L'association met à jour ses statistiques et peut ainsi, par la suite, apporter du soutien judiciaire voire financier aux familles qui se reconstituent.

Il déplaça sa souris rapidement.

— Mais concernant le cas dont vous me parlez, il y a quelque chose de stupéfiant, fit-il en se touchant le menton. Il n'y a pas seulement deux enregistrements dans la base, mais trois.

Camille sentit sa gorge se nouer.

— Trois ? Qu'est-ce que ça signifie ?

— On a reçu l'échantillon d'un certain Frédéric Charon, en février 2012…

Le nom prononcé glaça ses interlocuteurs. Charon… L'homme qu'ils traquaient. Celui qui avait fait traverser le Styx à Loiseau.

— … Soit huit mois après celui de Mickaël Florès, poursuivit-il. C'est incroyable. Le profil ADN, différent de celui de Mickaël, indique néanmoins une filiation avec Maria Lopez.

Il leva ses yeux noirs vers ses interlocuteurs, qui retenaient leur souffle.

— Maria Lopez a accouché de frères dizygotes. Des faux jumeaux.

49

Au centre pour aveugles, Sharko et José Gonzalez s'étaient enfermés dans un bureau qui n'était rien d'autre qu'un cube de placo peint à la va-vite.

L'Argentin pria le lieutenant de s'asseoir face à lui, avant de poursuivre la conversation entamée dans les couloirs.

— Mickaël Florès était quelqu'un d'extrêmement prudent et secret, dit Gonzalez. Il n'a jamais voulu me dire d'où il venait ni où il allait, parce qu'il pensait que ce serait dangereux si je savais. Il me disait que, après son départ, il fallait continuer à vivre comme on l'avait toujours fait avec Mario, et ne pas se poser de questions. Oublier sa visite, son visage.

Il eut le regard vague, lointain, puis il secoua la tête.

— Mais comment ne pas se poser de questions quand quelqu'un débarque douze ans après que vous avez recueilli Mario et vous annonce la mort de Mickaël ? Durant tout le temps qu'il a passé ici, il a photographié Mario sous tous les angles. Surtout le visage. Il voulait des preuves.

— Quel genre de preuves ?

— La preuve qu'on avait fait quelque chose aux yeux de Mario. Quelque chose de monstrueux.

Sharko encaissa la nouvelle. Il pensa aux yeux de Mickaël Florès posés sur son lit, ôtés avec une précision chirurgicale. Il essaya aussi de faire le rapprochement avec les enlèvements en France. Avait-on fait disparaître ces filles roms pour s'en prendre à leurs yeux ? Avaient-ils une particularité, un point commun ? Était-ce lié au tatouage à l'arrière de leurs crânes ?

— Mickaël a emmené Mario chez un ophtalmologue réputé de Buenos Aires, poursuivit Gonzalez. D'après le spécialiste, les yeux s'étaient vidés de leur substance, ils s'étaient desséchés et tout ce qu'il en restait était des moignons de globes oculaires. Il a aussi remarqué des traces chirurgicales dans les cavités, comme si on avait pratiqué… des interventions médicales sur les yeux.

— L'ophtalmologue avait déjà vu un tel cas ?

— Jamais. Mario était la preuve vivante d'une monstruosité. D'une sinistre expérience. J'ai toujours cru qu'il avait eu une maladie dégénérative des yeux et le médecin que je suis allé voir moi-même à l'époque était un vulgaire charlatan. Mais le dernier spécialiste était formel, aucune maladie ne causait de tels dégâts. Il y a dix ans, je n'ai rien pressenti de vraiment suspect, parce que, dans notre centre, on accueille beaucoup de personnes qui sont aveugles pour des raisons de cosanguinité, ou parce que leur mère a contracté la toxoplasmose durant la grossesse.

Il caressa ce cliché de Mario formant des jumelles avec ses poings, pensif. Ses yeux, à lui, étaient couleur café.

— Mickaël Florès a embarqué tous les résultats

d'analyse du spécialiste. Il m'a dit qu'il reviendrait peut-être un jour nous voir, que la vérité éclaterait quand il serait prêt. Je voulais savoir de quelle vérité il parlait. Mais… (il secoua la tête) il est parti, et je ne l'ai plus jamais revu. Vous imaginez ma frustration ?

— Je l'imagine, oui.

— Et vous, deux ans après, vous êtes là, m'annonçant qu'on l'a tué. Vous réveillez cette vieille histoire.

Il y avait peut-être du reproche dans sa voix. Ou de l'impuissance.

— J'en suis navré, répliqua le lieutenant. Mais en France, des gens sont morts. Des jeunes femmes en bonne santé, elles n'avaient pas trente ans. Une partie de la vérité se cache ici, entre vos murs.

Gonzalez hocha doucement la tête… Le signe qu'il s'ouvrait aux questions et qu'il y répondrait sincèrement, sans tabous. Sharko s'engouffra alors dans la brèche :

— Avez-vous la moindre idée de la raison pour laquelle quelqu'un s'en était pris aux yeux de Mario ?

Gonzalez soupira longuement.

— L'histoire de mon pays est compliquée, lieutenant. Vous devez savoir qu'il y a eu une dictature sanglante ici, entre 1976 et 1982, installée par le général Videla après un coup d'État.

Sharko acquiesça. Il savait sans vraiment savoir, juste des rudiments scolaires, puis ce qu'il en avait lu dans la presse, et Gonzalez dut le sentir car il poursuivit :

— On pensait que ce ne serait qu'un coup d'État de plus. Jamais on n'aurait cru que ça aurait été un tel génocide. On enlevait des gens, on tuait en masse, on muselait les opposants en s'en prenant à leurs enfants.

Trente mille disparus, des centaines de milliers d'exilés. On kidnappait dans la rue sans raison, sans règles. Parce qu'on participait à une réunion d'étudiants, parce qu'on était juif, trop bruyant, ami ou proche d'une personne elle-même disparue. « Plus que toute autre création humaine, le livre est le fléau des dictatures », disait Alberto Manguel. Alors, les écrivains aussi, on les punissait. Simplement parce qu'ils écrivaient. Vous avez vécu nos dictatures à travers les livres, moi, j'ai eu les mains sur la tête, dos tourné à un fusil mitrailleur qu'on braquait sur ma nuque. (Il écrasa son index sur le bureau.) On torturait dans des centres de détention illégaux. Expériences, chocs électriques, amputations, énucléations. Videla et ses trois successeurs ont transformé notre beau ciel bleu en nuage de cendres. Vous n'ignorez pas que les plus grands criminels de guerre sont passés par le pays. Eichmann, Mengele… Mais savez-vous que des officiers nazis ont formé les militaires argentins ou les médecins des centres qui ont œuvré pour les dictateurs ? Ils en ont fait des machines de guerre, des tueurs.

Gonzalez était à cran, les muscles du cou tendus. Il avait vécu sous un régime totalitaire, il avait peut-être perdu des proches, des amis, ou lui-même été torturé. Mario incarnait toute la souffrance de son peuple, était le symbole brûlant d'un passé monstrueux.

— Mario avait une dizaine d'années à l'époque de Videla, poursuivit-il. Il n'est sans doute qu'un dommage collatéral de toutes ces horreurs et, par je ne sais quelle chance, il a réussi à s'en sortir.

— D'où son surnom de *Mario le Bienheureux*.

— Le bienheureux, oui… Parce que je ne vous parle pas non plus du statut des handicapés dans ces années-là. On parle des *jetables*. Au Brésil, les escadrons de la mort abattaient tous les jours des dizaines de NN – les sans-identités – contre rémunération, dans le cadre de *la limpieza social*, le nettoyage social. En Colombie, des slogans ornaient les murs des villes. *Muerte a Gamines*. Ici, en Argentine, on les abandonnait dans la rue ou dans des instituts psychiatriques – en ignorant ce qui se passait à l'intérieur. Personne ne voulait savoir. Parce que tout le monde devait déjà assurer sa propre survie, vous comprenez ?

Sharko acquiesça en silence. Le scénario se répétait, où qu'il aille, qu'elle que fût l'enquête qu'il menait. Des monstruosités émaillaient l'Histoire, avec un grand H, celle-là. Depuis plus de vingt-cinq ans, sa carrière à la Crim n'était que la trace brûlante, le sombre témoignage des déviances humaines.

— Après avoir retrouvé Mario et passé un peu de temps avec lui, on sait que Mickaël Florès est rentré en France, dit le lieutenant. Ça prouve qu'il avait atteint son objectif : retrouver votre protégé, le photographier, accumuler des preuves pour constituer je ne sais quel dossier. Vous avez raison, on a pu constater qu'il avait parcouru Buenos Aires pendant deux semaines grâce à ses factures d'hôtel, avant de tomber sur Mario. Il le cherchait avec acharnement. Mais on sait aussi d'où il venait avant d'arriver ici.

Le regard de Gonzalez s'illumina.

— Dites-moi.

— Vous avez Internet ?

L'Argentin se leva et invita Sharko à s'asseoir à sa place. Il quitta un logiciel de saisie de résultats sportifs et lança un navigateur.

— Allez-y.

Sharko entra la ville d'Arequito dans Google Maps, puis, dans une autre fenêtre, celle de Corrientes. Deux cartes s'affichèrent.

— Voilà les deux villes dans laquelle il est resté quelques jours. D'abord Arequito, puis Corrientes. C'est à partir de cette ville qu'il est venu dans la capitale chercher Mario dans les différents centres. C'est donc là-bas qu'il a probablement découvert son existence. Ces régions vous disent quelque chose ?

Gonzalez se pencha vers l'écran.

— Corrientes… C'est une région très sauvage et marécageuse, il n'y a rien de spécial là-bas. Quant à Arequito, c'est tout petit, au milieu de nulle part. Jamais entendu parler… Mais si on reste dans la logique du photographe et qu'on se dit qu'il recherchait un enfant handicapé ou aveugle, on devrait trouver. Vous permettez ?

Sharko s'écarta un peu, Gonzalez entra des informations en espagnol dans Google et valida. Ses yeux parcoururent les lignes renvoyées par le moteur de recherche, il recommença en tapant d'autres mots clés et, cette fois, il parut satisfait.

— Ça y est… On tient quelque chose. Il n'y a strictement rien à Arequito, mais…

Il revint à la carte et pointa une ville du doigt. Elle était située à une trentaine de kilomètres de Corrientes.

— Torres del Sol, une toute petite ville collée aux gigantesques marécages. Le moteur de recherche indique qu'il y a un gros hôpital psychiatrique à cet endroit. La Colonia Montes de Oca. C'est le seul des environs, semble-t-il. Et si Mario venait de là-bas ?

Sharko fixa la carte avec attention. Une ville située au bord d'un labyrinthe d'eau et de terre. Une nature environnante sauvage, primaire. Il eut comme la sensation que c'était là-bas, dans cet endroit du bout du monde, qu'il trouverait peut-être toutes ses réponses.

En prenant l'itinéraire inverse de Mickaël Florès, il remontait aux origines, comme un archéologue qui, à partir d'un vestige recueilli à la surface, reconstitue une maison entière.

Gonzalez cliqua sur l'un des liens mais tomba sur un site qui n'existait plus.

— C'est bizarre, fit-il, on dirait que je n'arrive pas à obtenir d'informations sur cet hôpital psychiatrique...

— La localisation me suffit, répliqua Sharko qui se levait déjà.

Il remercia chaleureusement José Gonzalez. L'Argentin se leva et le fixa dans les yeux :

— Donnez-moi des nouvelles si vous apprenez quoi que ce soit sur les origines de Mario, fit-il. Ça me tient vraiment à cœur. Et si vous avez besoin d'aide, d'informations, n'hésitez pas. J'aimerais tant avoir les réponses que j'ai si longtemps cherchées.

— Vous pouvez compter sur moi.

Une heure plus tard, Sharko louait une voiture dans une agence du quartier. Il se mettrait en route très tôt le lendemain, parce qu'il aurait sept cents bornes à avaler d'un trait. Son voyage en Argentine ne serait pas une promenade de santé, finalement.

Il ferma les yeux, soupirant longuement.

Dans sa tête, le visage aux yeux mutilés continuait à le hanter.

Sharko eut l'impression de discerner, au plus profond de ces trous béants, la silhouette obscure de l'un de ceux qu'ils traquaient.

Et l'éclat sinistre de son scalpel.

50

Camille et Nicolas n'en revenaient pas.

Maria Lopez avait donné naissance à deux frères.

Des faux jumeaux, séparés dès la naissance dans la *Casa cuna* et revendus à des familles différentes.

Des êtres du même sang qui avaient grandi sans la conscience d'avoir été adoptés.

Et que des tests ADN avaient, quarante et un ans plus tard, réunis dans d'atroces circonstances.

Camille menait l'entretien. Elle avait l'impression de tenir un poisson sur le point de lui glisser entre les doigts. Elle déglutit et posa la question qui lui brûlait les lèvres.

— Vous avez les coordonnées de ce frère ?

Le docteur Fernandez secoua la tête.

— Il n'a donné aucune adresse. Juste un numéro de téléphone portable où le joindre.

Camille serra les poings. Nul doute que Charon n'était pas son vrai nom et que, s'il était aussi prudent que Loiseau ou Florès, il avait communiqué un numéro temporaire.

— De quel endroit est parti l'échantillon ADN qu'il vous a envoyé ? demanda Nicolas.

— De Paris. L'arrondissement n'a pas été entré dans le logiciel, désolé. D'après la fiche informatique, nous l'avons contacté le 11 février 2012. Il est venu ici dès le 12, pour obtenir les coordonnées de son frère et de sa mère.

— Vous lui avez donc fait signer des papiers officiels, quelque chose ?

— Moi ou mes collègues, oui. Je n'ai pas le souvenir de m'être occupé de lui. On reçoit tellement de monde que je ne pourrais vous dire si je l'ai vu. On demande la carte d'identité pour remplir les papiers, et des informations d'état civil.

— Où sont ces papiers ?

Fernandez se leva.

— Tout est centralisé dans une salle, à côté. Deux secondes…

Il sortit. Camille fixa Nicolas.

— Fais une prière pour que ça fonctionne ! On tient peut-être le troisième élément du quatuor maudit. Le chef supposé de cette bande de tarés.

Mais ses espoirs s'envolèrent lorsqu'elle vit l'expression confuse du visage de Fernandez. Il était accompagné d'une femme.

— Je ne comprends pas, il n'y a pas de fiche, dit le médecin.

— Vous êtes bien certain ?

— Malheureusement, oui. On est trois à pratiquer les recoupements. (Il désigna la collègue à ses côtés.) Cette histoire de frères était suffisamment remarquable pour que Lourdes se souvienne un peu de lui.

— De quoi vous souvenez-vous ? demanda Nicolas en se levant.

La collègue haussa les épaules.

— Il parlait parfaitement l'espagnol, mais avec l'accent argentin. Je lui ai demandé de quelle région d'Argentine lui venait son accent, il ne m'a pas répondu.

Nicolas réfléchit, des éléments s'emboîtaient enfin. Charon, un Argentin... Le voyage de Mickaël en Amérique latine... Aucun doute, c'était là-bas que se trouvait le nœud de leur enquête.

C'était donc Charon que Sharko traquait.

— Vous avez dû voir sa carte d'identité ? Sa fiche ? demanda le capitaine de police.

La femme secoua la tête.

— Il m'a embobinée. Je lui ai donné les coordonnées de sa mère et de son frère avant qu'il remplisse la fiche. Il était tellement... impatient... Et convaincant. À un moment, je suis allée chercher un papier et, quand je suis revenue, il avait disparu. C'est tout ce dont je me souviens, désolée.

Nicolas la remercia, puis se tourna vers Fernandez.

— Vous ne disposez pas d'enregistrements vidéo, rien ?

— Il y a des caméras de surveillance, mais elles n'enregistrent pas. Il vous reste toujours son ADN et ces quelques données informatiques dont nous avons parlé. Il a peut-être essayé de les effacer elles aussi, mais les sauvegardes journalières font que, même en supprimant un enregistrement, la base de données reste toujours fiable et indestructible.

— Vous pouvez me sortir sa fiche informatique ?

— Bien sûr... Mais je ne puis vous communiquer son profil ADN sans que vous me fournissiez les autorisations nécessaires. Vous vous doutez que ces informations-là ne peuvent sortir de nos laboratoires que dans des conditions très strictes.

— Évidemment. Vous obtiendrez ces autorisations dès notre retour en France.

Il récupéra l'imprimé que Fernandez lui tendit et considéra la feuille. Il n'y avait rien de plus que ce qu'il venait d'apprendre par oral.

Les deux gradés quittèrent le bâtiment avec un sentiment mitigé, à la fois satisfaits et en colère.

— Charon nous glisse entre les doigts, grogna Camille. C'est rageant. On a l'impression de le tenir, et pourtant…

— Il nous échappe pour l'instant, mais on est à ses trousses. Parce qu'il y a la piste argentine.

— Et le Styx ce soir…

Ils marchèrent vers l'aéroport à pied, tirant chacun leur valise.

— Quand tu repenses à ce qui s'est passé dans ce pays… fit Camille. C'est horrible, ce qu'on a fait à ces enfants et à leurs mères. Te voler ton bébé, te faire croire que ton propre enfant est mort-né pour le vendre à des inconnus. Les dictatures sont des instruments du diable, et il y a toujours des ordures pour s'insinuer dans les failles et profiter de la misère des peuples.

— Comme partout.

Camille s'arrêta, palpant sa carotide. Nicolas remarqua sa gêne et adapta sa vitesse.

— Ça va ? demanda-t-il.

— Oui, oui… Je pense en même temps à notre histoire.

Elle se remit à avancer.

— Reprenons depuis le début : Maria Lopez est la première à donner son ADN à Genomica, en février 2011. Peut-être a-t-elle été au courant par les campagnes d'information, peut-être est-on venu à elle, ce qui est plus probable vu qu'elle est une « simple d'esprit ». Cinq mois plus tard, en juillet 2011, c'est Mickaël qui fait le test. Son père a dû lui avouer la vérité : lui révéler l'emplacement du petit cercueil, lui montrer l'album de famille, lui expliquant qu'il était un fils « acheté » et que le vrai enfant de Jean-Michel et Hélène, notre fameux squelette, celui né à l'hôpital Lariboisière, était mort, sans doute par accident. Mickaël éprouve le besoin de retrouver sa mère biologique, de connaître son identité… Donc, il fait un test ADN, ça fonctionne, Genomica le contacte, et Mickaël se met en relation avec sa vraie mère, Maria Lopez…

Camille s'arrêta de nouveau, s'épongea le front avec un mouchoir en papier et reprit :

— Cette chaleur, bon Dieu… Bref, parallèlement aux recherches de ses origines, Mickaël mène une traque personnelle. Il photographie Daniel Loiseau en train de traiter avec le Serbe, conduit une sombre enquête depuis fin 2009 sans rien dire à personne. Kosovo, Albanie, Argentine… Il se rend même au commissariat de Loiseau après sa mort. Cela signifiait que Mickaël était au courant pour les filles enlevées. Qu'il nous avait précédés. J'ignore encore comment il est remonté jusqu'à Daniel Loiseau, jusqu'où est allée son enquête, puisque les photos, les ordinateurs, toute trace de sa vie ces derniers mois ont disparu…

Elle prenait son temps pour que Nicolas puisse suivre son cheminement, et aussi parce que son cœur pompait curieusement.

— Le 7 février 2012, soit un an après les retrouvailles de Maria et Mickaël, c'est le frère fantôme, ce Frédéric Charon, qui réalise le test ADN et l'envoie au laboratoire depuis Paris. Parce que lui aussi apprend, d'une façon ou d'une autre, qu'il est un bébé volé d'Espagne. Ce même mois, le 15, Maria Lopez tente de se suicider, prétendant avoir vu le diable. Le 23, Mickaël se fait assassiner après avoir été torturé. Toutes ses affaires, ses dossiers sont détruits. Son père est tué dans la foulée, devant des spectateurs ou des participants qu'on asperge de sang.

— Pourquoi Charon ne tue-t-il pas sa mère ?

— Soit parce qu'il n'en a pas eu le courage, il s'agit quand même de sa vraie mère biologique, soit parce qu'elle était devenue folle et que personne ne croirait les paroles d'une folle. Je penche plutôt pour la deuxième option. Ça attire moins l'attention qu'un meurtre qui aurait pu relier directement Charon aux bébés volés.

— Et en assassinant Mickaël et son père, Charon efface ainsi toutes les traces de sa propre existence.

— Oui. Il tait le secret des bébés d'Espagne. Ce qu'il ignorait, en revanche, c'était l'histoire du squelette, qui nous a permis de remonter jusqu'à lui.

Un avion passa juste au-dessus de leur tête et se posa sur une piste toute proche.

— Un frère qui en tue un autre, son propre jumeau. Comment c'est envisageable ?

— Faux jumeaux, vrais jumeaux… fit Camille. Il y a quelque chose au-delà du rationnel, de la logique qui les unit. Comme un lien invisible impossible à briser. Mickaël et Charon ont été séparés à la naissance sans avoir la moindre conscience l'un de l'autre, vivant sans doute à des milliers de kilomètres, et leurs chemins se croisent à nouveau plus de quarante ans plus tard…

— Comment tu expliques ça ?

— C'est inexplicable. Il y a un tas de livres qui

exposent tous les faits étranges autour des jumeaux. Comme ce qui m'arrive avec mon cœur greffé, et ces histoires de mémoire cellulaire. *Quelque chose* m'a portée vers cette enquête. Il doit y avoir une raison, mais on sera sans doute incapables de l'expliquer.

Elle avala sa salive avec peine.

— Les jumeaux sont fusionnels, Nicolas, bien au-delà du lien physique. Même s'ils ne sont pas issus du même œuf, ils se sentent l'un l'autre. Quand l'un va mal, l'autre le sait. Peut-être que, sans en être conscients, Mickaël et son frère meurtrier ressentaient l'existence de l'autre.

Elle garda le silence quelques secondes, avant d'ajouter :

— Mickaël s'est mis à traquer les sujets sordides, les assassins, les bourreaux à un moment de sa vie, alors qu'il bossait dans l'univers du *bling-bling*. Sa façon à lui, sans doute, de franchir la frontière. D'après ce qu'on découvre aujourd'hui, son frère Charon est un assassin, un tueur, un kidnappeur, tout ce qu'on peut imaginer de pire. Lui aussi a franchi la frontière.

Ils arrivaient à l'entrée de l'aéroport, au niveau des parkings les plus lointains, et marchèrent sur le trottoir.

— Ces deux frères ont les mêmes pulsions, ils sont semblables, unis, quoi qu'on fasse. Ils sont peut-être allés, tous les deux, aussi loin qu'ils le pouvaient de chaque côté de la barrière, à leur façon. La chronologie des tests ADN indique que c'est Charon qui a fait le prélèvement en dernier, et que, donc, selon toute logique, c'est lui qui a retrouvé Mickaël. Mais à voir la sombre quête que Mickaël menait depuis des années, et à voir comment tout cela s'est terminé, je me demande si ce n'est pas Mickaël qui a retrouvé son frère en premier…

— Ses propres obsessions, ses gènes l'auraient conduit sur les traces de son frère ?

— Pourquoi pas ?

Nicolas réfléchit.

— Tu as peut-être raison. En 2010, Mickaël termine sa série de voyages par l'Argentine. Or Charon est originaire de là-bas.

Camille approuva.

— Tout cela semble confirmer ce que je raconte. Et puis, ça pourrait expliquer comment Mickaël a réussi à photographier Loiseau… Parce qu'il suivait son jumeau, le surveillait, et que Loiseau, ce CP et Charon semblaient unis comme des frères. Il a mis le doigt dans un engrenage monstrueux, et, au lieu d'avertir la police, a préféré se taire.

— Quitte à franchir les frontières de la légalité.

— Comme il l'avait déjà fait, oui… Malheureusement, les fameux tests ADN se sont retournés contre lui. Charon l'a retrouvé grâce à Genomica. Un horrible jeu du chat et de la souris qui s'est mal terminé.

Nicolas la regarda avec admiration.

— Ça fonctionne, Camille. Ça fonctionne bien, tout ce que tu me dis là.

Camille lui répondit avec un air grave et déterminé. Ils atteignirent enfin l'aérogare, qui était plutôt calme. Nicolas déplia la fiche informatique de Charon alors qu'il s'arrêtait devant une cabine téléphonique.

— Faut que je tente le coup. Juste pour voir.

— T'es bien certain ? Et s'il répond ?

— Je raccrocherai. Il prendra ça pour une erreur.

428

Nicolas décrocha un combiné et appela le numéro de téléphone laissé par Charon.

Numéro non attribué. Il raccrocha avec rage.

— Fallait s'en douter, dit-il avec résignation. Ce type est un sacré malin.

Ils passèrent les contrôles de sécurité et s'installèrent dans la salle d'embarquement. Leur avion décollait moins d'une heure plus tard. Nicolas prit la main de Camille et fixa les avions sur le tarmac, avant de somnoler, droit sur son siège, incapable de rester éveillé. Camille retira doucement sa main et se plongea dans un livre décrivant la vie de Gerard Schaefer.

Dans quelques heures, elle descendrait au Styx.

Elle sombrerait dans l'héritage morbide que des gars comme Schaefer avaient laissé derrière eux.

51

Ce soir-là, Camille rejoignit Nicolas Bellanger qui l'attendait au bas de son hôtel de L'Haÿ-les-Roses.

Le jeune capitaine de police écarquilla les yeux. Il eut l'impression de voir une fille complètement différente de celle qu'il avait quittée quelques heures plus tôt. Elle portait un pantalon en cuir noir moulant, un tee-shirt noir qui soulignait bien la forme de ses abdominaux sous une veste en cuir rouge, et des chaussures à talons qui la grandissaient encore. Un maquillage appuyé mettait en valeur son regard et le dessin de ses lèvres pleines. Elle avait plaqué ses courts cheveux bruns vers l'arrière avec du gel.

Nicolas Bellanger en avait le souffle coupé.

— Impressionnant, fit-il. On dirait Brigitte Nielsen, mais en brune.

— Je dois le prendre comme un compliment ?

— Plutôt, oui.

— Il n'y a pas de *dress code* particulier dans ce club, mais vaut mieux être dans le ton, expliqua-t-elle. Le rouge, le noir. Sang et ténèbres.

Elle écarta discrètement le pan de sa veste alors qu'ils sortaient dans l'obscurité. Il était 22 heures passées.

— Il y a plus de deux mille cinq cents euros en liquide dans la poche intérieure. Un livret A qui traînait…

Nicolas jeta un œil aux billets.

— Merde… On n'en a pas parlé mais c'est pas à toi de payer pour ça.

— Laisse tomber. C'est pour la bonne cause, non ?

— Oui, mais ça m'embête.

Nicolas passa malgré tout à leur mission de la nuit :

— Bon… Lucie a insisté pour nous aider, puisque Sharko n'est pas là. Elle est déjà en place à un café près du club SM, je te dépose à trois ou quatre rues de là. Tu entres dans L'Olympe et essaies de localiser cet Érèbe.

— Le problème, c'est que, lui, je ne sais pas à quoi il ressemble. Je vais devoir tâtonner.

— Au moindre souci, si tu sens que…

— Je sais, le coupa Camille.

— Très bien. Ton téléphone portable ne fonctionnera probablement pas dans les catacombes. Tu seras seule. Tu descends, tu restes dans le clan des mateurs, des acheteurs. Pas de zèle, observe juste, fais comme les autres, imite leur comportement. Il y aura peut-être le symbole des trois cercles, ou un sigle quelconque. CP te proposera peut-être des « objets » qui te parleront.

— Comme un portefeuille en peau humaine portant ses initiales, par exemple.

— Par exemple. N'oublie pas que c'est sans doute l'endroit où ceux qu'on traque se sont rencontrés. Si tu penses localiser CP, tu mémorises son visage mais tu ne fais rien, surtout. On le tracera à sa sortie. Il suffit qu'il monte dans sa voiture, et on récupère sa plaque d'immatriculation.

— Oui, papa.

Bellanger évita le périphérique et remonta vers Paris en passant par Villejuif puis la place d'Italie. Le téléphone de Camille vibra. Elle observa le nom affiché : Boris. Elle ne décrocha pas, serrant l'appareil entre ses mains.

— Un collègue…

— Il appelle tard. Pourquoi tu ne réponds pas ?

— Je préfère.

— C'est plus qu'un collègue, c'est ça ?

Chaque vibration était comme une torture, et elle s'en voulait horriblement. Il n'y eut pas de petite enveloppe indiquant l'arrivée d'un message. Boris avait dû raccrocher.

— Disons que c'est compliqué, répliqua-t-elle. Avec Boris, on n'est pas ensemble mais… on ressent des choses, l'un pour l'autre. Depuis longtemps. Mais ça ne s'est jamais concrétisé.

Le visage de Nicolas s'obscurcit un peu. Elle soupira.

— Ça aurait été chouette qu'on se rencontre avant, fit-elle. Dans d'autres circonstances…

— Le plus important, c'est qu'on se soit rencontrés, non ? Je ne sais pas ce qui se passera quand tu retourneras dans ta caserne, et je n'ai pas envie d'y penser pour l'instant…

Camille fixait la route, droit devant elle.

— Moi non plus.

Ils arrivèrent à proximité du jardin du Luxembourg. Nicolas Bellanger fit un tour dans la rue Saint-Jacques et bifurqua dans la petite rue Royer-Collard. Il pointa discrètement le doigt vers la terrasse bondée d'un café, qui faisait l'angle entre Saint-Jacques et Royer-Collard.

— Lucie est là-bas, sur la droite.

Camille la repéra. La lieutenant de police était en mode touriste. Elle portait une tunique bleue, avait noué ses cheveux blonds en queue-de-cheval et sirotait une boisson. Elle les suivit quelques secondes du regard. La 206 continua sa route et arriva au niveau du club. Façade discrète plantée entre un institut de massage et un restaurant chinois. Un videur se tenait devant la porte, bras croisés. Quelques ombres marchaient dans la rue sombre, sans éclairage hormis ceux des cafés et autres clubs privés.

— C'est là, fit-il en poursuivant sa route. Il y a des catacombes dans le coin, mais les différentes entrées bien connues sont fermées au public, ce qui n'empêche pas les cataphiles d'y descendre en douce. Ceux de L'Olympe doivent avoir trouvé un moyen d'y accéder par leurs propres sous-sols ou d'autres endroits méconnus.

Maintenant qu'elle y était presque, Camille sentait la pression monter. Le cœur battait fort, lourdement. La jeune femme essaya de se détendre. Nicolas Bellanger se gara quatre cents mètres plus loin, à proximité de l'hôtel nommé Les jardins du Luxembourg. Il se tourna vers Camille dont la montre sonnait. Elle sortit le semainier de sa poche et avala son cachet.

— 23 heures. On y est. Un petit cacheton avant de descendre là-dessous.

Nicolas la regarda faire, avant de poursuivre :

— Tu sais où on sera placés si tu sors tard. Lucie en bout de rue, et moi au début. On ne peut pas se louper.

Camille posa son téléphone portable dans la main du capitaine de police et le força à rabattre ses doigts dessus.

433

— S'il m'arrive quelque chose, tu as tout là-dedans. Ma famille, mes quelques amis.

— Camille…

— Et puis, pas de réseau sous terre, comme tu dis. Ah, et si tu vois que Boris, mon collègue, appelle, évite de répondre s'il te plaît… Et maintenant, j'ai besoin d'une clope.

Bellanger en sortit deux de son paquet et les alluma. Camille avala cette fois la fumée sans problème. Après la première bouffée, elle se sentit bien. Elle se regarda dans le miroir du pare-soleil, se touchant le bout des lèvres.

— Je ne me suis jamais vue comme ça, admit-elle. Du maquillage rouge sang… ces habits… Jamais je n'aurais osé, avant. Ce n'est pas mon style.

— T'avais bien ces fringues dans tes valises pourtant, non ?

— Tu parles, j'ai tout acheté au premier magasin venu après que tu m'as déposée dans l'après-midi. Sans hésitation. Regarde, je fume. Je suis en train de changer. Je crois que c'est lui qui…

Bellanger ne la laissa pas terminer. Il se pencha vers elle et l'embrassa sur les lèvres.

— C'est contagieux, ton truc, parce que j'ai l'impression que moi aussi, je suis en train de changer.

Camille lui sourit.

— Et il n'y a pas de vaccin contre ça, on dirait. On se retrouve tout à l'heure.

Elle n'avait jamais senti le cœur de Loiseau battre aussi fort.

— Fais bien attention.

Dix secondes plus tard, elle avait disparu à l'angle de la rue.

52

Un antre maléfique.

Ce fut la première image qui traversa la tête de Camille lorsqu'elle descendit un escalier en pierre, courbe, serré entre deux murs rouges habillés de miroirs, de masques vénitiens qui semblaient la dévorer des yeux.

Elle avait été brièvement fouillée à l'entrée, devant une grande pancarte indiquant « Ce soir, show bondage par Hoko, maître Shibari ». Le videur avait vu l'argent dans sa poche et avait hoché la tête avec un pâle sourire. Puis Camille avait été accueillie dans le couloir par une grande femme à moitié nue portant un chapeau haut de forme, qui lui avait demandé ce qu'elle cherchait ce soir. Camille avait simplement répliqué qu'elle venait pour le show.

L'escalier poursuivait sa descente, mais la jeune gendarme bifurqua sur un palier et débarqua dans une vaste salle sombre d'où s'échappait une musique aux basses démoniaques. Des silhouettes se découpaient au milieu de la piste, d'autres se trémoussaient langoureusement, mélange de cuir, de vinyle, de visages cachés derrière des loups. Néons de lumière bleue ultraviolette, niches isolées cernées de banquettes. Le bar était pris d'assaut, l'alcool remplissait les gueules ouvertes, les langues léchaient, couraient sur les lèvres, excitaient les observateurs.

Dans un coin, une femme tenait un homme bâillonné en laisse. Ailleurs, une quadragénaire se déplaçait comme une chienne, promenée par son maître. En surplomb, un maigrelet, mi-homme, mi-femme, fusionnait avec une barre de *pole dance*.

Camille commanda un whisky-coca à la « chatte » du bar. Installée sur un tabouret, elle but par petites lampées et essaya de se détendre. Il y avait du monde, ça entrait, sortait, seul ou à plusieurs. Jeunes, vieux, couples qui se cherchaient, se testaient, se découvraient. La jeune femme songea à tous ces gens qui, le jour, vivaient à la surface, pour s'enfoncer dans les ténèbres la nuit venue. Leurs instincts les avaient poussés à franchir les portes de ce club, à se confronter à leur propre déviance.

Elle parcourut discrètement l'assemblée et tomba sur un individu qui la fixait, à quelques mètres. Un être de cuir, de chaînes, dont seuls les yeux et la bouche étaient visibles à travers sa cagoule lacée par-derrière. Camille songea au film de Joel Schumacher, *8 millimètres*, et à ce sombre individu qui se faisait appeler Machine. Elle détourna la tête, mal à l'aise. Elle se réfugia dans son verre et n'en but qu'une infime gorgée. Elle devait garder toute sa vigilance.

Il ne fallut pas cinq minutes avant qu'on l'aborde. Un homme classe, gilet de cuir noir, cravate assortie, la cinquantaine. Le style chef d'entreprise.

— Nouvelle ?

Camille lui sourit.

436

— Novice, même. C'est grand, ce club ?

— Tu n'es pas encore allée en bas ? Il y en a pour tous les goûts.

— Genre ?

Il se pencha à son oreille et chuchota :

— Le genre que tu veux.

Elle prit un ton détaché et demanda à voix basse :

— Érèbe, ça te dit quelque chose ?

— Jamais entendu parler. T'es de quel bord, toi ?

Camille se leva.

— Bord droite. Mais je penche un peu à gauche parfois. Ça dépend.

Elle posa son verre encore plein et le laissa à ses questionnements. Elle regagna l'escalier. Le mateur au masque avait disparu.

Les basses des enceintes s'atténuèrent au fil de sa descente, remplacées par d'autres bruits. Des claquements, des gémissements. La température montait, à tous les sens du terme. La jeune femme avançait dans un large couloir au plafond courbe. La première salle était bondée, c'était le cas de le dire. Sur une scène, une femme nue était ligotée, suspendue par des cordes. Un Japonais d'au moins soixante ans, en kimono noir, la faisait tourner sur elle-même, devant des spectateurs admiratifs. Ses seins pris dans les entraves étaient prêts à exploser.

Où était Érèbe ? Où se cachait l'entrée vers le Styx ? Camille s'enfonça davantage dans le sous-sol, doublant des pièces médiévales, des donjons secrets. Ici, une femme jouait du violon, nue, les pieds sur des tessons de bouteille, devant un couple qui faisait l'amour. Là, rires et hurlements se mêlaient, comme s'il y avait un besoin vital à revenir à des époques barbares où l'on vendait des esclaves, fouettait et torturait.

Plus loin, dans l'ombre, une armoire à glace se tenait bras croisés devant une porte fermée, massive, sur laquelle était inscrit, tout simplement, « La Porte ». C'était le gros tout en cuir, intégralement masqué, que Camille avait aperçu quelques minutes plus tôt. Elle frissonna, fit demi-tour, mais une grosse voix résonna dans son dos :

— Qu'est-ce que tu cherches ?

Camille se retourna et essaya de ne pas être trahie par les tremblements de sa voix.

— Je suis venue voir Érèbe.

— Qu'est-ce que tu lui veux ?

Camille écarta le pan de sa veste, montrant les billets.

— Qu'il me fasse descendre au Styx.

L'homme resta figé.

— Qui t'es, toi ? demanda-t-il.

Elle remarqua la caméra braquée sur elle, dans un angle.

— Gorgone. Et je connais le mot de passe…

— Ah ouais ?

Camille déglutit. Elle espéra que les informations de Lesly Beccaro étaient encore valables.

— C'est N-Y-X.

L'homme décroisa les bras, bombant le torse. Une fraction de seconde, Camille pensa qu'il allait se jeter sur elle, mais il se contenta de dire :

— Tu patientes, maintenant.

Et Camille attendit. Peut-être seulement une ou deux minutes, mais le temps lui parut interminable. À son grand soulagement, la porte s'ouvrit. L'homme s'écarta et la laissa passer. Elle atterrit dans une petite salle où brûlaient des dizaines de bougies posées dans des niches de pierre.

Érèbe était assis devant un mur d'écrans, d'où il pouvait « surveiller » l'ensemble du club, y compris ses salles les plus reculées. Il portait un costume clair mais, avec l'obscurité, Camille ne parvint à en définir précisément la couleur. Elle vit ses yeux bleus briller grâce au reflet de l'ordinateur posé devant lui.

— Gorgone... Comment va Ted Bundy ? Toujours aussi accro à ses petites manières ?

Camille sentit le piège, Érèbe la testait.

— Gerard Schaefer va plutôt bien. Mon petit doigt me dit que je vais trouver des choses intéressantes à son sujet, ce soir.

— Je crois que ton petit doigt a raison. Mais je doute que...

Érèbe se leva. Une apparition démoniaque. Une peau très noire, des cheveux blonds décolorés, presque blancs. Il souleva le bord gauche de la veste en cuir rouge de Camille et pointa l'argent.

— ... ce soit suffisant. Il faudrait au moins mille de plus. T'as une idée de ce que ça peut être, à ce prix-là ?

Érèbe la sondait, du plus profond de ses iris presque translucides.

— J'espère trouver « Harlots Hang High », ce fameux carnet où il explique comment on pend les putes dans l'Angleterre des XVIIe et XVIIIe siècles. J'ai décidé d'agrandir ma collection.

Elle avait lu ça dans un article sur Schaefer, quelques heures plus tôt. Le carnet n'avait jamais été retrouvé.

— Tu trouveras mieux. Beaucoup mieux... (Il pointa son ordinateur.) Mais, à ce que je vois, ça fait bien longtemps que tu ne fréquentes plus les forums privés. T'as eu des soucis ?

Son ton exprimait une forme de menace cachée. Derrière, la porte grinça. Le balèze en cuir entra et referma derrière lui, les poings serrés le long du corps. Camille réagit au quart de tour, sans trembler. Elle leva son tee-shirt jusqu'au soutien-gorge.

— Quelques petits problèmes m'ont maintenue loin des écrans.

Érèbe siffla entre ses dents trop blanches. Il fit courir son index le long de la cicatrice laissée par la greffe, puis sur les scarifications récentes faites au rasoir. Il rabaissa lui-même le tee-shirt de la jeune femme avec une forme de respect, puis la fouilla au plus près, n'omettant aucune partie du corps. Camille remercia le ciel d'avoir laissé son portable à Bellanger. Il aurait pu jeter un œil, remarquer ses contacts dont la fonction indiquait « Gendarme ».

— C'est cent pour descendre, fit-il après avoir terminé. Et faudra encore payer cent pour remonter de l'autre côté.

Camille sortit un billet et le lui tendit.

— De l'autre côté ?

— Une fois tes petits achats terminés, tu traverses le marché, tu disparais dans le tunnel, tu marches en prenant toujours à droite et tu trouveras. Ça pose un problème ?

— Aucun.

Érèbe s'approcha d'un gros fauteuil et le poussa sur le côté. Une trappe apparut, il l'ouvrit. Camille sentit un courant d'air parcourir furtivement la pièce, comme un souffle maudit. Elle s'approcha et aperçut une échelle en métal. Érèbe tendit une lampe.

— La lampe, c'est offert par la maison. Tu suis le boyau de droite, tout le temps. Tu sais ce qu'on dit de l'enfer ? Qu'il a été fait pour les curieux.

Camille s'engagea sur l'échelle.

La trappe se referma au-dessus d'elle.

Elle eut l'impression qu'il s'agissait du couvercle de sa propre tombe.

53

Après avoir récupéré sa voiture de location, Sharko était installé dans le café Margot, à quelques centaines de mètres de son hôtel. Brouhaha, promiscuité, menu du jour sur une ardoise : l'ambiance lui rappela les brasseries qu'on pouvait trouver dans le sixième arrondissement de Paris, du côté de Saint-Germain.

Il fit confiance au serveur en demandant le « plat touristique », avant de regarder sa montre. 19 heures ici, minuit en France. Il envoya un SMS : *peux appeler ?* Un *oui* arriva dans la foulée. Ils furent en ligne, échangèrent quelques mots. Sharko entendit que la voix de Lucie résonnait étrangement.

— Tu n'es pas dans l'appartement ?

Assise au volant de sa voiture, Lucie serra les lèvres. Il allait bien finir par savoir, de toute façon.

— J'attends que Camille ressorte de L'Olympe.

Sharko ne réalisa que quelques secondes plus tard.

— Tu veux dire que... que t'es en planque ?

— Nicolas avait besoin de moi pour garder une extrémité de la rue. Ne t'inquiète pas. Jules et Adrien dorment tranquillement, maman veille et, moi, je suis assise dans la voiture, à écouter tout bas du Dire Straits. Tout va bien.

Sharko se maudit d'être si loin. Lucie était incontrôlable, et il le savait. Alors, pourquoi s'était-il éloigné d'elle, encore une fois ? Qu'est-ce qu'il foutait en Argentine ?

— Tu crois que c'est normal que, après deux mois de naissance, les jumeaux se retrouvent sans leur mère à minuit ? Marie ne sera pas toujours là, et ça m'étonnerait fort qu'à l'avenir la nounou puisse jouer les veilleurs de nuit.

— Je sais. Mais tout est allé si vite avec cette affaire.

— Tout va toujours trop vite. Chaque fois, c'est pareil. On se promet de ne pas se laisser embarquer, et regarde à présent... Et je ne te jette pas la pierre, je suis autant fautif que toi. Il faudra trouver une solution, éviter que cela ne se reproduise. Tu ne crois pas ?

— Si, bien sûr. Cent pour cent d'accord avec toi.

Pour le calmer un peu, elle lui parla des nouveaux éléments de l'enquête récoltés par Nicolas et Camille : les enfants volés d'Espagne... Charon, faux jumeau de Mickaël Florès et probablement d'origine argentine... La possibilité que le photographe, embarqué dans une enquête compliquée et sinistre, soit finalement retombé sur son propre frère, sa face noire, attiré par lui comme un aimant...

Sharko emmagasina les informations, stupéfait. Cette histoire de bébés volés, comme ici. Et, surtout, le fantôme qu'il traquait se matérialisait petit à petit. Charon.

Déjà, son esprit tirait des conclusions qu'il exposa de vive voix à sa compagne :

— Écoute-moi bien, Lucie, c'est important. *El Ben-*

dito se prénomme Mario, il est bien aveugle, mais c'est parce qu'il a subi des mutilations aux yeux il y a au moins douze ans. Le contact que j'ai eu pense que c'est une torture qu'il a subie durant la dictature qui a commencé en 1976 et a duré sept ans. On sait que Mickaël Florès a été énucléé par quelqu'un du milieu médical. Peut-être Charon en personne. Ça me laisse penser que c'est aussi lui qui s'est occupé des yeux de Mario. Mais, d'après ce que tu me dis, si Charon est né en 1970, il n'était qu'un enfant à l'époque de la dictature. Comment aurait-il pu infliger de telles monstruosités aux yeux de Mario alors qu'il n'avait pas dix ans ? À mon avis, l'horreur s'est produite bien plus tard.

Sharko réfléchissait en même temps. Non, la dictature n'avait rien à voir là-dedans, mais elle avait peut-être joué son rôle dans la construction de la personnalité de Charon. Il avait six ans quand elle avait débuté, treize à son terme. Il n'avait sans doute connu que la violence, le sang, les cris. Avait-il fait partie des enfants volés par le général Videla ? Un môme au destin tragique, qui aurait été enlevé en Espagne dès la naissance, puis élevé en Argentine quelques années plus tard ? Ou alors, avait-il été élevé du côté des sanguinaires, de l'armée, de ceux qui enlevaient et tuaient sous les ordres d'un fou ?

Il songea à la manière dont Mickaël avait été torturé et se dit que c'était sans doute cette deuxième hypothèse qu'il fallait garder.

Charon était un pur produit de la dictature sanglante. Une aberration.

On lui apporta une Picada en guise d'apéro, à base d'olives, de charcuterie, de fromage, ainsi qu'une

Quilmes, la bière argentine. Le lieutenant remercia le serveur, goba une olive et revint dans la conversation.

— Il y a une priorité : si l'opération au Styx échoue et si Camille ne trouve rien ce soir, essayez de voir dès demain s'il ne s'est pas produit ce genre d'histoire, des vols ou des mutilations d'yeux, des dégradations sur des corps, au Kosovo ou en Albanie. Il s'est passé des choses là-bas, début 2000 : le conflit, les bombardements. Certains ont peut-être profité du chaos ambiant pour donner libre cours à leurs monstruosités ou à leurs expériences. Mickaël Florès enquêtait peut-être sur une histoire en rapport avec ce genre de faits sinistres.

— Très bien, répliqua Lucie. Je vais organiser ça.

— Tu transmets tout ce que je viens de te raconter à Nicolas ?

— Sur-le-champ. Et toi, qu'est-ce que tu fais ?

— Je me pose un peu et, dans quelques heures, je me mettrai en route pour un hôpital psychiatrique du côté de Corrientes, là où s'est rendu Mickaël Florès lors de son périple argentin. Mario est handicapé mental, il vient probablement de là-bas. Je vais rouler de nuit, je préfère, pour arriver sur place vers 10 ou 11 heures, demain.

L'estomac de Sharko gargouilla. Il posa une main sur son ventre.

— Sinon, pour en revenir à des choses plus légères, tu dis que Nicolas et Camille étaient en Espagne ? Tous les deux ?

— C'est ce que j'ai appris il y a peu, oui.

— Ça roucoule, ça roucoule, répliqua Sharko avec un sourire. C'est bien pour Nicolas. Ça va peut-être lui faire comprendre qu'il n'y a pas que le boulot dans la vie.

— On dirait que tu le protèges, que tu le couves, fit Lucie. Pourquoi ? Parce que t'étais exactement comme lui à son âge ? Acharné, solitaire, scotché à ton bureau jusqu'à l'overdose ? Et tu ne veux pas qu'il reproduise tes erreurs, c'est ça ?

Le regard de Franck se perdit dans le vague. Son index allait et venait sur le vieux bois de la table.

— Bon, tu me tiens au courant pour l'opération au Styx, OK ? Là, faut que je te laisse.

— Pourquoi tu te défiles chaque fois qu'on aborde ton passé ?

— Je ne me défile pas. C'est juste qu'il y a une urgence, ici.

Lucie fronça les sourcils.

— Quelle urgence ?

— Manger.

Et il raccrocha.

54

Une autre citation qu'aurait pu prononcer Érèbe :
« Je me crois en enfer, donc j'y suis. »

Les catacombes de Paris.

Camille en avait déjà entendu parler. Un gruyère sous la capitale. Trois cents kilomètres de galeries, parfois sur plusieurs étages. On avait creusé sous le sol pour construire à la surface. Sans oublier que, dans l'ancien temps, avec les épidémies dévastatrices, Paris était envahi de cadavres, les cimetières étaient bondés et il avait été décidé d'en déplacer certains dans les catacombes.

Depuis, les plus effroyables légendes se diffusaient de bouche à oreille. Individus qui se seraient perdus et hanteraient les couloirs, lampes de poche qui soudain ne fonctionneraient plus, animaux monstrueux genre crocodiles qui peupleraient ses eaux noires… Nul doute qu'il devait y avoir également, à l'image du Marché Interdit, d'autres sinistres endroits de rencontres et de dépravation.

S'aidant de sa loupiote, Camille marchait depuis plusieurs minutes dans un boyau étroit. Ses mains frôlaient les deux parois, où on avait gravé des messages, du genre « Vide découvert le 4 juillet 1851 », ou encore « Arrête-toi. Ici, c'est l'empire de la mort ». À chaque bifurcation, elle se souvenait des paroles du gardien des lieux, Érèbe : toujours suivre le chemin de droite. Elle aurait cru prendre le frais, s'éloigner un peu de la chaleur du dehors, mais l'air était brûlant, presque irrespirable, comme s'il remontait directement des entrailles de la Terre.

Il y eut soudain un grondement. Le séisme venait de partout, de nulle part, et dura peut-être dix secondes.

Le métro, songea Camille. *Là, juste au-dessus*.

Elle imagina les rames transportant leurs voyageurs fatigués, les néons crépitants, les stations sordides pleines de courants d'air et d'odeurs d'urine. Elle attendit que l'orage passe, immobile. Après encore deux cents mètres de marche, elle s'arrêta devant ce qui ressemblait à une fissure sans fond, d'environ quarante centimètres de large. Une faille déchirant la roche du sol en deux, et qui disparaissait sous chaque paroi latérale.

Le fameux Styx. Le fleuve des Enfers.

Comment une telle déchirure pouvait-elle exister sous Paris ? Comment avait-elle été créée ? Camille arrêta de se poser des questions d'ordre géologique. Elle le franchit d'un bond et se sentit bizarre, aspirée vers les ténèbres, comme si tout retour en arrière était impossible. La frontière était franchie. À en croire *La Divine Comédie*, elle se trouvait donc désormais dans le sixième cercle de l'enfer. Sur le bord extérieur du symbole des trois cercles utilisé par ceux qu'elle traquait.

C'était comme si elle frôlait désormais le territoire de ces salopards.

Elle évoluait dans leur sillage sanguinaire.

Elle éteignit la veilleuse. Des lueurs palpitaient sous une cavité à angle droit. Elle s'approcha. Quelques lampes tempête étaient accrochées de part et d'autre, faisant danser les ombres.

Enfin il était là, devant elle.

Le Marché Interdit.

Le long d'un interminable tunnel voûté au sol en ruine, des silhouettes étaient installées devant des tables pliantes, environ tous les cinq mètres. Des individus circulaient, s'approchaient, se renseignaient. La faible luminosité empêchait de voir les visages, tout n'était qu'ombres chinoises. Parfois, des lampes s'allumaient en direction des étals, scrutant chaque détail.

Camille évita de rester sur place et se mit à marcher lentement en direction du premier stand, angoissée. Ses jambes étaient molles, presque flageolantes. Devant elle, il n'y avait pas grand-chose, juste une lettre manuscrite qui semblait très ancienne et une casquette grise, sale et chiffonnée, rangée dans un plastique transparent. Une face au visage pâle, aux yeux comme enfoncés dans leurs orbites, sortit de l'ombre.

— C'est la vraie… Celle qu'Albert Fish avait sur la tête la veille de son exécution sur la Rôtisseuse.

Le vendeur retourna le paquet.

— Regarde l'étiquette. Fabriquée à Sing Sing en 1928. Y a encore un cheveu collé à l'intérieur. Un cheveu de Fish, tu te rends compte ? Il paraît que, si tu le coupes en morceaux et que tu le fais analyser, tu pourras connaître plein de secrets sur lui grâce aux technologies actuelles. S'il se droguait, ce qu'il buvait, en quelles quantités. Mais bon, ce serait dommage de le couper en morceaux. Il n'y en a qu'un, et c'est celui de Fish. Fish, Fish, Fish.

Camille fit mine de s'intéresser. Elle leva le sachet devant son regard. L'homme renifla et pointa la lettre.

— Et ça, ça, c'est la lettre qu'il a envoyée à la famille Budd. L'originale, poupée, celle de 1934. Écoute bien : « D'abord, je l'ai déshabillée. Comme elle donnait des coups de pied, mordait et griffait, je l'ai étranglée, puis découpée en petits morceaux afin de pouvoir emmener la viande dans mes chambres. Je l'ai cuisinée et mangée. Ses petites fesses étaient tendres après avoir été rôties. » C'est Fish qui a écrit ça, de sa propre main, l'écriture a été authentifiée. C'est gratiné, tu trouves pas ? Aux parents de la gamine, qu'il a envoyé ce petit mot. J'aurais donné cher pour être là. Pour voir leur gueule quand ils ont ouvert et qu'ils ont lu.

Il avait récité le passage de la lettre par cœur, non sans fierté. Camille reposa le plastique sur la table.

— Fish ne m'intéresse pas. Je n'aime pas le poisson. Désolée.

— T'es marrante en plus. Dis-moi ce qui te branche, alors. Je connais du beau monde à Sing Sing. Je pourrais t'avoir du Martha Beck, du Raymond Fernandez, du Carl Panzram. Tout ce que tu veux, ma grande. Y a qu'à demander.

— Je repasserai. Tout à l'heure, peut-être.

Camille s'éloigna. Sur le stand suivant, une paire de menottes tachées d'une pointe de sang noir séché. De la corde, couverte de sang elle aussi. Un papier indiquait : « Originaux utilisés par Fourniret. Cordes, 1 450 euros. Menottes, 1 850 euros. » Le vendeur la dévisagea sans desserrer les lèvres. Une gueule à faire peur, des airs d'Indien, et une face qui se serait pris une pluie de météorites. Camille ne savait quelle attitude adopter. Elle regardait ces objets maléfiques qui avaient servi à tuer, torturer, et ça la dégoûtait au plus profond d'elle-même. D'où sortaient-ils ? Des scellés de la police ? Comment étaient-ils arrivés entre les mains de ce cadavre ambulant ?

Camille observait discrètement chaque visage, chaque physionomie. Plus loin, sur un autre présentoir, devant quelques peintures plutôt réussies (dragons, femmes attachées…), une dizaine de photos étaient étalées, tirées au Polaroid. Elles montraient deux filles nues, positionnées de façon grotesque sur un lit. Mutilées sexuellement.

De véritables clichés de scène de crime, que Camille elle-même aurait pu photographier. Mais il y avait quelque chose de différent dans la façon de prendre la photo. Les lumières, les angles de prise de vue…

— Tirées non pas par les flics, mais par Danny Rolling en personne, fit un jeune à l'accent anglais. À peine cinq minutes après les avoir tuées, autant te dire que les petites étaient encore toutes chaudes. T'as les dates et les heures, derrière. De sa propre écriture.

Camille ne savait même pas qui était Danny Rolling. Elle n'avait qu'une envie : se tirer de cet endroit maudit. Autour d'elle, ça circulait, des billets passaient de main en main, des objets disparaissaient sous des vestes. Camille devait rester concentrée. Essayer de trouver CP.

Les horreurs se succédaient. Un homme en costume, plutôt séduisant, proposait des instruments de torture « authentiques », couverts de sang, de sperme, de fluides, mis en évidence par une lumière ultraviolette posée sur le côté. Un autre, à sa gauche, se tenait devant un stand vide, debout, mains posées à plat

sur sa table pliante. Un écriteau disait simplement :
« Offrez-vous un enfant du Candy Man. »

Camille s'approcha. Elle voulait pouvoir sentir chacun de ces vendeurs. Chercher des signes, des indices. L'homme, face à elle, était grand et maigre, légèrement bossu. Il avait la gueule d'une taupe, avec de petits yeux brillants, un long nez fin. Un habitant des profondeurs.

— Pour ça, faudra aller aux États-Unis, fit-il, mais crois-moi, ça vaut le coup. Et surtout, ça n'appartiendra qu'à toi. La seule propriétaire.

— En quoi ça consiste ?

— T'aimes déterrer les cadavres ?

Camille ne bougea pas. Quelque chose, au fond d'elle-même, lui donnait l'envie de savoir ce que ce monstre proposait. Elle savait que c'était sa part sombre qui s'exprimait, qu'elle n'était pas obligée, mais elle n'y pouvait rien.

L'homme la transperça du regard.

— Ouais, t'aimes ça, on dirait. Il se passe quelque chose quand on les a en face de soi, je te jure. Quand on imagine ce qu'a été leur vie. Et leur mort. Des mômes en plus. C'est bien, c'est bien.

Camille dut se faire violence pour ne pas lui cracher à la figure.

— Qu'est-ce que tu vends exactement ?

Il sortit une petite boîte de derrière son siège.

— Devine… Corll, tu connais ? Le Candy Man.

— Éclaire-moi.

— La parfaite association d'un tueur sadique avec deux complices pas mal ravagés, eux aussi.

Une association de tarés… Ça pouvait être intéressant. Elle se pencha un peu vers l'avant.

— Je t'écoute.

— La méthode est toujours identique. Les complices, plutôt jeunes, abordent des adolescents lors de soirées. Ils les soûlent, les droguent, puis les amènent chez Corll. Là-bas, la victime, de sexe masculin, est attachée sur une grande planche en bois. Corll reste seul avec le môme, c'est lui le *boss*. Le chef d'orchestre.

Camille pensa au quatuor maudit Loiseau/Charon/CP/Inconnu. La langue du type sifflait et sortait de sa bouche comme celle d'un serpent.

— Il les maintient en vie plusieurs jours, les viole, les torture, sympa comme tout. Puis il les tue et les enterre. Parfois seul, parfois aidé. La police découvrira dix-sept corps sous un hangar à bateaux, six autres du côté de la place de Mile Island et quatre autres proches d'un lac. (Il agita sa petite boîte.) Mais il y en a eu d'autres…

— Comment tu sais ?

— Parce qu'il a tout raconté à un « camarade » de prison. Et moi, j'ai des relations.

Il poussa la boîte vers Camille, mais garda une main dessus.

— Là-dedans, il y a quatre emplacements précis de victimes que Dean Corll n'a jamais révélés à la police. T'en achètes un, et à toi le cadavre… Si t'en achètes deux, je te fais un prix.

Une véritable boîte de Pandore. Camille avait envie de lui serrer la gorge, elle évoluait sur le territoire du macabre et de la perversion par procuration. Un repaire pour les âmes noires, les déviants. Elle observa du coin de l'œil ces gens qui se promenaient comme sur un marché de Provence, négociaient leurs petites marchandises. Elle revoyait aussi ces silhouettes en négatif sur les murs de l'abattoir, ces pourritures qui avaient assisté au meurtre de Jean-Michel Florès. CP avait-il regardé l'exécution, laissant le « maître » officier ou, au contraire, avait-il agi de lui-même devant le ou les « maîtres », pour montrer qu'il en était capable ? S'était-il « payé » un massacre ?

Elle jeta un œil vers la gauche, sur ces monstrueuses photos de scènes de crime qu'elle avait vues tout à l'heure. CP ou Loiseau en avaient peut-être acheté, au départ, ils s'étaient fait remarquer par Charon qui traînait dans le coin. Ils avaient fait leurs premiers pas vers l'enfer, avant d'aller plus loin. Puis encore plus loin…

Elle poursuivit sa marche. Les vendeurs se succédaient, Camille tomba même sur une femme, quadra, qui proposait une tronçonneuse, à la lame couverte de restes séchés. Il était juste écrit, sur un papier : « L'originale ».

Arriva le stand consacré à Schaefer. Outre des dessins et tout un tas d'objets – cheveux, poils, monture de lunettes –, il y avait une vieille cassette vidéo noire, sans étiquette, emballée avec précaution sous du film transparent. Le vendeur était un gothique aux longs cheveux noirs. Une cape lui couvrait les épaules. Camille pensa à Nosferatu.

— C'est la vraie, l'originale. Filmée par Schaefer lui-même. T'auras rien de plus ultime, de plus dégueu. T'auras vraiment l'impression d'y être. Un *snuff*, à côté, c'est du pipi de chat, crois-moi.

Camille pensa à Lesly Beccaro. Comment aurait-elle réagi face à un tel objet ? Aurait-elle tout fait pour se le procurer, et le visionner, installée chez elle avec son

chat sur les genoux ? Pourquoi, pourquoi, pourquoi ?
Camille n'avait même plus envie de parler, de réagir.

— Va te faire foutre, lui envoya le gothique, alors
qu'elle s'éloignait.

Elle atteignait ses limites. Nerveusement, elle n'en
pouvait plus. Et cette chaleur infernale, cette odeur de
sueur, qui s'exhalait des corps qu'elle croisait. Elle
s'imagina au fond d'une mine, prisonnière d'un coup
de grisou. Elle palpa sa carotide et dut s'y prendre
à plusieurs reprises pour capter une pulsation. Elle sentait qu'elle pouvait paniquer à tout moment. Elle allait
devoir remonter à la surface.

La fin du marché approchait. Les vendeurs se faisaient rares, se tenaient désormais très éloignés les
uns des autres. Elle devina une silhouette assise au
fond d'une niche. C'était l'endroit le plus sombre et
isolé de toute la galerie. Un individu sortit soudain
de cet endroit, la tête baissée. Il partit vers la droite
et disparut dans le noir à bon rythme.

Camille prit une grande inspiration et s'orienta dans
cette direction. Une lampe éclaira soudain son visage,
l'aveuglant.

— Tire-toi, gonzesse. Il n'y a rien pour toi.

La voix venait du fond de la niche. Elle était grave,
autoritaire. Camille mit une main devant son visage.
Dans l'autre, elle serrait sa lampe éteinte. Elle fit
encore un pas vers l'avant.

— Qu'est-ce que t'en sais ? répliqua-t-elle. J'ai les
mains vides. Rien de ce que j'ai vu m'intéresse.

Un silence. Le faisceau de la lampe se promenait
sur le corps de la jeune femme. Sur les parties intimes,
carrément. Puis il revint vers le visage.

— Et qu'est-ce qui t'intéresse ?

Camille était au bord de la rupture, mais elle avait l'impression que cette nervosité excessive jouait pour elle. Elle écouta parler le cœur dans sa poitrine, ce cœur qui était déjà venu ici, qui avait sans doute déjà croisé le regard de l'homme au fond de son antre.

— Je cherche des œuvres originales. Tout ça, Schaefer, Bundy, c'est du réchauffé, de la petite monnaie. Je veux… de l'inconnu, de la surprise. Toucher ce que nul autre ne peut imaginer. Ça n'existe sans doute pas, mais je voulais en avoir le cœur net. Maintenant, au moins, je sais.

Elle le salua d'un coup de menton et s'orienta vers le tunnel de sortie. La voix résonna dans son dos.

— Attends. Viens…

Camille s'arrêta net et fit demi-tour. Tous les signaux clignotaient en rouge en elle. Elle s'avança dans l'obscurité. Un drap noir était posé à même le sol. Il était impossible de distinguer le visage de l'homme.

La jeune femme alluma sa lampe et la promena sur le drap.

— Éteins ta lampe ! ordonna la voix.

Elle s'exécuta sur-le-champ.

— Il n'y a rien, fit Camille. À quoi ça rime ?

— À quoi tu t'attendais ? Des têtes coupées ?

Camille marqua sa stupéfaction une fraction de seconde, et la lampe vint lui frapper le visage pour capter sa surprise. Tout son corps bouillait. De peur, d'angoisse.

De certitude.

Il était là, en face d'elle. Le fameux CP. Et il la testait. Camille pria pour qu'il n'ait pas saisi cette infime fraction où elle avait été surprise par cette histoire de tête coupée.

Un rire partit du fond de l'antre.

— Je plaisante, tu te doutes bien.

Camille eut l'impression d'être scrutée, mise à nu. Elle essayait de ne pas trembler.

— Qu'est-ce que tu crois ? fit la voix. Que ce que je propose, ça s'expose ? Que tu peux te pointer et pénétrer dans mon monde comme ça ?

Il claqua des doigts.

— Je ne suis rien ni personne, ajouta-t-il. Juste un touriste égaré…

— Et qu'est-ce qu'il faut faire, pour pénétrer dans ton monde ?

— Tu dois me surprendre. Me raconter tes petites histoires. Des choses intimes, tu vois ? Mais pas maintenant. Faudra que tu reviennes et que tu creuses au fond de toi-même pour tout me délivrer. Encore et encore. Maintenant, tu dégages. Je ne veux plus te voir.

Camille resta là, immobile. Elle ne pouvait pas laisser tomber. Il fallait au moins qu'elle le voie, qu'elle enregistre son visage. Alors, elle alluma sa lampe et l'éclaira brutalement : un chauve, yeux très bleus, crâne légèrement en pointe. Petite cicatrice au menton, et un écarteur sur le lobe de l'oreille droite.

— Éteins ça, salope !

Il se leva en un éclair. Camille eut l'impression de voir l'une des silhouettes en négatif sur le mur de l'abattoir.

Elle éteignit et leva les bras, en signe de capitulation.

— Très bien, très bien.

Elle recula à toute vitesse et se dirigea vers la droite.

Il lui fallait de l'air, tout de suite. Elle accéléra le pas, se retournant régulièrement.

Plus loin, les parois se resserrèrent, comme pour l'étouffer davantage.

Elle avait vu son visage. Elle serait capable de l'identifier. Il suffisait d'attendre qu'il sorte, de le suivre ou de relever son numéro de plaque d'immatriculation, et le tour était joué.

Elle se retourna, la peur au ventre.

Personne…

Ce type avait un visage de cauchemar, il lui avait donné une sacrée chair de poule. Les couloirs se divisèrent encore. À droite, toujours à droite, avait dit Érèbe. C'était interminable, labyrinthique.

Elle se faufila dans un passage très bas, il y avait à peine la hauteur pour circuler debout. Le cœur battait lourdement mais pas très vite. Camille s'essoufflait plus que de raison. Depuis l'aéroport de Madrid, elle avait l'impression de traîner une enclume avec elle.

Pas maintenant, putain.

Elle dut s'arrêter, grimace aux lèvres, pliée en deux. Elle haletait à présent, comme après un cent mètres. La crise arriva. Violente, dévastatrice. Une tornade dans sa poitrine, qui soulevait les côtes, fouettait le sang.

La jeune femme se laissa glisser contre le mur, le visage tordu. Elle ne voulait pas crever comme ça. Pas ici. Elle inspira fort, son front ruisselait, ses sous-vêtements étaient trempés. Il lui sembla tourner de l'œil et elle ne sut estimer la durée de la tempête immunologique avant que le cœur retrouve un rythme normal.

Camille absorba une grande goulée d'air. La pompe repartait enfin.

Mais combien de temps tiendrait-elle, cette fois-ci ?

La jeune femme se redressa, psychologiquement atteinte, physiquement à plat. Ses jambes la soutenaient à peine. Elle s'épongea le front, le visage du mieux qu'elle put et se remit en route. Chacun de ses pas pesait des tonnes.

Elle progressa encore, jusqu'à tomber sur une impasse : un mur de crânes incrustés dans la pierre, qui l'empêchaient de passer. Elle était pourtant certaine de ne pas s'être trompée, jamais elle n'avait quitté le mur de droite.

La panique l'étrangla.

Elle se retourna et crut bien que le cœur allait lâcher.

Elle eut à peine le temps de voir le crâne pointu, face à elle, qu'un poing s'écrasait sur son visage.

Camille tomba.

Noir.

55

Lundi 20 août 2012

Les clients qui sortaient de L'Olympe se faisaient de plus en plus rares.

Il était 2 h 55, et le club fermait ses portes cinq minutes plus tard.

Lucie et Bellanger, enfermés dans leur véhicule, l'un au début de la rue, et l'autre à la fin, communiquaient par portables.

— Elle est forcément passée devant toi, fit Nicolas. Sur la droite peut-être, ou alors…

— Je te garantis que non.

Le capitaine de police ne tenait plus en place. Il avait réduit son paquet de cigarettes en miettes et n'avait plus rien à fumer. La tête lui tournait, une barre douloureuse cognait derrière son front. D'autres silhouettes apparurent à la sortie du club, le flic tendit le cou. Ses espoirs s'envolèrent lorsque le couple passa devant lui et se dissipa dans la nuit.

— On ne peut pas rester comme ça ! beugla-t-il dans le téléphone. On ne peut pas les laisser fermer les portes !

Lucie essayait de jongler entre son chef et les SMS que Sharko lui envoyait pour prendre des nouvelles.

— Ils vont nous attirer des emmerdes si on leur rentre dedans, répliqua Lucie. On ne sait pas où taper ni qui aborder, et on n'est que deux, sans papiers, sans perquise. Ces gars-là connaissent la loi, et le divisionnaire ne veut pas de vagues. Officiellement, on n'est pas là. (Elle poussa un lourd soupir.) Ça fait quatre heures qu'on n'a aucune nouvelle de Camille, je pense qu'elle n'est plus là.

— Plus là ? répliqua Nicolas. Où est-elle, alors ?

— Des centaines de kilomètres de catacombes s'étendent sous Paris. Peut-être qu'il y a une autre sortie que ce club. Peut-être que…

Un silence. Mais il fallait se rendre à l'évidence, alors Lucie termina sa phrase :

— Peut-être qu'elle s'est fait repérer.

Elle plaqua l'arrière de son crâne contre l'appuie-tête et écrasa ses paupières avec ses doigts. Cette interminable attente était un véritable cauchemar, et elle ne tenait presque plus debout.

Quelques minutes plus tard, les lumières du club s'éteignirent. Un groupe d'employés, sans doute, sortit et se dispersa rapidement. Lucie scruta chaque silhouette, chaque visage dans son rétroviseur. Ses ultimes espoirs d'apercevoir Camille s'évanouirent.

Toute vie quitta la rue. Juste le silence. La palpitation de quelques lumières lointaines.

Où était la jeune femme ? Bellanger ne voulait pas quitter son emplacement, il s'accrochait, luttait, persuadé qu'elle finirait par ressortir, mais Lucie réussit à le convaincre de lever le camp.

Les deux policiers se retrouvèrent quelques rues plus

loin. Lorsqu'il se gara, Bellanger manqua de percuter un lampadaire, le pneu de la 206 en prit un coup. Lucie n'avait jamais vu son chef dans un état pareil. Celui-ci tituba en sortant.

— Qu'est-ce qui a merdé ? murmura Nicolas d'une voix tremblotante. Faut qu'on la retrouve. Faut que… (Il secoua la tête.) Elle ne peut pas être entre les mains de ce type, sinon, elle est morte, Lucie.

Il s'appuya sur sa voiture, les deux mains sur le front. Épuisé moralement. Physiquement. Ses nerfs craquaient, d'un coup, comme les vannes d'un barrage qui se rompent.

Lucie le soutint et l'amena jusqu'à son propre véhicule.

— T'es pas en état de conduire. On viendra rechercher ta voiture plus tard.

Elle lui prit les clés des mains, gara correctement le véhicule et verrouilla les portes.

Puis se mit en route, son chef à ses côtés.

— Je te ramène chez toi. Il faut que tu dormes un peu.

Trois minutes plus tard, Nicolas Bellanger sombrait.

Lucie envoya un SMS bien pessimiste à Sharko :

On rentre sans Camille. On ne sait pas où elle est. Ça a foiré, Franck. Je crois que CP l'a eue.

56

Un grand trait de lumière vive scannait toute la ville et s'invitait dans les foyers. Bientôt, les habitants émergeraient de leur sommeil sous une chaleur déjà bien installée.

Il était à peine 7 heures, Lucie n'avait pas fermé l'œil. Elle était rentrée quelques heures pour permettre à sa mère de se reposer et avait pris le relais, s'occupant des tétées nocturnes. Elle enchaînait les cafés pour tenir, pour garder l'esprit clair, hantée par tous les éléments de l'enquête dont elle disposait : les photos, les rapports, les listings du CHR. Les seules bouées auxquelles elle pouvait se raccrocher.

Elle était parfaitement consciente que le temps de Camille était compté, mais se répétait que CP ne la tuerait pas tout de suite. Il chercherait à savoir qui elle était, comment elle était remontée jusqu'à eux. Peut-être qu'il allait la maintenir en vie, comme le faisait Daniel Loiseau avec ses victimes. La filmer, l'exposer.

De fil en aiguille, elle pensait à Nicolas, l'état dans lequel elle l'avait ramené chez lui. Épuisé au point de ne plus tenir debout.

Trente-cinq ans, déjà fichu, songea-t-elle avec

amertume. S'il devait y avoir un drame, jamais la direction ne le soutiendrait, bien au contraire. Claude Lamordier, leur divisionnaire, le plomberait. Officiellement, Camille n'existait pas, elle n'existerait jamais. On ne voulait jamais de vagues là-haut, on étoufferait l'affaire…

Et Bellanger sauterait proprement, foutu au placard.

Il l'appela, la voix fébrile.

— Qu'est-ce qui s'est passé ? demanda-t-il.

— Petit *black out*, répliqua Lucie. Je t'ai ramené chez toi cette nuit. Tu ne tenais plus debout.

— Et ma voiture ?

— Restée sur place.

Il y eut un silence, avant que Nicolas prenne une décision :

— On doit filer au CHR d'Orléans au plus vite. On a la liste. On va sur place, on met les pieds dans le plat, on aura les suspects directement en face de nous, ou leurs collègues. En route, on parcourt de nouveau les listings, on affine le profil. Une fois à l'hôpital, on récupère plus d'infos sur les employés. Des statuts, des photos. On élimine dans un premier temps ceux qui ont une famille, on fonce chez les célibataires, à leur domicile, au besoin. Imagine que notre homme retienne Camille chez lui. Ça se lira sur son visage s'il a quelque chose à se reprocher. Combien d'individus à interroger, déjà ?

— Vingt-neuf mais dix priorités, plus le type fiché.

— OK. On fonce, tu passes me chercher ?

Lucie se tourna vers Marie, qui buvait un café dans la cuisine.

— Très bien.

— On a besoin de mains, je vais mettre Jacques et

Pascal dans le coup et leur demander de nous rejoindre là-bas au plus vite.

— Et le divisionnaire ? S'il est au courant qu'on agit sans CR, il va péter un câble.

— Rien à foutre.

— Tu es bien certain ?

— À cent pour cent. Une vie est en jeu. Et je vous couvre. C'est moi qui trinquerai auprès de la direction s'il y a un souci.

— Bon… à tout à l'heure.

Le jeune capitaine de police raccrocha et disparut dans la salle de bains. Il se regarda dans le miroir, avec l'impression d'avoir un toxico en face de lui. Barbe de trois jours, des yeux injectés. Il plongea son visage sous l'eau glacée, espérant que le cauchemar finirait par s'estomper. Mais le cauchemar était toujours là.

Une heure plus tard, ils roulaient sur l'autoroute A10. Lucie conduisait la voiture familiale, Nicolas Bellanger était installé côté passager, chemise grise un peu chiffonnée, veste de travers.

— Je suis désolé que ta reprise soit aussi violente, fit-il. Franck n'est pas là, il y a tes enfants… Ça va, avec ta mère ?

— Elle s'inquiète un peu, c'est normal.

Nicolas n'écoutait qu'à moitié. Il avait le nez collé au listing. Avec son téléphone connecté à Internet, il pointait les différentes adresses, établissant un ordre de visite possible, priorisant en fonction de la situation géographique et, surtout, des profils. Il fallait qu'ils soient le plus efficaces possible.

— On s'arrange pour obtenir le pedigree précis de chaque employé directement au CHR. Si ça ne fonctionne pas, on tapera en premier chez celui qui a un casier. Puis on passera aux dix individus que tu as isolés, on finira par les dix-huit autres si on n'a rien trouvé. En espérant qu'on visera juste au plus tôt. Au moindre doute, mouvement suspect, on interpelle et on réfléchit après.

Ils parvinrent au CHR une heure plus tard. Il y avait des grues et des travaux partout. Des ossatures métalliques de toutes formes s'arrachaient du sol sur une partie du centre. Jacques Levallois et Pascal Robillard arrivèrent dans la foulée. Nicolas dut les mettre dans la confidence, sans prendre de gants : Lucie, Camille et lui avaient mené une opération nocturne qui avait foiré. Levallois accueillit la nouvelle avec la rage au ventre.

— J'ai toujours cru qu'on formait une vraie équipe, fit-il.

— C'est le cas, répliqua Bellanger. Je... Je suis désolé, je ne pensais pas que ça foirerait.

— Que ça ait foiré ou pas ne change rien.

Levallois l'avait mauvaise. Robillard, avec son flegme habituel, calma le jeu et tendit la main.

— Allez, file-nous les noms de ceux qu'on doit interroger. C'est pas le moment de se désunir.

Jacques Levallois finit par s'apaiser. Les quatre flics se répartirent les tâches, environ sept employés par personne à rencontrer et sur lesquels se renseigner, en se disant que le responsable de la disparition de Camille serait probablement absent.

C'était jouable, ça pouvait fonctionner, vite et bien. Nicolas voulait y croire.

— Au moindre souci ou doute, on s'appelle immédiatement. On vérifie les alibis sur place autant que possible, et on ne contacte pas les suspects potentiels s'ils ne sont pas là, histoire de ne pas alerter notre CP. Tout le monde est prêt ? Bonne chance.

Ils se séparèrent dans la minute.

Nicolas s'était gardé Christophe Poirier, celui qui avait un casier judiciaire pour violences. Aussi, il se rendit prioritairement en rééducation et se renseigna à l'accueil. Montrer la carte de police et expliquer de quel service on venait – la Criminelle du 36, quai des Orfèvres – ouvrait immédiatement les portes. On l'orienta donc dans les cinq minutes vers le chef de service. Manque de bol, Poirier était en congé depuis quinze jours et reprenait la semaine suivante.

— Je sais qu'il a réservé une location une dizaine de jours dans le Sud, fit le responsable, mais impossible de vous dire si c'est au début ou à la fin de ses congés. Vous voulez que j'essaie de le joindre ?

— Non, surtout pas.

Le médecin expliqua que Poirier habitait à quelques kilomètres d'Orléans et que, à sa connaissance, il ne portait pas d'alliance. Un bon employé, sérieux, sans problèmes particuliers.

Oui, il avait accès aux ordinateurs du service, comme beaucoup de monde. Oui, il travaillait également la nuit, avec des horaires variables. Nicolas sortit la photo de la tête coupée (Lucie, Jacques et Pascal en avaient une copie également) et la montra au médecin.

— Serait-il, à votre avis, capable de faire une chose pareille ?

L'homme déglutit et secoua vivement la tête.

— Jamais de la vie. Enfin, je ne vois pas comment il pourrait...

Et bla, et bla, et bla. Nicolas posa encore quelques

questions et finit par laisser tomber. Il n'y avait plus rien à tirer de cette entrevue.

Ça commençait mal.

Le capitaine de police eut davantage de chance pour la suite. Sur les sept employés restants – lui s'en était octroyé huit au départ –, quatre étaient arrivés à l'heure à leur poste, avaient un alibi pour la veille, que Bellanger avait pu vérifier assez rapidement, et ne trahissaient aucune nervosité particulière. Deux autres étaient partis en famille à l'étranger sur la totalité de leurs congés, et le dernier était aussi en vacances, mais c'était un handicapé qui avait perdu l'usage d'une jambe et qui ne pouvait se déplacer sans une béquille.

Décidément, sur les huit, seul ce Christophe Poirier posait encore problème.

Il était presque midi lorsque les quatre flics se regroupèrent auprès de leurs voitures. Bilan des courses : aucun employé qui devait se présenter en ce lundi matin n'avait manqué à l'appel. Il demeurait, après ce premier tour, une incertitude sur quatre employés en congé, dont on ignorait les activités durant leur période de repos. Les policiers disposaient de leurs adresses personnelles.

— Très bien, dit Nicolas en déployant une carte sur le capot de la voiture de Lucie. Les quatre habitent tous dans le coin. Notre homme est forcément parmi eux et doit être à cran. Je propose qu'on reste en groupe pour éviter toute prise de risques. On commence par Poirier.

— Et toujours pas de commission rogatoire, je suppose ? demanda Levallois.

— Toujours rien. Mais je dois vous dire que Lamordier m'a appelé il y a peu, quand il a vu que l'*open*

468

space était vide. Il est chaud bouillant, prêt à me péter à la figure. Vous êtes avec moi ou pas ?

— On te suit, répliqua Robillard.

Lucie acquiesça dans la foulée, ce fut plus difficile pour Jacques Levallois qui finit par se ranger du côté du groupe. Ils se mirent en route et se rendirent à Fleury-les-Aubrais. Christophe Poirier habitait une petite maison du centre-ville. Façade rectangulaire bloquée entre un coiffeur et une autre mitoyenneté, vieilles fenêtres, briques poreuses. Nicolas Bellanger frappa à la porte, la gorge serrée. Il était accompagné de Jacques Levallois, tandis que Robillard et Henebelle étaient restés un peu en retrait, à quelques mètres seulement, sur le qui-vive.

Ce fut une jeune femme qui ouvrit. Parfaitement bronzée, elle devait avoir vingt-cinq ans. Nicolas montra sa carte, gardant l'autre main pas très loin de son arme.

— Police nationale…

Derrière elle, un homme avec un bras dans le plâtre et en pyjama se présenta.

— La police ? Qu'est-ce qu'il y a ?

Nicolas fixa le bras figé dans son moule blanchâtre et griffonné de petits dessins. Ses certitudes s'évaporèrent instantanément. Il sut immédiatement qu'il faisait fausse route.

— On a quelques questions à vous poser, dit-il néanmoins.

Christophe Poirier remarqua Levallois et les deux autres flics, en arrière-plan. Son visage se crispa.

— Et c'est grave ?

— On mène une enquête en rapport avec le CHR d'Orléans, on recherche un suspect. Dites, votre plâtre, de quand date-t-il ?

La femme prit les devants :

— On a fait du VTT en montagne lundi dernier, expliqua-t-elle. Une descente du côté de Serre-Ponçon. Christophe est tombé et s'est fait une fracture du poignet, ça aurait pu être bien plus grave. On est rentrés hier mais, le plâtre, il le porte depuis mardi.

— On peut voir les papiers médicaux qui attestent de cette blessure ? Ensuite, on ne vous ennuie pas plus longtemps.

Elle leur apporta ce qu'ils réclamaient. Nicolas sentit la déception au fond de ses tripes. Lucie, quant à elle, soupira lorsqu'ils regagnèrent leurs véhicules.

— Je commence à douter, fit-elle. Peut-être qu'on se plante depuis le début.

— Restons confiants, répliqua Bellanger en lorgnant encore sa montre, bien conscient que chaque seconde comptait. C'est juste qu'on est en plein dans la loi de l'emmerdement maximum. On va finir par l'avoir.

Seul un des trois interrogatoires qui suivirent demanda un peu plus de temps, car l'homme, infirmier et célibataire, n'avait pas d'alibi pour dimanche soir : il avait affirmé s'être endormi sur son canapé aux alentours de 23 heures. Mais il avait été capable de raconter le contenu de l'émission de variété en détail, programme préféré de la femme de Robillard, qui avait pu confirmer. De plus, une rapide visite de l'habitation (sans le moindre papier officiel) ainsi que le comportement plutôt coopératif de l'individu n'avaient rien indiqué de suspect.

Harassés, les policiers reprirent la route de Paris vers 14 heures. L'ambiance était morose, limite électrique. Bellanger ne tenait plus en place.

— Ce n'est pas possible, fit-il d'un ton exaspéré à

Lucie. Six heures d'interrogatoires, et on n'a que dalle. Tu es bien certaine de n'avoir rien loupé au CHR ?

— Absolument. Les alibis étaient fiables. On est tous arrivés par surprise, le kidnappeur aurait forcément été nerveux, ça se serait vu dans son comportement. Or là, rien. Celui qui a envoyé le mail ne fait peut-être pas partie du personnel, finalement. Un patient, un proche d'un membre qui bosse au CHR...

Bellanger n'y croyait pas, il avait besoin de se répéter qu'ils n'avaient pas fait fausse route. Lucie repéra une aire d'autoroute et s'y engagea. Son indicateur de réservoir clignotait depuis un bout de temps. Levallois et Robillard poursuivirent leur route sur l'A10.

La lieutenant sortit faire le plein puis se gara devant la boutique.

— Petite pause syndicale. Tu veux manger ou boire quelque chose ?

— Juste un peu d'eau. Je n'ai pas faim.

Lucie récupéra son portefeuille et disparut dans le magasin. Bellanger ausculta le listing en long, en large et en travers pour une énième fois. Ses doigts tremblaient, son corps était tendu au maximum et finirait par péter comme une corde, il le savait.

Mais celui qui détenait Camille se trouvait forcément parmi ces noms. Il devait se raccrocher à cette certitude pour ne pas craquer.

En manque d'air, il ouvrit grande la fenêtre mais une bouffée brûlante à l'odeur de goudron s'engouffra dans l'habitacle. Il referma aussitôt. Il avait envie de tout claquer, incapable de s'ôter de la tête l'idée que quelqu'un avait forcément merdé. Que Robillard, Levallois, Henebelle ou même lui avait eu le tueur en face de lui et ne l'avait pas remarqué.

Ce type n'est quand même pas un fantôme, bon sang !
À moins que…

Une soudaine idée venait de lui traverser l'esprit. Il attendit que Lucie revienne avec un sac à la main pour lui demander :

— Tu as le listing des CP qui sont des femmes ?

Celle-ci lui tendit une petite bouteille d'eau. Puis elle sortit son sandwich jambon-beurre et croqua dedans.

— Dans mon sac. Mais ce n'est pas femme. Dans le mail, « *Je suis doué* » était au masculin.

— Ça pourrait être une faute d'accord.

— J'y ai pensé. Mais il n'y a pas d'autres fautes dans le mail. Et aussi, de mémoire, il y a une phrase qui dit un truc dans le genre : « *Si tu m'avais filé l'endroit où tu retiens ces putes, je pourrais faire quelque chose.* » Il traite les victimes de « putes », une femme ne dirait pas ça.

— Je veux quand même y jeter un œil.

Lucie soupira et prit le listing, qu'elle lui tendit.

— Si ça peut te donner bonne conscience.

Nicolas jeta un œil à cette série d'identités féminines, scruta les âges et les métiers avec attention. Il relut plusieurs fois, et bloqua soudain sur l'une des lignes.

— Il y a un métier qui est « préparateur », tu sais à quoi ça correspond ?

Dents sur son sandwich, Lucie secoua la tête.

— Jette un œil sur Internet, fit Bellanger d'un ton plutôt directif.

Lucie soupira imperceptiblement. Elle prit son téléphone et lança une recherche sur Google.

— J'ai un truc qui pourrait correspondre avec le domaine médical, c'est « préparateur en anatomie ».

Elle lut le résultat de sa recherche :

— « Le préparateur en anatomie met en place des travaux pratiques d'anatomie humaine dans un service d'enseignement médical. Il gère le stockage et la conservation des sujets décédés, met à disposition le matériel expérimental et traite les déchets en respectant les règles d'hygiène et de sécurité. »

Elle se tourna vers Bellanger.

— Si j'ai bien compris, le préparateur découpe les cadavres en morceaux pour les donner à des étudiants.

— Ça pourrait coller, répliqua Nicolas. La tête coupée, la table en métal sur laquelle elle était posée. Puis ces histoires d'anatomie dont semblent friands ceux qu'on recherche…

Lucie se sentit soudain mal. Elle posa son sandwich sur ses genoux.

— Ce n'est pas possible, fit-elle en se rapprochant de lui. Je persiste et signe, ça ne peut pas être une femme.

— Ce n'est pas une femme.

Lucie ne comprenait pas.

— Qu'est-ce que c'est, alors ?

— Il s'appelle Camille Pradier.

Lucie le fixa dans les yeux, interloquée. Puis elle lui arracha le listing des mains.

— Me dis pas ça, Nicolas.

Elle constata par elle-même.

— Quel horrible hasard. Merde !

— Oui, merde. Tu n'as rien vu parce qu'il y avait notre « Camille » à nous, et que tu as fait une association automatique : Camille égale femme. Mais c'est aussi un prénom masculin. N'importe qui sait ça, bordel !

Elle porta une main à sa bouche, consciente de la gravité de son erreur. Bellanger avait les yeux rivés sur la feuille.

— Camille Pradier, trente-huit ans. Préparateur au laboratoire d'anatomie. Habite Chécy. Dire qu'on est passé par là tout à l'heure en allant chez l'un des suspects ! Allez, démarre ! Qu'est-ce que t'attends ?

Lucie s'exécuta, en colère contre elle-même.

— C'est quoi, la probabilité pour qu'un individu qui s'appelle Camille s'en prenne à une femme qui, elle aussi, s'appelle Camille ? se défendit-elle.

— Camille disait que les faibles pourcentages la poursuivaient depuis sa naissance, répliqua Nicolas d'une voix grave. On nage en plein dedans.

— Je suis vraiment désolée.

Nicolas resta muet quelques secondes, le visage fermé.

— On va la retrouver.

— Si tu crois que je…

— Ferme-la, Lucie, s'il te plaît. Et contente-toi de conduire, d'accord ? Je n'ai plus la tête à discuter, maintenant.

Il appuya sa tempe droite contre la vitre passager et s'abîma dans le silence.

Lucie capta son regard.

Un regard qui disait que, si Camille mourait, ce serait intégralement sa faute à elle.

57

La Fiat Siena rouge de Sharko roulait en direction de Torres del Sol depuis plus de sept heures.

Le flic avait la rage au ventre. Dès qu'il avait appris la disparition de Camille de la bouche de Lucie, il ne s'était pas posé de questions et s'était mis en route. Il fallait foncer. Selon les statistiques, ils avaient soixante-douze heures pour la retrouver et passé ce délai, les chances de la voir vivante fondraient comme neige au soleil. Mais Sharko avait la conviction que, si la jeune femme restait ne serait-ce que plus de vingt-quatre heures entre les mains d'un type comme CP, elle était fichue.

Le lieutenant imaginait aisément l'état dans lequel devaient se trouver ses collègues et l'insupportable tension au sein de l'équipe. Aux dernières nouvelles, ils se rendaient tous au CHR, Lucie y compris. C'était le scénario qu'il craignait le plus. Celle qu'il aimait s'approchait irrémédiablement du danger, prise dans le tourbillon de l'enquête, et il n'était pas là pour la protéger.

Tout partait en vrille.

Le côté sauvage de l'Argentine s'était dévoilé kilomètre après kilomètre, dès que le lieutenant avait quitté le *Gran Buenos Aires*. Partout, la pampa se déroulait comme un gros tapis aux nuances de feu, de rubis, de chlorophylle. Prairies d'un bleu lumineux, d'un vert froid, qui s'étendaient jusqu'aux Andes, parcourues de troupeaux blancs et noirs démesurés. Sharko croisa de vieilles pompes à essence couleur rouille, des camions géants, des snacks le long des routes qui semblaient jaillis d'un *road movie*. Parfois un *latifundium* – ces gigantesques exploitations agricoles – paraissait posé là comme un morceau de passé, avant que le paysage retrouve sa minéralité, sa force, son charisme, sous ce vent rasant et glacé qui balayait les grands espaces.

Puis la végétation changea. Plus brute, touffue, chaotique. D'un vert d'émeraude. Sharko sentit l'humidité, la force du fleuve, les effluves des marécages, alors que la température montait de quelques degrés – mais ça restait froid, il faisait à peine 13 °C.

Lorsque le flic entra dans Torres del Sol, aux alentours de 10 heures du matin, heure locale, il eut l'impression de se trouver au cœur d'un studio de cinéma américain abandonné qui aurait servi à tourner un film d'horreur, genre *2 000 Maniaques*. En guise de bienvenue, des lanières grises et blanches, trouées, laminées, claquant dans le vide. Sharko ralentit et roula à peine à vingt à l'heure, avec l'impression de rêver.

La ville était fantomatique.

Une ombre du passé, poussiéreuse, crasseuse.

Les enseignes en bois des petits commerces battaient au vent. Elles avaient dû être colorées, jadis – bleu, vert, rouge –, mais elles avaient désormais toutes cette même teinte fade des objets bouffés par la pluie, le vent, le sable. Comme les façades des maisons, dont la peinture blanche peluchait. Les vitres, les portes étaient noires, opaques, cassées ou rafistolées avec du fil de fer, de l'adhésif, des cartons. Des câbles de téléphone et d'électricité pendaient. Un vieux chien errait, maigre, les côtes saillantes, puis il disparut dans les fourrés le long d'une voie de chemin de fer envahie d'herbes et traversée d'un camion-citerne couché sur le flanc, délabré.

Sharko crut bien que plus personne n'habitait cette ville démente lorsqu'il aperçut furtivement deux hommes dans son rétroviseur. Puis une femme qui longeait un mur. Elle accéléra le pas avant de disparaître. Par petites touches, une vie timide se montrait dans ces rues mortes à angles droits. Des rideaux qui bougeaient, une lumière qui palpitait, un grésillement de radio lointain…

Le policier sillonna les bandes de bitume craquelé, inquiet de cette ambiance digne d'un film de zombies. Rien n'indiquait la présence d'un hôpital psychiatrique, aucun panneau. Il se demanda s'il ne s'était pas trompé de destination.

Il s'arrêta devant un vieillard qui mâchouillait quelque chose, assis sur des marches. L'homme était coulé dans le décor, fripé, poussiéreux. Le flic ouvrit sa fenêtre.

— *¿ Colonia Montes de Oca, por favor ?* Hôpital ?

L'habitant fixa Sharko avec des yeux qui auraient pu le foudroyer sur place et cracha au sol, insistant bien sur le mouvement du cou au moment de l'expulsion du projectile, comme pour dire : « Va te faire foutre. »

Le lieutenant n'insista pas, il remonta la vitre et poursuivit. Buenos Aires la lumineuse avait laissé place aux ténèbres, à la misère. Sharko pensa à une faille

477

temporelle qui l'aurait ramené dans le passé, juste après un tremblement de terre. Même l'église tombait en ruine. Il sillonna chaque route du quadrillage, s'attirant des regards haineux à son passage.

Que s'était-il passé, ici ?

Il se retrouva de l'autre côté de la minuscule ville. Une route partait droit devant, à l'assaut de l'horizon. S'il y avait un hôpital, c'était forcément par là. Il prit cette direction. Après trois kilomètres depuis Torres, Sharko aperçut une bifurcation, qui partait en direction d'un petit bois presque intégralement cerné d'eau, et d'où l'on pouvait apercevoir la pointe d'un bâtiment.

Il sut immédiatement qu'il s'agissait de l'hôpital psychiatrique.

Coup d'accélérateur. Il s'engagea sur la route perpendiculaire, disparut dans le trou de verdure. Une végétation anarchique avait poussé en bordure, rétrécissant la voie. Face à lui, une cahute de sécurité à l'abandon, avec une barrière blanche et rouge levée. Un panneau indiquait : « *Ministerio de Salud. Acción Social. Colonia nacional DMA Montes de Oca.* »

Sharko eut une terrible intuition, qui se confirma quand il aperçut, juste après un virage, l'immense bâtiment grisâtre, posé au sol comme un sabot géant tombé du ciel.

Délabré, envahi par la végétation.

Déserté.

Des pavillons l'entouraient, dans le même état. Stupéfait, Sharko coupa le moteur et posa pied à terre. Il ne voulait pas croire que son chemin puisse s'arrêter ici, devant ce gigantesque terrain entouré de marécages. Il s'approcha, franchit une grande grille ouverte. L'imposante structure cachait le soleil, dégageait une froideur de cadavre. Autour, l'herbe était jaunie, comme brûlée par le froid. Plus loin, les arbres disparaissaient, laissant place aux étendues planes et infinies d'eaux saumâtres. Des plaques d'eau luisaient comme des lames de couteau posées les unes derrière les autres. Tout avait été construit sur une presqu'île cernée par les marais, accessible uniquement par la route que le flic venait d'emprunter. Sharko songea au rocher d'Alcatraz. Aussi dément et sinistre que la célèbre prison.

Il se retourna. Une voiture venait de se garer, laissant tourner le moteur au bout du chemin, à trois ou quatre cents mètres. À l'évidence, on l'avait suivi depuis Torres. Ces étranges habitants l'observaient. Sans doute des curieux. Les touristes ne devaient pas courir les rues, ici.

Avec méfiance, il se glissa dans le bâtiment par la porte défoncée et atterrit dans une pièce gigantesque, aux murs très hauts, qui devait être l'accueil. Un endroit vide, menaçant, aux murs décrépis, aux ampoules brisées. Le flic se rendit devant une fenêtre : le véhicule n'avait pas bougé. Sur ses gardes, il fit un tour dans les couloirs, parcourut le rez-de-chaussée en long et en large, jusqu'à trouver une porte sur laquelle était inscrit « *Salón de los registros* ».

Salle des registres. Ou, plutôt, Salle des archives.

Elle n'était pas fermée à clé. Il l'ouvrit, s'aventura dans l'escalier, s'éclairant avec son téléphone portable. Les murs étaient noirs, comme carbonisés.

Un courant d'air, derrière lui. Un claquement de porte lointain. Sharko se retourna et fixa le carré de lumière qui donnait sur le couloir. Son rythme cardiaque venait de doubler de fréquence. Celui ou ceux qui l'avaient suivi en voiture étaient-ils rentrés dans l'hôpital ? Que lui voulaient-ils ?

Il s'efforça de descendre les dernières marches. Ses pieds tombèrent sur quelque chose de tendre.

Des cendres. Sur au moins dix centimètres d'épaisseur.

Tout avait brûlé. Ne restaient plus que quatre murs. Dans le faisceau de sa lampe, une poussière fine, grise, se levait et dansait. Elle lui agrippa les muqueuses, se plaqua sur ses rétines.

Sharko fit demi-tour, la gorge râpeuse. Il n'y avait plus rien à découvrir dans ce trou.

En remontant, il s'immobilisa net.

Une silhouette se tenait dans l'embrasure, coupant la lumière en deux faisceaux distincts.

Grande, puissante. Avec une hache.

Puis une autre apparut, derrière, armée elle aussi, mais avec une carabine.

Et encore une autre…

58

Camille Pradier vivait à la campagne, dans une petite maison individuelle en brique. L'arrière du jardin donnait sur des champs et l'avant sur une route communale perdue au milieu de nulle part. L'habitation était encadrée de cyprès parfaitement entretenus, comme le jardin, d'ailleurs. À l'évidence, Pradier savait manier tout ce qui était tranchant.

Lucie et Nicolas s'engagèrent à pied dans le jardin, sur leurs gardes. Tous les volets étaient fermés, et aucune voiture, dans l'allée ou l'abri, ne signalait une présence quelconque. Le capitaine de police plaqua son oreille sur la porte d'entrée. Pas un bruit. Il sonna et cogna du poing à plusieurs reprises. Sans succès.

Lucie venait de faire le tour de la maison.

— Rien à l'arrière.

— Il y aurait forcément un véhicule, répliqua Bellanger. Il n'y a personne. Merde !

Il réfléchit, faisant de petits pas rapides dans un sens, puis dans l'autre.

— Il pourrait revenir n'importe quand, dit-il finalement. Alors je vais rester et, toi, tu files au CHR. S'il est là-bas, ne le confronte pas, appelle-moi immédiatement. S'il n'y est pas, essaie de t'assurer que c'est vraiment lui notre homme. Il était au Styx, c'est un collectionneur. Il y a peut-être des photos sur son ordinateur du laboratoire. Peut-être que… qu'il a gardé des traces de ses victimes quelque part dans le labo. Trouve-moi quelque chose.

Il jeta à œil à l'écran de son téléphone portable.

— Le réseau est pourri, mais ça passe. On reste en contact par téléphone.

— Et s'il se pointe ?

Bellanger fixa Lucie dans les yeux.

— J'aviserai.

Son regard, son ton montraient qu'il n'abandonnerait pas. Avant que Lucie remonte en voiture, il lança :

— J'ai merdé en t'intégrant tout de suite dans l'enquête. Tu n'étais pas prête.

Lucie était au bord des larmes. Il venait de lui planter un couteau dans le cœur. Elle ne répliqua pas et détourna le regard.

Elle reprit la route en silence. Ses mains tremblaient sur le volant.

Elle parvint au CHR d'Orléans un quart d'heure plus tard. Elle contourna les travaux pour se retrouver à l'arrière. Rien n'indiquait l'emplacement du laboratoire d'anatomie mais, après s'être renseignée auprès d'un médecin, elle finit par dénicher le bâtiment, un peu à l'écart. Un vieux parallélépipède sans fenêtres, à la façade grisâtre. Sur la droite, une voie bitumée s'enfonçait jusqu'à une porte de garage, sur laquelle était inscrit, entre deux croix rouges : « Personnel autorisé uniquement. »

Lucie vérifia que son arme était bien en place, se présenta devant une porte vitrée, appuya sur l'interphone. Au bout d'une minute, un homme en tenue civile et décontractée lui ouvrit. Bronzé jusqu'à la racine des cheveux. Il devait avoir une quarantaine d'années.

— Oui ?

Méfiante, Lucie montra sa carte tricolore.

— J'aimerais avoir quelques renseignements. Vous êtes ?

— Alban Couture, le directeur du laboratoire et anatomo-pathologiste. Vous avez de la chance que je rattrape toute la paperasse depuis cette nuit, je rentre de vacances. Le laboratoire est fermé le lundi, d'ordinaire. Entrez.

Lucie hésita une fraction de seconde, mais le suivit. Il faisait bien cinq ou six degrés de moins qu'à l'extérieur. La porte se referma derrière elle. Sur le côté, un comptoir d'accueil sommaire et, en face, un couloir avec une porte battante, comme dans les hôpitaux.

— En quoi puis-je vous aider ? demanda l'homme.

— Excusez-moi mais je peux voir votre carte d'identité, auparavant ? J'aimerais m'assurer que vous êtes bien qui vous prétendez être.

Il la regarda curieusement.

— Deux secondes.

Il disparut derrière une porte. Lucie glissa une main à l'arrière de son pantalon, proche de la crosse de son arme. L'homme réapparut avec sa carte, qu'il tendit devant lui.

— Voici.

Lucie vérifia.

— Merci… J'aurais aimé parler à l'un de vos employés, Camille Pradier. Je suis passée chez lui, il n'était pas là. Peut-être est-il en congé ?

— Non, non…

— Vous avez un moyen de le joindre ?

— Pas vraiment, non. À ma connaissance, Camille n'a pas de téléphone portable, il n'aime pas ça. Que se passe-t-il ? Il a des problèmes ?

Pas de portable… Premier point commun avec Loiseau.

— On se renseigne sur toutes les personnes dont les initiales sont CP. Quelqu'un qui s'est connecté depuis un serveur du CHR est impliqué dans une affaire criminelle…

Il y eut un blanc. Couture fronça les sourcils.

— C'est curieux ce que vous me dites. Quand je suis arrivé à 5 heures du matin, il y avait de la lumière en bas. Alors je suis descendu. Camille était là, à ma grande surprise.

— Que faisait-il ?

— Il avait remonté la grille d'une des cuves de formol, ce qui signifie qu'il s'apprêtait à toucher aux corps. Je l'ai surpris autant qu'il m'a surpris. Il a dit qu'il n'arrivait pas à dormir, qu'il en profitait pour mettre ses données à jour – son ordinateur était allumé –, faire un inventaire, parce qu'il avait décidé de prendre des vacances. Il n'en prend jamais. Bref, tout cela était très confus, il a remis la grille en place et est vite parti. Il avait l'air… nerveux, mais je ne me suis pas inquiété. Ça arrive souvent à Camille de bosser tôt, ou tard.

— Où se trouve cet ordinateur ?

— Au sous-sol.

— Je peux y jeter un œil ? Voir son environnement de travail ? Éventuellement voir ces… corps ?

— Voir les corps ? Pourquoi ?

Lucie lui montra la photo avec la tête tranchée.

— Voilà pourquoi. Un mail avec cette photo a peut-être été envoyé depuis son ordinateur. La présence de Pradier, cette nuit, et le fait qu'il touchait aux cadavres à 5 heures du matin me laisse penser qu'il voulait peut-être se débarrasser de… quelque chose. Des corps qu'on recherche sont peut-être encore entre ces murs, votre arrivée impromptue l'aurait empêché d'agir. On peut les identifier avec un tatouage à l'arrière de leur crâne. Des lettres, des chiffres… ça ne vous dit rien ?

Le directeur secoua la tête.

— Absolument pas. Très peu de personnes descendent là-dessous, vous savez ? C'est son territoire privé. Même moi, j'évite.

— Justement.

Alban Couture soupira.

— Très bien. Mais je préfère vous prévenir, il faut avoir le cœur bien accroché.

Lucie acquiesça.

— J'ai l'habitude. Il est comment, Camille Pradier ?

— Calme, discret. Un excellent employé qui n'a jamais posé le moindre problème, un peu obsessionnel de la propreté et du rangement sur les bords, mais, ici, c'est plutôt une qualité.

— Jamais de vagues ? De réactions étranges ?

Le médecin secoua la tête.

— Hormis ce matin, pas à ma connaissance. Camille n'est pas un exubérant, c'est peu de le dire. Il fait son job, vite et bien. Ne parle pas beaucoup. Pour le reste, je ne le connais pas.

Il l'invita à le suivre. Une porte entrouverte montrait un petit amphithéâtre, sur la gauche. Couture récupéra des clés dans son bureau, poussa la porte à battants et appuya sur un interrupteur. Des néons crépitèrent et illuminèrent une pièce aseptisée, où des dizaines de tables de dissection étaient disposées les unes à côté des autres. Les angles saillaient, le métal des plans de travail et du matériel chirurgical placés sur des présentoirs renvoyait des éclats crus. Il régnait une odeur rance.

— C'est ici que les étudiants pratiquent leurs dissections, expliqua Couture. Médecins, urgentistes, futurs dentistes venus de la fac. Parfois, des laboratoires des grandes firmes nous achètent des corps ou du temps de labo. Ça leur arrive de venir faire leurs travaux de recherche directement en ces lieux.

— Par grandes firmes, vous entendez...

— Les constructeurs automobiles, par exemple. Il n'y a encore pas si longtemps que cela, ils embarquaient les cadavres pour leurs crash-tests. L'armée aussi se servait pour tester les armes. Mais aujourd'hui, disons que c'est plus rare que des corps sortent d'ici.

— C'est plus rare mais ça arrive.

Le directeur ne répondit pas. Il se dirigea vers un escalier. Lucie passa devant d'étranges bocaux remplis de fluides, où étaient entreposés des mains, des pieds et d'autres parties du corps humain. Un vrai musée des horreurs.

— D'où proviennent les cadavres ? demanda Lucie.

— De gens qui donnent leur corps à la science. Il s'agit, pour la plupart, d'anciens toxicomanes qui veulent remercier l'hôpital, des personnes qui souhaitent éviter des frais d'enterrement à leurs proches ou qui veulent juste se rendre utiles. Ils sont amenés par l'ambulance, le SAMU, c'est Camille qui gère ensuite leur circuit au sein du laboratoire. Il est entièrement autonome là-dessus.

— Que voulez-vous dire par « circuit » ?

— Réception, enregistrement, préparation, puis envoi à la crémation après utilisation. On bosse avec un crématorium situé à quelques kilomètres d'ici.

Il parlait des corps comme s'il s'agissait d'objets. Tous deux descendirent les marches et arrivèrent au premier sous-sol. Le directeur alluma. Nouveaux crépitements électriques. La pièce était relativement petite, équipée d'une table en acier impeccablement propre. Un brancard traînait dans un coin. Au fond, une porte et, derrière, un ascenseur.

Il y avait des machines perfectionnées, comme des pompes, des mélangeurs magnétiques de produits chimiques, mais aussi des outils : haches, marteaux, scies manuelles et à ruban. Lucie repéra immédiatement le dermatome, cet instrument destiné à peler la peau. C'était avec ce genre d'engin que Jean-Michel Florès avait été écorché dans le dos et à l'arrière des membres inférieurs.

— C'est ici que Camille passe une bonne partie de son temps, fit le directeur. Il faut savoir qu'il n'existe pas de diplôme pour devenir préparateur en anatomie, c'est un métier hybride où l'on se forme sur le tas, si vous me passez l'expression. Un préparateur acquiert d'excellentes compétences médicales au fil du temps, à force il connaît le corps humain sur le bout des ongles, mais, à la base, il est thanatopracteur, garçon de morgue, tout ce que vous voulez.

— Et lui, Camille, quel était son métier d'avant ?

— Boucher. De père en fils. Un bon boucher, d'ailleurs, sa boutique tournait bien, il paraît. Mais il a tout lâché pour venir ici. Ça fait dix ans qu'il travaille chez nous. Comme préparateur, il est encore meilleur.

L'anatomie le passionne. Je crois que, s'il avait eu la bonne orientation dès le départ, il serait devenu médecin ou chirurgien.

Un boucher. Lucie imaginait difficilement quel genre d'individu pouvait passer ses journées dans un endroit aussi sinistre. Mais elle avait désormais la quasi-certitude d'avoir trouvé celui qu'elle cherchait.

— Vous pensez que la photo de la tête coupée a pu être prise sur cette table ?

— Difficile à dire. Mais, en tout cas, c'est dans ce lieu que Camille réalise ce genre de manipulation. On désolidarise souvent les têtes des corps. Les têtes coupées sont utilisées principalement par les futurs dentistes, parfois par les étudiants qui veulent se spécialiser en neurologie, aussi. Rien n'est perdu, tout est exploité.

— Si j'ai bien compris, Camille peut entrer ici la nuit ?

Le directeur désigna la porte.

— Le labo ferme à 20 heures, mais derrière cette porte, se trouve l'aire de réception des corps. Camille possède la clé donc il peut entrer quand il veut, oui.

Il fit quelques pas et ouvrit, dévoilant un garage.

— C'est là que les cadavres sont déposés. Camille les reçoit, puis les descend par l'ascenseur avec le brancard, derrière vous, pour les enregistrer, leur attribuer un numéro et les stocker. Il les remonte dans cette pièce à la demande. Des professeurs peuvent exiger, pour un cours, dix mains, six jambes, deux têtes… Alors c'est là, sur cette table, qu'il travaille et répond aux demandes.

Lucie imaginait bien ce que ce « travail » signifiait, lorsqu'elle voyait les différents outils. Elle pensait aussi à cette histoire de numéros, d'anonymisation.

— Descendons au dernier niveau, fit le directeur. C'est le plus… difficile.

Il glissa une clé dans l'ascenseur, les portes s'ouvrirent. Un seul bouton, le niveau – 2. Ils atterrirent dans un premier sas où étaient stockés des caisses en bois de différentes tailles, des clous, des scies, comme dans un petit atelier de menuiserie.

— C'est cet ordinateur-là, fit Couture.

Il l'alluma, mais le système demanda un login et un mot de passe.

— Il fallait s'en douter. Malheureusement, je ne connais pas ses données d'utilisateur pour pouvoir entrer dans le système.

Lucie ne put cacher sa déception, elle soupira. En attendant qu'ils puissent le faire analyser par leurs experts, ne restait plus que l'autre option : observer les cadavres, chercher des traces.

Couture poursuivit ses explications :

— C'est dans ces caisses que sont rassemblées les pièces anatomiques d'un sujet après utilisation. La caisse part ensuite au crématorium avant de revenir dans une petite urne, et le numéro est alors remplacé par le vrai nom du défunt. Cela paraît peut-être illusoire lorsque vous voyez l'envers du décor, mais on veille à être en mesure de restituer les cendres si la famille nous les demande.

La flic avait l'impression de fouler un territoire interdit, profond, dont personne ne soupçonnait ou n'avait envie de connaître l'existence. Et qui, pourtant, existait bel et bien. Lucie fixait son téléphone portable, qui avait perdu le réseau, puis marqua un arrêt, réfléchissant, pensant au message. *Nous prenons sans rendre. La vie, la Mort.* N'était-ce pas ce que

Pradier faisait ici ? Prendre la mort des gens sans la rendre à personne ? L'explorer jusque dans ses plus sombres retranchements ?

— Une question ? fit Couture, remarquant son trouble.

— Oui... Supposez que je sois à la place de Camille Pradier et que je veuille me débarrasser de cadavres. Les rayer définitivement de la surface de la Terre sans laisser la moindre trace. Existe-t-il meilleur endroit au monde pour le faire ?

Le regard d'Alban Couture s'assombrit.

— Camille a de gros problèmes, c'est ça ?

— Si nos soupçons se confirment, « gros problèmes » est un euphémisme.

Le directeur du laboratoire hésita quelques secondes, puis répondit avec franchise :

— Aussi effroyable que cela puisse paraître, il n'y a aucun système centralisé qui gère les corps donnés à la science. Tout ce dont nous disposons, ce sont des fichiers Excel locaux. Chaque laboratoire fonctionne selon des règles d'éthique différentes. Certains se fichent royalement de rassembler les cendres dans des petites boîtes... D'autres récupèrent des corps non réclamés, qui normalement doivent partir à la fosse commune, en donnant un billet aux pompes funèbres, comme il y a cinq cents ans. Les vieilles traditions ne se perdent pas... Légalement, il y a encore de gros vides juridiques en ce qui concerne le don du corps à la science. Disons que ce n'est pas une priorité du gouvernement de réglementer tout cela.

Il prit une profonde inspiration.

— Vous avez raison, rien n'empêche... Vous entrez ici la nuit avec un corps dont vous voulez vous débarrasser, vous l'enregistrez sous une identité bidon et vous l'envoyez à la dissection, se faire découper en morceaux. Les étudiants se chargent du reste. Ou vous le coupez vous-même en morceaux et le mettez dans l'une de ces caisses avec un autre corps lui-même en pièces, sans l'enregistrer dans le fichier Excel. Les gars de la crémation terminent le boulot, ils brûlent deux corps au lieu d'un sans s'en apercevoir. Oui, c'est faisable, comme le médecin généraliste peut lui-même tuer une patiente en fin de vie, comme un médecin légiste pourrait autopsier un cadavre qu'il a lui-même assassiné et mentir sur la cause de la mort. Tout est toujours faisable, si vous avez l'esprit tordu.

— Notre homme a l'esprit tordu, croyez-moi.

Couture désigna la porte fermée.

— Vous voulez toujours fouiller là-dedans ?

Lucie serra discrètement les poings.

— Plus que jamais. Et le temps presse.

Alban Couture semblait abattu. Il posa une main sur la poignée et ouvrit.

— Allons-y. Mais j'espère que vous n'avez rien à vomir.

59

Sharko resta immobile face aux silhouettes qui obstruaient la clarté de la cage d'escalier.

Elles ne bougeaient pas. Malgré le contre-jour, le flic put voir des visages couverts de foulards, de torchons, ne laissant visible que le regard. Il discernait aussi les contours des armes qu'ils tenaient. Des outils, des barres, des fusils.

Une phrase fusa.

— ¡ *Te voy a matar, hijo de puta !*

Une barre percuta le mur, faisant un vacarme assourdissant. Celui qui avait frappé s'écarta pour laisser place à une ombre plus petite qui balança une phrase que le lieutenant ne comprit pas.

— Je suis français, dit Franck. Je…

— On ne veut pas de journalistes ou qui que ce soit ici, s'écria la voix dans un anglais exécrable. T'as dix secondes pour dégager.

— Je ne suis pas journaliste. Je suis un policier français.

Un silence. Celui qui avait parlé traduisit en espagnol. Les ombres se figèrent.

— Tu mens. T'es seul. Où sont tes collègues ?

— C'est compliqué.

Une silhouette descendit et frappa un coup de bâton qui explosa à dix centimètres de son oreille. Le flic leva les mains en signe de paix. La peur paralysait ses muscles.

Ces types étaient sur le point de lui faire la peau.

— Remonte, fit celui qui parlait anglais.

Sharko franchit doucement les dernières marches. Les ombres s'écartèrent et l'encerclèrent lorsqu'il fut dans le couloir. Il ne vit que des yeux fous derrière le tissu. L'anglophone avait le visage masqué d'un foulard à damier blanc et noir. Il portait une vieille casquette crasseuse des Yankees sur la tête. Il fouilla Sharko, tira son téléphone portable, son portefeuille.

— Où est ta carte de flic ? Ton flingue ?

— Écoutez, je…

Il balança le portefeuille dans l'escalier, garda le téléphone et poursuivit sa fouille. Il trouva dans la poche droite de la veste la photo de Mickaël Florès, ainsi que celle d'*El Bendito*.

Il se figea face à cette dernière. Ses yeux revinrent vers Sharko. Noirs, haineux.

On lui arracha la photo des mains. Elle circula d'un individu à l'autre. Sharko discerna, parmi le groupe, la physionomie d'une femme. Les yeux d'un bleu extraordinaire, juste visibles derrière un ruban de tissu rouge. Elle examina la photo, puis le fixa lui, interloquée.

Le flic lut de la frayeur dans son regard.

Un gus petit et hargneux comme un pitbull, derrière elle, grogna quelque chose. Il avait les os courts et de gros poignets. Ses paroles déclenchèrent une discussion houleuse qui frôla la bagarre. Un grand surgit du fond et menaça Sharko avec l'extrémité de sa batte, qu'il appliqua sous sa gorge. Il braillait en même temps.

Le flic sentait que l'orage allait éclater. Il s'adressa à celui qui parlait anglais.

— J'ai retrouvé cet homme avec de la chair desséchée à la place des yeux. Mickaël Florès, un journaliste qui est probablement venu ici en 2010, est mort. Douze filles, en France, ont subi des atrocités. Tout est lié à cet hôpital. J'ai besoin de savoir. S'il vous plaît.

L'homme traduisit de nouveau en espagnol et, de toute évidence, cela ne fit qu'amplifier leur colère. Sharko sentait l'étau se resserrer plus encore. D'un moment à l'autre, cette horde allait exploser de violence. Qui étaient ces gens ? Des villageois ?

Soudain, le petit râblé déchira les deux photos et jeta les morceaux au sol. Il hurlait des mots incompréhensibles à celui qui traduisait. L'homme au foulard à damier se tourna vers Sharko.

— Où est l'homme de la photo ?

— Pourquoi vous voulez savoir ? Qu'est-ce qui se passe ici, bon sang ?

Il répéta sa question, plus fermement.

— Où il est ?

— Il est quelque part, en sécurité, répliqua Sharko.

Le hargneux tenta de pousser le lieutenant dans l'escalier d'un mouvement sec. Le flic résista et ne recula qu'un peu.

Il ne voyait pas comment désamorcer la situation. Il ne comprenait pas.

— Ne faites pas ça, riposta-t-il aussi calmement qu'il le put.

Sans prévenir, le râblé lui colla un coup de batte dans l'épaule. Sharko se plia en deux, le visage tordu de douleur.

Il sut que, s'il ne bougeait pas, il était mort.

Ils allaient le tuer.

L'adrénaline le poussa à foncer dans le tas, il frappa un type au visage en criant, essaya de percer la mêlée. Un deuxième homme vola vers l'arrière, touché au menton. Sharko faisait le ménage, mais un coup de batte dans le mollet arrêta sa course. Des mains lui enserrèrent les membres.

On le balança sans ménagement vers les marches.

Sharko se protégea le crâne avec les bras. Ses coudes, ses genoux cognèrent contre le béton. La chute lui parut interminable.

Un matelas doux l'accueillit en bas. Les cendres s'élevèrent et pénétrèrent par son nez. Il cracha et se releva difficilement.

Brisé, démoli.

Il était en un seul morceau, bien que son corps ne fût que douleur. Son genou droit avait heurté plusieurs fois les marches et lui faisait atrocement mal.

En haut, la porte claqua dans un bruit effroyable. Le noir fut complet.

Franck entendit le crissement de meubles qu'on déplace.

Boitillant, toussant, il remonta les marches à l'aveugle et abattit ses deux poings sur la porte, qui ne bougea pas d'un centimètre.

— Ouvrez !

Sharko plaqua son oreille contre le bois.

Après quelques secondes, il ne perçut plus que le silence.

Il tenta par tous les moyens d'ouvrir, sans succès.

Il s'assit et se massa le genou droit avec l'impression de nager en plein cauchemar.

Un cauchemar incompréhensible.

60

Nicolas Bellanger s'était réfugié dans l'ombre d'un mur latéral, à l'extérieur de la maison de Camille Pradier. Il était aux alentours de 15 heures, chaque rayon de soleil était encore un supplice. Cet étrange été, traversé d'orages aussi brefs que violents, n'en finissait pas et usait les organismes. Surtout le sien.

Le jeune capitaine de police attendait là, assis, que Lucie lui donne des nouvelles. Même dans un tel état de tension, ses yeux se fermaient parfois, tant il était éprouvé, exténué. Il allait falloir qu'il passe une vraie bonne nuit de sommeil, question de survie. Mais certainement pas avant d'avoir retrouvé « sa » Camille.

Le visage de la jeune femme, son sourire, sa voix ne le quittaient plus. Quelque chose, quelqu'un, une force l'avait projetée sur son chemin. Il n'avait pas fallu beaucoup de mots, de questions, de regards pour que Nicolas comprenne que Camille était sans doute celle qu'il avait toujours attendue.

L'histoire ne pouvait pas se terminer de cette façon.

Nicolas avait envie de tout démolir, tant il se sentait impuissant.

Un bruit de moteur se fit soudain entendre le long

de la route communale. Bellanger tendit l'oreille mais sans plus, s'attendant que le véhicule poursuive sa route. Sauf que, cette fois, le régime changea. Le capitaine se redressa et, caché, put voir une voiture passer lentement, continuer et faire demi-tour plus loin, avant de se diriger de nouveau vers la propriété.

Tout le corps de Nicolas se mit en alerte. Camille Pradier voulait s'assurer qu'il n'y avait aucun autre véhicule dans le coin. Il était méfiant.

Le capitaine de police se rua vers l'arrière de la maison.

La voiture s'engagea dans l'allée, et son moteur se coupa.

Un bruit de portière. Un seul. Mauvais signe.

Le flic retenait son souffle, Sig Sauer en main. Dès qu'il entendit la porte d'entrée s'ouvrir, il se faufila le long du mur et revint vers l'avant de la maison. Le véhicule était un grand Break gris, vieillot, le genre de voiture avec un coffre énorme. Bellanger envoya en catastrophe un message sur le téléphone de Lucie : *Il est là, reviens au plus vite. Confirme réception.*

Il lorgna le coffre du véhicule en attendant une réponse. C'était possible d'aller jusque là-bas, il y avait une zone à couvert, et Pradier, qui venait d'ouvrir le volet de devant, ne pourrait pas le voir facilement.

Bellanger attendit encore quelques secondes que sa subordonnée lui donne un signe de vie.

Mais Lucie restait muette.

Qu'est-ce qu'elle fout encore ?

Il envoya un autre message, plus court, plus rageur. Il remarqua à quel point ses doigts tremblaient sur le clavier tactile. Il n'y avait rien d'officiel dans sa démarche, rien de carré. D'un point de vue purement légal, il n'avait même pas le droit d'être là. Quoi qu'il arrive, en bien, en mal, le divisionnaire n'allait pas le rater.

L'attente était insupportable. Peut-être Camille était-elle blessée, enfermée dans le coffre ou dans la maison. Peut-être ce salopard, après s'être assuré que personne ne l'avait tracé, était-il revenu pour la torturer ou la tuer.

Et sa fichue collègue qui ne répondait toujours pas !

Il essuya une goutte de sueur qui s'était glissée dans son œil. Il se liquéfiait sur place et n'en pouvait plus d'attendre. Il mit son téléphone en mode silencieux. Il prit une grande inspiration et se rua jusqu'à l'arrière du break aussi vite qu'il le put. Il se baissa et fixa la fenêtre de la maison.

Rien, pas de mouvement suspect.

Coup d'œil par la vitre de la voiture. Il y avait une plage arrière, mais elle était mal remise en place. Pas de corps dans le coffre. Cependant, Nicolas aperçut des cordes et un chiffon noué.

Des liens et un bâillon, aucun doute là-dessus.

Elle est dans la maison, enfermée quelque part. Ou alors, il vient de la déposer ailleurs... Une saloperie d'endroit secret, comme Loiseau faisait pour ses victimes.

Il restait aussi une dernière option : il s'était débarrassé du corps après s'être amusé un peu, ce qui pouvait expliquer son arrivée tardive chez lui et la présence des liens. Le capitaine de police préféra ne pas suivre cette pensée. Il avala une grosse goulée d'air et courut dans l'autre sens. Il passa sous la fenêtre et s'approcha de l'entrée.

Il entendit des bruits de marches qui craquent : Pradier montait à l'étage.

Nicolas en profita pour baisser la poignée de porte. Trois secondes plus tard, il était à l'intérieur, dans le hall, le flingue braqué devant lui. Son dos était trempé, il respirait par à-coups. L'adrénaline avait chassé toute fatigue. Le capitaine de police sentit une grande vague intérieure le fouetter, aiguiser chacun de ses sens.

Au-dessus de sa tête, le plancher grinçait. Pradier se déplaçait lourdement.

Un bruit de literie. Puis plus rien.

Cet enfoiré n'allait quand même pas se pieuter ?

Où était Camille, bon sang ?

Le flic consulta son portable. Toujours rien. Il hésita, puis, en silence, passa en revue les pièces du rez-de-chaussée. Il s'approcha de l'escalier, doigt sur la détente. S'il montait, Pradier entendrait les marches craquer. C'était trop risqué, il fallait peut-être attendre un peu qu'il s'endorme.

Nicolas poursuivit sa marche silencieuse dans le hall, posant délicatement un pied devant l'autre. Tout était propre, rangé au carré. Pas un papier ne traînait, pas une tache sur les carrelages, pas un grain de poussière. Un maniaque, comme Loiseau.

Une porte était fermée à l'aide d'un verrou, au fond. Tous les signaux de Bellanger clignotèrent.

Il déverrouilla puis tourna la poignée le plus lentement possible.

Un escalier en béton disparaissait dans l'obscurité. Une cave…

Le flic appuya sur l'interrupteur en serrant les dents. Il y eut un petit déclic qu'il essaya d'étouffer au maximum avec sa main. Il retint son souffle, ne capta aucune réaction à l'étage. Les battements de son cœur montaient jusque dans ses tempes.

Les marches l'invitaient à descendre, il s'y engagea, bifurqua et se retrouva dans une grande pièce en béton, au plafond très bas. Du matériel de jardin, de vieux objets inutiles ou cassés étaient entreposés pêle-mêle. Il y avait aussi des bûches, des cageots, du petit bois pour la cheminée. Rien d'anormal. Bellanger jeta un œil à son téléphone. Il avait perdu le réseau.

Merde.

Il s'avança vers un passage sans porte qui ouvrait sur une seconde pièce.

Il resta figé.

Face à lui, l'innommable.

Au fond, des pans complets de peau humaine pendaient comme des draps sur du fil à linge, écartelés avec des fils et des crochets. Prélevés sur des bras, des dos, des cuisses. Ça sentait le cuir, les produits d'hôpitaux, les chairs tannées. Nicolas enfouit son nez dans sa veste. Il remarqua des bidons de formol, des pinces, des scalpels, même une machine à coudre. Au milieu trônait une table en métal, fabrication maison, semblait-il, vu les soudures grossières, les vis. Dessus, des fragments de peau, des fils, du matériel pour couper, des aiguilles. Pradier était en train de fabriquer ce qui ressemblait à une gourde en peau. Dans des bocaux, autour, des cheveux, des dents, des ongles.

Bellanger s'avança au milieu de ces restes humains. Pradier recyclait les corps ici, dans sa propre cave. Il tannait, déshydratait, cousait, utilisait les morceaux de cadavres de son laboratoire pour fabriquer des objets qu'il refourguait ensuite, peut-être, au Marché Interdit. Pour un pervers, ça doit être jouissif de payer ses courses avec un portefeuille en peau humaine, ou de faire boire quelqu'un dans ce genre de gourde ignoble, en se disant : « Tu n'imagines même pas ce que tu es en train de porter à la bouche. »

Un pur produit du Mal.

Nicolas s'assura qu'il n'y avait aucune trace de « sa » Camille. Il circula dans cette forêt de peaux, à la limite de la nausée. Certains crochets ou fils tendus s'agitèrent à son passage, des voiles rosés le frôlèrent comme autant de mains d'enfants douces et fragiles. Nicolas dut se retenir pour ne pas hurler.

Persuadé que personne n'était séquestré là, il s'empressa de faire demi-tour.

Lorsqu'il se présenta au bas des marches, il remarqua instantanément le liquide translucide qui coulait à ses pieds.

L'odeur monta jusqu'à ses narines.

Essence.

À ce moment précis, une flamme bleue jaillit et l'assaillit.

Le bois de la porte qu'on claquait violemment résonna dans l'obscurité.

61

L'odeur de formol était abominable au fin fond du laboratoire d'anatomie.

Elle chatouillait les narines, pénétrait chaque alvéole de poumon pour se glisser dans le sang et fouetter le cerveau.

Des lumières bleutées éclairaient la pièce, donnant l'impression d'évoluer sous l'eau. Aucune fenêtre. De petits carreaux de faïence bleus et blancs, du sol au plafond. À gauche, une porte entrouverte sur laquelle était écrit « Salle d'injection ». Une paire de jambes de couleur jaunâtre, sans corps, reposait sur une table en acier. À côté, une autre salle, la « Chambre froide ». Et, occupant tout l'espace, quatre cuves avec un rebord d'un mètre de haut, chacune couvertes d'une bâche. Il était écrit : « Profondeur totale : 2 mètres ». Au-dessus, de grosses chaînes étaient reliées à un treuil d'un côté et s'enfonçaient dans les cuves de l'autre.

Lucie essayait de rester droite sur ses jambes, mais l'odeur lui donnait la nausée. Couture remarqua son trouble.

— Vous voulez remonter ?

— Non, on y va.

Alban Couture désigna les cuves.

— Les cuves 1 et 2 contiennent des corps complets, les autres des pièces détachées. Je vais ôter la bâche de la cuve 1, celle qui semblait intéresser Camille ce matin. Ne restez pas trop longtemps au-dessus, parce que les vapeurs de formaldéhyde vous shooteraient rapidement. Les rebords sont transparents. On peut voir les corps, mais pas les plus profonds.

Le directeur du laboratoire retira la bâche de la première cuve.

Un cauchemar.

Les cadavres semblaient flotter avec grâce les uns au-dessus des autres. Ils étaient blancs comme la cire d'une bougie, les visages étaient boursouflés, les paupières se décollaient des yeux, les bouches étaient grossies par le liquide et les épaisses vitres en Plexiglas. Avec les éclairages, ils ressemblaient à des marionnettes de l'horreur.

Les cadavres du dessous disparaissaient dans l'ombre.

Lucie resta d'abord immobile et dut surmonter son appréhension pour se pencher par-dessus la cuve. Même en retenant sa respiration, elle sentait les vapeurs dans sa trachée, ses poumons. Puis elle fit le tour, observant désormais à travers les vitres.

Elle se redressa.

— On ne voit pas tous les crânes, certains sont mal… positionnés. Il y a moyen de faire une vérification ? De sortir les corps de là ?

Couture soupira. Il désigna les chaînes reliées à la grosse machine.

— Il faut actionner le moteur. Le système va lever une grosse grille qui repose au fond de la cuve, et ainsi sortir tous les cadavres de la piscine. Ils sont une

503

trentaine par cuve. Il faudra les regarder… un par un. Vous êtes bien certaine de…

— Faites-le, dit Lucie.

Couture actionna le moteur. Les chaînes se raidirent, s'enroulèrent autour d'une grosse bobine. Doucement, la grille se décolla du fond et fit remonter les masses inertes. Du formol glissait le long de leurs corps caoutchouteux et gouttait par les trous de la grille, avant de former des flaques translucides sur le carrelage.

— Reculez, fit Couture.

Les chaînes coulissèrent le long de rails, et Couture posa la grille au sol. Un bruit métallique résonna dans l'ensemble de la pièce. Les cadavres tremblèrent comme des couches de gélatine mais restèrent empilés, quatre rangs de presque un mètre de haut. Le directeur revint avec des gants en latex et des masques.

— Tenez… Enfilez-en deux paires. Manipulez-les rapidement.

Lucie n'en pouvait plus, la tête lui tournait, mais elle s'efforçait de tenir. Ces corps étaient tellement déshumanisés qu'il était difficile de définir leur âge. La flic s'approcha et entama sa sinistre tâche, aidée de Couture. Déplacer les corps si nécessaire, observer les crânes à la recherche de tatouages, rempiler à côté, sur la grille. Des gestes difficiles, horribles. Lucie s'en voulait d'agir ainsi, un cadavre restait un être humain, mais elle n'avait pas le choix.

— C'est curieux, nota Couture en manipulant les cadavres. Certains sont pelés. L'arrière d'une cuisse, d'un bras…

Ils en étaient au tout dernier cadavre de la deuxième pile, celui situé le plus profondément dans la piscine. Le corps de femme était déjà positionné de dos.

Les tatouages étaient là, à l'arrière de son crâne.

AB, et, dessous, 07.10-02.04-05.09-10.15

Lucie leva des yeux pleins d'effroi vers le directeur.

— Cette fois, plus aucun doute. Votre employé est l'homme qu'on recherche. Vous pouvez vérifier si… si elle a encore ses yeux ?

Couture laissa le corps sur le dos et tourna seulement la tête. Puis il se pencha.

— Non. Les globes oculaires sont vides.

La flic sortit son téléphone.

— Je vais passer un coup de fil.

Couture la vit revenir deux minutes plus tard, paniquée.

— Vous remettez ce corps d'où il vient et ne touchez plus à rien en attendant que je revienne. Je dois y aller.

Très vite, la pièce replongea dans les ténèbres.

Quelques bulles éclatèrent à la surface, puis plus rien.

Les cadavres retrouvèrent leur tranquillité aquatique.

Lucie roulait pied au plancher.

Elle doublait dangereusement, klaxonnait, grillait les priorités. Les vitres étaient baissées au maximum pour dissiper l'odeur de formol qui imprégnait encore ses vêtements. Elle tenta de joindre son chef au téléphone, raccrocha, réessaya, s'acharna. Elle était au bord des larmes.

Tout était sa faute.

D'abord Camille, et maintenant Nicolas.

Elle bifurqua vers la route communale. Ses signaux se mirent en alerte lorsqu'elle aperçut, au loin, un panache de fumée noire qui s'élevait dans le ciel.

Le moteur hurlait, elle poussait les rapports à fond. En moins de deux minutes, la voiture s'engageait dans l'allée de la propriété. La fumée sortait par la cheminée et la fenêtre avant, grande ouverte. Lucie vit des flammes se déployer, mais la maison n'était pas encore complètement embrasée. Elle donna un grand coup de frein et sortit en catastrophe, le flingue dans la main.

Il n'y avait aucun autre véhicule.

Elle eut quelques secondes d'hésitation, puis se dirigea vers le coffre. Elle prit une des couvertures des bébés, qu'elle roula en boule, et appela les pompiers. On la mit en attente, elle raccrocha et se rua vers la porte d'entrée. Fermée à clé. Sans hésiter, elle tira deux balles dans le verrou et donna un coup d'épaule.

Un flux de chaleur lui frappa le visage.

Elle s'enroula dans la couverture, en plaqua une partie devant son nez et entra.

— Nicolas !

Elle prit sur la gauche, regarda rapidement vers le salon. Des fresques grises commençaient à glisser sur le plafond, s'accumulant tels de gros nuages orageux. Lucie savait que ce qui tuait en premier, ce n'était pas les flammes mais l'intoxication provoquée par les fumées d'incendie.

Tout en appelant, elle courait dans chaque pièce. Des foyers partaient de tous les côtés. D'ici quelques minutes, cette maison se transformerait en un gigantesque brasier.

Elle tomba sur la porte de la cave percée d'impacts de balle. Les projectiles avaient fini leur trajectoire dans le mur du couloir. Une partie du bois avait cédé, mais la porte n'avait jamais pu être ouverte. Nicolas Bellanger se trouvait à coup sûr à l'intérieur, il avait dû essayer de sortir, en vain.

— Nicolas !

Pas de réponse. Elle tourna le verrou et ouvrit. Les marches, devant elle, avaient noirci, comme brûlées. Au fond de l'obscurité, de la lumière mouvante, rougeâtre. Lucie descendit aussi vite que possible. Son pied tapa dans une bûche embrasée. Les cendres brûlantes grignotèrent les dalles en bois qui ne tarderaient pas à prendre feu.

Le corps de Bellanger gisait au sol tandis que, en face, un pan en polystyrène flambait.

La planche d'une étagère céda.

Lucie souleva avec difficulté le corps inerte de son chef et le traîna. Elle souffrait, s'essoufflait, la fumée la prenait à la gorge, attaquait ses muqueuses. Le feu avait forci, des bandes de flammes se déployaient, les rideaux se transformaient en confettis noirâtres. Elle crut bien ne jamais réussir à tirer le corps dans l'escalier, mais l'urgence de la situation l'y aida. Elle regagna enfin l'extérieur et hissa Nicolas jusqu'à l'arrière de sa voiture.

Elle précipita son oreille contre la poitrine du capitaine de police.

Dieu merci, son cœur battait.

Lucie démarra et fonça pour la troisième fois vers ce maudit CHR.

Dix minutes plus tard, Nicolas Bellanger était admis aux urgences.

État stable.

Il allait vivre.

Seulement alors, Lucie se laissa choir sur une chaise et frôla l'évanouissement.

Nicolas Bellanger était passé tout près.

D'après les retours d'examens, il ne souffrait d'aucune intoxication profonde ni d'aucun traumatisme, mais il avait eu un petit début d'asphyxie qui justifiait la perfusion dans son avant-bras et l'arrivée d'oxygène dans ses narines par un tube en silicone.

Il était plus de 19 heures. Quatre heures s'étaient écoulées depuis que Lucie l'avait emmené aux urgences. Elle avait essayé de joindre Sharko, sans succès, alors elle lui avait laissé un message très bref : « Rappelle-moi dès que tu peux. » Dans la foulée, elle appela sa mère pour signaler qu'elle allait rentrer tard. Que cette affaire lui demandait beaucoup de travail au bureau, que ses chefs exigeaient des dossiers carrés. Que ce n'était pas toujours comme ça mais que le manque d'effectifs dû aux vacances la poussait à faire des heures sup. Et bla, et bla, et bla… En raccrochant, Lucie se demanda combien de temps elle pourrait encore mentir.

Elle mit Nicolas au courant de la situation lorsqu'elle put enfin entrer dans sa chambre : la maison avait presque intégralement flambé, la police d'Orléans était sur le coup, et un avis de recherche sur Camille Pradier avait été lancé. Évidemment, elle n'avait pu faire autrement que d'avertir leur commissaire divisionnaire du fiasco. Il voulait tous les voir « immédiatement ! », alors que Nicolas était couché dans un lit d'hôpital.

Connard...

Robillard et Levallois étaient déjà en train d'être passés à la moulinette dans le bureau du chef. Il allait falloir rendre quelques comptes.

— Et Camille ? demanda Bellanger. Notre Camille ?

— Aucune trace, malheureusement.

Le capitaine de police parut accablé. Il se redressa, ôta les tuyaux d'oxygène et se passa les mains sur le visage dans un long soupir.

— Elle n'était pas dans la maison non plus. Enfin, je ne crois pas. J'ai déconné. J'avais Pradier à portée de main. Je me suis laissé avoir comme un bleu.

— Ça s'est passé comme ça s'est passé, Nicolas. On commet tous des erreurs, c'est humain.

Il ne répondit pas et fixa le mur, pensif, les yeux légèrement humides. Lucie se sentait gênée d'être là, mais Nicolas n'avait personne, et elle ne voulait pas le laisser seul. Elle s'approcha de la fenêtre, les mains sur le radiateur froid. Pradier allait être recherché par toutes les polices de France, mais on pouvait mettre des semaines, voire des mois à le retrouver. Où comptait-il se réfugier ? Qu'allait-il faire de Camille ?

Plus le temps passait, plus les chances de la retrouver vivante s'amenuisaient.

— Sa cave… fit Nicolas. Elle était pleine de *matériel* humain. Pradier fabriquait des objets, des colliers, j'ai même aperçu une veste en cuir. Ça dépasse l'imagination.

— On a vu, avec le directeur du laboratoire, que Pradier se servait sur les cadavres. Et les yeux avaient été prélevés.

— Qu'est-ce que tout ça veut dire, Lucie ?

Elle secoua doucement la tête. Elle ne savait pas, ne comprenait pas.

— Entre deux hurlements, j'ai demandé au divisionnaire de contacter le juge, annonça-t-elle. Demain matin, on va récupérer l'ordinateur de Pradier pour le passer au crible et explorer plus en détail les cuves. Voir s'il y a plus qu'un corps tatoué. Ça ne va pas être une partie de plaisir, mais on doit s'y coller.

Bellanger arracha sa perfusion.

— Tu ne devrais pas, fit Lucie.

Il fixa longuement l'aiguille.

— Ça a bien failli, cette fois…

Il y avait de la résignation dans sa voix, et Lucie ne réussissait pas à savoir à quel point il lui en voulait. Ce qui était arrivé à Camille et ce qui avait failli se passer avec son chef la ramenaient cruellement dans la réalité : elle exerçait un métier dangereux où la mort pouvait surgir n'importe où, n'importe quand. Elle ou Franck auraient pu être à la place de Bellanger. Ils auraient pu y rester.

Comment en étaient-ils arrivés, du jour au lendemain, à oublier toutes leurs promesses ? À reproduire les erreurs passées ? Que seraient devenus Jules et Adrien sans leur père ou sans leur mère ?

Elle soupira longuement, amère, consciente de son impuissance, de sa bêtise.

De *leur* bêtise.

Nicolas se leva et récupéra sa chemise sur un dossier de chaise.

— Attends-moi dans le couloir.

— Merde, Nicolas, j'ai vu ça que dans les films. Tu ne vas quand même pas…

— S'il te plaît.

Lucie se résigna, et Nicolas la rejoignit cinq minutes plus tard.

— On dégage d'ici.

— Sans signer de papiers, je suppose ?

— Ils savent où me joindre.

Une fois dehors, il se dirigea vers l'institut d'anatomie, à la grande surprise de son accompagnatrice. Il lui demanda d'attendre dehors et, lorsqu'il revint, il tenait l'unité centrale de l'ordinateur de Pradier dans les mains.

— Tu crois franchement qu'on peut se permettre d'attendre ce connard de juge ? fit-il sèchement.

Lucie ne répondit pas. Ils reprirent la route, direction Paris. La tension était palpable. Ils n'échangèrent quasiment pas un mot. Bellanger restait muet, renfrogné, l'œil vide, regardant à travers la vitre.

Son téléphone sonna. Le divisionnaire qui aboyait encore. Il s'impatientait, il les attendait dans son bureau.

Un fou…

Lucie le déposa devant sa voiture qui était restée du côté du jardin du Luxembourg depuis la veille. Elle répondit elle aussi à un appel alors qu'il sortait. Son visage se crispa, elle soupira un grand coup en raccrochant.

Elle sortit et se précipita vers la voiture de Bellanger. Il s'arrêta et baissa sa vitre.

— J'ai… des nouvelles de Camille Pradier, lâcha Lucie.

Bellanger la fixa dans les yeux. Son rythme cardiaque s'emballait.

— Ils l'ont eu ?

— Il roulait sur des petites routes, il a essayé de forcer un contrôle de police il y a une heure et s'est fait prendre en chasse sur une départementale. Ça a mal tourné. Pradier a voulu couper un virage et a percuté une voiture en sens inverse. D'après les infos que j'ai, ceux qui arrivaient en face sont morts. Lui, ils l'ont emmené d'urgence à l'hôpital, toujours ce fichu CHR. Il est en vie mais inconscient. Pour l'instant, ils ne savent pas.

Le visage de Bellanger se plissa de rage.

— Ce fils de pute a intérêt à survivre.

64

Nicolas Bellanger venait de déposer l'ordinateur aux laboratoires de police scientifique. Il connaissait bien l'expert – un type qui, comme lui, passait ses nuits au bureau – et lui avait demandé de fouiller en urgence le disque dur. Les papiers officiels viendraient ensuite.

Après Lucie, c'était à lui de se retrouver face à son commissaire divisionnaire, un homme au costume sombre, au collier de barbe grisonnant qui lui donnait des airs de Broussard, figure légendaire du 36. Claude Lamordier était un gaillard à la réputation solide, qui avait remis pas mal d'ordre dans le fonctionnement de la PJ de Marseille et de Lyon, avant d'atterrir sous les combles de ce bâtiment centenaire.

Il plaqua violemment une feuille sur son bureau, que Nicolas reconnut aussitôt : la fameuse commission rogatoire qui permettait l'intervention chez les différents suspects.

— Vous m'avez installé un beau merdier, capitaine. Vous pouvez m'expliquer à quoi servent les procédures ?

— Nous avons été pris par le temps, monsieur. Nous...

— Votre métier consiste justement dans la gestion de ce temps. Regardez le boxon que vous me laissez avec Camille Pradier ! Sa maison est partie en fumée, je viens d'apprendre qu'il est en train de passer sur le billard, entre la vie et la mort, impliqué dans un accident de la route qui a fait deux victimes. Un homme et une femme qui n'avaient pas cinquante ans à eux deux. Et nous, qu'est-ce qu'on a ? Aucun papier, aucune commission du juge, aucun respect des procédures pour nous couvrir... Il va falloir jongler avec cette CR pour passer à travers les mailles du filet.

Il poussa le papier officiel un peu plus en direction de Nicolas.

— Vous l'aviez sur vous, cette CR, lorsque vous êtes entré chez Pradier, n'est-ce pas, capitaine ?

— Je l'avais, oui...

— Très bien.

Le divisionnaire regroupa calmement ses mains devant lui.

— Et je ne vous parle même pas de la disparition de votre Camille Thibault. Dites-moi, capitaine, ce que je fais avec ce seau de merde, moi, maintenant ?

Votre Camille Thibault. Nicolas Bellanger se sentait mal, il n'y avait aucune réponse qui satisferait Lamordier. Ce type était taillé dans la glace.

— On peut toujours espérer que Pradier s'en tire, se justifia-t-il. S'il se réveille, on a des chances de remonter jusqu'à Charon et de boucler l'enquête rapidement. Et même si ça ne fonctionnait pas, Sharko est sur une bonne piste. On va vite les coincer.

Le divisionnaire poussa un profond soupir.

— Encore une fois, ce n'est pas une question de temps, c'est...

515

— C'est une question de temps ! trancha Bellanger. Camille Thibault est peut-être en train de mourir à l'heure qu'il est. Elle suit un traitement antirejets qui lui est vital. Chaque heure, chaque minute compte.

Nicolas avait haussé le ton et coupé la parole à son responsable sans s'en rendre compte. Il n'en pouvait plus et n'arrivait pas à admettre que Camille puisse être morte.

— Camille Thibault n'existe pas, répliqua sèchement Lamordier. Vous n'avez jamais entendu parler d'elle, son nom n'apparaîtra nulle part dans nos rapports tant qu'on ne retrouvera pas son corps. À ce moment, on verra comment gérer le truc sans faire trop de dégâts.

Bellanger voulut réagir, mais le divisionnaire le précéda :

— Croyez-vous que j'aie envie de me mettre tout le corps de la gendarmerie du Nord à dos ? De donner une image de « bricoleurs » à notre service ? Vous connaissiez les risques, non ? Je ne veux plus entendre son nom entre nos murs.

— Je devais prévenir ses proches si ça tournait mal. Elle a pris des risques pour nous, elle…

— Faites ça, et vous êtes viré.

Il fixa son subordonné bien au fond des yeux comme s'il voulait l'engloutir. Nicolas ne cilla pas, mais il n'eut pas la force de répliquer, de se défendre.

— Vous êtes sur des charbons ardents, capitaine, et je n'ai malheureusement personne dans l'immédiat pour vous remplacer. On peut dire que vous avez de la chance, mais ne vous étonnez pas si très prochainement vous vous retrouvez à récurer les chiottes. À la moindre emmerde supplémentaire, je ne ferai pas dans le détail. Vous sauterez, et votre équipe en subira les conséquences.

— Laissez-les en dehors de ça. Ils n'ont fait qu'obéir à mes ordres.

— Je n'en doute pas. Rentrez chez vous maintenant. Vous ne ressemblez plus à rien.

Nicolas ne le salua pas. Il le maudit en sortant.

Ce fut une fois seul dans sa voiture qu'il craqua. Ses nerfs lâchèrent, il pleura à chaudes larmes, les poings écrasés sur le volant. Des années qu'il ne s'était pas senti faible à ce point. À quand remontaient ses dernières larmes ?

Au bout de quelques minutes sa tête lui tourna, et il avala une aspirine avec de l'eau tiède qui traînait dans une petite bouteille.

Il se regarda dans le rétroviseur. L'expression de son visage se durcit. Il tourna la clé dans le contact et démarra, ivre de fatigue et de colère.

Avec une envie.

Celle de tuer.

65

Il était très tard.

Les couloirs de l'hôpital s'étaient vidés et avaient retrouvé leur calme. Nicolas Bellanger patientait à proximité du service de neurochirurgie de l'hôpital La Source, au CHR d'Orléans. L'un des chirurgiens, le docteur Swynghedauw, sortit finalement du bloc, après des heures d'opération. Bellanger alla à sa rencontre et montra sa carte tricolore.

— Je suis le policier en charge de l'enquête, fit-il. Dites-moi qu'il est en vie, docteur.

Le chirurgien avait ôté sa calotte bleue et était chaussé de sabots qui ressemblaient à des *Crocs*. Ses cheveux étaient trempés, collés à son front.

— L'intervention a été longue, difficile. Fractures multiples, hémorragies... Le plus difficile était au niveau de la tête. On a pu évacuer un hématome extra-dural provoqué par le choc. Cet hématome s'était constitué entre la table interne osseuse et la dure-mère, suite à la lésion de l'artère méningée moyenne. Mais les fuites sanguines étaient importantes, l'hématome était gros et a comprimé le tronc cérébral assez longuement.

— Quelles sont les conséquences ?

— Vu l'importance des lésions, la possibilité d'un coma profond, voire d'une aggravation de son état n'est pas exclue.

— Par aggravation, vous entendez…

— Nous saurons dans les heures à venir, mais il n'est pas tiré d'affaire. Il faut patienter. Nous avons essayé de joindre sa famille. Ses parents sont morts, eux aussi, dans un accident de voiture il y a quelques années. C'est une bien sinistre coïncidence.

Le chirurgien le salua et s'éloigna dans le couloir.

Une heure plus tard, Nicolas se tenait devant le lit de Pradier, en unité de soins intensifs. On l'avait autorisé à rester un quart d'heure dans la chambre.

Malgré un gros bleu au visage, ce salopard avait l'air de dormir paisiblement. D'épais pansements maintenus par un filet couvraient une partie de son crâne rasé. Une perfusion lui entrait dans le bras. L'autre membre semblait pris dans un maillage d'acier inextricable. Nicolas Bellanger observa le faisceau d'électrons de l'électrocardiogramme se déplacer sur l'écran et, régulièrement, opérer son brusque mouvement vers le haut, signifiant un battement du cœur.

Camille Pradier continuait à lutter.

Cette raclure s'accrochait à la vie.

Nicolas se rapprocha du lit et se pencha à l'oreille du patient.

— Où est-elle ? Où est Camille ? Qu'est-ce que tu lui as fait ?

Il se tut, comme s'il attendait une réponse. Mais Pradier semblait loin, très loin d'ici.

— Je vais te dire un truc. T'as intérêt à te battre et à nous revenir très vite, parce que je te garantis que je vais me pointer ici tous les jours te chier dans les oreilles. Si elle est morte, je te tue. C'est aussi simple que ça.

Nicolas posa sa main sur le bras fracturé, enfonça ses doigts dans la chair bleue et jaune et appuya, les dents serrées.

— Pour Camille, fils de pute.

Le rythme cardiaque s'amplifia. Nicolas relâcha la pression et regarda sa main tremblante, les yeux hagards. Il se recula contre le mur en retenant son souffle. Puis sortit presque en courant. Il savait qu'il était désormais capable de tout.

Il devenait barge. Incontrôlable.

Il rentra chez lui, aux portes de la banlieue parisienne, près de Boulogne-Billancourt. Un appartement bien trop vide, sans vie, sans personnalité. Personne ne venait jamais ici, Nicolas n'était pas du genre à recevoir. Juste un terrier où il dormait, à peine décoré d'une bibliothèque aux étagères ployant sous le poids de ses nombreux livres anciens. En voyant les *Lettres persanes*, il pensa à une citation de Montesquieu qui n'avait jamais eu autant de sens que ce soir-là : « La tristesse vient de la solitude du cœur. »

Ce soir, il était plus seul que jamais.

Ce soir, il détestait sa vie de merde.

Il tira un plat préparé du congélateur et le fourra dans le micro-ondes. Il n'en mangea pas la moitié. Dans son canapé, face à la télé allumée sans le son, il but un grand whisky et sombra comme une masse, sans se sentir partir.

Il lui sembla émerger d'un lointain pays lorsqu'il entendit un téléphone vibrer. Il regarda l'horloge, il était exactement 6 heures du matin.

Il lorgna vers son portable, posé sur la table basse. Éteint.

Les vibrations venaient d'ailleurs.

Il se frotta le visage et se laissa guider. Ça provenait de la poche intérieure de sa veste.

Les vibrations s'arrêtèrent. Nicolas y plongea la main et récupéra un téléphone.

Celui de Camille.

Qui pouvait appeler à une heure pareille ? Encore le fameux Boris, qui avait déjà appelé à trois reprises depuis la veille ?

Une enveloppe s'afficha, annonçant l'arrivée d'un message. Nicolas composa le numéro du répondeur.

Une voix masculine.

« Mademoiselle Thibault, docteur Calmette à l'appareil. Je sais, il est tôt. Vous avez décidément une bonne, une très bonne étoile. J'ai eu un appel de l'agence de biomédecine, un cœur est arrivé. Même groupe sanguin, excellente compatibilité HLA. L'agence nous place en priorité jusqu'à ce soir, minuit grand maximum. Je ne leur ai évidemment pas parlé de votre refus de soin. Rappelez-moi en urgence. Si vous ne vous manifestez pas, le cœur partira malheureusement ailleurs. J'attends avec impatience votre coup de fil. Ça va fonctionner, cette fois, Camille. Vous voyez bien qu'il faut toujours y croire ? Cette chance était inespérée, et pourtant…

« Appelez-moi ! »

Nicolas écouta le message deux fois et laissa tomber le téléphone entre ses jambes.

Qu'est-ce que cela signifiait ? Que Camille devait de nouveau être greffée ? Pourquoi ? Son cœur – le cœur de Loiseau – était-il malade, dysfonctionnel ? *Ça va fonctionner, cette fois.* Était-ce pour cette raison que Nicolas avait senti Camille triste ? Qu'elle avait pleuré l'autre nuit à l'hôtel, alors qu'ils faisaient l'amour ? Qu'elle voulait que tout aille vite entre eux ?

Parce que ses jours sont peut-être comptés.

Il songea à ce métronome, dans la chambre d'hôtel. Le tic-tac lancinant… Camille avait peur du temps qui passait.

Elle savait peut-être qu'elle allait mourir.

Ce cœur, c'était une nouvelle chance. Un cadeau inespéré.

Nicolas s'empara de la bouteille de whisky et la fracassa de toutes ses forces contre le mur.

66

Sharko crevait de soif.

Même s'il ne bougeait pas, les cendres virevoltaient, venaient jusqu'en haut des escaliers et lui asséchaient la gorge. Depuis combien de temps l'avait-on enfermé dans ce trou ? Sept, huit heures ? Il faisait si noir qu'il n'arrivait même pas à lire l'heure à sa montre.

Qu'allait-on faire de lui ? Le laisser crever ici comme un chien ?

Franck ressentait une véritable peur au fond des tripes. Pas celle de mourir – il avait frôlé la mort tant de fois –, mais celle d'abandonner sa famille. Il imagina le visage de ses fils, le petit pli oblique d'Adrien, il voulait encore les câliner, leur donner du bonheur. Ses enfants ne devaient pas grandir avec seulement la photo de leur père à leur côté. *Dis, maman, pourquoi papa il est pas là ?*

Lucie était solide, mais elle ne supporterait pas sa disparition.

Il y avait déjà eu bien trop de morts autour d'elle.

Sharko se repassa le film de ce qui s'était déroulé dans la matinée. Ses agresseurs étaient à l'évidence des gens du village. Pourquoi avaient-ils réagi ainsi ? Que s'était-il réellement passé entre ces murs ? Qu'était-il arrivé à la ville de Torres ?

Il entendit soudain le bruit d'un meuble qu'on tire, juste derrière la porte. Fracas de métal, de poutres. Une poignée qu'on tourne, et le rai de lumière qui s'invite sur les marches, comme l'épée de la délivrance.

C'était encore le jour.

Les yeux bleus se dessinèrent dans le trait lumineux. Sharko les reconnut immédiatement. La femme qui était avec ses agresseurs avait ôté son foulard. Elle avait de longs cheveux bouclés d'un noir aux reflets brillants. Elle devait avoir quarante-cinq ans.

— Dépêchez-vous, murmura-t-elle en anglais. Des hommes veillent sur la route devant La Colonia. J'ai dit que je me sentais mal, que j'étais allée derrière l'hôpital pour… Enfin, ils croiront que vous avez réussi à pousser la porte et que vous vous êtes enfui seul. On n'a que peu de temps.

Sharko se glissa dans l'ouverture et la suivit. Elle courait.

— Certains comptent revenir ici et vous faire parler. Ils veulent l'homme aveugle, Nando.

Sharko comprit qu'elle parlait de Mario.

— Pourquoi ?

— Vous n'auriez jamais dû montrer cette photo, vous avez réveillé les anciennes peurs et la folie de Torres. Votre voiture est déjà au fond de l'eau avec votre téléphone. Je suis désolée.

Sharko serra les dents. La femme traça vers les arbres. Après une centaine de mètres de terre ferme, se déployèrent des marais. Des étendues d'eau luisantes, une végétation frissonnante, des roseaux, des nénuphars, percés de bandes d'herbe qui s'écartaient les unes des autres, se rejoignaient, se divisaient. Un véritable labyrinthe qui se perdait à l'infini.

— On ne va quand même pas…

— C'est la seule solution, trancha la femme. (Elle pointa l'horizon du doigt.) Je ne peux pas aller avec vous sinon, dans cinq minutes, ils seront à nos trousses et nous n'aurions aucune chance. Ne perdez pas de vue cet arbre géant en forme de V, tout au fond, positionné sur un îlot. C'est là-bas que vous devez aller. Vous en avez pour une heure de marche, l'eau vous montera au maximum jusqu'au bassin. Faites au plus vite, sinon l'obscurité vous surprendra.

Sharko secoua la tête. C'était juste dément.

— Je vais crever, là-dedans.

— Je l'ai fait par le passé alors, vous y arriverez. Tranchez au plus droit, contournez quand vous ne pouvez pas passer, mais gardez le cap. Une fois à cet arbre, vous attendez la nuit et vous vous cachez bien, surtout, parce qu'ils vont vous chercher, croyez-moi. Je viendrai vous récupérer, sans doute très tard, et je vous aiderai à fuir. Ne traînez pas dans l'eau, il y a des serpents et des caïmans. Ne tentez pas de sortir des marais par vous-même, vous vous perdriez et mourriez. Il y a plus de cent kilomètres carrés et des endroits infestés de caïmans noirs où il vaut mieux ne pas aller.

Sharko déglutit péniblement.

— Vous ne pouvez pas me laisser comme ça, vous devez m'en dire plus.

— Quand je reviendrai, je vous expliquerai.

— Vous êtes Florencia, c'est ça ?

— Comment vous savez ?

— Nando n'a jamais prononcé qu'un seul mot. Votre prénom.

Sharko put voir les larmes imprégner instantanément ses yeux.

— Bonne chance. Et, par pitié, soyez fort et allez au bout de votre quête. Pour Nando et tous les autres qui peuplent ces marécages.

— Attendez !

Il lui tendit son portefeuille.

— Il contient mon passeport, mes papiers. Ils ne supporteront pas l'eau. Vous me le rendrez dans la nuit.

Elle acquiesça, le glissa dans ses vêtements et disparut.

Sharko se retourna et fixa avec effroi l'enfer qui l'attendait. C'était impossible, comment allait-il pouvoir traverser ce maillage d'eau et de végétation ? Il se mit à courir, s'aventura sur une bande d'herbe molle qui fendait l'onde. Il avait l'impression de marcher sur un tapis de mousse flottant. Ses semelles trempaient dans l'eau sans que les pieds s'enfoncent complètement. Très vite, des roseaux, des bambous, des plantes hydrophytes se resserrèrent autour de lui, comme de petites mains voulant l'agripper. Des oiseaux sifflaient, criaient, des têtes d'animaux dépassaient, fendant la surface tels des morceaux de bois. Peut-être des rats. *Des caïmans, des serpents...*

Franck ne perdait pas de vue l'arbre en forme de V et essaya de s'orienter dans l'effroyable dédale de bandes de terre. Le soleil tombait vers l'horizon, étirant les ombres, accentuant les contrastes. Il vit des espèces d'arbres étranges, envahis de plantes parasites, de la savane flottante, des maillages de branches qui plongeaient dans l'eau ou en jaillissaient. Il ne semblait y avoir aucune règle dans ce marais, et, pourtant, la nature y avait sûrement trouvé sa logique, son équilibre.

Le flic allait devoir traverser pour aller d'une bande

à l'autre. Il hésita franchement à faire demi-tour mais se décida enfin. Il leva les bras et s'enfonça dans la vase, s'accrochant à l'image de ses jumeaux, de Lucie. Il devait y arriver, pour eux.

Il avait froid, soif, un mal de chien au genou droit. Et la nuit qui allait tomber comme un couperet. Noire. Sans pitié.

Il pensa à la dernière phrase de Florencia. *Tous les autres qui peuplent ces marécages.* Qu'est-ce qu'elle avait voulu dire ? Quelles horreurs s'étaient produites dans cet hôpital maudit ? Dans cette ville de fous ?

Environ vingt minutes plus tard, un coup de feu claqua au ciel. Sharko vit, loin au-dessus de La Colonia, des oiseaux prendre leur envol.

Le compte à rebours était lancé : on avait découvert sa disparition.

La meute allait le traquer.

Il accéléra le tempo, la gorge en feu, courait dès qu'il atteignait des morceaux de terre flottant, avant de sombrer de nouveau dans cette eau froide, bourrée de lentilles, de laitues d'eau, de crotons, de papyrus, de nénuphars parfois plus grands que lui. Tout était démesurément hostile.

Son blouson gorgé d'eau le freinait trop, accumulait de la végétation, s'accrochait aux branches, alors il s'en débarrassa, le balançant sur le côté.

Les minutes passaient, il avait l'impression de ne pas avancer, que l'arbre en V était toujours aussi loin. Un échassier au long cou blanc prit son envol à une trentaine de mètres devant lui, et déchira le ciel. D'autres suivirent.

Il crut soudain percevoir des bruits de moteur, au loin.

Ces enfoirés allaient le traquer en bateau.

Le ronflement grossissait. Les hommes avaient dû repérer les volatiles qui fendaient le ciel comme des sentinelles.

À bout de souffle, Franck se dirigea vers une forêt de bambous immergés. Ils étaient serrés tels les barreaux d'une prison, il s'y glissa avec peine, se baissa et ne bougea plus. Ne plus voir son corps dans cette eau noire lui fichait une frousse bleue. Il pouvait y avoir tout un tas de saloperies, là-dessous. Sa poitrine lui brûlait, ses membres s'engourdissaient, il se mit à trembler et fut prit d'une nouvelle bouffée d'angoisse : il ne reverrait plus jamais sa famille.

Il se ressaisit, transformant son corps en une torche brûlante. Quelques minutes plus tard, il vit un petit Zodiac passer au ralenti devant lui, avec quatre hommes à son bord, armés de carabines. Des gueules menaçantes, des visages furieux, des crânes rasés ou des cheveux qui, au contraire, frisottaient jusqu'aux épaules. Un projecteur pour le moment éteint était situé à l'avant du bateau.

Son blouson écossais était posé dessus, semblant crucifié.

Sharko retint son souffle, seule sa tête dépassait de la surface.

Les regards morveux fouillaient chaque recoin du bras d'eau, les yeux roulaient dans leurs orbites folles.

L'embarcation passa juste devant son nez et vira en suivant la voie d'eau.

Le bruit diminua mais restait toujours présent, en sourdine, telle une menace invisible.

Sharko se redressa et reprit son chemin de croix. Il réussit à atteindre l'arbre en forme de V après une demi-heure de souffrance, les poumons, les membres transis de froid.

Il se hissa sur un petit îlot dont une partie était couverte d'une végétation inextricable, enracinée jusqu'au plus profond du sol. Grelottant, il se réfugia dans un renfoncement, se demandant combien d'heures il réussirait à tenir comme ça.

Mardi 21 août 2012

La maison de Camille Pradier avait presque intégralement brûlé.

En ce mardi matin, Lucie évoluait sur un tas de cendres qui était quelques heures plus tôt la salle à manger. Au-dessus d'elle, elle pouvait apercevoir le ciel bleu et, sur le côté, Nicolas Bellanger qui allait et venait dans le jardin, téléphone portable collé à l'oreille.

Les équipes de la police scientifique, département Explosifs et incendie, venaient de passer l'endroit au peigne fin, accompagnés de chiens entraînés à renifler les traces de produits accélérateurs. Ils avaient trouvé les restes calcinés d'un bidon d'alcool à brûler. D'après leurs analyses, il y avait eu plusieurs départs de feu, ce qui correspondait à ce que Lucie avait vu en pénétrant dans la maison en flammes : Camille Pradier avait embrasé des bûches un peu partout avant de prendre la fuite.

Où cherchait-il à se rendre avant son accident de

la route ? Où se trouvait « leur » Camille ? Questions qui tournaient en boucle dans la tête de Lucie, et elle cherchait des éléments de réponse dans la maison. Elle osa une descente à la cave, dans ce morceau de ténèbres où Pradier se livrait à ses horribles activités. Elle avait l'impression de marcher dans de la neige grise. Tout avait fondu, s'était désintégré sous l'effet de la chaleur. Juste des cendres, de l'acier rétracté, du béton noirâtre.

Ils ne trouveraient rien dans cette baraque. Aucun indice, nul élément indiquant où se planquait Camille Thibault.

Et les aiguilles du temps qui tournaient, tournaient.

Nicolas Bellanger l'attendait à l'extérieur, le visage grave. Robillard et Levallois étaient restés dans l'*open space*, au 36, l'un occupé à gérer la paperasse et à mettre au carré les différents rapports et procès-verbaux comme l'avait exigé leur divisionnaire, et l'autre à faire des recherches sur les vols d'yeux ou les expériences sur les corps humains dans les pays de l'Est.

Le capitaine de police raccrocha enfin et se massa les tempes.

— Je viens d'avoir l'hôpital. Il est mort, Lucie. Pradier est mort dans la nuit.

La lieutenant de police accusa le coup.

— C'est pas possible.

Bellanger ne cachait même plus son abattement.

— Rien de neuf de ton côté, je suppose ?

— Le néant.

— Et Franck ?

Lucie secoua la tête, les lèvres pincées.

— Toujours rien. La dernière fois que je l'ai eu, il partait pour un hôpital psychiatrique du côté de

531

Corrientes, je ne suis plus où, Torres quelque chose. Depuis, rien. Pas un appel, pas un SMS. Je commence vraiment à m'inquiéter.

Lucie s'attendait à ce que Nicolas lui balance un truc du genre « Franck est un dur à cuire, ça va aller », ou alors « Son téléphone est peut-être déchargé », mais il ne s'engagea pas sur cette voie et préféra changer de sujet :

— J'ai obtenu quelques infos venant de la voiture accidentée de ce Pradier. Les pompiers ont bien essayé de récupérer le GPS dans l'habitacle de sa voiture, mais le choc frontal l'a réduit en miettes. En revanche, dans la boîte à gants, ils ont récupéré une liasse de facturettes d'essence. Tu les auras scannées et sur ton mail en rentrant au 36. Je voudrais que tu y jettes un œil en priorité. On doit tout exploiter, décortiquer la vie de ce monstre, comprendre comment il fonctionnait.

Lucie le fixa dans les yeux.

— Tu me fais confiance, alors ?

— Toi, Jacques et Pascal n'avez pas hésité à me suivre, même si vous saviez qu'on n'était pas réglos. Et puis… Tu m'as sauvé la vie. Et je n'ai même pas eu l'occasion de te remercier.

— Ça va, répliqua Lucie.

Nicolas afficha un pâle sourire.

— Je crois que… plus rien ne va dans ma tête. (Il soupira, réfléchit.) Ah oui, concernant notre petit squelette, j'ai enfin eu les retours ADN qui confirment nos hypothèses. Ce bébé est bien le fils biologique de Jean-Michel et d'Hélène Florès. C'est lui qui est né à Lariboisière le 8 octobre 1970.

— Et mort quelques jours plus tard, le crâne en bouillie…

532

— Oui, Mickaël Florès, continuons à l'appeler comme ça, était un bébé de substitution volé en Espagne pour cacher un drame, un secret que Jean-Michel Florès a traîné une bonne partie de sa vie.

Il fit un mouvement de tête en direction de sa voiture.

— Allez, pour égayer le tout, on file au labo de Pradier jeter un œil aux corps. J'ai appelé Alban Couture pour lui demander de sortir les morts de leur cuve et, apparemment, il a du lourd à nous annoncer.

La nuit était tombée depuis des lustres.

Le marais s'était réveillé, peuplé de bruits étranges, nimbé par les reflets de la lune gibbeuse. Parfois des bulles crevaient la surface de l'eau, juste devant Franck Sharko, qui était couché sur le côté dans l'herbe humide, les yeux grands ouverts.

Immobile.

Résigné, aussi.

Son genou droit l'élançait, irradiant toute la jambe de douleur. Il avait remonté le bas de son pantalon pour constater les dégâts : une grosse patate violette là où aurait dû se trouver l'os. Ce n'était sans doute pas cassé parce qu'il aurait été incapable de bouger la jambe, mais peut-être foulé.

Il se coucha de nouveau, les yeux au ciel. Les étoiles brillaient, plus nombreuses qu'en France. Sharko se dit que ce devait être agréable de mourir de cette façon.

Juste s'endormir au calme, et ne plus jamais se réveiller.

Il avait tellement, tellement envie de fermer les yeux.

Régulièrement, il entendait les ronflements des moteurs. Les malades qui le traquaient parcouraient encore les marais, avec leurs projecteurs allumés. Le flic voyait les faisceaux lumineux trouer l'obscurité, parfois passer tout près, scrutant le moindre mouvement d'eau. Depuis quelques heures, un autre Zodiac était venu en renfort. Ces types n'abandonneraient pas avant d'avoir découvert son cadavre.

Recroquevillé et tremblotant, Franck songea à sa petite Lucie. Elle avait dû essayer de le joindre à plusieurs reprises et devait être morte d'inquiétude. Les pires images devaient lui revenir en mémoire. Ils ne se connaissaient que depuis quelques années mais ils avaient déjà bravé tant d'épreuves, traversé tellement de dangers. Franck aurait tout donné pour pouvoir lui parler quelques minutes, entendre sa voix, lui signifier qu'il était vivant et qu'il pensait à elle. À eux.

Au lieu de cela, il se trouvait au beau milieu d'un immense marécage hostile, traqué par des malades. Si Florencia ne venait pas le chercher, il ne savait même pas dans quelle direction s'orienter. Il n'avait même plus idée de l'endroit où se trouvait l'hôpital.

Il perçut autour de lui des bruissements, des ricanements, des feulements. Ses sens s'étaient adaptés au rythme du marais. Des centaines d'espèces d'animaux et de plantes cohabitaient, luttaient, rivalisaient. Parfois, Sharko sentait quelque chose bouger sur ses bras, dans ses cheveux, il s'agitait alors dans tous les sens en s'empêchant de hurler.

Plus tard, il y eut un mouvement d'eau plus ample que les autres, sur la gauche de l'îlot. Une masse noire et ruisselante s'y hissa avec difficulté. Une forme humaine, qui se faufila derrière de hautes herbes. Sharko se mit sur ses gardes quand une voix chuchota en anglais :

— C'est Florencia. Vous êtes là ?

Le flic se redressa, sortit de sa cachette et eut l'impression de s'arracher d'un sarcophage.

— Oui...

Sous la lueur de la lune, elle le vit boitiller lorsqu'il vint vers elle. Elle portait un poncho vert foncé rentré dans un pantalon imperméable. Elle lui tendit une bouteille d'eau qu'elle sortit d'un petit sac à dos.

— J'ai ajouté des morceaux de sucre dedans. Ça va aller ? demanda-t-elle.

Sharko se jeta sur la bouteille. Il but la moitié du contenu en quelques secondes.

— Merci...

Il reprit son souffle.

— J'ai cru que vous ne reviendriez jamais, avoua-t-il.

— On s'est tous couchés tard au village. Les gens discutaient de... de votre passage dans nos rues. Je ne voulais pas éveiller l'attention, j'ai dû rester jusqu'au bout.

Ils s'orientèrent vers l'arrière de l'île, dos courbés.

— Les chasseurs ne partiront pas et sillonneront les voies d'eau encore des heures, murmura la femme.

— Qui sont-ils ?

— Des gens de la mafia. Des besogneux qui se débarrassaient des corps des patients de La Colonia et les jetaient dans les marais. Ils ont dû être prévenus par certains habitants de Torres.

Sharko avait des dizaines de questions à poser.

— La mafia ? Quelle mafia ? C'est quoi cette histoire de corps dans les marais ? Pourquoi veulent-ils me tuer ?

— Parce que vous avez retrouvé Nando et que tout

le monde le croyait mort, depuis tout ce temps. Parce qu'il est aujourd'hui la seule preuve vivante de ce qui s'est passé à La Colonia. Et qu'il pourrait faire se rouvrir un vieux dossier explosif qui enverrait pas mal de gens en prison...

Elle tendit le bras. De l'eau ruisselait sur son poncho, quelques branchages étaient accrochés à ses bottes.

— Allons-y, c'est par là, murmura-t-elle. Même après toutes ces années, le chemin reste gravé dans ma tête...

Elle se retourna et le regarda dans les yeux.

— Il faisait nuit aussi, quand j'ai arraché Nando à La Colonia.

— Alors c'est vous qui l'avez fait sortir de là.

Elle se remit à avancer et parla tout bas.

— J'étais infirmière à l'hôpital. Je me trouvais de repos, cette nuit-là... Mais je suis quand même entrée dans La Colonia en passant une première fois par ces marais... Je ne pouvais pas entrer par l'avant parce que des gardes contrôlaient les entrées et les sorties, et tout était noté dans un registre. Ils se seraient doutés de quelque chose lorsqu'ils auraient découvert que Nando avait disparu. Les marécages, c'était le seul moyen. J'avais une tenue sèche dans un sac, je me suis changée, je suis entrée dans l'hôpital comme si j'étais en service et j'ai sorti Nando de cet enfer.

— Il était en danger ?

— Ils lui avaient fait ces choses aux yeux, une semaine auparavant. Quand... Quand ils commençaient à mutiler les yeux sur les vivants, en général, dans les semaines qui suivaient, les patients concernés finissaient par disparaître. Le directeur disait qu'ils étaient sortis de La Colonia, qu'ils avaient retrouvé leur famille ou étaient partis dans d'autres centres, mais personne n'était dupe.

Son regard fit un tour d'horizon. Elle aperçut les lumières lointaines des projecteurs.

— J'ai… j'ai toujours espéré que Nando en réchapperait, ça faisait plus de vingt ans qu'il était dans l'hôpital, et ils l'avaient toujours laissé tranquille. Mais ça a été son tour, je n'ai pas supporté. Alors, trois jours après son… son opération aux yeux, je l'ai aidé à fuir. Au retour, on a emprunté ce chemin mais c'était plus compliqué dans ce sens-là, mes repères n'étaient plus bons. Je m'y suis perdue, j'ai failli y mourir mais j'ai réussi à retrouver la route…

Elle entrecoupait ses paroles de longs silences, écoutant les battements du cœur du marais.

— … Ensuite, j'ai récupéré une voiture que j'avais louée et cachée là où nous nous rendons maintenant. J'ai fait sept cents kilomètres jusqu'à Buenos Aires, je me suis dit qu'ils ne le retrouveraient jamais dans une si grande ville. Je l'ai abandonné devant un centre social, en priant pour qu'il vive et que quelqu'un finisse par découvrir la vérité. Je ne pouvais pas faire plus, c'était au-delà de mes forces. Et j'avais peur pour ma vie, pour celle des miens. On travaillait tous à La Colonia.

— Pourquoi on leur mutilait les yeux ?

— Personne ne sait vraiment. Une opération, des expériences ? Quand les patients étaient passés entre leurs mains, les yeux se dégradaient, s'asséchaient. Le directeur disait qu'ils avaient une maladie. Puis ces pauvres mutilés finissaient par disparaître pour toujours. On les jetait dans le marais. Les employés se mettaient des œillères, personne ne voulait y croire. Mais on savait tous. Et on n'a jamais rien dit.

Elle s'arrêta et lorgna l'horizon éclairé par le halo de lune.

— Regardez là-bas. Le gros tronc mort. Nous devons le rejoindre, puis, plus loin, il y aura un îlot en forme de tortue… L'arbre en V, le gros tronc mort, l'îlot en forme de tortue, c'est le chemin à suivre. Quand nous aurons atteint cet îlot, une route parallèle à celle qui passe par Torres nous attendra alors, à un quart d'heure de marche. Vous prendrez la voiture qui s'y trouve, les clés sont sur le contact. Vous me déposerez à quelques kilomètres, et je regagnerai Torres par les champs de l'autre côté, discrètement.

Florencia observa les palpitations lumineuses qui trouaient la nuit.

— Ils se rapprochent. Ces types chassent le caïman, ils ont un sixième sens pour traquer tout ce qui bouge. Le marais est plat, les sons se propagent facilement. Silence absolu. Suivez-moi au centimètre.

Ils s'engagèrent dans l'eau aussi silencieusement que possible, courbés pour échapper au balayage lumineux. Le marais s'était tu, pas un murmure. Jamais Sharko n'avait perçu un tel calme, une telle absence de bruit. Il suivit le sillage de cette femme à travers les ténèbres.

Ils atteignirent le gros tronc mort, sur lequel Florencia s'appuya pour récupérer. Sharko fit de même. Il avait l'impression que, à cause de l'eau, son genou avait doublé de volume. Les bateaux s'étaient de nouveau éloignés. La femme reprit la traversée. Elle avait déjà fait le chemin en sens inverse pour venir le chercher et paraissait exténuée. Sharko imagina à peine son calvaire lorsqu'elle avait sorti un homme aveugle et handicapé de La Colonia, affrontant ces eaux implacables.

— On a tous travaillé à La Colonia, reprit-elle à voix basse. Tout Torres. L'hôpital a été créé en 1915. Le directeur de l'époque a choisi un endroit isolé, verdoyant, sur une espèce de presqu'île cernée de marécages pour éviter les évasions. L'hôpital accueillait des handicapés lourds dont plus personne ne voulait… Depuis le début, les employés formaient un groupe, une unité. L'hôpital faisait partie d'eux, de leurs gènes. Les grands-pères, les pères, les fils de Torres y passaient leur vie. Dans les cuisines, la maintenance, les soins, l'intendance, ils en peuplaient chaque recoin…

Après un long silence, ils enchaînèrent avec une interminable marche dans l'eau, au ralenti, freinés par toutes sortes de plantes aquatiques.

— Alors, quand il se passait des choses, personne ne disait rien. Parce que l'économie de la ville, nos propres vies dépendaient entièrement de l'hôpital. C'était comme ça… Tous ont été les spectateurs muets de ce qui s'est passé à La Colonia depuis l'arrivée d'un nouveau directeur à la tête de l'établissement en 1977, nommé par le général Videla en personne. Alberto Sánchez… Un an après le début de la dictature…

Le spectre de la dictature réapparaissait.

— Quel âge avait ce Sánchez ? demanda Sharko.

— En 1977 ? Je ne sais pas. Une cinquantaine d'années ? Il doit être mort à présent. Ce type était fou, dangereux, intransigeant. Malgré les horreurs qu'il a commises dans cet hôpital, les langues sont restées liées. On était pris dans la machine, dans l'engrenage, avec la peur de perdre notre emploi, la crainte des représailles.

Sous la lumière de la lune, ses yeux exprimèrent du regret.

— On est tous fautifs par notre silence, voire la participation de certains. Quand l'hôpital a fermé à cause de... de l'acharnement de quelques courageux qui ont mis leur nez dans les affaires de La Colonia, et que Torres est mort, certains en sont devenus fous. Haineux. Et terrifiés à l'idée de se retrouver jugés, si la vérité venait finalement à éclater. Ce sont eux que vous avez eus en face de vous, dans l'hôpital. Ce sont eux qui ont contacté ceux qui vous poursuivent à présent. La mafia...

Ils étaient arrivés au gros tronc mort. Ils le contournèrent et se dirigèrent vers un îlot au dos bombé comme une carapace. L'endroit dans lequel ils évoluaient à présent était particulièrement dégagé, donc dangereux. Florencia avait mis un doigt sur ses lèvres et progressait courbée, au ras de l'eau, aussi agile qu'un rat musqué. Sharko l'imita. Ils étaient au milieu de l'eau quand les bruits de moteur s'amplifièrent. Des têtes lointaines apparurent. Des silhouettes de fusils se dessinaient sous la lune. Florencia accéléra la cadence, son visage se tordait dans l'effort.

Ils gagnèrent l'île en forme de tortue, y reprirent leur souffle et s'enfouirent dans les herbes, alors qu'un Zodiac passait et s'éloignait. Florencia tendit le bras devant elle.

— C'est là-bas, murmura-t-elle. On est presque arrivés, encore trois cents mètres avant les bois, puis la délivrance.

Sharko se massa le genou dans une grimace.

— Vous tenez le coup ? demanda Florencia.

Sa tête fit oui, mais son corps hurla non. Ils se replongèrent dans l'eau froide, les dents serrées, affrontèrent une nouvelle bande de terre molle mais pour quelques centaines de mètres seulement.

La berge n'était vraiment plus loin.

Soudain, un imposant oiseau noir prit son envol juste devant eux, poussant un cri grave comme celui d'un corbeau. Des branches craquèrent dans la foulée. Instantanément, un gros faisceau jaune opéra un balayage précis dans lequel ils furent piégés.

— Vite ! fit Florencia sans prendre garde de chuchoter.

Ils coururent dans l'eau, mais ils avançaient comme dans une scène au ralenti. Des voix espagnoles se mirent à hurler. Un coup de fusil retentit et percuta l'eau une dizaine de mètres plus loin. Un autre suivit. Sharko prit la main de Florencia et la tira à lui, mais il sentit de la résistance.

La jeune femme avait la main sur la poitrine, la bouche ouverte.

Une fleur rouge fleurissait sur son poncho.

— Non... Non... souffla Sharko.

Il la tira jusqu'à une rangée de roseaux derrière laquelle il s'abrita. Le faisceau lumineux cherchait, fouillait. Des balles faisaient gicler l'eau vraiment tout près.

— Tenez bon, fit-il en lui caressant le front.

Un râle sortit de sa gorge. Elle trouva la force de parler :

— Miguel Gomez... Il est un... journaliste qui a enquêté... sur La Colonia. Je... sais pas où... il habite... Essayez de... le retrouver... Il vous dira sûrement... la vérité...

Sharko tenta de la soulever, de la porter à bout de bras, mais la douleur dans son genou le foudroya.

Du sang sortait désormais de la bouche de Florencia.

Poumon percé. Sa gorge sifflait étrangement.

Son visage se figea, ses yeux restèrent grands ouverts, fixant le néant. Sharko la serra contre elle.

Puis il lâcha le corps délicatement.

Le visage disparut, englouti par le marais. Les petites particules verdâtres reprirent leur place, comme si Florencia n'avait jamais existé.

Avalée par les abysses, avec les autres.

Les bateaux étaient en train de contourner une ultime bande de végétation.

Ensuite, ils l'auraient en ligne de mire.

Sharko se rua vers la berge.

Une balle se logea à quelques centimètres alors qu'il disparaissait en boitillant vers les bois. Un véhicule était bien là, au bord d'une petite clairière.

La portière était ouverte, la clé était en effet sur le contact. Franck s'enfonça dans l'habitacle et démarra au quart de tour.

Il vit les hommes débarquer du bateau dans son rétroviseur, les fusils entre les mains. Ils se ruèrent dans sa direction en criant. D'autres coups de feu claquèrent.

Il appuya sur la pédale d'accélération et fonça droit vers le néant.

Des larmes coulaient sur ses joues.

69

Sharko roulait vers le sud, l'œil rivé au rétroviseur.
Aucune trace des tueurs.

Pour le moment.

Ses poursuivants avaient dû être démunis lorsqu'ils étaient arrivés de ce côté des marais et l'avaient vu leur filer sous le nez en voiture. Mais ils avaient certainement contacté leurs acolytes restés à proximité de l'hôpital. Des voitures s'étaient probablement lancées à sa poursuite. Aussi, le flic avait bifurqué, prit des routes au hasard, traversé des villages de fin du monde.

La colère bouillait en lui. Florencia était morte en l'aidant à s'échapper. Ils l'avaient abattue de sang-froid pour l'avoir, lui. Sharko ne garderait, de cette femme, que le souvenir de ce visage qui l'avait sorti des ténèbres.

Elle lui avait sauvé la vie.

Franck avait retrouvé son portefeuille et son passeport dans la boîte à gants. Il ne tenait plus debout, puait la vase, ses vêtements avaient pris une teinte marron, étaient couverts de végétaux. Ses Beryl étaient mortes.

Lorsqu'il se sentit dans une sécurité toute relative, il stoppa dans la première grande ville qu'il trouva,

Empedrado, planqua sa voiture dans une petite rue et resta dans l'habitacle, grelottant. Il poussa le chauffage à fond et attendit que le jour se lève.

Il n'y avait pas un chat dans les rues. En rentrant dans une petite boutique de prêt-à-porter qui venait juste d'ouvrir, le lieutenant effraya le vendeur. Le magasin se trouvait face à un hôtel, l'America's Best Inns. C'était un véritable foutoir, qui semblait également abriter une habitation à l'étage.

Sharko étala des billets sur le comptoir et demanda à prendre une douche et à passer un coup de fil. Le vendeur, d'abord méfiant, finit par accepter devant les trois billets de mille pesos. Le flic, de surcroît, acheta un jean, un tee-shirt gris, un pull en laine et une des paires de Converse en cuir noir qui habillaient les mannequins de la vitrine.

Sans poser de questions, le vendeur l'emmena dans une petite salle de bains et ferma la porte derrière lui. Le lieutenant se glissa sous la douche chaude et ressentit un soulagement infini. Il leva les yeux vers le pommeau, la bouche grande ouverte, et se savonna à s'en arracher la peau.

De l'eau chaude, la propreté, l'odeur du savon...

Franck se massa la jambe. La douleur, dans le genou, se faisait toujours aussi lancinante, mais le flic se dit qu'il tiendrait le coup. Il le fallait. Il ne pouvait pas se permettre de se pointer à l'hôpital ou chez un médecin.

Il se rhabilla dans ses nouveaux vêtements – jean noir, pull –, laça ses chaussures et sortit, remerciant le vendeur qui lui prêta son téléphone portable. Sharko s'éloigna dans le magasin et appela Lucie. Lorsqu'elle décrocha, il eut envie de lâcher toutes les larmes de son corps.

Mais il tenta de se retenir.

La petite voix retentit.

— Franck… J'étais morte d'inquiétude, je n'arrête pas d'essayer de te joindre. Qu'est-ce qui s'est passé ?

Sharko gonfla ses poumons.

— Rien, Lucie, rien de grave. On… On a piqué ma bagnole de location, et le téléphone était à l'intérieur. Un vol con, mais ça m'a causé pas mal de soucis.

— Tu es sûr que tout va bien ?

— Parfaitement. Et toi, comment ça se passe ?

Lucie signifia à Nicolas, d'un geste, que Franck était en ligne et que ça allait. Ils marchaient tous deux en direction du laboratoire d'anatomie. La flic essaya de peser ses mots, évitant de parler de sa sinistre aventure dans la maison brûlée pour sauver Nicolas.

— C'est… très compliqué, ici, je t'expliquerai plus en détail quand tu rentreras. Mais sache qu'on a retrouvé celui qui a kidnappé Camille. Il s'appelle lui aussi Camille… Camille Pradier.

— Et notre Camille ?

— Toujours aucune trace.

— Pradier n'a pas encore parlé ?

— Il a eu un accident de voiture en fuyant, il est décédé à l'hôpital.

Sharko écrasa son poing sur un étal en bois où reposaient pêle-mêle des casquettes et des bonnets.

— Merde.

— Là, je me rends avec Nicolas dans le laboratoire d'anatomie où il bossait, il y a au moins un corps de tatoué.

— On garde espoir, d'accord ? J'avance pas trop mal de mon côté. Je… je faisais une petite pause, mais je vais me remettre en route. Direction la ville d'Arequito. Je pense que c'est là-bas que je trouverai un journaliste qui pourra m'éclairer sur l'affaire de La Colonia del Montes.

— Arequito, c'est là où Florès s'est rendu en arrivant en Argentine ?

— Exactement. Je remonte la piste à l'envers. Je pense que, dans le cadre de son enquête, il est allé voir ce journaliste en premier, ensuite l'hôpital de Torres puis a fini à Buenos Aires, pour y trouver *El Bendito*.

Lucie s'arrêta au bas des marches de l'institut d'anatomie.

— On est arrivés, Franck. Je vais devoir te laisser.

— Comment vont les jumeaux ?

— Ma mère s'occupe très bien d'eux. Elle les adore, les emmène au parc. Mais… elle sent bien que quelque chose ne tourne pas rond avec notre enquête. Ça devient difficile de lui cacher la vérité.

— Tu as une toute petite voix. Tu devrais te poser un peu, récupérer.

— Je n'y arrive pas. Trop de choses dans ma tête. Toi, loin de moi. L'impossibilité de te joindre. (Elle s'éloigna un peu, pour que Nicolas ne l'entende pas.) Et puis je pense à elle, à Camille. Tout le temps. Si elle est encore en vie, elle est seule, elle ne peut compter que sur nous. Parce que personne d'autre n'ira à son secours.

— Et Lamordier ?

— On s'est tous fait remonter les bretelles, il ne veut rien entendre. On ne peut même pas prévenir les parents de Camille, on doit… faire comme si elle n'existait pas.

— Pour nous, elle existe. C'est le plus important.

Sharko se figea soudain face à la vitrine. Poussée

subite d'adrénaline. Une vieille Ford Mustang crème passait au ralenti, vitres ouvertes. Le moteur grondait dans la petite rue sans vie.

Sharko reconnut l'une des sales gueules qui l'avaient traqué dans le marais.

Il bascula contre une rangée de vêtements.

La voiture se rangea juste en face. Claquement de portières. Deux hommes en sortirent, lorgnèrent les alentours et entrèrent dans l'hôtel. Sharko se réfugia prudemment dans le fond de la boutique.

— Je te laisse, Lucie. On se rappelle très vite. Je t'aime.

Il raccrocha sans attendre de réponse, effaça en catastrophe le numéro qu'il venait d'appeler dans l'historique du téléphone et rendit le portable à son propriétaire. Puis il s'avança vers la vitrine, sous l'œil curieux du vendeur.

Impossible de fuir maintenant, les hommes ressortaient déjà.

Merde !

Ils s'appuyèrent sur le capot de la voiture en discutant. L'un d'entre eux alluma une cigarette et tira une large bouffée. Il désigna soudain le magasin d'un mouvement de menton.

Sharko se glissa derrière un étal de pantalons d'un mouvement brusque.

Foudroiement dans le genou. Grimace de douleur. Il se traîna sous une table sur laquelle pendaient des robes, posant un index sur ses lèvres à l'attention du vendeur, qui le fixait d'un air halluciné.

Si ce dernier ne jouait pas le jeu, il était mort. Sharko se sentait incapable de se défendre avec sa jambe foutue.

Petit bruit de cloche. Raclement de fer sur le carrelage. Sharko vit passer, juste devant son nez, deux paires de santiag en peau de crocodile. Ou de caïman. Une voix grave prononça quelques mots en espagnol. Une question… Des paroles échangées. Des secondes interminables où Sharko retint son souffle, empêchant jusqu'à sa sueur de perler.

Les pointes de santiag changèrent finalement de direction. Puis retentit le son de cloche libérateur.

Les robes finirent par se soulever, quelques secondes plus tard.

C'était le vendeur, qui le gratifia d'un simple : « *This is OK…* »

Sharko se releva avec difficulté et jeta un œil dans la rue. La Ford Mustang s'éloignait, toujours au ralenti, et bifurqua dans une rue perpendiculaire. Le flic remercia sincèrement le vendeur et lui tendit un autre billet.

Puis il sortit du magasin, boitilla dans l'ombre du trottoir, aux aguets.

Il regagna sa voiture en toute hâte et, le doigt tremblant, entra la destination d'Arequito dans le GPS.

70

Alban Couture vint ouvrir à Lucie et Nicolas, engoncé dans une blouse blanche tachée de fluide translucide, sans doute du formol. Il avait les yeux injectés de sang et en profita pour respirer un grand bol d'air.

— Vous avez pu mettre la main sur Camille Pradier ? demanda-t-il d'emblée.

— Il est mort suite à un accident de la route, répliqua Bellanger.

Couture se figea sous le choc de l'annonce. Il lui fallut de longues secondes avant qu'il recouvre ses esprits et son professionnalisme.

— Je... J'en ai découvert une autre en plus de celle d'hier, fit-il d'une voix grave. Encore une femme, elle reposait tout au fond de la cuve numéro 2. Tatouée à l'arrière du crâne, elle aussi. Et plutôt jeune. Je dirais une vingtaine d'années.

Lucie et Bellanger échangèrent un regard. Ils le suivirent en silence. Couture se tenait le front, encore ébranlé par le brusque décès de son collaborateur.

— J'ai regardé sur le fichier Excel disponible sur le réseau informatique du laboratoire, poursuivit-il. On a actuellement soixante-sept corps complets dans les cuves, et seuls soixante-cinq sont enregistrés. Deux corps sont donc entrés illégalement dans le laboratoire.

Il s'arrêta au milieu de la salle de dissection, entre toutes les tables alignées, et regarda ses deux accompagnateurs d'un air grave.

— Vous aviez raison. Camille se livrait à un bien sinistre trafic, et cela ne pouvait se faire que la nuit. Les deux corps féminins ont été… écorchés au dermatome à l'arrière des cuisses, du dos et des bras. Il prélevait leur peau. Ils ont aussi été violés. C'est *post mortem*, ça ne fait aucun doute.

Lucie serra les deux poings.

— Une saloperie de nécrophile, lâcha-t-elle.

— Plus que ça, ajouta Bellanger. Bien plus que ça.

— C'est pour cette raison qu'il a gardé certaines de ces filles au lieu de s'en débarrasser, ajouta Lucie. Des objets à fantasmes. Des trophées. Il ne pouvait s'empêcher de les posséder.

— Vous ne m'avez pas dit si vous aviez saisi précisément le sens des tatouages, fit le médecin.

— On pense que les lettres, B ou AB, sont des groupes sanguins. Pour le reste, on l'ignore encore.

— J'ai la quasi-certitude qu'il s'agit de typages HLA sérologiques.

Nicolas Bellanger fronça les sourcils.

— Vous pouvez être plus clair ?

— Venez. Vous allez vite comprendre.

Il les emmena dans la pièce juste en dessous, là où Pradier découpait d'ordinaire ses cadavres. Une masse blanchâtre reposait sur la table en acier : une femme, jeune, crâne rasé, positionnée de dos, avait été sortie de la cuve et remontée par l'ascenseur. Pelée presque intégralement.

Lucie et Bellanger se regardèrent. Le capitaine de police sortit son petit carnet et se rendit à la liste de tatouages qu'il avait notés. Ses sourcils se froncèrent.

— Elle n'y est pas.

Lucie n'y croyait pas. Elle lui prit le carnet des mains et chercha en vain. Couture tendit un petit papier à Bellanger.

— C'est le tatouage de l'autre cadavre, je l'ai noté.

Nouveau coup d'œil au carnet.

— Elle non plus… Il n'y en a pas d'autres ? Vous êtes certain ?

Alban Couture acquiesça.

— J'ai tout vérifié, cadavre après cadavre.

Après avoir enfilé une nouvelle paire de gants en latex, il retourna le corps. Le bassin était barré d'une grosse cicatrice verticale, recousu avec du fil chirurgical noir. Le visage était presque jaune. Les paupières boursouflées semblaient affaissées.

— Je l'ai remontée de la cuve numéro 2, précisa le médecin. Les deux corps présentaient exactement les mêmes caractéristiques : une grosse entaille dans l'abdomen, recousue grossièrement. Énucléés tous les deux. J'ai déjà ouvert l'autre cadavre. Mais je voulais que vous constatiez par vous-mêmes concernant ce corps-là. Je suis quasiment sûr qu'il présentera les mêmes caractéristiques. (Le médecin s'empara d'un scalpel.) Excusez-moi…

Les policiers se reculèrent.

Alban Couture fit sauter le fil chirurgical d'un coup de lame précis.

— Vous avez déjà tous assisté à des autopsies, je présume ?

Les flics acquiescèrent.

— Alors, vous allez vite comprendre ce qui cloche.

Alban Couture écarta les pans de chair jaunâtre, flasques.

Lucie écarquilla les yeux.

— On leur a prélevé les reins, le cœur, le foie, les poumons, affirma Couture. À toutes les deux. (Il souleva les paupières avec la mitre de son scalpel.) Plus d'yeux, comme je vous le disais.

Les deux policiers en restèrent bouche bée. Les grosses artères et veines principales étaient clampées avec de petites pinces et pendaient dans le vide. Ce corps avait été dévalisé. Juste de la matière première, une usine organique dans laquelle des monstres avaient puisé.

Ces pauvres filles avaient été kidnappées, violées, pillées, bafouées, même après leur mort.

Malgré l'horreur des révélations, Lucie essaya de garder son calme. Parce qu'il le fallait. Parce que la colère, la panique étaient les pires ennemies du flic et empêchaient de réfléchir.

Nicolas Bellanger craquait, il leur tourna le dos et frappa du poing contre la cloison.

— Vous pensez que Camille Pradier a pu faire une chose pareille ? demanda Lucie.

Couture haussa les épaules, les yeux fixés sur Bellanger qui allait et venait, comme un lion en cage.

— Seul, ça me semble compliqué, il n'a pas les compétences pour. Même si un rein n'est pas difficile à prélever, cela suppose une vraie pratique chirurgicale, des instruments adaptés, des supports de transport pour les organes.

Il sortit un petit tuyau de l'intérieur de la poitrine.

— En revanche, je pense qu'il y a participé. Je l'ai déjà vu faire des sutures, Camille est gaucher, il travaille à l'envers. Cette suture-ci est irrégulière, elle a été faite juste pour éviter que le sang ne pisse, par un gaucher, aucun doute.

Il tourna autour du corps, pour se positionner face aux flics.

— Des canules abandonnées dans la poitrine, une ouverture du bassin grossière et violente alors qu'une petite incision suffit... Du travail rapide, plutôt bestial, je dirais. Mais efficace.

Lucie imaginait avec de plus en plus de précision la chaîne morbide qui accompagnait chaque victime, de leur enlèvement à leur immersion au fond des cuves avant, probablement, une crémation.

Elle prit une inspiration et lâcha la question qui la tourmentait :

— On est bien en train de parler de trafic d'organes ?

Couture remit le cadavre sur le ventre, tout en acquiesçant.

— La présence des tatouages sur les crânes semble le confirmer, oui.

Le trafic d'organes... Un terme qui laissa les flics sans voix. Un groupe organisé enlevait des personnes jeunes, en bonne santé, inconnues de l'administration, pour les dépouiller de leurs organes.

Puis les faisait disparaître de la surface de la terre.

Ni vu ni connu.

— Expliquez-nous ce que ces tatouages signifient, fit Bellanger.

— Ils sont les clés qui offrent les meilleures chances pour une greffe réussie. Première clé : il faut que donneurs et receveurs soient du même groupe sanguin pour éviter le rejet systématique. C'est la première étape de sélection : on ne greffera jamais des organes sur un receveur de groupe différent de celui du donneur. Les groupes sanguins B et AB sont les plus rares. Même en rhésus positif, AB + ou B +, on est à moins de dix pour cent de la population.

— Et pourtant, on n'a que ces groupes-là dans la liste, signifia Lucie à Bellanger. Camille a expliqué que c'était ce que Loiseau recherchait. Des groupes rares…

Bellanger revint vers Couture.

— Et les chiffres ?

— Ils sont la seconde clé. Vous auriez pu chercher longtemps, car c'est incompréhensible si on ne fait pas le rapprochement avec une greffe d'organe. C'est très astucieux de le noter sous cette forme, il fallait y penser. Pour faire simple, chaque individu possède sa propre carte d'identité biologique, que l'on appelle le système HLA. Afin qu'une greffe puisse être réalisée, il faut que les typages HLA du donneur et du receveur soient les plus proches possible. On teste en priorité les antigènes A, B, DR et DQ, chaque test donnant un couple de nombres. Ces nombres sur le tatouage sont comme une synthèse de la carte d'identité du donneur.

— Donc, en un seul coup d'œil, grâce à ces tatouages, on sait précisément si un candidat à la greffe peut être un receveur potentiel des organes du « porteur ». C'est bien ça ?

— Exactement.

— Comme dans un catalogue, ajouta Lucie à voix basse à l'intention de son collègue. On expose des filles propres, baignées, soignées, rasées intégralement, pour montrer leur pureté et assurer que ce sont de bonnes et belles marchandises. Puis le client choisit un « objet » compatible, paie et consomme.

Alban Couture positionna un drap sur le corps.

— Il y a tout de même un obstacle majeur au trafic d'organes : c'est l'encadrement rigoureux de notre loi française et le triple verrou, à savoir la gratuité de l'organe, l'impossibilité de procéder à des transplantations hors des centres hospitalo-universitaires autorisés, et l'interdiction d'utiliser les greffes non contrôlées par l'agence de biomédecine. Jamais un médecin ne prendra le risque d'opérer sans conditions légales strictes ni traçabilité de l'organe.

— Un médecin honnête, vous voulez dire, répliqua Bellanger amèrement. Je peux vous sortir une liste longue comme le bras d'affaires criminelles que nous avons traitées et qui impliquaient des scientifiques passés du mauvais côté de la frontière. N'importe qui est corruptible, pour peu qu'il y ait de l'argent ou du prestige en jeu. Et une volonté de nuire.

— Je veux bien vous croire. Mais sachez que les greffes nécessitent des structures adéquates, performantes. Autant les prélèvements peuvent se faire dans des conditions plutôt sommaires et pas forcément hygiéniques à cent pour cent, autant les greffes exigent un bloc opératoire, une hospitalisation, plusieurs médecins... Surtout pour le cœur, les poumons. Dans nos hôpitaux, je le répète, c'est...

— Et l'affaire du sang contaminé par exemple, c'est impossible aussi chez nous, c'est ça ? Et les prothèses PIP ? On ne parle plus de gens normaux ni d'hôpitaux. On parle d'espèces de tarés capables du pire. Il n'y a pas de limites aux déviances, monsieur Couture, et la réalité est dix fois pire que la pire des choses que vous puissiez imaginer. Il n'y a qu'à regarder Camille Pradier. Le bon petit employé modèle, celui qui ne la ramène jamais, n'est-ce pas ?

Bellanger et Lucie finirent par remonter. Ils avaient demandé à Couture de venir faire une déposition au 36, et des garçons de morgue allaient arriver pour embarquer les deux corps. Ils tenteraient ainsi de les identifier en prenant les empreintes, l'ADN... Ils essaieraient de redonner à ces pauvres filles un semblant d'identité.

Cinq minutes plus tard, le capitaine de police était assis sur les marches du laboratoire, cigarette aux lèvres. Il leva les yeux, l'air abattu.

— C'est un terrible coup du sort, lâcha-t-il avec tristesse. Camille, greffée avec le cœur d'un type impliqué dans un trafic d'organes. (Il jeta sa cigarette à peine entamée.) Ils vont peut-être la marquer avec les tatouages, comme les autres. La raser, l'enfermer dans un endroit froid et sordide. Ils vont peut-être l'ajouter à leur putain de catalogue. Si elle n'est pas déjà morte...

Il secoua la tête, résigné.

— Le destin, soupira-t-il. Il y a deux jours, je parlais avec elle de listes d'attentes, de greffes d'organes... Les faibles pourcentages, comme elle disait.

Lucie réfléchit et désigna le laboratoire.

— Tu as vu comme moi, ces filles ne sont pas référencées dans notre carnet. Ça signifie qu'ils ont continué après la mort de Loiseau. Ils enlèvent encore des gens. Soit ils ont recruté un nouveau Loiseau, soit Charon, Pradier et l'inconnu n'agissent plus qu'à trois.

Bellanger ne réagissait plus. Lucie s'accroupit devant lui et tenta de le rassurer comme elle pouvait :

— Dans tous les cas, on a bien cerné leur mode de fonctionnement, on a pénétré leur système. Loiseau remettait les filles à Charon dans des endroits presque différents chaque fois, parce qu'il était prudent. Charon les emportait encore en vie – c'est nécessaire pour le prélèvement – et volait les organes, assisté par Camille Pradier, qui récupérait ensuite les dépouilles et les détruisait. Enfin, était censé les détruire... Ils commettent tous des erreurs, ils ont tous des faiblesses. Celle de Pradier, c'est la force de ses fantasmes. Il a fallu qu'il garde certains corps au lieu de s'en débarrasser, qu'il photographie ses exploits et s'en vante auprès de Loiseau. Sans ça, nous ne l'aurions jamais retrouvé.

— Et qu'il les charcute pour fabriquer ses putains d'objets qu'il gardait dans sa cave, ajouta Bellanger. Un vrai malade...

— Leur système est rodé, ils sont difficilement traçables, mais on est à leur cul, Nicolas. Le profil de Charon s'affine, on connaît beaucoup de choses sur lui. Reste à savoir où il se cache, mais Franck est sur ses traces, il remonte son passé. Charon n'est plus un fantôme ni une silhouette de sang sur les murs d'un abattoir. Il a un visage, des faiblesses, lui aussi. On progresse, on va finir par l'avoir. Il faut garder confiance.

Bellanger leva des yeux furieux.

— Elle est morte, Lucie !

— Non. On doit y...

— T'as vu ce que cette bête sauvage a fait ? Il viole des morts ! Il les découpe, les conserve, les recycle ! Comment tu peux croire une seule seconde qu'elle est encore en vie ? Il l'a violée et il l'a larguée dans un bois, voilà ce qu'il en a fait. Qu'on arrête de se mentir.

71

L'ambiance, dans l'*open space*, était électrique lorsque Lucie et Nicolas arrivèrent.

Levallois était assis à son bureau, mais Robillard allait et venait, le téléphone collé à l'oreille, l'air grave. Lucie s'installa à sa place, et Nicolas fit un point sur leurs découvertes toutes fraîches quand le lieutenant aux muscles saillants raccrocha. Le capitaine de police parla évidemment du trafic d'organes présumé.

Robillard, qui était retourné s'asseoir, hocha le menton vers l'écran de son ordinateur.

— C'était justement là-dessus qu'enquêtait Mickaël Florès en Albanie et au Kosovo. Il n'y a plus aucun doute.

— Explique, somma Nicolas.

— Je viens de discuter avec un spécialiste. Un commandant qui a bossé pour le groupement des opérations extérieures de la gendarmerie. Il a fait partie de ceux qui ont été chargés de l'enquête diligentée en Albanie afin d'identifier les victimes des crimes de guerre.

— Et ?

— Il y aurait eu, en Albanie et au Kosovo, un trafic d'organes international entre 1999 et 2000, impliquant une ferme située à Rripe, qu'on appelle la Maison jaune.

— Rripe... Là où s'est rendu Florès à la fin 2009.

— Exactement. Le trafic d'organes aurait commencé avec les enlèvements de civils serbes et albanais au Kosovo durant les bombardements de l'OTAN en 1999 et pendant les mois qui ont suivi. On les aurait transférés dans des centres clandestins de détention dans le nord de l'Albanie et on aurait prélevé leurs organes vitaux pour alimenter un réseau international. Des receveurs d'organes allemands, israéliens, canadiens et même polonais auraient payé jusqu'à cent mille euros pour la greffe d'un rein.

— Tu parles au conditionnel ?

— C'est un conditionnel dirons-nous... de prudence. *A priori*, le dossier est encore en cours et extrêmement complexe, il met en accusation rien de moins que le ministre de la Santé du Kosovo, le Premier ministre, de très hauts fonctionnaires, des groupes militaires et divers chirurgiens. C'est à la justice de l'Union européenne de faire son travail.

Nicolas saisit la balle au bond :

— Des chirurgiens, tu dis ? Qui ?

— Je vais y venir, laisse-moi juste finir. La Maison jaune est une ferme sordide où auraient eu lieu une partie des prélèvements d'organes. Une maison qui a toujours été habitée par le même couple, des gens à qui on donnerait le bon Dieu sans confession, et qui ont pourtant laissé ces horreurs se perpétrer entre leurs murs. Le commandant de gendarmerie que j'ai eu en ligne était sur place en 2004, missionné par l'ONU, quand les pulvérisations de Luminol ont montré la présence d'innombrables traces de sang près d'une table dans la pièce principale. Les militaires français n'étaient là qu'en observateurs, malheureusement, c'est un enquêteur albanais qui a rédigé le rapport. Le parquet du pays n'a donné aucune suite à cette visite. Les prélèvements matériels effectués sur place ont mystérieusement disparu. La Maison jaune a été repeinte en blanc, depuis, comme une façon de dire : « Allez tous vous faire foutre »…

Robillard laissa quelques secondes s'écouler, sondant ses collègues, avant de poursuivre :

— D'après divers rapports, il a été formellement établi que, en 1999, l'armée de libération du Kosovo, l'UCK, disposait d'au moins six centres de détention dans le nord de l'Albanie, où étaient emprisonnés des Serbes, surtout des civils originaires du Kosovo, mais aussi des Albanais considérés comme traîtres. La plupart de ces détenus n'ont jamais réapparu après leur libération. Dans plusieurs de ces centres, les prisonniers subissaient des examens médicaux, des prélèvements sanguins qui servaient à définir leur compatibilité HLA… Certains d'entre eux, surtout des jeunes Serbes, étaient soignés, bien nourris, puis finissaient dans la Maison jaune ou dans une autre maison à Fushë-Krujë, près de Tirana, où avait été installée une clinique sommaire pour le prélèvement. Les prisonniers étaient alors exécutés d'une balle en pleine tête avant d'être opérés pour qu'un ou plusieurs de leurs organes leur soient prélevés. Ces organes, en général des reins ou des cornées pour leur excellente qualité de conservation et leur forte demande sur le marché, étaient ensuite transportés jusqu'à l'aéroport d'où ils étaient expédiés, contre paiement, dans des cliniques à l'étranger.

Ses propos laissèrent les autres flics sans voix. C'était une machinerie monstrueuse qui semblait s'être mise en place dans ces pays de l'Est, à l'aube de l'an 2000, et qui se répétait en France aujourd'hui, de toute évidence.

— Les points communs avec notre affaire sont flagrants, souligna finalement Nicolas, et le schéma est similaire. Ces filles que Loiseau a soignées, bien nourries... Les prélèvements sanguins, les analyses HLA... Les sommes fournies à Dragomir, venant probablement de receveurs qui versaient beaucoup plus d'argent...

— On est dans le même schéma, oui, mais amélioré, fit remarquer Robillard. Petite échelle donc plus discret, filles inconnues au bataillon, et, au lieu de balancer les corps dans les charniers, on les fait simplement brûler dans un crématorium. Plus aucune trace... Bref, tout cela nous amène aux fameux chirurgiens impliqués dans le trafic en Albanie. La plupart d'entre eux étaient en rapport avec la clinique Medicus, une clinique privée basée à Pristina, qui a été fermée par les autorités en 2008 après de forts soupçons de transplantations illégales d'organes.

— Pristina... Florès est aussi allé là-bas.

— Exactement. Si les monstruosités de la Maison jaune et celles de Fushë-Krujë se sont terminées peu de temps après le conflit armé, les trafics d'organes, eux, se sont poursuivis sous une autre forme jusqu'en 2008. EULEX, la mission de l'union européenne de police et de justice qui a œuvré sur place après l'ONU, a découvert que cette clinique Medicus pratiquait des greffes de reins clandestines. On ne tue plus, on ne vole plus les organes, mais on fait venir de pauvres gens de Turquie ou d'ex-URSS, on leur donne un peu d'argent pour qu'ils cèdent un rein à de riches patients originaires des États-Unis, d'Europe occidentale, d'Israël ou de pays arabes, et on les renvoie chez eux, plutôt mal en point. Bref, le système est différent, mais la finalité est la même : ceux qui ont le pouvoir et l'argent sont des prédateurs et ils font tout pour survivre, au détriment d'autres vies…

Il lança des impressions depuis son ordinateur et alla chercher les feuilles, qu'il tendit à Nicolas.

— Voilà les divers chirurgiens suspectés d'être impliqués dans le trafic. Ils sont tous originaires des pays de l'Est, sauf deux. Lui, c'est Hassan Ertuğrul, un chirurgien turc qui pratiquait les transplantations en Turquie, avec les organes directement venus d'Albanie. Disons qu'il était… le greffeur.

Lucie et Jacques Levallois s'étaient rapprochés.

— Il est mort il y a deux ans d'un cancer, m'a expliqué le gendarme.

Robillard désigna une seconde feuille et pointa un homme aux traits hispaniques. Grand, puissant, avec un nez aquilin et de petits yeux noirs sous d'épais sourcils. La cinquantaine.

— Et le second étranger, c'est Claudio Calderón. Accrochez-vous. C'est un ophtalmologue argentin.

Tous furent sous le choc.

— Un Argentin… Ophtalmologue, qui plus est…, fit Nicolas. Ça colle bien avec les énucléations et les monstruosités faites sur les yeux d'*El Bendito*…

Bellanger acquiesça avec conviction.

— Trop âgé pour être Charon, mais bien possible qu'il soit notre quatrième homme. On ignore comment il est arrivé en Albanie, ainsi que les raisons profondes qui l'ont poussé là-bas. On l'appelait le docteur Vautour. À Medicus, il prélevait, entre autres, les cornées. Ce sont des tissus qui font l'objet d'une très forte demande sur les listes d'attente et qui présentent l'avantage de ne pas poser de problème de compatibilité, donc de rejet, contrairement aux reins. Mais Calderón avait des capacités de chirurgie générale, il était très doué. Assisté d'un ou deux spécialistes, il s'occupait en définitive de tous les organes. C'était lui le chirurgien soupçonné d'être le plus impliqué dans le trafic de la clinique Medicus.

— Jamais arrêté ?

— Non. Son nom est un jour ressorti dans l'affaire de la Maison jaune, avant que les papiers disparaissent. Le dossier n'est qu'un château de cartes, la justice traîne. Les personnes qui auraient pu parler se sont mystérieusement rétractées ou volatilisées. Tout comme le docteur lui-même, d'ailleurs. Il semblerait qu'on ignore où il se trouve. Jacques vient de lancer une requête pour une recherche d'identité et de domiciliation sur notre territoire.

Bellanger acquiesça.

— C'est bien. Et on connaît le parcours de ce Calderón avant l'Albanie ?

— D'après les infos du gendarme, l'homme venait directement d'Argentine. Il bossait dans une clinique d'ophtalmologie, à Corrientes. Il n'en sait pas plus.

Les flics se regardèrent. Les pièces du puzzle s'emboîtaient enfin. Nicolas tira les conclusions qui s'imposaient :

— Il semblerait donc que Mickaël Florès se soit mis à enquêter sur les trafics d'organes en 2009. Comme à son habitude, il a voulu creuser le sujet, aller au fond des choses. Au courant du trafic en Albanie, il s'est rendu à Medicus, à Rripe, pour obtenir des clichés, sans doute. Photographier les habitants de la Maison Jaune, d'anciens médecins, des personnes impliquées... Capter leurs regards fous. En tout cas, son enquête l'a fait se pencher sur la personnalité de Calderón. Alors, il s'est rendu en Argentine, pour remonter aux origines et essayer de comprendre comment Calderón en était arrivé là. Ou alors, il voulait carrément le retrouver, l'interroger, le photographier...

— Et ça l'a peut-être conduit jusqu'à l'hôpital psychiatrique où est allé Franck. Puis vers Mario... Puis Charon, ajouta Lucie.

— Ce n'est qu'une hypothèse, mais il faut avouer que l'ensemble se tient très bien.

Nicolas se frotta le menton tout en réfléchissant. Son cerveau était en ébullition, soulevant les questions, répondant à certaines. Il revint vers ses subordonnés.

— On sait où finissent nos victimes, annonça-t-il d'une voix assurée. Dans un laboratoire d'anatomie du CHR d'Orléans. C'est-à-dire sur le sol français. Or, la durée de vie d'un organe prélevé n'est pas infinie, à ce qu'il me semble.

— Quatre heures pour un cœur environ, fit Robillard. Le double pour un foie...

— C'est extrêmement court. S'il y a un trafic d'organes, il y a forcément des receveurs. Des gens qui ont... accepté de se faire greffer illégalement. Qui ont payé cher pour ça. Peut-être qu'ils sont français. Qu'ils vivent pas loin d'ici. Qu'ils sont « ceux qu'on ne voit pas ».

Il n'arrêtait pas de regarder sa montre, comme s'il n'imprimait plus ce qu'il voyait, comme s'il oubliait au fur et à mesure. Pourtant, son cerveau carburait à plein régime. Il fixa Robillard.

— Pascal, essaie de te rencarder sur le sujet des trafics d'organes, voir s'il y a un moyen quelconque de remonter jusqu'à des receveurs illégaux. Ces gens-là ont forcément, à l'origine, un dossier médical lourd. Ils ne peuvent pas être totalement invisibles.

— Tu voudrais procéder comme pour la came ? On chope le consommateur, et ça nous permet de remonter au dealer ?

— Exactement. Inutile de te dire que… que le temps presse.

— C'est bien le problème. Remonter un trafic, ça prend du temps, des semaines, des mois, ça demande des ressources. Ça ne peut certainement pas se résoudre en quelques jours.

— Je m'en doute, bordel ! Mais fais ton possible, OK ?

Nouveau coup d'œil sur sa montre. À cran, il se tourna vers Lucie.

— Occupe-toi des facturettes d'essence. Triture-moi ça dans tous les sens. Je veux des résultats, des réponses.

Lucie acquiesça en silence.

— Quant à toi, Jacques, t'as du neuf sur Pradier ? Son passé ? Son historique informatique ?

— Je suis en train de collecter tout ce que je peux sur lui. J'ai contacté les administrations, je ne peux pas aller plus vite que la musique, malheureusement.

— Si, il faut aller plus vite que la musique. Je veux aussi des infos sur Calderón, savoir s'il est en France. J'ai un contact aux impôts. Ça permettra de tout court-circuiter. Je vais te le donner. Suis-moi.

Ils sortirent. Lucie et Robillard se regardèrent, l'air soucieux.

— Je m'inquiète vraiment pour lui, murmura Lucie.

— Tu n'es pas la seule. Il croit que tout peut se faire comme ça, d'un claquement de doigts. Il est en train de péter un câble.

Lucie soupira et se pencha sur les facturettes d'essence de Camille Pradier, reçues par mail. Il y en avait des centaines. Elles étaient classées par ordre chronologique, la plus ancienne datait de sept ans plus tôt, et la dernière d'une semaine. Encore un signe de la méticulosité, de la maniaquerie de Pradier.

Lucie avait l'impression de perdre son temps, mais elle s'y plongea. En plus de la date et de diverses informations liées au carburant, les facturettes indiquaient l'adresse de la pompe à essence. Les deux endroits qui revenaient le plus souvent étaient ceux d'une station-service d'Orléans et une autre d'Antony, au sud de Paris. Toujours tard, sur Antony, et le dimanche. Sans aucun doute lié à la descente de Pradier au Styx.

Lucie remarqua une variation dans ses habitudes, à partir de 2009. Une succession de facturettes qui indiquaient une adresse le long de la D921. Toujours la même station-service, souvent le matin. Lucie entra les données sur Internet et remarqua que l'endroit se trouvait près d'une petite ville appelée Bailleau-le-Pin, à une centaine de kilomètres au nord-ouest d'Orléans, pas très loin de Chartres.

Elle revint sur les dates des factures, Pradier faisait un plein d'essence tous les trois ou quatre jours à cette période-là, ce qui était beaucoup. Puis la fréquence cessa, l'adresse de la station n'apparut plus que de temps en temps, jusqu'à ces jours-ci…

Lucie alla boire un café dans leur petite salle de pause, en pleine réflexion. Il y avait certainement

quelque chose d'intéressant à déduire de ces facturettes, mais il faudrait sans doute se rendre sur place,
interroger… Trop long, trop aléatoire. Lorsqu'elle
revint, Robillard s'adressa à elle, l'air satisfait :

— Je viens juste d'avoir en ligne l'expert en informatique, fit-il. Il a des nouvelles intéressantes concernant l'ordinateur de Camille Pradier. Tu t'en charges,
vu que je suis plongé dans cette histoire de trafic
d'organes ?

Lucie acquiesça, fit immédiatement demi-tour et
disparut au pas de course.

72

Les laboratoires de la police scientifique se situaient à même pas deux cents mètres du 36, quai de l'Horloge, de l'autre côté de l'île de la Cité.

En s'y rendant, Lucie croisa quelques touristes qui aimaient se photographier devant le Quai des Orfèvres, entre les voitures de police ou sur les marches du Palais de justice. Elle n'y prêta pas attention et rejoignit vite Guillaume Jasper, l'un des experts en informatique. Ce petit génie d'à peine trente ans était aussi à l'aise face à un ordinateur démonté qu'un légiste face à son cadavre. Il releva ses yeux de l'un de ses nombreux écrans lorsqu'il aperçut la lieutenant Henebelle. Il la salua, tira une chaise pour qu'elle s'assoie et tapota le dessus d'une unité centrale située à sa droite.

— C'est moi qui ai bossé sur le mail envoyé à Loiseau avec la photo de la tête coupée et qui ai donc établi que l'envoi avait été fait depuis le CHR d'Orléans. On dirait bien que cela vous a été utile, puisque vous avez récupéré cette bécane.

— Oui, fit Lucie. Ça a été un élément déterminant.

— Ravi de voir que mes informations ont porté leurs fruits. En espérant que celles que j'ai à vous fournir à présent vous aideront tout autant. Qu'est-ce que vous préférez ? Qu'on entre dans le technique ou pas ?

— Faites au plus simple et au plus rapide, répliqua Lucie. Juste les faits, si possible.

— Très bien. Craquer son... euh, accéder au contenu de son ordinateur n'a pas été compliqué, on contourne la sécurité Windows en deux temps, trois mouvements, ici. Première chose que j'ai tirée de sa bécane : il avait planqué des photos dans un dossier protégé. C'est ça qui est bien avec ce genre de dossiers : c'est ce que, nous, on voit en premier. Ça nous évite de chercher ailleurs.

Il en ouvrit un.

— Attention, c'est bien dégueu, prévint-il, pire que le coup de la tête coupée. J'ai du mal à comprendre comment un être humain peut faire une chose pareille.

Des photos s'affichèrent. Camille Pradier s'était photographié avec ses cadavres dans diverses positions, parfois nu, parfois habillé. Un large sourire aux lèvres. L'appareil photo était posé sur une table, on en voyait de temps en temps le coin au premier plan, et le cadrage était souvent mauvais. Sur l'une des photos, Pradier avait mis un masque de peau sur son visage.

— Quel taré... fit Lucie.

— Les plus anciennes remontent à quatre ans, et les plus récentes datent d'il y a quelques semaines, précisa Jasper. Ce malade avait l'air de s'amuser comme un petit fou dans son laboratoire.

Lucie fit abstraction de l'horreur des clichés et s'efforça de regarder, avant de revenir vers son interlocuteur.

— Vous avez découvert autre chose ? demanda-t-elle d'une voix blanche.

— Oui, et c'est extrêmement intéressant. Je suis allé fouiner du côté des traces Internet. Pradier était prudent, il lançait systématiquement un programme de nettoyage après chaque connexion, mais ces outils suppriment les données en surface. Pour être clair, elles restent sur le disque dur, inaccessibles au commun des mortels mais pas à nous.

Il eut un petit sourire tout en manipulant sa souris. Une fenêtre s'afficha.

— Il s'est connecté à une messagerie instantanée appelée Digsby. Pradier n'y avait que deux contacts. L'un appelé Charon, et l'autre Macareux. Je n'ai pas encore eu le temps de creuser la piste Macareux, de voir si on a des traces le concernant. J'ai préféré me focaliser sur Charon.

— On sait qui est Macareux, le destinataire du mail avec la tête coupée. C'était en fait Daniel Loiseau. Et il est mort.

Jasper la fixa quelques secondes, avant de poursuivre :

— Ah, d'accord. Bon… Digsby est un logiciel gratuit qui permet, à Pradier et à ceux avec qui il discute, d'utiliser des serveurs proxy. Autrement dit, impossible de remonter aux machines qui communiquent et, donc, à leurs propriétaires. Pradier utilise un autre programme qui recherche des machines-relais pour lui, différentes à chaque connexion. On a affaire à des prudents. Mais vous le savez déjà.

— On le sait, oui.

— En revanche, on peut remonter jusqu'à la dernière machine-relais – la plupart du temps un ordinateur mal protégé – si elle n'a pas été éteinte ni elle-même été « nettoyée » depuis. C'est ce que j'ai réussi à faire, avec un peu de chance il faut l'avouer.

— Il en faut.

— J'ai donc pu récupérer une conversation que Camille Pradier a eue avec le fameux Charon, ce lundi, à 4 h 12 du matin.

Lucie sentit la tension monter. C'était la veille, cette sinistre nuit où Camille avait disparu. Celle où le directeur du laboratoire avait surpris son employé en train de sortir les cadavres de l'une des cuves.

Jasper ajouta, avant d'afficher une autre fenêtre à l'écran :

— Il y a un délai entre le moment où Pradier se connecte et celui où Charon répond. Ce dernier dormait probablement, son ordinateur ou son téléphone a peut-être sonné pour le réveiller, un truc dans le genre. Bref, deux minutes plus tard, les deux hommes étaient en ligne. Voici ce qu'ils se sont dit…

Lucie lut en silence la conversation :

04:12:34 CP > Urgent…
04:14:23 Charon > Qu'est-ce qu'il y a ?
04:14:45 CP > Événement curieux au Styx ce soir. Une femme, jamais vue, trop de questions. A cherché à voir mon visage.
04:15:34 Charon > Flic ?
04:16:01 CP > Je crois pas. Truc bizarre. Elle a été greffée du cœur. Plein de cicatrices sur le ventre, aussi.
04:16:12 Charon > Comment tu sais ?
04:16:27 CP > Je l'ai enlevée et fouillée.
04:16:42 Charon > Enlevée ? Comme ça ? T'es taré ?
04:17:07 CP > Pas d'inquiétudes. Pris toutes les précautions. Suis pas suivi, c certain. On doit savoir qui elle est. D'où elle vient.

04:17:38 Charon > Et si c juste un hasard ? Une greffée intéressée par le Styx ? Loiseau était bien flic, après tout.

04:17:59 CP > Je crois pas. Mais dans tous les cas, elle va te brancher. Ai vu sa carte de groupe sanguin : B.

04:18:17 Charon > Parfait. Reste à vérifier la compatibilité. Ai justement deux ou trois demandes urgentes. Elle est où ?

04:18:38 CP > À la ferme. Déposée avant de venir au labo. Truc à faire ici.

04:18:48 Charon > Quel truc ?

04:18:53 CP > Rien qui te concerne. Tu t'occupes d'elle ?

04:19:29 Charon > Suis pas dans le coin, peux pas pour l'instant. Garde-la au chaud jusqu'à demain soir, je vais voir pour me libérer. Rentre chez toi, sois prudent. Si pb, tu disparais. Me contacte plus d'ici là.

C'était terminé. Lucie relut la conversation plusieurs fois. On était mardi, début d'après-midi. Pradier, qui avait eu son accident, n'avait pas pu retourner auprès de Camille pour lui faire du mal.

Donc, la jeune femme était encore vivante, enfermée quelque part depuis la veille au matin. Si elle en croyait les derniers mots de Charon, il y avait une chance pour que celui-ci la retrouve seulement ce soir.

Mais il y avait aussi un risque qu'il soit déjà passé.

Ai justement deux ou trois demandes urgentes.

Ça voulait sûrement dire qu'ils allaient l'opérer.

Voler ses yeux, ses reins, pour les greffer sur des « clients », et se débarrasser d'elle.

Mais Lucie préféra chasser ces pensées sombres et

se dire qu'il ne restait que quelques heures avant que Camille tombe entre les mains de ce monstre.

Elle releva les yeux vers le spécialiste.

— On n'a rien d'autre sur l'ordinateur ? Une idée sur ce que pourrait être cette ferme ?

Jasper secoua la tête, tout en remettant à Lucie une feuille imprimée avec la conversation.

— Trop tôt pour le dire, j'ai fait au plus rapide. Faut encore que je fouine, mais il n'y a pas de liens stockés dans le navigateur, pas d'historique ni de cookies, ni de messagerie client. J'ai fait une recherche d'images, de vidéos, je n'ai rien trouvé d'autre que les photos que je vous ai montrées. Je vais jeter un œil dans les documents, mais j'ai peu d'espoir. À première vue, le reste, c'est uniquement professionnel. Je vous tiens au courant dans tous les cas.

Lucie le remercia et rejoignit son service au trot, avec une petite idée en tête. Elle pensait aux facturettes d'essence, cet endroit où Pradier semblait régulièrement se rendre. Elle s'approcha de Jacques Levallois, rivé à son écran.

— Dis, tu sais si Pradier avait une autre propriété que celle de Chécy ?

Le lieutenant regarda sa montre.

— Le contact de Nicolas aux impôts est justement en train de chercher dans le foncier. Il doit me recontacter d'un instant à l'autre. Pourquoi ?

Lucie lui tendit l'imprimé avec la conversation. Levallois en prit connaissance. Il releva des yeux graves vers Lucie.

À ce moment, son téléphone sonna.

— C'est lui, dit-il dans un souffle.

73

Nicolas était immobile, assis à son bureau, la tête dans les mains, les yeux fermés.

Il n'arrivait plus à réfléchir et se sentait vraiment au bord du gouffre. Ses tempes pulsaient, lui donnant l'impression que son crâne allait exploser.

Heureusement, le cachet qu'il avait avalé fit rapidement son effet.

Le portable de Camille qu'il gardait dans sa poche vibra. Nicolas lut le SMS qui venait d'arriver.

Que se passe-t-il ? Pourquoi tu ne réponds plus à mes appels ? Je m'inquiète, Camille, dis-moi juste que tout va bien. Boris.

Nicolas n'eut pas la force de répondre. Il venait de faire quelques recherches sur les greffes cardiaques pour essayer de comprendre le message que ce docteur Calmette avait laissé sur le portable de Camille. Il en déduisit que la jeune gendarme souffrait peut-être d'un rejet chronique, la principale cause d'échec des transplantations cardiaques. Cette manifestation était considérée comme le risque majeur encouru, mettant directement en jeu la vie du patient.

Pour être clair, l'organisme de Camille ne voulait

575

pas du nouveau cœur et le détruisait à grande vitesse. Et il n'y avait aucune parade contre cette violente réaction immunologique.

Hormis un nouveau cœur.

« Vous voyez bien qu'il faut toujours y croire ? Cette chance était inespérée, et pourtant… », avait dit le médecin. Ce cœur tout neuf était là, en attente, quelque part, battant sans doute encore dans la poitrine de son donneur décédé.

Le destin, songea le capitaine de police. Quelle curieuse coïncidence, encore une fois, que le bon donneur, d'un groupe compatible, soit justement mort pour offrir son organe au moment où, sans doute, Camille en avait le plus besoin.

Calmette avait raison, la jeune femme devait avoir une bonne étoile, quelqu'un qui veillait sur elle, qui la protégeait.

Elle ne peut pas être morte. Pas elle.

Nicolas eut un regain d'espoir, qui fut vite écrasé par la gravité de la situation.

Camille, disparue, entre les mains de malades.

Camille, sans ciclosporine.

Camille, en détresse cardiaque.

Tout redevint noir, autour de lui, et l'espoir s'envola. La vérité, c'était que le cœur allait partir ailleurs, ce soir, à minuit.

Pascal Robillard l'arracha à ses pensées. Il tenait des papiers.

— Ça va ? demanda-t-il.

— Je… (Nicolas se passa une main sur le visage.) Qu'est-ce qu'il y a ?

Robillard l'observa quelques secondes, sceptique, puis en vint à la raison de sa venue.

— Je n'ai pas eu le temps de creuser la question des trafics d'organes, mais j'ai rapidement eu une idée qui s'est confirmée. On a peut-être un moyen de choper rapidement les receveurs si le centre de biomédecine joue le jeu.

— Comment ? demanda mécaniquement le capitaine de police.

— Si des gens ont reçu un organe, c'est que, d'un seul coup, ils ne sont plus en demande. Il suffit de se rencarder sur les retraits inattendus de patients de la liste d'attente des greffes.

Nicolas avait du mal à réagir.

— Par... Par retrait inattendu, qu'est-ce que t'entends ?

— Je viens de me renseigner : autre que décès et amélioration de l'état de santé certifié par le médecin traitant. Autrement dit, des retraits sans réelle justification ou avec des raisons bancales, genre changement de pays par exemple. Le problème, m'a dit mon interlocuteur, c'est qu'il y a énormément de retraits, mais on a un indice supplémentaire : la date d'enlèvement des filles roms...

— Où tu veux en venir ?

— C'est pourtant clair. Tu te rappelles, le message sur la maison de la forêt d'Halatte, par exemple ? *Suis venu, ai attendu. Livraison 02.03-07.08-09.11-04.19 urgente.* Cette fille – la victime aveugle – devait être « livrée » le 10 août 2010, d'après le carnet de Loiseau. Et s'il y avait eu un retrait de la liste d'attente des greffes autour de cette date ? Quelqu'un de greffé doit bien sortir de la liste à un moment donné, non ?

Nicolas répliqua avec un temps de retard.

— C'est une sacrée bonne piste. Pour peu que

ces personnes qui se retirent soient des mecs avec de l'argent.

— Eux, leur femme ou leurs enfants. Celui qui se retire peut très bien avoir quatorze ans. Un père peut parfaitement récupérer un organe trafiqué pour sauver son fils ou sa fille. Bref, c'est plus compliqué qu'il n'y paraît, mais on va croiser les doigts et espérer que ça fonctionne. Soit le centre de biomédecine nous donne accès à une liste de retraits et on se charge de la comparaison, soit ils le font eux-mêmes. On chope un receveur, et on remonte au chirurgien qui l'a opéré…

— T'as contacté le centre de biomédecine ?

— Ce sont des coriaces, ils vont nous chier dans les bottes.

— Je sais.

— La procédure, c'est que tu dois faire une requête au juge, qui en fera une par la suite au centre, comme on a fait lorsqu'on a voulu connaître l'identité de Camille Thibault. Ça doit être carré, argumenté pour que le secret médical puisse être cassé, et ça peut prendre deux, trois jours.

Nicolas serra les poings sur son bureau. Le message du docteur Calmette tournait en boucle dans sa tête.

— C'est bien trop long.

— Impossible d'aller plus vite, malheureusement.

— Il le faut, pourtant.

Un coup sur la porte, et celle-ci s'ouvrit brusquement.

C'était Lucie.

— On fonce, haleta-t-elle. On sait où Pradier retient Camille.

74

Le véhicule de Lucie, accompagnée de Nicolas, tra-
çait la route, jouant du gyrophare dès que nécessaire,
suivi par celui de Levallois et Robillard.

Ils avaient une petite centaine de kilomètres à parcourir avant d'arriver à une bâtisse située en pleine
campagne, à quelques longueurs d'un bled paumé
appelé Bailleau-le-Pin.

Une habitation pour laquelle, d'après le centre des
impôts, Camille Pradier payait ses taxes depuis 2009.

— J'ai une mauvaise intuition, fit Nicolas. Tout ça
est trop… rapide. Trop inespéré.

— Et moi une bonne. Je sens que Camille est encore
là, à nous attendre, et qu'on a une chance de coincer
Charon par la même occasion.

Leurs recherches sur Claudio Calderón n'avaient rien
donné. Inconnu du centre des impôts, de la Sécurité
sociale. Peut-être avait-il changé d'identité ou vivait-
il dans un pays frontalier. Et difficile de demander
une requête Interpol pour le moment, à la va-vite,
puisqu'ils n'avaient strictement rien contre lui, hormis
de vagues suppositions.

La densité de population et de véhicules chuta

lorsqu'ils quittèrent l'autoroute A11 et s'engagèrent sur les routes de campagne, après avoir passé Bailleau-le-Pin. Des champs à l'infini, des maisons de pierre isolées les unes des autres, plantées dans leur solitude et à peine accessibles.

Plus loin, ils bifurquèrent et s'enfoncèrent dans un chemin de terre. Un panneau neuf indiquait « Propriété privée ». Après plusieurs centaines de mètres de route cahoteuse, ils aperçurent une habitation, au loin. C'était un de ces gros vaisseaux de pierre usés, qu'on pouvait acquérir pour une bouchée de pain mais qui demandaient énormément de travaux pour les rendre habitables.

Lucie roulait au pas. Elle ne vit aucun véhicule du côté de la propriété. Nicolas lui demanda de stopper et alla discuter avec Levallois. Pascal Robillard sortit alors de l'habitacle et le rejoignit. Des gouttes de sueur roulaient sur son front et se perdaient dans ses sourcils. Un souffle brûlant balayait les étendues planes et silencieuses. Le soleil était gros et jaune, comme un fruit bien trop mûr.

— Si Charon n'est pas déjà passé, il risque de voir les voitures en arrivant si on se gare à proximité de la maison, fit Nicolas à l'intention de Lucie. Fais demi-tour. Avec Jacques, vous vous garez plus loin et revenez à pied.

— Et toi ?

— Je file avec Pascal dans la baraque, à la recherche de Camille. On vous attend.

— Fais bien attention.

Lucie opéra le demi-tour, tout comme Levallois. Leurs roues levèrent un nuage de poussière ocre. La campagne alentour était parfaite, verte et jaune, animée d'arbustes et d'herbes sauvages. Il n'y avait pas de champs cultivés à proximité, juste la nature à l'état brut. L'endroit idéal pour se livrer à un sombre trafic. Pas de voisin ni de témoin. Seulement des corbeaux qui se regroupaient sur des lignes à haute tension, beaucoup plus loin.

Les deux hommes prirent leur arme en main et se dirigèrent vers la bâtisse, située à deux cents mètres. Nicolas sentit de la tension dans ses membres, de la peur. L'image des flammes tournoyant autour de lui revint au-devant de son esprit. Il essaya de garder son sang-froid.

Le portail était fermé, mais ils contournèrent le grillage jusqu'à l'arrière pour s'appuyer dessus et pouvoir le franchir.

— Il a tout clôturé avec soin, fit remarqua Bellanger.

Ils se retrouvèrent sur un terrain couvert de mauvaises herbes et de terre sèche. À leur gauche, une grange dont les portes tombaient en ruine. Ils allèrent jeter un œil. L'endroit était quasiment vide, hormis au fond, où s'entassaient du vieux matériel, des pneus et des outils en sale état. Pradier avait l'air de n'avoir touché à rien.

La maison, chapeautée par un toit en ardoise grise plutôt branlant, n'était qu'un sinistre bloc de pierre dévoré par le lierre. Les gouttières pendaient, la peinture des volets fermés s'écaillait, les joints en ciment s'effritaient. La porte d'entrée, en revanche, ainsi que les fenêtres de l'étage étaient neuves, et particulièrement robustes. Robillard força sur un volet pour constater qu'au rez-de-chaussée aussi Pradier avait changé les fenêtres.

Ils firent le tour et comprirent qu'ils ne rentreraient pas sans faire de casse.

— Il n'y a pas de ligne téléphonique à l'extérieur, constata Nicolas, donc pas de risque que quelqu'un soit prévenu par une alarme. On peut y aller. Croise les doigts pour que Camille soit à l'intérieur. Il faut qu'elle soit là.

Robillard perçut des trémolos dans sa voix. Il défonça un volet et brisa une fenêtre avec la crosse de son arme. Il dut s'y prendre à plusieurs reprises pour briser le verre.

— Du sacrément solide, fit-il.

Il parvint à baisser la poignée intérieure de la fenêtre en passant le bras dans le trou. Les deux hommes entrèrent.

Un vide glacial les accueillit. Aucun meuble, des câbles électriques qui pendaient, des murs effrités, des cloisons démolies. Des poutres énormes soutenaient la structure. Pradier n'avait pas fait de travaux de rénovation, peu soucieux du confort intérieur.

Cette maison n'était certainement pas destinée à servir d'habitation.

— Tu penses qu'il y a une cave ? demanda Bellanger en avançant avec prudence.

— Il y a toujours une cave dans ce genre d'endroit.

Les voix résonnaient. Robillard hocha le menton vers une porte à grosse serrure. Elle était faite dans un bois épais, de type chêne. Il cogna du poing dessus pour en éprouver la solidité et ausculta la serrure.

— C'est du trois points, on dirait. Une barre en fer doit entrer dans le sol et le plafond de l'autre côté. Autrement dit, c'est blindé. On va en chier pour l'ouvrir.

Bellanger se pencha vers la serrure.

— Camille ? C'est Nicolas ! Tu es là ?

Il plaqua son oreille contre le bois mais n'entendit aucune réponse.

— Qu'est-ce qu'on fait ? demanda Robillard.

— Elle est peut-être là-dessous, inconsciente ou trop faible pour répondre. Va vite voir dans la grange, il doit bien y avoir des outils pour défoncer cette porte.

Pascal Robillard disparut au pas de course et réapparut deux minutes plus tard, armé d'une grosse masse et d'une vieille hache. Bellanger prit l'outil tranchant et se mit à entailler le bois avec hargne, tandis que, une fois sur deux, Robillard abattait la masse avec tout autant de force. Malgré la puissance des coups, la porte résistait. Les deux hommes furent vite essoufflés et en nage. Ils allaient en venir à bout, mais en combien de temps ?

Lucie et Jacques finirent par les rejoindre.

— Alors ? demanda-t-elle.

— On ne sait pas...

Levallois partit se poster devant l'une des fenêtres après avoir écarté légèrement l'un des volets, tandis que giclaient les morceaux de bois de la porte blindée. Bellanger dut reprendre plusieurs fois son souffle. Ils échangèrent leurs outils et œuvrèrent encore un bon quart d'heure avant d'en venir enfin à bout. Il n'était pas loin de 17 h 30.

— Allez-y, fit Levallois depuis son poste d'observation. Je veille discrètement à l'entrée, au cas où Charon arriverait. (Il hocha la tête, les lèvres pincées.) Remontez avec elle, vous me ferez plaisir.

Nicolas se fraya un passage au centre de la porte défoncée et appuya sur un interrupteur neuf. Il y eut des grésillements, puis la lumière jaillit d'un néon, dévoilant une volée de marches très propres, peintes en blanc. Le capitaine de police s'engagea le premier, talonné par Pascal et Lucie. Des odeurs de produits médicaux montèrent. Les cœurs battaient fort dans les poitrines, le stress poussait les officiers de police judiciaire à serrer les crosses de leurs armes.

Ils pénétrèrent dans une pièce rectangulaire intégralement peinte en blanc, au milieu de laquelle trônait une table en acier avec des rigoles de chaque côté, comme dans les instituts médico-légaux. Le sol était d'une propreté immaculée.

En face, de petites tablettes sur roulettes étaient chargées de gants chirurgicaux, de seringues, de kits de transfusion sanguine, de canules, de produits comme de l'anesthésique ou du relaxant musculaire. Sur la gauche, entassées sous un lavabo, des housses noires vides et à fermeture Éclair, qu'on utilisait pour le transport des cadavres. Il y avait des gants tachés de sang dans une poubelle.

Ils étaient dans une Maison jaune version française. Un endroit où on prélevait des organes à des personnes bien vivantes qui avaient été kidnappées. Tout était encore propre, fonctionnel. Et, vu les odeurs, avait servi peu de temps auparavant.

Les flics s'enfoncèrent dans la pièce, mais leurs espoirs volèrent en éclats lorsqu'ils trouvèrent une paire de menottes ouverte, dont l'un des bracelets était fermé autour d'une canalisation. Il y avait du sang et de petits morceaux de peau sur le métal. Camille avait dû se débattre, hurler, essayer de s'échapper. Nicolas se pencha et ramassa, sur la gauche, une cigarette à moitié consumée. Il posa son index sur l'extrémité noirâtre.

— C'est pas vrai !

— Ne me dis pas que c'est encore chaud ? fit Lucie.

— Pas tout à fait froid. Charon a dû passer il n'y a pas longtemps. On n'a rien vu en route, bon sang !

Lucie se mit à aller et venir, les mains agrippant ses cheveux. Elle lorgna dans la poubelle, retourna les paires de gants usagés, tandis que Robillard fouillait chaque recoin, silencieux.

— Tout est sec, pas de sang frais, constata-t-elle. Il ne lui a pas prélevé ses organes ici, il l'a emmenée ailleurs.

Nicolas écrasa les poings sur l'un des murs.

— On y était presque !

Lucie aurait aimé crier un bon coup, mais elle essaya de garder son sang-froid.

— Quelles sont les options, à présent ? demanda-t-elle.

Nicolas ne l'écouta pas. Il composa un numéro de téléphone et se retrancha dans un coin. Lucie comprit qu'il parlait au juge. Le ton monta.

— Et merde ! s'écria-t-il en raccrochant.

Au bout du rouleau, il se tourna vers ses lieutenants.

— Appelez la Scientifique, les flics du coin, retournez au 36, faites ce que vous voulez. Je prends une voiture.

— Qu'est-ce que tu vas faire ? demanda Lucie avec inquiétude.

Il se dirigea vers la sortie en courant.

— Défoncer d'autres portes.

75

Il était plus de 19 heures, et Nicolas pria pour qu'il ne fût pas trop tard.

Il avait roulé comme un dingue, doublé avec imprudence, gyrophare et sirène allumés, manquant d'avoir plusieurs accidents.

L'agence de biomédecine se trouvait quasiment face au Stade de France, à La Plaine Saint-Denis. Un monstre de plusieurs étages au design épuré, aux grandes vitres fumées qui dégageait une impression de force et de modernité. Le chef d'orchestre de tout ce qui avait trait aux prélèvements et aux greffes d'organes, de tissus et de cellules. On y exerçait aussi des missions autour de la procréation, la génétique, les cellules souches humaines…

Le capitaine se présenta à l'accueil, carte de police devant lui. Il expliqua avoir quelques questions urgentes à poser au directeur du pôle prélèvement/greffe d'organes. L'hôtesse, qui était sur le départ, signifia qu'il était en congrès à l'étranger, mais qu'il pouvait rencontrer l'un des responsables des services associés : le pôle stratégie prélèvement/greffe, le pôle évolution/biostatistique, ou le pôle national de répartition des greffons. Nicolas choisit ce dernier, qui lui parlait davantage.

On lui indiqua un numéro de bureau, une direction à suivre – c'était un vrai dédale – et, cinq minutes plus tard, Armand Leclusier l'accueillit sans un sourire, mais poliment. C'était un grand gaillard d'une cinquantaine d'années. Il rentra dans son bureau, tira légèrement la chaise sur son passage pour la présenter au flic et s'installa dans son fauteuil en cuir.

— Je vous écoute, fit-il en le détaillant de haut en bas. Soyez bref s'il vous plaît, il est déjà tard.

Nicolas resta debout.

— Je vais l'être. Demain, dans la journée, vous ou votre directeur allez recevoir la requête d'un juge d'instruction pour l'obtention de données sur des patients qui se sont retirés de la liste d'attente des greffes. Nous disposons, de notre côté, d'une série de dates qui permettent de réduire la fenêtre de tir et de filtrer la liste. Bref, la comparaison peut se faire très rapidement. Je ne peux pas me permettre d'attendre les allers et retours de papiers officiels. Une vie est en danger, là, maintenant…

Leclusier fronça les sourcils.

— Qu'est-ce que vous êtes en train de me dire ?

— J'aimerais que vous jetiez un œil à votre système de gestion des greffes et que vous fassiez la requête tout de suite.

Le responsable secoua fermement la tête.

— Je suis désolé. Nous avons des règles d'éthique et de protection des données très strictes. Nous gérons des urgences tous les jours. Quelle que soit celle de votre affaire, je ne puis contourner les procédures légales. Vous ne devriez même pas être ici. Même si ces papiers arrivaient dans une heure, ils devraient suivre le processus de validation et...

— Des médecins enlèvent des gens en parfaite santé sur notre territoire pour voler leurs organes. Ils les enferment, les dépouillent sans doute vivants et font disparaître leurs corps. Ces organes partent forcément quelque part. Chez des gens qui se croient au-dessus des lois, se fichent de votre agence et de vos listes.

Leclusier marqua sa stupéfaction. Il regarda Bellanger comme s'il débarquait d'un autre monde.

— C'est totalement effroyable, ce que vous me racontez là. Des médecins, vous dites ?

Nicolas appuya son index sur le bureau.

— Oui, des médecins, même l'un d'entre nous était impliqué. Un flic. Une jeune gendarme, Camille Thibault, est une ancienne greffée qui doit recevoir un nouveau cœur aujourd'hui même. Ce cœur est arrivé cette nuit chez vous, il est en attente dans vos ordinateurs jusqu'à ce soir, minuit.

Leclusier réagit de nouveau. Il se recula sur son siège, sous le choc.

— En effet, je suis au courant de ce dossier puisque c'est mon service qui répartit les organes. Un groupe sanguin rare... Et la patiente qui ne se manifeste toujours pas... Comment le savez-vous ?

Le flic plaqua la photo de la tête coupée devant les yeux de Leclusier.

— Elle ne se manifeste pas parce que ceux qui ont fait ça la retiennent prisonnière. Elle va finir comme cette pauvre femme si on ne fait rien dans les heures qui viennent. Je ne vous demande pas grand-chose. Juste une vérification.

L'homme se frotta le menton, ennuyé.

— Les papiers arriveront vraiment demain ?

— Oui.

— Alors je vais essayer de vous fournir quelques informations.

Il chaussa une paire de lunettes, se pencha vers son ordinateur et fit des manipulations avec son clavier et sa souris.

— Donnez-moi vos dates. Je vais vérifier les retraits autour de ces périodes-là. C'est le médecin en charge du patient qui nous informe et indique la raison du retrait. Les patients qui se sont retirés restent dans notre liste, mais ont un statut « inactif ».

Nicolas sortit son petit carnet, arracha la page et la tendit au spécialiste.

— Ce sont des dates de « livraisons » des filles. Je pense que les retraits ont eu lieu dans ces fenêtres temporelles-là.

Leclusier pianota à son clavier. Son visage ne marqua aucune réaction. Il pointa l'index sur les autres lignes du carnet et renouvela l'opération. Toujours rien. Bellanger commençait à se dire que sa piste était mauvaise quand, soudain :

— J'en ai un, le troisième de la liste… Un dialysé en attente de reins depuis plus de deux ans. Groupe sanguin AB, extrêmement rare. Vous indiquez le 4 janvier 2011, j'ai un retrait de la liste le 16 janvier. Motif : déménagement à l'étranger.

Nicolas ne tenait plus en place. Leclusier poursuivit ses recherches.

— Encore un autre. Motif : refus de suivre tout traitement. Il ne s'est plus présenté aux dialyses. Puis un autre (il releva les yeux), un enfant de quinze ans, cette fois. 13 juin 2011, soit six jours après votre date.

Un enfant… Mais ça ne changeait rien. Après quelques minutes supplémentaires, le responsable reposa la liste.

— Voilà, il y en a quatre.

— C'est amplement suffisant. Ce n'est pas parce qu'on ne se retire pas de la liste qu'on ne peut pas être greffé illégalement, bien au contraire. Certains ont peut-être informé leur médecin plus tard, longtemps après leur greffe. Ils sont certainement dans votre liste, mais ailleurs, plus loin dans le temps. Parlez-moi de ces quatre patients-là.

— Ils ont tous des groupes rares, un B, trois AB. Ils ont donc, à la base, beaucoup moins de chances de trouver un greffon compatible. Trois sont sur la liste d'attente depuis plus de deux ans. Tous en demande de reins. Il y a une vraie pénurie pour ces organes, malheureusement.

Il fit quelques manipulations informatiques.

— Ces patients proviennent de cliniques privées haut de gamme, et réputées. Deux sur Paris, une sur Lyon, la dernière sur Bordeaux. Que vous dire d'autre… Les quatre étaient dialysés, subissant par conséquent un traitement médical lourd.

Nicolas essayait de réfléchir à plusieurs choses à la fois.

— Y a-t-il un individu à l'accent argentin dans vos services ? Un Claudio Calderón ? Le nom « Charon » vous dit-il quelque chose ?

Un silence.

— Non.

— Un accès piraté à vos listes d'attente est-il possible ?

— Impossible. C'est tracé, ça se verrait.

— Dans ce cas, comment l'homme que je cherche peut-il être au courant pour ces patients qui sont dans différentes cliniques du territoire ? Comment a-t-il accès à leur dossier ? On sait qu'il a des compétences médicales étendues, qu'il est capable de réaliser des greffes.

— Les possibilités sont nombreuses. Les médecins et chirurgiens se croisent, se connaissent, voyagent, participent à des colloques. Il y a des partages de cas, de documents par informatique. Les ordinateurs relient tout le monde. Ce n'est pas non plus difficile de se rendre dans les centres de dialyse et de se renseigner à la volée, vous pourriez vous-même le faire.

Nicolas fixa son interlocuteur dans les yeux.

— Je ne peux rien tirer de ces informations. Il me faut les identités de ces quatre patients.

— Je suis désolé, je ne peux pas aller plus loin sans le papier signé de mon responsable. J'ai déjà fait beaucoup.

Soupir de Bellanger.

— Vous n'avez fait que m'appâter… S'il vous plaît.

— C'est non. En dévoilant l'identité de patients, je risque ma place et des ennuis avec la justice.

Nicolas perdit patience et fit le tour du bureau. Leclusier blanchit.

— Qu'est-ce qui vous prend ?

Le flic poussa le siège à roulettes sur le côté et força le passage. Il consulta l'écran. Leclusier voulut s'interposer, mais Nicolas lui écrasa la main sur le torse, le contraignant à s'asseoir.

— Ne bougez surtout pas.

— Vous vous rendez compte de ce que vous faites ?

— Et vous ?

Devant la détermination du flic, Leclusier ne bougea plus. Le capitaine de police se concentra sur l'écran, le souffle court. Il releva l'identité du dernier patient affiché : Michel Mercier, quarante-quatre ans. Il scruta un tas de données compliquées auxquelles il ne comprenait pas grand-chose, et trouva enfin l'onglet qui lui révéla l'adresse.

Paris, seizième. L'arrondissement le plus riche de Paris.

Il nota les informations dans son carnet. Il tenta d'afficher les résultats pour les trois patients précédents, mais les requêtes avaient été effacées par la dernière manipulation du médecin.

— Les autres, ordonna-t-il d'une voix ferme.

Leclusier secoua la tête. Nicolas fulminait.

— Espèce d'enfoiré…

Il hésitait à sortir son flingue. Le responsable le sentit.

— Vous n'avez pas l'air bien. Tout peut encore s'arranger. Ne faites pas de bêtises.

Nicolas respira un bon coup, calma ses tremblements et se dirigea vers la porte.

— Ça a intérêt à fonctionner. Parce que, dans le cas contraire, je vous jure que je vais revenir.

76

Sharko arriva à Arequito en fin de journée.

Crevé, décomposé, la jambe droite en rade.

La ville n'était pas beaucoup plus grande que Torres, mais elle était vivante, bien que perdue au milieu de nulle part. Le long de la voie de chemin de fer, quelques entreprises, dont une fabrique de vélos, et une impressionnante usine qui assemblait des engins agricoles.

Le flic entra en boitant dans le premier café qu'il trouva et annonça juste :

— *¿ Miguel Gomez, por favor ?*

L'homme derrière le comptoir le connaissait. Il répondit en espagnol, Sharko signifia qu'il n'y comprenait rien et saisit finalement, avec l'aide d'autres personnes qui baragouinaient quelques mots d'anglais, que Gomez habitait une maison jaune et blanche en retrait de la ville, à deux kilomètres environ en longeant la voie de chemin de fer vers le nord.

Le flic trouva rapidement la gare, une simple maison en brique aux portes ouvertes, avec une petite barrière blanche sur le côté qui permettait de traverser les deux voies. Elle était déserte et, plus loin, un train de marchandises était stationné. Le flic sortit de la ville, continua pendant une minute et aperçut la fameuse maison blanche et jaune, petit bloc de béton posé en retrait de la route et entouré d'une barrière couleur crème.

Il pensa à une maison Playmobil. Toute la ville, d'ailleurs, avec ses pancartes repeintes, ses couleurs vives sous le ciel bleu, ses centaines d'engins agricoles neufs à la tôle luisante, entreposés en rang d'oignons sur un parking d'entreprise, lui donnait une impression de factice.

Il passa une première fois, afin de s'assurer de l'absence de la Ford Mustang. Il fit demi-tour plus loin, se gara en retrait, monta une petite pente et sonna à la porte.

Il vit le rideau bouger, entendit du bruit, mais personne ne vint. Il insista.

— Je suis un policier français. Je viens de la part de Florencia.

Après un temps, la porte s'ouvrit enfin. L'homme, face à lui, était en fauteuil roulant, et avait été amputé des deux jambes. Un gros bonhomme d'une bonne cinquantaine, aux lunettes à double foyer, le cou gonflé façon goitre de pélican. Il donnait l'impression d'avoir soudain enflé dans son siège.

— Qu'est-ce que vous voulez ?

Il parlait un français pas trop mauvais. Sharko décida de ne pas s'encombrer de détails.

— Florencia est morte.

Les yeux de l'homme s'écarquillèrent.

— Comment ?

— Je peux entrer ?

Gomez fixa son interlocuteur, hésitant. Puis il regarda derrière le flic, à droite, à gauche, et fit un mouvement de la tête vers l'arrière.

— Fermez la porte à clé.

La porte était lourde, protégée par trois verrous. La pièce était sommaire, fonctionnelle. Peu de meubles, un passage large entre la cuisine et le salon qui ne contenait qu'un petit canapé.

— Asseyez-vous. Moi, c'est déjà fait.

Sharko le remercia et expliqua son périple argentin : Mario, *alias* Nando, qu'il avait retrouvé. Son arrivée à Torres parce qu'il suivait la piste d'un journaliste français, Mickaël Florès. Son enfermement dans La Colonia, la traque dans les marais par des types en bateau. La balle que Florencia avait reçue. Ces hommes en Ford Mustang qui visitaient les hôtels et les magasins pour le retrouver.

Gomez resta quelques secondes sans voix, comme s'il venait d'être transpercé par un projectile.

— Ils viendront peut-être ici pour vérifier que je ne vous ai pas parlé. Combien d'avance avez-vous sur eux ?

— Je ne sais pas. J'ai fait au plus vite. Ils savent que j'étais blessé.

L'homme roula jusqu'à la fenêtre, téléphone portable à la main.

— Vous venez de Torres, c'est ça ?

— Oui.

— Vous avez un moyen d'identifier ceux qui vous poursuivent ?

— Ford Mustang couleur crème, du début des années 70. Ils sont deux. Un chauve et un chevelu.

— Je vois… Je vais demander à un ami de guetter à l'entrée de la ville. Ça vous laissera cinq minutes pour déguerpir, au cas où.

Il composa un numéro, échangea quelques mots et raccrocha.

— Mon ami se met en route. Dès que je vous aurai parlé, vous ne traînerez pas ici.

— Très bien.

Il passa ses grosses mains sur son visage. Puis revint face à Sharko.

— Florencia, morte… Mickaël Florès, mort… Bon Dieu…

— Vous le connaissiez, Mickaël ?

Il acquiesça.

— Alors, il avait réussi à retrouver Nando, n'est-ce pas ? fit-il d'une voix blanche.

— Oui.

— Comment a-t-il été tué ?

Sharko lui expliqua. Les tortures, la *Picana*… Le massacre du père… L'origine argentine, sans doute, du tueur. Il entra dans l'histoire complexe des enfants volés d'Espagne et lui signifia que l'homme qu'ils poursuivaient était le frère biologique de Mickaël Florès. Gomez écoutait sans bouger, buvant chaque mot du lieutenant. Il paraissait subjugué, hypnotisé.

— Vous avez vu Mickaël Florès vivant, conclut Sharko. Florencia m'a envoyé vers vous juste avant de mourir. Je suis ici pour comprendre. Obtenir des réponses.

— Vous allez en avoir, bon Dieu. Bien plus que ce à quoi vous vous attendiez. Mais il n'y a que ma mémoire qui pourra vous restituer les faits, et quelques articles et photos que j'ai récupérés à droite, à gauche. Je n'ai plus aucun document officiel, tout mon travail s'est évaporé. Ils ont tout volé, détruit.

— *Ils*, ce sont ceux qui vous ont fait ça ? fit Sharko en baissant les yeux vers les jambes de l'homme. Ceux qui me poursuivent ?

— Probablement. Votre enquête a réveillé leurs peurs… Qu'est-ce que vous connaissez de La Colonia Montes de Oca ?

— Pas grand-chose. Florencia m'a parlé de l'arrivée d'un nouveau directeur pendant la dictature, d'horreurs, d'yeux mutilés…

— La Colonia a définitivement fermé en 1997, suite à un mystérieux incendie qui a ravagé une partie de ses sous-sols. Comme par hasard, les dossiers et les archives ont disparu dans l'incendie. Il a été établi que les structures du bâtiment, éprouvées par le feu, n'étaient plus saines. Un moyen simple et efficace d'enterrer l'histoire, vous ne trouvez pas ?

Il eut un drôle de rire qui s'évanouit très vite. Son visage retrouva instantanément un air grave.

— Les horreurs se déroulèrent de 1977 à 1997, sous la direction d'Alberto Sánchez, nommé par la dictature. Il ne se passa pas deux ans après sa prise de fonction avant que des rumeurs apparaissent : on aurait vu des atterrissages suspects d'hélicoptères dans l'enceinte de l'hôpital. Des témoignages anonymes racontent que des militaires déposaient les dépouilles de dissidents fraîchement abattus d'une balle dans la tête… Plausible, surtout que, à quelques kilomètres de La Colonia, était établi l'un des centres d'internement les plus sinistres de la dictature. Mais pourquoi déposer dans un hôpital psychiatrique des cadavres ? Ça n'a aucun sens, vous ne trouvez pas ? (Il gratta son goitre bruyamment.) Vous connaissez comme moi le problème des rumeurs : elles s'amplifient, sombrent dans l'exagération et se tuent elles-mêmes. Celle-là n'échappa pas à la règle, et on oublia rapidement l'épisode des hélicoptères. Des années passent, fin de la dictature. Contre toute attente Gomez reste à la tête de l'hôpital. Encore une étrangeté.

Il tendit le bras et récupéra un paquet de cigarettes qu'il sortit d'une cartouche.

— … En 1985 apparaît l'affaire Giubiléo. Camila Giubiléo, médecin à La Colonia, se volatilise du jour au lendemain. L'une de ses amies de Corrientes signale sa disparition au commissariat. Alberto Sánchez refuse de porter plainte, annonçant que Camila est partie sur un coup de tête et va probablement réapparaître. Le commissaire chargé de l'enquête accumule des faits troublants, notamment auprès de la fameuse amie de Camila. Selon elle, Giubiléo avait peur, elle racontait qu'il se passait des horreurs dans l'hôpital. Cette amie se rétracte quelques jours plus tard. Le commissaire, lui, est mystérieusement muté dans la foulée à Bahía Blanca, à six cents kilomètres de là. L'avocat de la mère de Camila est menacé de mort. L'instruction judiciaire piétine, les autorités font la sourde oreille. Tout semble pourri et corrompu jusqu'à l'os. Pourquoi ? Qu'est-ce que tout cela cache ? Tout le monde abandonne l'enquête sauf un député, Alfredo Vidal, qui ne lâche pas l'affaire. Il écrit au président Alfonsín, aux ministres de la Défense, de la Santé, de l'Intérieur. Il organise une visite surprise à La Colonia avec quatre autres députés et choisit un journaliste, un vrai ami, pour l'accompagner.

— Vous.

Gomez fit rouler la pierre de son briquet. Ses yeux noirs brillèrent d'un éclat rare.

— Au fait, ça vous dérange si je fume ?

— Vous êtes chez vous.

— Vous avez diablement raison… En 1987, deux

ans plus tard, on se rend donc sur place et on découvre les conditions horribles dans lesquelles vivent les patients. Ils sont affamés, laissés sans soins, maltraités. Certains s'accouplent à la vue de tous, j'ai même vu des enfants nus ramper par terre.

Ses yeux s'évadèrent un temps, comme si ces images n'avaient jamais cessé de le hanter.

— Je vous jure sur ma tête que tout cela est vrai.

Sharko savait pertinemment qu'il n'y avait pas besoin d'aller jusqu'en Argentine pour entendre de telles atrocités. Sous le régime de Vichy, on avait laissé mourir de faim et de froid plusieurs dizaines de milliers de patients dans les hôpitaux français, dans des conditions sanitaires abominables.

— Ce sont des horreurs qui m'ont mené jusqu'à vous, répliqua Sharko. Je croirai tout ce qui sortira de votre bouche.

Gomez eut un petit signe de la tête.

— On accède aux registres de l'hôpital. Et là, on découvre que, en dix ans, mille trois cent vingt et une personnes sont mortes, ce qui est énorme, bien supérieur à la moyenne. La cause ? Pour la plupart, problèmes cardiaques, est-il stipulé… Mais pourquoi n'y a-t-il que cinq cents tombes de NN – les non-identifiés, c'est ainsi que l'on nomme les patients de l'hôpital – au cimetière de l'hôpital proche de Torres ? Où sont passés tous les autres ? Sánchez dit qu'il y a plusieurs morts par tombe, par manque de places, de moyens. Que certains patients, aussi, ont essayé de s'enfuir et ont disparu dans les marais…

Sharko songea à la phrase de Florencia : « Et allez au bout de votre quête. Pour Nando et tous les autres qui peuplent ces marécages… »

— … On interroge quelques employés de l'hôpital, mais silence radio. Certains ont peur de parler, ça se voit, et jamais ils n'ouvriront la bouche. Ce n'est pas La Colonia qui appartient à la ville de Torres, c'est la ville de Torres qui appartient à La Colonia. Son emprise sur les habitants est maléfique.

— J'ai pu le remarquer, oui.

Gomez s'énerva et tira sur sa cigarette pour se calmer. Sharko se figurait sans peine l'ancien journaliste qu'il avait été avant son accident. Un chien acharné qui ne lâchait jamais son os. Comme lui.

— Malgré ce blocus et l'animosité à notre égard, nous, on quitte l'hôpital avec la volonté d'aller au bout et de résoudre l'affaire Giubiléo, de mettre le nez dans ces histoires de comptabilité, d'ouvrir des tombes s'il le faut. Mais, deux jours plus tard, mon appartement de Buenos Aires est mis à sac, avec un message très clair : si je poursuis mes « petites affaires », je suis mort. Dans la foulée, je reçois un appel : le juge en charge du dossier se retire, sans donner de raison valable. Puis c'est Vidal en personne qui refuse de poursuivre. Lui, Vidal, vous vous rendez compte ? Il me raconte, en *off*, qu'on menace sa famille, et que, de toute façon, on n'a pas l'ombre d'une preuve… Ce qui, quelque part, était vrai.

— Et donc, personne ne reprendra le dossier.

Gomez secoua la tête.

— À mon grand regret, un non-lieu est déclaré quelques semaines plus tard. L'affaire Giubiléo n'existe plus. Sans Vidal, on n'a plus aucun pouvoir pour entrer dans l'hôpital. Toutes les portes se ferment, et beaucoup de monde semble impliqué, corrompu. Des élus, la police locale. Seul, je ne pouvais plus rien faire. Et je sentais ma vie menacée.

Sharko descendit le regard vers les moignons couverts d'un drap plié.

— Et pourtant, vous n'avez pas lâché.

L'ancien journaliste fit lentement sortir de la fumée par le nez.

— J'avais vraiment abandonné. Jusqu'à ce qu'une lettre anonyme arrive chez moi, en 1997, dix ans plus tard. Dix ans, tout était si loin... Elle disait juste : « Depuis des années, on mutile les yeux des patients. Je sais pas pourquoi. Puis ils disparaissent. On jette des corps dans les marécages. Ça va être le tour de Nando. On ne peut pas laisser faire ça. Faites quelque chose... Je ne vous écrirai plus jamais. Brûlez ce papier. »

Il ferma les yeux.

— J'ai gardé ce mot. Je vois encore l'écriture soignée, les lettres rondes. Une écriture de femme.

— Florencia ?

— Florencia, oui, mais je ne la connaissais pas, j'ignorais qui m'avait écrit. Ça m'a secoué, vous vous doutez bien. Il fallait que j'enquête, mais je savais qu'il n'y avait aucun moyen de pénétrer par l'avant de l'hôpital, bâti sur une presqu'île.

— Les marais étaient la seule solution.

— Oui. Trois heures de galère, dans une végétation inextricable et de l'eau jusqu'au bassin, avec le risque de se faire bouffer ou d'y rester à chaque instant.

— Je sais de quoi vous parlez.

— Je faisais la moitié de mon poids actuel, j'étais vif et j'avais encore mes deux jambes. Alors j'ai traversé les marais à maintes reprises et j'ai planqué, jour et nuit, dans les bois. J'étais venu voir des gens se débarrasser de cadavres, mais j'ai découvert autre chose...

La fumée se déroulait en volutes autour de lui, grise, épaisse. Sharko songea à un vieux capitaine de navire, revenu d'une tempête dévastatrice.

— … Chaque vendredi soir, deux hommes arrivaient en ambulance et se garaient derrière la clinique. Ils portaient chacun une grosse glacière, entraient et ressortaient quatre ou cinq heures plus tard, toujours avec leurs glacières, puis disparaissaient. Deux heures plus tard, d'autres personnes arrivaient en voiture, pénétraient dans l'hôpital et sortaient des corps empaquetés, lourds, lestés, enroulés dans de la toile solide, elle-même entourée de grillage. Ils s'enfonçaient dans le labyrinthe des marécages en se guidant à l'aide de torches sur un petit bateau à moteur. Malheureusement, je ne pouvais pas les suivre, ils m'auraient repéré. Ces marécages sont trop grands, trop étendus, trop sauvages pour qu'on retrouve quoi que ce soit, à moins de fouilles très minutieuses à grande échelle… Pratique pour se débarrasser de corps. Mais j'ai été témoin de ce manège. J'ai photographié, malheureusement, sans flash, mes photos étaient trop sombres, inexploitables. J'étais coincé de ce côté-là…

— Qui étaient-ils ?

— Des besogneux de la mafia rouge, un réseau puissant qui a fait fortune dans le vol de sang dans les années 70, et qui s'est par la suite orienté vers le trafic d'organes. Une plaie qui implique des politiques à tous les niveaux, des policiers, des truands, des médecins… Ils avaient la mainmise sur La Colonia.

Sharko posa une main sur son genou, qui le lançait. Gomez le remarqua.

— Vous avez l'air mal en point.

— Un mauvais coup sur le genou.

— Vous voulez des médicaments, quelque chose ?

— Ça va aller, merci.

Le journaliste hocha le menton.

— De ce fait, puisque j'étais bloqué de ce côté-là, je me suis intéressé à la clinique Calderón. C'était de là que venait l'ambulance. Une petite clinique privée et discrète de Corrientes, réputée sérieuse…

Le sang de Sharko ne fit qu'un tour. Lucie l'avait appelé avant son arrivée dans la ville, elle lui avait parlé d'un ophtalmologue argentin, mêlé à un trafic d'organes en Albanie. Claudio Calderón.

— … Qu'est-ce que cette clinique pouvait bien avoir à faire avec La Colonia ? poursuivit Gomez. J'ai enquêté discrètement pour me rendre compte qu'elle était spécialisée dans l'ophtalmologie : elle traitait les maladies des yeux. À sa tête, Claudio Calderón, un ophtalmologue et chirurgien renommé, impliqué dans les organismes de promotion du don d'organes.

Son regard se froissa, comme si ce qu'il prononçait le dégoûtait.

— Dans cette clinique, on soignait toutes sortes de maladies des yeux pour des clients haut de gamme. Des gens qui avaient de l'argent. Très vite, j'ai découvert que la clinique était en relation avec l'INCUCAI, l'organisme chargé du prélèvement et de la distribution des organes au niveau national, et l'hôpital La Gleize où siège la banque de cornées d'Argentine. Dans la clinique, on greffait des cornées qui, normalement, étaient issues du circuit légal des dons de tissus. J'ai identifié ceux qui venaient en ambulance. Il y avait donc Claudio Calderón en personne et un autre chirurgien, appelé Enzo Belgrano.

Sharko ne perdait pas une miette de ce récit. La

vérité s'offrait à lui, comme un sinistre épilogue à leur enquête.

— Une fois, j'ai aussi vu débarquer avec eux de l'ambulance un troisième homme, tout habillé de noir... Le costume, le chapeau de feutre... Je n'ai jamais vu son visage, il faisait nuit, j'ignore qui il est, et les photos que j'ai tirées sont sombres et inexploitables. Mais il devait être impliqué dans le trafic, forcément.

Sharko fronça les sourcils. Le tueur en série Foulon lui avait parlé d'un homme en noir. L'habitant du premier cercle. Le journaliste eut l'air pensif. Il secoua la tête et poursuivit :

— Belgrano est arrivé à la clinique Calderón en 1994, soit trois ans avant la fermeture de La Colonia. C'est Calderón en personne qui l'a recruté pour l'assister. Mais quand vous regardez le cursus de Belgrano, vous vous rendez compte qu'il était néphrologue avant de passer une spécialisation en ophtalmologie, comme on ajoute une simple ligne à un CV. Dément, non ? Maintenant, expliquez-moi : qu'est-ce qu'un type spécialisé dans les maladies des reins venait foutre chez Calderón ?

Sharko avait compris l'horrible vérité, mais il laissa le journaliste conclure.

— Calderón et Belgrano prélevaient les cornées et les reins des patients de La Colonia, pour les faire transiter par la clinique Calderón et les greffer à de riches « clients ». D'abord les cornées sur les malades mentaux vivants... Puis ils ne venaient chercher le ou les reins que lorsqu'ils avaient une personne en besoin urgent, prête à les payer une fortune. C'était à ce moment qu'ils tuaient le patient et le jetaient dans les marais. Le manque cruel d'organes poussait les « clients » à mettre d'énormes sommes d'argent en jeu pour se faire greffer, coûte que coûte. Quand j'ai compris ça, tout s'est éclairé. L'atterrissage des hélicoptères de la dictature, par exemple, avec à son bord des personnes qui venaient de décéder. Les cornées peuvent être prélevées jusqu'à vingt-quatre heures après la mort…

Sharko se rendit compte de l'ampleur du trafic, commencé dès la dictature militaire par le vol des cornées sur des cadavres récents. Puis les auteurs de ces crimes avaient voulu aller encore plus loin, avec les reins, cette fois, les prélevant directement sur des vivants.

— Comment vous avez su, pour les reins ? Vous avez vu les cicatrices, les organes dans les glacières ?

— Non, je n'en ai jamais eu la preuve visuelle. C'est le fruit de mes déductions… (Il grimaça.) Mais on ne peut pas faire grand-chose avec juste des déductions. Aujourd'hui, officiellement, Calderón et Belgrano sont irréprochables. Mais ce sont des monstres, croyez-moi. (Il serra le poing sur son siège.) Il y a une dernière chose que je dois vous raconter, pour que l'histoire soit complète. C'était le 8 septembre 1997, je m'en souviens encore comme si c'était hier. Ce soir-là, j'étais en planque dans les bois, et j'ai vu une femme sortir de l'hôpital avec un homme qu'elle soutenait. Il avait des pansements sur les yeux, il titubait. La femme a pris la direction des marécages et s'y est enfoncée. J'ai immédiatement compris que c'était elle qui m'avait écrit. Qu'elle essayait de sauver un patient de la mort qui l'attendait. C'était le fameux Nando. Alors, je l'ai rattrapée…

— Florencia…

— Elle m'avait reconnu, mais elle était terrorisée. Elle ne voulait pas parler ni aller à la police, elle avait trop peur. Il y avait des gens extrêmement puissants à l'origine du trafic d'organes. Elle disait qu'elle devait emmener l'homme loin de l'hôpital, de Torres, et s'arranger pour qu'on ne le retrouve jamais. Je l'ai priée de témoigner, je lui ai dit qu'on y arriverait, cette fois, mais elle était sous le choc. Elle disait qu'il n'y avait pas de solution. (Il soupira avec regrets.) Alors, je l'ai aidée à traverser les marais et l'ai laissée partir. Je me disais que j'y arriverais, même sans elle, que j'avais assez de preuves. J'ai recontacté Vidal, sans citer Florencia, je ne pouvais pas l'impliquer. On s'est vus secrètement. J'ai parlé de la clinique Calderón, du trafic de reins et de cornées, du transport des cadavres dans les marécages. J'ai montré mes photos. Vidal semblait partant, il devait réveiller son « circuit ». Mais… (Il eut un long regard vague. Sa main droite tomba sur le drap et remonta le haut de sa cuisse coupée.) On l'a retrouvé mort, « suicidé » dans sa baignoire. Le soir même, on m'a enlevé, soûlé au whisky. Je me suis réveillé à l'hôpital, après trois mois de coma. D'après la version officielle, ma voiture s'était écrasée au fond d'un ravin, à cent cinquante kilomètres de Buenos Aires. L'enquête n'avait abouti à rien. J'ai perdu mes jambes mais j'ai survécu, par je ne sais quel miracle. La Colonia était en train de fermer ses portes suite à « l'incendie ». Plus tard, des gens sont venus me voir, ils m'ont dit que, si je l'ouvrais, ils me troueraient le corps de balles. À moi, ma sœur, mes parents… Ils viennent ici, de temps en temps, me rendre une petite visite de « courtoisie », mais comme l'affaire est loin désormais, ils ne me font pas de mal. Ils lancent juste des menaces.

— Ils vont venir ici. Je peux vous emmener avec moi. On…

— Non, laissez, je me débrouillerai. Laissez-moi terminer… Calderón fermera sa clinique quelques mois plus tard et disparaîtra du territoire, de même que Belgrano. J'ai toujours ignoré où Calderón se trouvait, jusqu'à ce que Mickaël Florès débarque ici et m'annonce que Calderón s'était rendu dans les pays de l'Est, pour participer à un autre trafic d'organes.

— Florès traquait Calderón, donc ?

— Traquer n'est pas le mot exact. Florès s'intéressait au trafic d'organes, il pensait que c'était l'une des pires dérives de notre espèce. Un commerce de l'extrême, qui détruisait tout ce qui faisait de nous des êtres humains. « Imaginez si les greffes d'organes avaient été possibles à l'époque de Hitler », qu'il disait. Quand il a entendu parler de la Maison jaune, de la clinique Medicus, il s'est lancé sur le sujet. Une fois là-bas, il a trouvé intéressant de creuser le parcours de Calderón, de remonter aux origines, de comprendre qui était l'homme. Il a alors découvert que Calderón avait été ophtalmologue à Corrientes. Il a continué à chercher et a appris l'existence du vieux dossier de l'affaire Giubiléo. C'est ainsi que Mickaël Florès est venu à moi… Et, quand je l'ai vu…

Il ouvrit ses mains devant lui.

— … j'ai cru rêver.

— Pourquoi ? demanda Sharko.

— Parce que j'avais l'impression d'avoir, à quelques détails près, Enzo Belgrano en face de moi.

77

Nicolas avait foncé pour rejoindre la rue Agar, rive droite de la Seine, dans les beaux quartiers de Paris.

Il se gara du côté non autorisé et traversa en courant, direction un immeuble style Art nouveau en pierre de taille blanche, grandes fenêtres cintrées surmontées de mascarons. Le concierge vint à sa rencontre et s'effaça devant la carte de police et la détermination du flic, qui s'engouffra dans la cage d'escalier. Il grimpa les marches en marbre deux à deux, cogna à la porte du poing, ne fonctionnant plus qu'à l'adrénaline et à la colère. Quelques secondes plus tard, une femme d'une trentaine d'années lui ouvrit, un canon perché sur talons hauts dans une tenue qui puait le fric.

— Je souhaiterais parler à Michel Mercier.

Carte brandie, yeux écarquillés.

— Qu'y a-t-il ? demanda la femme.

— Michel Mercier, s'il vous plaît… Et vite.

Il entra sans lui laisser le choix. Un enfant d'un an à peine jouait dans un coin avec une fille d'une vingtaine d'années. La femme alla frapper à la porte d'un bureau. L'homme apparut, cheveux poivre et sel, élégamment vêtu, petite moustache taillée.

— Police criminelle de Paris. On peut parler seul à seul ?

L'homme fronça les sourcils.

— À quel sujet ?

— Votre greffe de rein.

Mercier donna l'impression d'avoir avalé une boule de pétanque. Il essaya de trouver une rapide parade.

— C'est du domaine du privé. Et vous avez des papiers à me montrer ?

Nicolas comprit qu'il était tombé sur une teigne, un type qui connaissait la loi. Il le poussa violemment à l'intérieur du bureau et claqua la porte derrière lui. L'éclat de son Sig Sauer se refléta dans les yeux de Mercier.

— Je n'ai vraiment pas de temps à perdre avec des bavardages. Une fille a été massacrée pour que vous puissiez récupérer l'un de ses reins. Alors vous allez me dire exactement comment ça s'est passé, ou je vous jure que, votre rein, je vous le perce d'une balle.

Mercier fixait le bras qui s'agitait, puis les yeux fous de Nicolas. Sa pomme d'Adam palpita.

— Une fille massacrée ? Non, ce n'est pas possible, c'est…

Nicolas lui balança la photo de la tête coupée au visage.

— C'est elle.

Le quinquagénaire se sentit mal et partit s'asseoir sur une chaise. Il se prit la tête dans les mains, puis releva les yeux, essayant de retrouver une contenance.

— Je n'ai rien à me reprocher. Partez.

Nicolas bondit comme un éclair. Il fit descendre une balle dans la chambre de son Sig d'un claquement sec, sortit la chemise de l'homme de son pantalon et lui écrasa le canon sur sa cicatrice, côté droit.

— Tu crois peut-être que je plaisante ? Je veux toute l'histoire.

L'homme tremblait comme une feuille.

— Je… je vous en prie.

— La vérité. Maintenant !

On frappa à la porte. Nicolas se raidit.

— Tout va bien, chéri ?

— Oui, oui, mentit Mercier. Laisse-nous.

Le capitaine de police le fixa bien au fond des yeux.

— Je t'écoute.

— J'ai… j'ai appris que je souffrais d'une insuffisance rénale grave il y a quatre ans. J'ai toujours eu des problèmes de reins depuis tout petit. Je… je savais qu'une grave maladie finirait par me tomber dessus, tôt ou tard.

Il déglutit. Ses yeux étaient rivés sur l'arme.

— Un jour, le verdict est arrivé : j'allais devoir passer en dialyse. Savez-vous ce qu'implique une dialyse ? Vous êtes encore en vie, mais vous avez l'impression d'être déjà mort. Quatre séances hebdomadaires de six heures chacune, semaine après semaine, où l'on purge votre sang avec des machines, où vous vous sentez sale, en bout de course. Vous en sortez à peine, épuisé, qu'il faut recommencer. Vous devez suivre un régime très strict, vous ne pouvez plus avoir d'activité professionnelle, les gens vous regardent différemment.

Nicolas relâcha la pression du canon sur le rein. L'homme se redressa un peu dans son fauteuil. Il passa un doigt sur sa cicatrice.

— Il… il n'y a rien de pire que ce regard-là, empreint de pitié. La dialyse, c'est une sous-vie, une frustration qui vous lamine. Et, pendant ce temps-là, vous espérez de tout cœur que quelqu'un meure pour vous donner son rein... Et vous attendez, attendez un organe qui ne vient pas, qui ne viendra jamais à cause de la pénurie, et surtout parce que vous avez un groupe sanguin rare. Un an, deux ans... Et vous êtes là, impuissant devant vos enfants, votre compagne, à mourir à petit feu.

Il soupira, secouant la tête, les yeux embués. Les mots sortaient difficilement.

— Vous pensez greffe, le jour, la nuit, tout le temps, où que vous soyez. Et puis, la possibilité de recevoir un organe à l'étranger parvient à vos oreilles. Ça circule comme une légende, ça remonte dans vos entrailles comme un parasite dont vous ne pouvez plus vous défaire. On parle de l'Inde, des Philippines, de pays d'Amérique latine où l'on peut trouver des reins, à condition d'avoir l'argent. Vous ne savez pas d'où vient la rumeur, mais elle existe. Alors, vous surfez sur Internet, vous faites quelques recherches pour vous rendre compte que ces on-dit ont l'air de reposer sur des faits. Vous collez un nom dessus : le tourisme médical. On ne vous dit pas comment ça fonctionne, on vous dit juste qu'on peut trouver un donneur et vous greffer dans les plus brefs délais, qui que vous soyez, d'où que vous veniez...

Nicolas écoutait sans bouger, l'arme entre les mains.

— ... Vous vous rendez sur des sites, des forums, vous fouinez incognito, vous posez des questions, avec un pseudo bidon. À certains endroits, on vous demande de laisser votre mail pour vous recontacter. Alors, bien sûr, vous créez un mail spécialement pour ça et, là, vous recevez d'abord un message. En anglais... Puis un autre... Une relation s'établit, et, petit à petit, vous voyez l'espoir renaître : on peut vous aider, vous donner ce rein qui vous manque tant. Très vite, arrive la question de l'argent… On vous demande cent mille euros, parce qu'il y a beaucoup de gens à payer, des moyens à mettre en place.

Il claqua des doigts.

— Qu'est-ce que c'est, cent mille euros pour ressusciter ? Vous dites que l'argent n'est pas un problème, vous commencez à fournir des données médicales, et vous êtes pris dans l'engrenage… Mais vous vous laissez faire, parce que cet engrenage, c'est celui de la vie.

Nicolas comprenait mieux à présent comment Charon ou CP appâtaient leurs victimes : par la voie la plus simple, la moins risquée qui soit, Internet. Un grand filet électronique dans lequel venaient se prendre des gens au bout du rouleau ayant perdu tout espoir.

Son téléphone vibra. Il vit le nom de Sharko s'afficher, il ne répondit pas.

— Et donc, vous les rencontrez ? demanda-t-il.

— Une première fois, oui, pas loin d'ici, au bois de Boulogne, un soir. Ça m'a extrêmement surpris. Avec les mails, j'ai toujours pensé que mon interlocuteur vivait très loin de la France.

— Il voulait être sûr que vous étiez fiable… Il était prudent.

— Très prudent. Mais il était bel et bien français, avec un léger accent espagnol.

Aucun doute. Il s'agissait de Charon ou de Calderón. Nicolas avait l'impression de marcher sur des braises.

— Il me montre des clichés de ses opérations, du bloc opératoire, de son matériel. Il est spécialiste des reins. Je sais immédiatement que j'ai affaire à un type brillant. Il parle technique, me rassure, m'explique les failles des lois de bioéthiques françaises, notamment l'obligation des hôpitaux français de vous prendre en charge au niveau soins et traitements, même s'ils apprennent que vous vous êtes fait greffer à l'étranger. Vous pouvez vous faire opérer à Bogota et profiter de soins postopératoires à Paris sans que personne y puisse quoi que ce soit. Les lois autour des organes sont tellement différentes d'un pays à l'autre...

Il soupira, se tut. Nicolas l'incita à poursuivre en agitant son pistolet.

— Tout ce que j'avais à leur dire, c'était que je m'étais fait opérer en Inde, au Mexique, aux Philippines, n'importe où, sans entrer dans le détail. Évidemment, les médecins se doutent qu'il y a anguille sous roche, mais ils ne peuvent strictement rien faire. C'était aussi simple que ça. Le chirurgien, lui, me fournirait les faux papiers d'un hôpital étranger, avec toutes les caractéristiques du rein greffé pour faciliter les suites postopératoires. Le gros avantage par rapport à toutes les « offres » de tourisme médical qui traînaient sur le Net, c'était que j'allais être greffé en France.

Mercier se leva doucement et hocha le menton vers un bar.

— Vous permettez ?

Nicolas acquiesça. L'homme partit se servir un whisky. Il en but une généreuse gorgée.

— Bien sûr, je me suis posé la question de la provenance du rein, groupe très rare AB, histocompatible... J'ai demandé, on m'a répondu qu'il venait de l'étranger. Un homme. Que je ne le rencontrerais jamais.

Il fouilla dans un tiroir et tendit un papier à Nicolas.

— Voilà une petite annonce que j'ai trouvée, un jour, dans un journal turc, elle était en turc et en

613

français. Il y a en des centaines de ce style-là, partout à travers le monde.

Le flic parcourut l'annonce :

Rein humain fonctionnel à vendre. Vous pouvez choisir n'importe lequel des deux. L'acheteur assumera tous les coûts médicaux et de transplantation. Évidemment, un seul rein est à vendre car j'ai besoin de l'autre pour survivre. Offres sérieuses seulement. Téléphone : ...

— Et celle-là... Envoyée à *Libération*, il y a deux ans. Elle n'a pas été publiée telle quelle, mais elle a fait l'objet d'un article.

Jeune femme, trente-trois ans, soigneuse de son corps, en excellente santé mais dans le besoin, donne un rein contre un emploi à durée indéterminée et déclaré.

— Quand vous êtes dans ma situation, vous ne cherchez pas plus loin, fit Mercier. On vous propose de sortir de l'enfer alors vous en sortez, quelles que soient les conséquences pour... cet inconnu que vous ne rencontrerez jamais. Et si vous, vous ne le faites pas, quelqu'un d'autre prendra votre place.

Nicolas lui rendit le papier avec dégoût.

— Vous êtes autant fautif que quelqu'un qui assiste à un viol sans intervenir, annonça le capitaine de police d'une voix froide. Vous... vous achetez des morceaux d'être humain, vous vous rendez bien compte ? Vous vous octroyez le droit de prendre des vies pour rendre la vôtre meilleure. Vous allez payer pour ça.

Mercier restait immobile, incapable de répondre.

— Qui était cet homme qui vous a contacté ? demanda Bellanger. Son nom.

— Je l'ai toujours ignoré.

Le flic sut que Mercier ne mentait pas et ne put cacher sa déception. Il serra les lèvres. Son interlocuteur fit tourner son whisky dans son verre et regarda au travers.

— On a continué à communiquer par mail, puis il s'est mis en veilleuse, promettant qu'il me recontacterait très vite. Dix jours plus tard, il disposait d'un rein compatible. Il m'a demandé de prendre des affaires pour une semaine, on s'est donné rendez-vous sur une aire d'autoroute de l'A4. J'y ai garé ma voiture, un Trafic gris est venu me chercher. Il n'y avait pas de fenêtre à l'arrière, je n'ai pas pu voir le trajet. J'ai remis l'argent, on a roulé deux heures, je suis arrivé dans une belle propriété. On m'a installé dans une chambre et, le lendemain, je passais sur le billard...

— Un bloc opératoire se trouvait dans la propriété ?

— Oui, dans une des pièces de la maison. J'y suis resté en convalescence une semaine. Ces gens étaient aux petits soins avec moi. Et je suis reparti comme j'étais arrivé, en Trafic, avec des papiers et des ordonnances d'antirejets.

— Combien étaient ceux qui vont ont opéré ?

— Deux. Un vieux et un plus jeune. Tous les deux avaient un accent espagnol.

— Une idée du lieu ? Une direction ?

— L'A4 est l'autoroute de l'Est. Je pense qu'on a roulé dans cette direction pendant pas mal de temps, une heure ou deux. Puis il y a eu quelques routes sinueuses. La maison était dans la campagne, à cent ou deux cents kilomètres de Paris, probablement.

Le téléphone de Nicolas sonna de nouveau. Sharko insistait. Cette fois, il fit signe à Mercier de patienter et décrocha.

— Je suis occupé, Franck. Je te rappelle dans…

— Je sais qui est Charon, fit la voix dans l'écouteur.

78

— Enzo Belgrano. Notre bébé volé en Espagne en 1970. On ne connaît pas grand-chose de lui. Fils d'un médecin militaire qui était haut gradé sous la dictature. Il a grandi dans un environnement de violence, avec un père qui pratiquait des interrogatoires, torturait, et qui lui a inculqué les valeurs de l'armée dès le plus jeune âge.

Sharko parlait au téléphone en conduisant. Il était sorti d'Arequito et fonçait vers Buenos Aires. Pas de signe de la Mustang dans les alentours. Il allait rouler non-stop pour passer par l'agence de location de voiture, déclarer un vol de véhicule – qui croupissait en vérité au fond des marais – et attraper l'avion pour Paris du lendemain matin, 6 heures.

Pressé de foutre le camp de ce pays maudit.

— Belgrano développe, à l'image de son père adoptif, un goût pour la médecine. On sait qu'il se spécialise dans la néphrologie et qu'il commence sa carrière très tôt dans un hôpital de Buenos Aires. Il est décrit comme froid, méthodique mais brillant. Gomez, le journaliste qui a enquêté sur lui et que j'ai rencontré, ignore comment s'est opéré le rapprochement avec

Claudio Calderón, qui dirigeait à l'époque une clinique d'ophtalmologie à Corrientes, à sept cents bornes de là. Mais il a sa petite théorie : La Colonia est l'objet d'un trafic de cornées depuis la fin des années 70, son directeur a été nommé par la dictature. Le père de Belgrano était sans nul doute au courant du trafic, puisqu'il travaillait dans un centre de détention très proche de l'hôpital. C'est peut-être lui qui a orienté son fils vers Calderón, lorsque est venue l'idée d'étendre le trafic à la demande exponentielle de reins. Enzo Belgrano est arrivé à la clinique trois ans avant la fermeture de La Colonia.

Sharko jeta un œil sur le cliché issu d'un article de journal que lui avait remis Gomez. Enzo Belgrano était un grand brun aux yeux noirs, avec cette bouche droite et fine. Une copie légèrement déformée de Mickaël Florès. Un visage plus dessiné, plus étiré. Mais tout y était.

— Sa mère adoptive était française, poursuivit Sharko. Quand l'hôpital psychiatrique a fermé, Calderón et Belgrano ont quitté l'Argentine. On sait tout maintenant. Calderón est parti dans les pays de l'Est poursuivre ses sombres activités à la clinique Medicus notamment, tandis que Belgrano est sans doute venu en France pour y démarrer une nouvelle vie. Il faut savoir que les deux hommes ne font l'objet d'aucune poursuite en Argentine, ils ont quitté le pays en toute légalité, faute de preuves.

Nicolas était dans la rue Agar, au bas de l'immeuble de Mercier. Il avait enjoint l'homme de rester chez lui. Il ignorait ce que Mercier risquait précisément, d'un point de vue pénal, mais il était certain qu'il aurait de sérieux ennuis avec la justice.

— Je viens d'interroger un individu qui a reçu une greffe de l'une des filles roms, expliqua Nicolas. Je pense que Calderón est aussi impliqué dans notre affaire, mais il est introuvable dans les fichiers. Pourtant, il y avait bien deux chirurgiens qui ont greffé le rein. Il est évident que Calderón et Belgrano ont reconstitué leur alliance maudite sur notre territoire.

Nicolas était arrivé à sa voiture. Il regarda sa montre : 21 heures.

— Il n'y a plus qu'à prier pour que Belgrano soit identifiable. Je vais vérifier de suite.

— Parfait. Nicolas... si tu obtiens une adresse... N'implique pas Lucie dans l'interpellation, d'accord ? Laisse-la tranquille avec mes fils. Je veux la retrouver en un seul morceau.

Bellanger serra les dents.

— Ne t'en fais pas pour ça. Je te laisse. On tient enfin ces salopards.

Enzo Belgrano payait ses impôts en France depuis 1999, comme un bon citoyen.

Devant l'urgence de la situation, le contact de Nicolas aux impôts avait consulté le fichier sans autorisation écrite et fourni toutes les informations nécessaires. Le néphrologue avait deux résidences : un appartement dans le premier arrondissement et une maison secondaire dans les Ardennes, pas loin de Charleville-Mézières. Il déclarait un revenu confortable d'environ cent cinquante mille euros en tant que patron de trois restaurants sur Paris plutôt hauts de gamme.

La restauration… Rien de mieux pour se planquer, ne pas attirer l'attention. Belgrano avait rebâti sa vie à son arrivée en France, avec, sans doute déjà, un bien sombre dessein en tête.

Nicolas fonçait sur l'autoroute A4, les doigts collés au volant, emporté par sa hargne. Il n'avait prévenu personne et ne répondait ni aux appels de Robillard, ni de son divisionnaire, ni de Lucie. Il allait payer pour ça, il le savait, mais les frontières étaient franchies depuis bien trop longtemps, de toute façon.

Malheureusement, il n'avait pu empêcher le temps

de filer. Il était déjà 23 h 30, il restait une petite cinquantaine de kilomètres avant d'arriver à destination. Le capitaine de police hésita puis sortit le téléphone de Camille.

Il composa un numéro, on répondit à la troisième sonnerie.

— Calmette. C'est vous, Camille ? Bon Dieu, vous…

— Pas tout à fait, le coupa Nicolas d'une voix chevrotante. Je suis capitaine de police, section criminelle de Paris.

Un temps.

— La police ? Que se passe-t-il ?

— Je ne peux pas vous expliquer pour le moment, docteur, mais j'ai une requête extrêmement importante. J'ai eu votre message sur le répondeur de Camille. Je vous demande de contacter l'agence de biomédecine. De faire tout votre possible pour obtenir un report d'une heure sur le cœur destiné à votre patiente. Qu'ils vous donnent jusqu'à 1 heure du matin. S'il vous plaît, faites-le.

Il y eut un silence au bout du fil.

— Je vais essayer, mais je ne vous garantis rien. Probable que, déjà, un autre patient attende ce cœur.

— Faites de votre mieux. Pour elle.

Il raccrocha et serra le téléphone dans sa main, réalisant que privilégier Camille revenait à léser un autre patient au bord du gouffre. Valait-il lui-même mieux que Mercier, finalement ? Préférer que Camille vive, au détriment d'un inconnu… Il accéléra encore, dépassant les cent soixante-dix kilomètres par heure. Il quitta l'autoroute et prit des voies moins larges, plus sinueuses. Ses phares mordaient l'asphalte, repoussaient la nuit, comme pour l'encourager à aller plus vite encore.

Une petite route sombre, à travers un bois. Le GPS indiquait la maison à trois cents mètres. Nicolas coupa les phares et ralentit. L'habitation était en retrait, protégée par un portail et un haut mur. Sous la lueur de la lune, elle ressemblait à un vieux manoir, avec sa puissante façade de pierre, son toit en pointe, la taille démesurée de ses fenêtres, et ce grand lierre qui en avait colonisé chaque recoin.

À l'intérieur, des lumières diffuses brillaient un peu partout.

Devant l'entrée, il y avait un Trafic, une Audi et une Mercedes.

Nicolas reçut un message de Calmette : *L'agence me laisse deux heures supplémentaires. Dr Calmette.*

Le flic le prit comme un vrai signe d'encouragement et observa le portail à bonne distance, protégé par deux caméras. Il se glissa le long d'un haut mur et l'escalada par l'arrière, s'aidant des branches d'un arbre à proximité. Quelques secondes plus tard, il atterrissait dans le jardin.

Il s'approcha de la porte d'entrée, elle était verrouillée. Il fit le tour, il n'y avait aucun moyen de pénétrer dans la maison sans faire de casse.

Merde.

Nicolas essayait de réfléchir à toute vitesse. Comment entrer ? Il observa l'Audi et fonça pour lui donner un coup d'épaule violent. Le système d'alarme du véhicule se mit à hurler, tandis que Nicolas se réfugiait à toute allure dans l'obscurité du jardin.

Il attendit. Au bout d'une vingtaine de secondes, il aperçut une silhouette à la fenêtre de l'étage. Deux bras sombres s'appuyèrent sur le montant, la silhouette se figea, semblant scruter les lieux. Puis elle disparut avant de réapparaître à la porte quelques instants plus tard.

Elle courut en direction de la voiture, dont l'alarme hurlait.

Nicolas en profita pour se glisser dans la maison.

Il n'avait vu qu'une fois le visage de Calderón sur une photo-impression en couleur, mais il le reconnut aussitôt lorsque ce dernier rentra et verrouilla derrière lui. L'Argentin était en tenue verte de chirurgien. Il monta à l'étage et disparut sur la gauche.

Nicolas attendit un peu et s'engagea à son tour sur les marches, le flingue braqué.

Il se retrouva dans un long couloir.

Des néons, des grésillements.

Une porte ouverte, plus loin. Il se plaqua contre la cloison, respira un bon coup et surgit, l'arme devant lui.

Une pièce médicalisée. Un homme en tenue bleue de patient semblait dormir paisiblement sur un lit. Face à lui, la télé allumée, de beaux cadres, une bibliothèque. Le souffle court, Nicolas se précipita et souleva le drap.

Son sang ne fit qu'un tour.

Une cicatrice, sur l'aine. L'homme avait été opéré du rein.

Camille !

Nicolas frotta son visage trempé de sueur du dos de la main, avant de réaliser que la cicatrice n'était qu'une trace de feutre.

Le corps avait juste été préparé pour l'opération.

La greffe n'avait pas encore eu lieu.

Nicolas crut qu'il allait s'évanouir. Il reprit son

souffle et, au moment où il s'apprêtait à sortir, entendit un coup de feu.

Non !

Une terrible image lui traversa l'esprit, un instantané de douleur : Camille, la tête explosée. Il se précipita vers le fond, où une lumière crue filtrait sous une porte entrouverte.

Nicolas surgit, bras tendus, prêt à vider son chargeur.

Enzo Belgrano était au fond du bloc opératoire, masque vert chirurgical baissé sur sa poitrine. Il pointait le canon d'un revolver sur le crâne de Camille, nue, branchée à des appareils, couchée sur une table en acier. Les yeux de la jeune femme étaient grands ouverts. Elle vivait mais elle était incapable de remuer, sans doute anesthésiée localement. Son abdomen était jauni par la Bétadine. À l'électrocardiogramme, son cœur battait irrégulièrement. Parfois vite, parfois très lentement.

Elle avait des marques de brûlures sur les bras, le torse. La *Picana*.

À ses pieds, Claudio Calderón gisait, le visage tourné vers le plafond, les yeux fixes. Il avait reçu une balle au milieu du front.

— Ne bougez pas d'un millimètre, fit Bellanger.

L'Argentin hocha le menton vers un petit écran, accroché dans un angle de la pièce.

— Je vous ai vu sur l'une des caméras, pendant que Calderón descendait couper l'alarme de sa voiture.

Il sonda le policier. Quelque chose de sinistre, d'indéfinissable, brillait dans ses iris noirs.

— Cette femme, c'est étrange, vous ne trouvez pas ? fit-il avec un calme déstabilisant. Qu'elle ait le cœur de Loiseau et qu'elle se retrouve sur cette table, prête à elle-même donner ses organes ? Mais regardez bien l'électrocardiogramme. Les sursauts, cette partition folle des battements cardiaques. Le cœur est en train de puiser dans ses dernières forces, comme une pile en fin de vie. C'est une question d'heures avant qu'il s'arrête, désormais. Je suis tout de même curieux. Comment êtes-vous remonté jusqu'ici ? Quelle piste avez-vous finalement exploitée ? Mickaël ? L'Argentine ? Loiseau ? La petite Camille m'a laissé sur ma faim, avec ses explications.

La jeune femme fixa Nicolas, les yeux remplis d'effroi. Elle semblait résignée, déjà morte. Une larme roula sur sa joue.

— Toutes, répliqua Nicolas. De petites pièces de puzzle qui, assemblées, dressent le tableau de ce que vous êtes. La pire des ordures. Vous avez commis des actes indescriptibles. Vous tuez depuis des années. Vous avez massacré votre propre frère jumeau de sang-froid.

Le visage de l'Argentin ne laissa transparaître aucun sentiment. Un véritable masque de cire.

— J'ai su très tôt que mon père n'était pas mon père : il ne pouvait pas avoir d'enfants. Mais il ne m'a jamais dit d'où je venais. Il n'y a pas si longtemps que ça, j'ai entendu parler de ce programme ADN en Espagne. J'ai tenté le coup, ça a fonctionné… Et devinez ma surprise quand, en plus de ma génitrice, j'ai découvert l'existence d'un frère.

Il s'accroupit, son visage se trouvait juste au niveau de celui de Camille. À quelques centimètres seulement. Le canon de l'arme se promenait sur sa joue.

— Je suis allé voir d'abord cette génitrice, une malheureuse qui faisait pitié, honte. Elle était à moitié tarée, cette chose ne… (son visage se tordit en une grimace effrayante) … pouvait pas être ma mère. Je ne pouvais pas avoir son sang.

Un silence. Il retrouva son ignoble sourire.

— Cette pauvre femme était là, avec son sécateur. Je lui ai expliqué certaines choses qui s'étaient passées en Argentine. Des petits détails croustillants. Je lui ai montré qui elle avait engendré. Je crois que je lui ai fait un peu peur.

Nicolas maintenait sa visée, la main gauche soutenant son bras droit.

— Et Mickaël ? Pourquoi ce massacre ?

— J'ai retrouvé où il habitait. Je suis entré chez lui alors qu'il n'était pas là, histoire de voir à qui j'avais affaire. Et devinez donc ma surprise quand je suis allé dans son laboratoire photo. Quand j'ai vu mon propre visage, celui de Loiseau, de Calderón, de Pradier sur l'un de ses murs ! Il avait tout découvert… Comment ? Comment il avait fait ? Je suis ressorti, je me suis mis en contact avec Calderón et Pradier. On a pris une décision, on a fait le ménage. Il fallait… tout effacer. Les photos, mes origines. Je me suis occupé de Mickaël personnellement. Je voulais qu'il parle, qu'il m'explique tout. Son obsession pour le trafic d'organes l'avait mené jusqu'à Calderón, puis, de fil en aiguille, à moi. Quand il a vu la ressemblance sur des articles de journaux, il a compris que nous étions liés. Le destin est tellement étrange, vous ne trouvez pas ?

— Et il n'a jamais rien dit à la police ? Il n'avait averti personne ?

— Il nous a traqués, suivis, il avait tout compris, mais ses obsessions étaient les plus fortes. Il voulait aller au bout de sa démarche, il lui manquait encore certaines pièces du puzzle. Quand je l'ai retrouvé, je l'ai vidé de son jus. Il est mort et je me suis débarrassé des photos.

— Mais vous en avez oublié certaines, cachées dans le patchwork des tirages. Celle de cet Argentin aveugle, notamment.

— Vous avez raison. Trop de… précipitation, de colère et d'euphorie, sans doute. On commet tous nos petites erreurs, n'est-ce pas ? (Il soupira.) Dans la foulée, on s'est débarrassé du « père ». C'est Pradier qui a voulu s'en charger. Il a toujours aimé ça. Tuer pour le goût du sang, trafiquer le corps humain, fouiller les ventres comme un mécanicien bidouille une voiture. C'est lui qui prenait les reins sur les filles, on le laissait faire. Soulever l'organe, le mettre dans son petit caisson réfrigéré. Vous auriez vu ses yeux à ce moment-là ! Loiseau n'était pas mal non plus. Un fou de tueurs en série, qui vouait des cultes à des types comme Pierre Foulon… Il a été facile à repérer, au Styx. C'est ainsi que notre petite équipe s'est constituée.

Il se fendit de son abominable sourire, se complaisant dans ses explications.

— Le trafic d'organes idéal est celui qui ne laisse aucune trace. La faiblesse, ce sont les gens qui disparaissent, puis les corps. C'est si difficile de se débarrasser d'un cadavre, vous êtes flic, vous le savez. Avec Pradier, on avait résolu le problème. Les marais de Torres recracheront un jour la vérité, mais peu importe. De l'eau et du sang auront coulé sous les ponts, d'ici là.

Nicolas fixait le doigt du chirurgien. Il reposait sur la queue de détente. La poitrine de Camille se soulevait fort. Elle était tétanisée.

— C'est terminé, Belgrano. D'autres policiers vont arriver d'un instant à l'autre. Lâchez votre arme.

— Vous croyez que j'ai peur de mourir ? (Il ricana.) Ma vie n'est pas importante. Ce qui compte, c'est mon travail. Cette petite graine que Calderón et moi, on a plantée dans la société. Lui en Belgique, et moi ici. On s'aidait mutuellement… (Il caressa les cheveux de Camille, les fit glisser entre ses mains gantées.) Quand Loiseau est mort, c'est Pradier qui l'a remplacé. On s'est rabattu sur des SDF, des prostituées. Parfois, on avait la chance de tomber sur un groupe sanguin rare… Mais quand ce n'était pas le cas… (Il serra les lèvres.) Rien ne se perd, en ce monde. Ces organes-là serviront, un jour…

— Un jour ? Où sont-ils, ces organes ? Vous ne pouvez rien en faire, ils ne peuvent pas se conserver.

— En êtes-vous bien sûr ? Vos équipes du 36 n'ont-elles pas découvert l'impensable il y a quelques mois, au fin fond de la Russie ?

D'un pas ferme, Nicolas s'approcha de Belgrano. C'étaient Sharko et Lucie qui avaient mené cette enquête éprouvante, secrète, au fin fond des pays de l'Est.

— Comment vous savez ? Quel lien avez-vous avec ça ?

— Vous le découvrirez peut-être un jour. Mais ces organes ne sont pas perdus, croyez-moi… Contaminer et pervertir, autant que nous le pouvons… C'est ainsi que nous sommes évalués.

— Évalués ? Par qui ?

— Calderón et moi, nous ne sommes que des éléments, des électrons qui transitent d'un cercle à l'autre, qui essaient de se rapprocher du noyau. Mais… les places sont chères, vous savez, pour rejoindre le cercle le plus profond, le plus enfoui sous la surface. J'ai échoué, je n'ai pas pu accéder à la Chambre noire, mais d'autres y parviendront. Tous ceux qui passent à travers les mailles de vos filets. Ceux qui échappent à tous vos systèmes de surveillance.

Il y eut une pulsation dans ses yeux. Quelque chose d'indéfinissable qui donna à Nicolas la chair de poule.

— Vous allez bientôt mourir, jeune homme. Vous, et tant d'autres. Quand l'Homme en noir mettra le Grand Projet en route, vous n'aurez aucune chance. Cette histoire n'est pas terminée et vous n'auriez jamais dû mettre les pieds dedans.

En une fraction de seconde, Charon/Belgrano porta son arme vers sa tête et tira. Son corps tomba mollement au sol, près de celui de Calderón.

Sa poitrine se figea.

Nicolas se précipita vers Camille. Il s'accroupit, en pleurs, et lui caressa le visage.

— Je t'ai enfin retrouvée.

Camille trouva la force de lui sourire. Ses lèvres remuèrent pour dire quelque chose.

— N'essaie pas, fit Nicolas. On va vite te soigner. Ça va aller, tu ne risques plus rien.

Elle secoua la tête, comme résignée, avec ce sourire devenu triste, douloureux. Nicolas essuya les larmes qui roulaient sur ses joues. Les bips de l'électrocardiogramme s'emballaient.

— Il... n'y a rien... à faire, Nicolas. Je... ne veux... plus vivre avec Loiseau... Faut que... je divorce.

Elle serra la main plus fort.

— Plus jamais ça... Laisse-moi ici, je suis bien avec toi en face de moi... Laisse-moi... mourir en paix.

— Jamais. Tout est à faire, au contraire. (Il se releva.) Je reviens, d'accord ?

Elle le fixa tristement. Nicolas sortit de la pièce et prit son téléphone. Il revint dans la pièce quelques minutes plus tard. Il s'approcha de l'oreille de Camille.

— J'ai prévenu les secours, ils vont t'emmener d'urgence à Lille. Il y a un cœur compatible qui t'attend.

Camille secoua faiblement la tête.

— C'est… impossible.

— Le docteur Calmette a dit que tu avais une sacrée bonne étoile.

La jeune femme ferma les yeux dans un long souffle de soulagement. Sa main toute chaude se rétracta dans celle de Nicolas, qui sentit une onde de bonheur le traverser.

— Cette nuit où on a regardé les étoiles tous les deux, les Perséides, murmura Camille. J'ai fait un vœu, j'ai demandé un nouveau cœur. Parce que j'ai toujours eu envie de vivre. Je suis sûre que ce sera un bon cœur, cette fois.

Le flic afficha un sourire de soulagement.

— J'en suis persuadé.

80

Le soleil du Nord ne faiblissait pas.

Il pointait à son zénith au milieu d'un ciel tropical, montrant que l'été n'était pas près de rendre les armes. Pour la première fois depuis des semaines, Nicolas apprécia la caresse du vent chaud sur son visage.

Tout était terminé.

La fin d'une histoire, le début d'une autre. Pas beaucoup plus facile, mais plus lumineuse sans doute.

Ces derniers jours, il s'était rongé les ongles jusqu'au sang dans les couloirs de l'hôpital de cardiologie, au CHR de Lille, attendant que Camille émerge, qu'elle le voie, qu'elle lui parle un peu.

Il en était à son sixième café et grillait une cigarette dans les jardins proches de l'entrée. Il regardait les gens passer, les voitures circuler. Ce centre hospitalier était immense. Camille lui avait expliqué qu'elle avait passé une partie de sa jeunesse entre ces barres impersonnelles, les yeux rivés à la fenêtre d'une chambre d'hôpital.

À la fois chanceuse d'être vivante, et maudite d'être malade.

Nicolas se rappelait l'anecdote qu'elle lui avait

racontée au restaurant, ce fameux soir à Valence. Cet homme, greffé avec un cœur de motard, mais qui meurt tout de même d'une rupture d'anévrisme deux ans après, s'écroulant à une pompe à essence. Comment ne pas croire au destin après une histoire pareille ? Cet individu était-il prédestiné à mourir, quoi qu'il fasse ? Et comment expliquer que Camille, aux portes de la mort, continuait à vivre grâce au cœur d'êtres qui, peut-être, étaient décédés pour elle ?

Nicolas s'arracha à ses pensées quand il vit Boris Levak sortir de l'hôpital, juste derrière lui. Le gendarme s'approcha, les mains dans les poches.

— Elle est sacrément solide, dit-il en fixant les bâtiments d'en face dans un soupir. Encore une fois, elle va se relever et poursuivre sa route.

— Je n'en doute pas une seule seconde.

— Vous ne connaissez rien d'elle, comment pouvez-vous ne pas douter ?

Nicolas ôta ses lunettes, fatigué. Boris le regarda dans les yeux.

— Vous n'auriez jamais dû l'impliquer dans vos histoires.

— Ce qui est fait est fait. Je le regrette, croyez-moi. Mais Camille suivait un chemin. Et ni vous ni moi n'aurions pu la faire dévier de sa trajectoire.

— En tout cas, moi, jamais je ne l'aurais envoyée à la mort.

— Vous n'étiez pas à ma place.

Boris chaussa ses lunettes de soleil et ajouta :

— Ne traînez pas trop dans le coin, capitaine. Parce que nos routes pourraient être amenées à se croiser ailleurs que devant cet hôpital.

Il lui tourna le dos et s'éloigna. Nicolas ne savait

plus quoi penser ni quoi faire. Entre ce Boris, les parents de Camille qu'il avait déjà rencontrés à plusieurs reprises ces derniers jours, et qui exigeaient des explications, les journées qui allaient suivre s'annonçaient très compliquées.

Quelques minutes plus tard, il aperçut deux têtes connues. Il écrasa son mégot, le jeta dans une poubelle et se précipita vers Lucie et Franck. Lui avançait avec des béquilles et elle portait un bouquet de fleurs.

— Ici ! fit-il en accourant.

Ils se saluèrent, échangèrent des accolades. Lucie lui passa une main chaleureuse dans le dos.

— Vous n'étiez pas obligés de faire toute cette route, dit Nicolas.

— On en a profité pour ramener ma mère à Lille, répliqua Lucie. C'est une increvable, mais après une semaine, les jumeaux ont eu raison d'elle. Elle est vannée.

— Elle a été extra avec Adrien et Jules, ajouta Franck.

Nicolas fixa la jambe de Sharko.

— Qu'est-ce que ça donne ?

— Une belle entorse du genou, mais je survivrai. Comment va Camille ?

— Trois jours qu'elle est en soins intensifs, la plupart du temps sous morphine. Elle commence tout juste à voir la couleur du jour. La greffe a été une totale réussite.

Sharko lui tapota sur l'épaule avec un sourire.

— C'est une excellente nouvelle.

— Oui, mais il faut rester prudent. L'intervention a été extrêmement lourde, il y a toujours ces problèmes de rejet qui peuvent survenir. Et puis, la convalescence va être longue.

— Camille est une battante, dit Lucie. Elle va s'en sortir.

— Je sais.

— Quelle histoire, quand même...

Ils s'avancèrent d'un pas traînant vers l'entrée de l'hôpital. Sharko râlait sur ses béquilles, il préférait encore changer des couches qu'avoir à marcher avec ces horreurs. Nicolas s'arrêta soudain, sortit une cigarette de son paquet, hésita, puis la remit en place.

— Qu'est-ce que tu comptes faire ? demanda Sharko.

Nicolas fourra ses mains dans ses poches.

— Prendre un peu le large. Essayer de m'occuper d'elle, même si ça ne va pas être simple...

— C'est ce Boris, c'est ça ?

— Entre autres. Et puis, j'ai peu d'espoir quant à... mon avenir au 36. Je vais avoir l'IGS et Lamordier sur le dos.

— Ne t'inquiète pas, fit Sharko. J'ai quelques relations pour outrepasser l'autorité de Lamordier. Je sais où taper pour prendre ta défense. T'es un bon flic, Nicolas. T'es allé au bout de ce en quoi tu croyais, t'es resté fidèle à tes convictions. C'est le plus important. Le reste, c'est juste... du détail technique. À ton âge, j'aurais agi exactement comme toi.

— Et puis, tu as mené cette enquête à son terme et permis le démantèlement d'un solide réseau, ajouta Lucie. Ça, personne ne pourra te l'enlever.

Le regard de Bellanger se perdit sur les grosses lettres blanches qui formaient le mot « Cardiologie », au-dessus du porche.

— Il y a un dernier truc dont je dois vous parler à ce propos. C'est au sujet de ce que m'a dit Charon avant de mourir.

Il pointa un banc.

— Assieds-toi deux secondes, Franck, on dirait que tu n'en peux plus avec tes béquilles.

Le lieutenant se laissa tomber sur le banc, posant ses appendices en aluminium entre ses jambes. Il poussa un soupir de soulagement. Lucie resta debout, Nicolas s'installa à côté de son partenaire.

— Juste avant de se tirer une balle dans la tête, Charon a d'abord parlé de la Russie... Il était au courant pour les découvertes que vous avez faites là-bas, l'année dernière. Ça n'a pourtant jamais filtré.

Lucie et Franck restèrent sans voix.

— Puis il a ajouté que Calderón et lui étaient évalués, et qu'ils n'étaient que des éléments qui essayaient de se rapprocher du « noyau », sans réellement y parvenir.

— T'as une idée de ce que ça signifie ? demanda Sharko.

— Pas vraiment. Mais c'est toi qui m'as parlé de ce qu'avait dit Loiseau à Foulon sur l'île de Ré. Cette histoire des trois cercles, et des individus qui descendraient progressivement, selon leur niveau de perversité et d'intelligence.

— Je me rappelle, oui. Foulon ne ferait partie que du troisième cercle, celui situé le plus à l'extérieur.

— Et peut-être Loiseau et Pradier aussi. Un cercle qui contiendrait une première couche d'êtres maléfiques, les plus visibles, les plus... expressifs.

— Les tueurs en série ?

— Par exemple. Des êtres qui agissent apparemment de façon indépendante les uns des autres, qu'on ne peut pas canaliser. Sauf que Loiseau et Pradier ont été canalisés. Loiseau n'était pas un exécutant avant sa rencontre avec Charon, il n'était qu'un… pervers, sans doute, mais il n'était pas passé à l'acte. Charon l'a aidé à franchir les étapes, comme il l'a fait avec Pradier. Charon et Calderón étaient à un niveau supérieur…

— Dans le deuxième cercle, donc, proposa Lucie.

— Oui. Je pense que le deuxième cercle est un espace restreint d'êtres plus intelligents, capables d'organiser le crime à plus grande échelle. De nuire à la société en profitant de ses faiblesses. De ne pas s'attaquer à des individus isolés, mais de s'engouffrer dans les failles d'un système pour en détruire les fondations. Les responsables des horreurs qui se sont passées en Russie il y a quelques mois faisaient peut-être aussi partie de ce cercle, et étaient donc connectés à Calderón, d'une façon ou d'une autre.

Une jeune femme en pyjama vint leur demander une cigarette. Nicolas lui donna le reste de son paquet. Elle le remercia et partit fumer dans un coin.

— Ce n'est pas un service que je lui rends, lâcha-t-il avec dépit.

Lucie réfléchissait à ce qu'il venait de lui raconter.

— Admettons que tu dises vrai, dit-elle. Dans ce cas, on n'en est qu'au deuxième cercle. Il y aurait encore… quelque chose d'autre ?

Il hocha la tête.

— Je n'arrête pas de penser à ce qui s'est passé en Albanie, en Espagne, en Argentine. Et même en Russie. À ces mécaniques effroyables qui se mettent en place durant une période mouvementée de l'histoire d'un pays, et qui se prolongent ensuite d'une façon différente mais tout aussi macabre. Les bébés volés, les trafics d'organes… Et puis ces responsables qui disparaissent dans la nature pour continuer leurs sombres activités ailleurs. Il y a bien quelqu'un derrière tout ça, chaque fois. Des têtes pensantes, des puissants, des observateurs, capables eux-mêmes de mettre en relation des hommes comme les deux chirurgiens argentins. Charon/Belgrano a tué Calderón avant de se donner la mort pour éviter de parler. Pour ne pas laisser de traces. Alors oui, il y a peut-être encore quelque chose de plus gros, derrière. *Quelque chose* qui erre dans les profondeurs, les abysses. Et j'ai l'impression que Charon le savait. Qu'il n'agissait que sous l'emprise d'une entité plus puissante.

Il soupira longuement.

— Il t'a dit quelque chose d'autre ? demanda Sharko. Des éléments qui pourraient nous aider à y voir plus clair ?

Nicolas se souvint des ultimes paroles de Charon et frissonna.

— Il a parlé de l'existence d'une Chambre noire, un endroit où il n'aurait pas pu accéder. Puis d'un Grand Projet. Il a dit que, lorsque l'Homme en noir se mettrait en route, on ne pourrait pas l'arrêter…

— L'Homme en noir, répéta Sharko. Foulon m'en a parlé. Puis le journaliste argentin, Gomez. Selon Foulon, cet individu serait dans le premier cercle. Il serait un peu comme… le grand organisateur.

Nicolas réfléchit à voix haute :

— Aujourd'hui, les trafics d'organes, mais demain, qu'est-ce que ça sera ? Si cet Homme en noir existe vraiment, qu'est-ce qu'il nous réserve ? Nous, les flics, on est comme des hamsters qui courent dans des roues. On s'arrête de temps en temps pour décortiquer une petite graine, on l'avale et on se remet à courir. Mais en définitive, on n'avance pas, et les petites graines semblent toujours aussi nombreuses devant nous.

Il se leva du banc et chaussa ses lunettes de soleil, qui assombrirent le paysage.

Sharko hocha le menton vers les fleurs que tenait Lucie.

— C'est sur les champs de bataille dévastés qu'éclosent les plus belles fleurs, fit le lieutenant en se levant. Il faut garder espoir en notre monde…

— C'est toi qui dis ça ?

— C'est moi, oui. Mais il m'a fallu plus de vingt-cinq ans de carrière à la Criminelle pour enfin l'admettre. L'espoir est ce qui nous fait avancer. Sans espoir, nous ne sommes rien.

Ils se remirent en marche. Tandis qu'ils disparaissaient dans le hall de l'hôpital, une lettre sans mention de l'expéditeur arrivait au 36, quai des Orfèvres, à l'attention de Nicolas Bellanger.

Un employé la posa sur son bureau, ferma la porte derrière lui et disparut.

Composition et mise en pages
Nord Compo à Villeneuve-d'Ascq

Imprimé en Espagne par
Liberdúplex
à Sant Llorenç d'Hortons (Barcelone)
en septembre 2015

POCKET – 12, avenue d'Italie – 75627 Paris cedex 13

Dépôt légal : octobre 2015
S26231/01

Édition limitée avec bonus éditoriaux

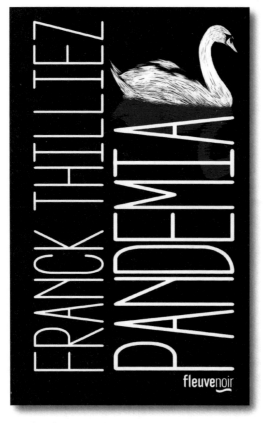

« Une épidémie de nuits blanches en perspective. »

ELLE

En librairie le 12 novembre 2015

www.fleuve-editions.fr

FRANCK THILLIEZ
[Angor]

D'où vient ce cauchemar qui la hante depuis sa greffe du cœur ? Camille, gendarme à Villeneuve-d'Ascq, voit chaque nuit une femme enfermée l'appeler au secours. Un rêve aussi réel qu'un souvenir. Elle n'a dès lors plus qu'une obsession : retrouver l'identité de son donneur.

À une centaine de kilomètres de là, Sharko et Henebelle n'ont guère le temps de pouponner leurs jumeaux : une femme, victime d'une longue séquestration, les yeux presque blancs, dépourvus d'iris, a été découverte... sous un arbre.

Et leur enquête prend un tournant plus curieux encore lorsque Franck comprend qu'à chaque nouvelle piste, il est devancé par une jeune femme, gendarme dans le Nord...

« On ne sort pas indemne d'*[Angor]* de Franck Thilliez... Un thriller palpitant. »

Le Parisien

**Tous les grands succès
de FRANCK THILLIEZ sont chez Pocket**

Thriller

ISBN 978-2-266-26231-6

@ *Disponible chez 12-21*
L'ÉDITEUR NUMÉRIQUE

Texte intégral

CATÉGORIE
10

www.pocket.fr